Анатолий Тосс

Американская история

Издательский дом
"ЭЛИОТ"
Москва, 2005

Тосс А.

Американская история: Роман / А. Тосс. – М.: Издательский дом «Элиот», 2005. – 512 с.

ISBN 5-98890-002-X

Может ли человек преодолеть себя и подняться над собой? И достичь мечты…

Что он теряет при этом, что находит, и что, в конечном итоге, перевешивает на чаше весов: приобретения или потери?

А любовь? Не является ли она сама неизбежной потерей? Ведь в конечном итоге, все когда-то подходит к концу… И как оценить то, что ты отдаешь своей любви и то, что получаешь в ответ?

Все эти, да и многие другие вопросы стоят перед главной героиней романа «Американская История». А ответы? Может быть они подойдут читателю, а может быть, лишь заставят задуматься… В любом случае, помогут разобраться в себе.

Книга представлена в новой авторской редакции.

УДК 821.161.1-31 Тосс
ББК 84(2Рос=Рус)6-44
     Т62
© Анатолий Тосс, 2002.
© ООО «Издательский дом Элиот», 2005

Вот что пишут читатели о «Американской истории» на различных интернет-форумах

Этой книге я «благодарна» двумя бессонными ночами. Оторваться было невозможно. Такого сочетания динамики и философии, лирики и логики не встречалось мне раньше.

Наталья
www.e-xecutive.ru

«Американская история», Анатолий Тосс – более мощного влияния на мою психику не оказывала ни одна книга.

Lesiks
www.lifejournal.com

Отличная книга. иногда настолько глубоко трогает твое внутреннее я, что становится страшно. Некоторые мысли абсолютно совпадают с твоими – и думаешь – надо ж было ТАК! угадать, а некоторые заставляют отложить книгу, уставиться в пространство и думать. Кайф!!!

Наталья
www.oz.by

Просто супер!!!!!!!! Ставлю не 10, а 11 баллов!

Юля
www.oz.by

Прочитав Анатолия Тосса «Американскую историю», я была некоторое время под впечатлением......вау!!!

Под прикрытием, казалось бы, сентиментального сюжета, с первой же страницы, не подозревая того, находишь кучу оригинальных, насыщенных мыслей психилогическо-философского характера. А чем дальше, тем, конечно, глубже и интересней. Всё, всё, всё есть в этой книге!

Как и всегда в хорошей книге.......я взяла и кое-что полезное для себя!

Слышала (но ещё не читала), что его другая книга «Фантазии женщины средних лет» ещё более захватывающая и абстрактная...

Виртуальная Леди
www.Rus-chat.de

Анатолий Тосс «Американская история». Просто пищу от восторга — давно не принимала книги так близко к сердцу, а тут все мысли ну совсем мои!!!

Nika
www.tenor.ru

По-моему, «Американская история» замечательный роман, написанный прекрасным языком, что сейчас большая редкость — к сюжету уже можно относится как угодно, но что это одна из ЗАПОМИНАЮЩИХСЯ книг — факт.

Кем ты останешься после того, как узнаешь, что все в твоей жизни — выстроено и спроектировано любимым человеком и где кончаются его усилия и начинаются твои силы, что ты сделал САМ, а что помогли... И вообще, это ж реальная насмешка над американской мечтой... можно сделать себя самому, но будешь ли ты после этого в ладу со своей душой и совестью?

Хорошая литература. Точка.

Dod
www.aldebaran.ru

Ах, какая книга! Читайте, девочки!

Кроме «Фантазий женщины средних лет» Анатолия Тосса, еще хороша его «Американская история», особенно стихи в конце. Но

4

их, конечно, надо читать, ТОЛЬКО закончив книгу. От всех других книг Тосса отличаются, во-первых, языком, во-вторых, простите за выражение, психологическим раскрытием образов.

Читайте-читайте. Книга очень хорошая. Объем большой, но прочитала за день. И это вовсе не женский роман...

Lapushkal
www.lifejournal.com

Читаю «Американская история» Анатолия Тосса , причем начала читать месяца три назад, но, дочитав до середины, бросила — не была готова к такому чтиву.... по прочтении нескольких книг, попробовала читать снова и теперь оторваться не могу ... Боюсь, дочитав до конца, не найти книгу такого же уровня.

Cool 70
www.forum4us.ru

Книга действительно ОЧЕНЬ НЕОРДИНАРНА и оставила глубочайшее впечатление. Хотя думаю, удивить меня непросто. После прочтения несколько дней перечитывала фрагменты, обдумывала, в т.ч. сделала новые открытия и в своей жизни. Благодаря этой книге, увидела то, что было между строк в моих отношениях с мужчинами... Если бы я стала писательницей, то хотела бы писать как Тосс...:)) Талант, ум и поразительное чутье на психологические нюансы в отношениях между людьми....Просто поражает, когда узнаю, что кто-то не в восторженном нокауте от этой книги. По моим ощущениям, это как поехать в другую страну, но внезапно ощутить себя на другой планете. Очень сильно.... Браво.

Alisa
www.oz.by

Мне уже довелось читать «Фантазии женщины средних лет» Тосса и быть в состоянии легкого шока от блестящего стиля, от ловкого сюжета и «высоких отношений».

На данный момент моя любимая книга – Американская история. Советую всем почитать, если есть возможность. Я ее перечитывала уже два раза (если учесть, что я никогда не перечитываю книги целиком!) и хочу еще через некоторое время. Потому что по прошествии некоторого времени в ней находятся такие моменты, на которые я раньше не обращала внимания.

Анатолий Тосс. Живёт где-то в Америках. Написал два романа, оба на русском – «Фантазии женщины средних лет» и «Американская история». Оба о женщинах, что характерно. Он показался мне в чем-то очень близким, по строению мысли, что ли, по психологическим задачам.

Читаю книгу «Американская история» Анатолия Тосса! Книга супер! Советую прочитать всем, кто хотел бы понять мировоззрение современной девушки!

«Американская история» – сейчас читаю эту книгу....в главной героине вижу себя... я без ума от этой книги!!!!

Похоже, что А.Тосс стал моим любимым писателем! Первый раз прочитала «Американскую Историю» два года назад и с тех пор перечитывала несколько раз фрагментами и целиком! Неверо-

ятно, как Тосс заставляет задумываться над простыми вещами, посмотреть под другим углом!

Недавно прочитала «Фантазии...», сначала показалось, что он повторяется, но в скором времени убедилась, что все не так просто! Тоже суперкнига!

Всем своим знакомым советую!

Nastya
www.oz.by

Анатолий Тосс, «Фантазии женщины средних лет» и его же – «Американская история». Вещи очень сильные... безусловно талантливые. Я прочитала обе книги (а они весьма толстые, 500 страниц каждая) за три дня. На, можно сказать, одном дыхании. Ну, может, слегка запыхивалась на пространных сексуальных описаниях поначалу. Пыталась их пропустить. Потом как-то втянулась и поняла, что без них тут – никак.

Alisa
www.cooking.ru

Ребята, я просто в восторге!!! «Американская история», особенно рекомендую девушкам.

Б@бочка
www.sarow.ru

Согласна. Читала года полтора назад и до сих пор всем рассказываю, что сына назову Марком (это имя главного героя книги). Слог в книге очень приятный, сюжет, пусть не очень динамичный, но захватывающий. Да и хэппи-энд такой...своеобразный. Вообще взрослая книга. Хотя бы с точки зрения психологии между полами.

Кстати, у Тосса есть еще «Фантазии женщины средних лет», мои девочки читали и все в восторге.

SvinenoK
www.sarow.ru

Представьте себе, сижу на работе, льет дождь и это совершенно соответствует настроению, созданному Анатолием Тоссом в «Американской Истории»... Не думала, что я такая впечатлительная и что меня так легко можно выбить из моего привычного сумасшедшего ритма.

Единственное, что хочется сейчас, после запоем прочитанной книги, это найти этого первопроходца , посмотреть ему в глаза и спросить: если жить без смысла, без цели, может быть, это и не жизнь вовсе? И что делать с найденным с таким трудом смыслом, с уверенностью, что я свое место уже, похоже, нашла... Что делать, если эта уверенность так легко рассыпается под тяжестью аргументов Марка и самого Анатолия?

Ольга
www.litwomen.ru

Последняя книга, которую я читал, это А. Тосс «Американская история» – признана лучшей книгой года в США. Скажу откровенно – не напрасно.

Prime
www.forumy.ru

Отличная книга. Заставляет думать, соглашаться во многом с автором. Иногда хочется взять карандаш и подчеркнуть, с одной стороны глубокие, с другой – вполне понятные мысли. Но ведь как преподнесены! Взять бы ее за руководство к достижению целей в жизни...

Ольга
www.oz.by

Я книгу оцениваю на 5! После прочтения каждой главы хочется анализировать прочитанное, и скорее читать дальше. Согласитесь, редко можно найти книгу.

Eva
www.aldebaran.ru

Представляете, мне недавно книгу дали почитать, так просто, сказали, что там про меня написано, ну я и взяла, а называется она «Американская история», написал Анатолий Тосс. Так вот, я то думала там чушь какая-нибудь, тем более книгу дала женщина уже не молодая. А читать начала и увлеклась, просто настолько интересный сюжет, что даже я прочитала на одном дыхании.

Так вот – это все я к чему, там рассказывается об отношениях (любви), что даже я в любовь поверила. Но в конце они расстаются, я даже расстроилась, чуть не расплакалась.

Но все равно любовь – это прекрасно.

Noemi
Ввв.форумы саратова

«Американская история» – самое удивительное произведение нашего автора, которое я прочитала за последнее время.

Я очень рада, что взяла прочитать этот роман. С одной стороны так просто написан, очень интересный и захватывающий сюжет, с другой стороны есть безумно глубокие мысли. Я давно не встречала книги, которая настолько бы отражала мои внутренние ощущения. Эта книга стоит того, чтобы ее прочитали! Советую всем от чистого сердца!!!

Мария
www.moscowbooks.ru

От редакции: цитаты приведены дословно из интернет-форумов с редкой стилистической правкой там, где она была необходима.

Посвящается маме

ГЛАВА ПЕРВАЯ

Последнее время я заметила за собой некую странность — у меня появилась потребность быть одной, хотя бы иногда, хотя бы недолго. Я попыталась разобраться, почему она возникла, и решила, что, может быть, желание одиночества, во всяком случае временного, отчетливее проступает с возрастом. А может быть, все проще — я слишком много на виду, слишком много людей вокруг меня, и это утомляет, и я устаю, и мне надо вернуться к самой себе, чтобы собраться и заново оценить, что важно и почему, чтобы снова продолжить именно с этой постоянно меняющейся точки отсчета. И потому, наверное, что расписание мое забито встречами, телефонными разговорами, коллегами, пациентами и другими очень важными людьми и делами, да, поэтому, наверное, единственное место, куда я могу от всего ускользнуть, это ванная комната.

Ведь действительно странно, что именно ванная и есть самая изолированная часть любого жилого помещения, изолированная от взгляда, от звука, от всего, что и определяет подслушивающий, и подглядывающий за тобой, и, в любом случае, отвлекающий внешний мир. Даже вода из крана, кажется, для того и предназначена, чтобы растворить в ритмике своего шуршащего напора упрямо прокравшиеся извне звуки.

Сначала мой взгляд ловит блестящую поверхность зеркала и останавливается на себе, а потом поглощает и все остальное лицо, к которому я за столько лет все еще не привыкла, которое все еще вызывает мое удивление, но которое, я уже уговорила себя в этом, и есть *Я*.

Неужели, думаю я, надувая левую щеку, чтобы рассмотреть вот такую ее новую форму, а на самом деле сгладить морщину у носа, неужели это отражение и есть я. Неужели это немножко удивленное выражение, как бы слегка смеющийся взгляд, эта едва заметная горбинка на носу и чуть-чуть припухшая нижняя губа и определяют *меня* в представлении других. И почему, если это так, они никак не связаны со *мной* в моем сознании.

Не странно ли, что посторонние ассоциируют меня именно с этим изображением в зеркале и даже относятся ко мне лучше или хуже, в зависимости от того, нравится оно им или нет. Тогда как для меня оно, в общем-то, не очень знакомое, а иногда даже чужое и уж точно никак не ассоциируется со *мной*. Ведь это парадокс: я вижу свое лицо, которое как бы и есть *Я*, значительно реже, чем многие другие люди, только в зеркале, чаще по утрам, да и то когда хватает времени, а это значит, что те, другие, знают и разбираются в деталях *меня* лучше, чем я сама.

Но я-то знаю, что я не связана с этим лицом, не упрощена до его примитивной трехмерной формации, — как ему, бедолаге, выразить *меня* своим ограниченным набором мимических средств, когда даже мое, куда более сложное сознание не берется за такую обременительную работу.

Ну, это ты уж загнула, обрываю я себя, причем здесь сознание? И вообще, зачем так сложно, с собой не мешает быть попроще. Перед кем выпендриваешься? Рядом-то никого нет. Да, вздыхаю я, как бы оправдываясь, вот что привычка вытворяет с человеком. Даже поболтать со своим отражением по душам не удается — все равно как будто лекцию читаю. Какая-то ты, подруга, поучительная вся стала.

Впрочем, взгляд не отвлекается на словесное кокетство, а продолжает методично внедряться в черты лица. Может быть, снова думаю я, мое лицо такое чужое для меня, потому что оно всего-навсего персональный инструмент, устройство, изнутри которого я наблюдаю за миром. Вот и получается, что мне ни к чему видеть его со стороны, главное — умело пользоваться.

Я смотрю на себя внимательно, скорее с любопытством, как будто пытаюсь найти что-то, о чем еще не знаю. Неужели, думаю я, мне скоро тридцать пять? Странно, я не чувствую себя даже тридцатилетней, так, может быть, лет на двадцать семь, двадцать восемь потяну, но не больше. Почему-то я по-прежнему ощущаю себя совсем девчонкой, и мне приходится постоянно контролировать себя, чтобы не выдать и так не очень прячущуюся несолидность: не засмеяться уж очень громко или не сморозить что-нибудь совсем легковесное в разговоре. Я должна постоянно заставлять себя выглядеть и звучать солидной, хотя, конечно, не такой уж совсем занудливо солидной, как все остальные. Но это уже персональное мое, стиль.

Ан нет, я вглядываюсь в себя внимательнее, все-то ты хорохоришься, а посмотри, вот новая морщинка под глазом, и кожа на лбу не такая уж гладкая, и вот здесь на шее тоже что-то пытается оттопыриться, и хотя пока незаметно еще, только при ближайшем рассмотрении, но все же. Интересно, что сказал бы Марк, если бы мы увиделись, вернее не сказал, а подумал, но я все равно бы, конечно, различила.

Ладно, я теперь начинаю утешать саму себя, подумаешь, тридцать пять, ему самому было столько же, когда мы познакомились четырнадцать лет назад. Четырнадцать лет — ведь это немало, снова удивляюсь я, и удивляюсь искренне, потому что не могу, как абстрактную бесконечность, вместить этот временной промежуток в свое ограниченное понимание.

Марк. Почему, стоит мне подумать о нем, мое настроение меняется — я грустнею. Почему, когда я думаю о нем, когда закрываю глаза или просто расслабляю взгляд и слышу его голос, спокойный и даже иногда холодный, какая-то нелепая пружинка начинает закручиваться глубоко внутри меня, где-то там, где начинается дыхание, и я чувствую растерянность.

— Я, конечно, все еще люблю его, — говорю я вслух, чтобы слова попали в самые мои зрачки.

Наверное, я люблю его совсем не так, как раньше, когда мы были вместе. После всего того, что произошло, я не могла не измениться, как и не могло не измениться мое к нему отношение. Тот почти мистический образ, почти беспрекословно святой и в то же время родной и домашний, который он создал в моем сознании, рассыпался, превратился в труху, в пыль.

Конечно же, я не могу чувствовать и думать о нем так, как я чувствовала и думала тогда. Конечно, любовь моя изменилась. Стала ли она сильнее от утраты или слабее от злой памяти и прошедшего времени? Не знаю, не думаю.

Любовь ведь не ручка шкалы изменения громкости на приемнике: двинешь вправо — звук становится громче, налево — звук становится слабее. Нет, любовь не изменяется ни по горизонтали, ни по вертикали. Изменяясь, она переходит в другую плоскость.

Не помню, кто именно сказал известное: «от любви до ненависти один шаг», а Наполеон, это-то я знаю точно, добавил: «как от великого до смешного». Но что, если этот шаг выродился в точку, в мгновение, в биение сердечной мышцы?

Что, если любовь и ненависть, великое и смешное, божественное и низменное — все слилось воедино и, слившись, бесконтрольно перемешалось друг с другом? Да, я люблю его, повторяю я, и зрачок мой в зеркале привычно сужается до размера игольного ушка. Но я и ненавижу его. Да, пусть так, я по-прежнему боготворю его, но также и презираю. Я знаю, я обязана ему всем, чего добилась, знаю, что он жертвовал временем, не просто временем — годами, своим творчеством, энергией, своей душой, в конце концов. И я неизменно буду благодарна ему за это.

Но в то же время, когда я говорю себе, что стояло за этими жертвами, когда я понимаю, что каждый шаг, каждая фраза, каждый взгляд его были направлены только на то, чтобы привести его к цели, цели, продуманной и просчитанной с самого начала, моя наивная благодарность растворяется в беспомощном и оттого еще более яростном презрении.

Хотя, спрашиваю я себя, была ли его любовь, его чувства ко мне, были ли они так же фальшивы и расчетливы и так же заранее просчитаны, как и конечная цель? Нет, отвечаю я себе. Я думаю, что нет, я знаю, что нет. Я верила в это тогда, и, самое смешное, продолжаю верить сейчас. Это-то все и запутывает окончательно.

Впрочем, почему бы и нет, почему бы моим чувствам не быть такими же запутанными и противоречивыми, как и сам Марк? Не являются ли чувства, испытываемые к человеку, пусть субъективным, но отражением этого человека? Я представляю головоломку, мозаику, состоящую из тысяч деревянных раскрашенных кусочков, каждый неправильной формы, из которых, если их верно сложить, получается цельная картинка. Так и он сам, так и мои чувства к нему. Только, поди, сложи эти разноцветные кусочки.

ГЛАВА ВТОРАЯ

Записки мои не об этом и потому лишь упомяну: я уехала из России в возрасте девятнадцати лет. К тому моменту, как я познакомилась с Марком, я жила в Бостоне уже два года, одна, без родителей, так как они решили остаться в Москве. Я встретила Марка на вечеринке, куда меня пригласили мои

15

студенческие друзья и где собрался разношерстный народ, в основном незнакомый друг другу.

Я позвала с собой Катьку, свою еще московскую подружку, с которой мы однажды встретились случайно в Бостоне и, узнав друг друга, притянулись и стали близки, подпитывая дружбу общим прошлым и, главное, общим настоящим. По московской привычке, я звала ее не Катя, а Катька, так же, как и она звала меня Маринка вместо Марина, и эта фамильярность, кажущаяся естественной для нас обеих, но непозволительная ни для кого другого, дополнительно подчеркивала нашу близость.

Катька была восхитительно рыжей и я бы даже не сказала высокой, а скорее величественной, более того, роскошной, с крупными формами, отточенными чертами лица и завораживающими глазами, полными переливающейся лазурной прохлады. Не то чтобы она совсем не была зациклена на своей красоте, о которой ей не давали забывать ни разрывающийся от звонков телефон, ни взгляды мужчин на улице, но относилась к ней скорее спокойно и как бы даже философски, типа: «Ну что ж теперь, если уродилась такой?»

Вообще, любой человек, одаренный от Бога талантом, — а природная красота это тот же талант, как, скажем, красивый голос или абсолютный слух, — пусть даже не желая того, пусть подсознательно, но талант свой пестует, пытается выставить наружу, как любой нормальный человек хочет продемонстрировать свою самую сильную сторону. При этом, как правило, делая упор на выдающемся качестве, постоянно культивируя его в себе, зачастую талантливый человек приносит в жертву другие свои качества, не обращая на них должного внимания, запуская и, более того, часто эксплуатируя их ради того единственного большого, на которое он сделал ставку. И это обидно, потому что гармония отступает под напором однобокости, и человек подсознательно зацикливается на своей так бережно взлелеянной способности.

Так же и с красотой, даже не так же, а хуже. Потому что она больше зависит от времени и быстротечнее любого другого человеческого свойства. К тому же она постоянно на виду, ее не спрячешь за фасад ни новой профессии, ни увлечения, и оттого не можем мы простить ее потерю тем, кто когда-то был ею награжден. Именно поэтому, наверное, так философски печально нам встречать людей, не удержавших ее, — мол, вот что делает с человеком жизнь.

Но Катька, будучи в целом небезучастной к своей красоте, подходила к ней как бы снисходительно, свысока, не позволяя той доминировать над собой. Этот ее постоянный ироничный подход, как к себе, так, впрочем, и ко всем другим, граничащий иногда с чисто московским цинизмом, и был тем ностальгическим магнитом, который, помимо прочего, притягивал меня к ней.

В Москве она училась в университете на юридическом, но здесь идея профессиональной карьеры представилась ей уморительной, и она небезосновательно, хотя чисто интуитивно, определяла и готовила себя для другого, не уточняя, впрочем, для чего; во всяком случае, вслух.

Мы сидели с Катькой, глубоко откинувшись на спинку дивана, и злословили, по-русски, конечно, обо всех присутствующих — обо всех без исключения — и, наконец, дошли до Марка, и, наверное, тогда в первый раз мой взгляд пристально остановился на нем.

Он отличался какой-то расслабленной небрежностью в позе, и, казалось, эта небрежность незаметно переходила на весь его облик, даже на одежду. Но небрежность эта, я сразу поняла, была умышленная, заготовленная, потому что одежда, которая была на нем, стоила недешево и шла ему. Длинные, волнисто-вьющиеся волосы также выделяли его среди коротко подстриженных аккуратных ребят.

Потом я часто говорила себе, что влюбилась в него именно в тот момент, когда увидела в первый раз, хотя если честно, то, наверное, это было не так. Тем не менее я, безусловно, обратила на него внимание. Он отличался от всех других очень похожих мальчиков именно тем, что не был похож на них. Во-первых, он выглядел явно старше остальных, я бы ему дала лет тридцать, хотя, как я потом узнала, он был старше. Разница даже в шесть-семь лет в этом возрасте существенная, хотя и приковывала к нему взгляд, но в целом говорила не в его пользу, так как мужчины постарше, как, впрочем, и женщины, на вечеринках более молодых всегда выглядят подозрительно.

Катька незаметно повела ногой, боднув меня коленкой, и, не боясь быть понятой, взглядом определив Марка как предмет своей мысли, сказала вслух то, что мне говорить не хотелось:

— Посмотри на этого, на красавчика загадочного. Чего это он тут делает, как не девок снимает. Эх, — добавила она, — может, и мне повезет.

Собственно, может быть, это предположение и явилось причиной, почему я, ну и конечно, Катька тоже, обратили на него внимание, — чтобы не пропустить момента, когда он приступит к активным и со стороны всегда развлекательным действиям. Впрочем, надо сказать, что через какое-то время мы утомились в ожидании, так как если он и находился здесь, чтобы «снимать девок», то делал это крайне нерешительно: за весь вечер он, кажется, не проронил ни слова, стоял прислонившись к стене, с бутылкой пива в руках, и участвовал в разговорах только разве что немного застенчивой улыбкой.

Я знаю, я не могу сейчас объективно оценить его внешность, по той простой причине, что, любя так долго, я стала искренне считать его, и продолжаю в это верить и сейчас, очень привлекательным, если не просто красивым, хотя, конечно, не той манекенной красотой мальчиков из рекламы мужского одеколона. Но, повторяю, я не судья.

Ведь все дело в отношении, ведь одни и те же черты и, даже более того, одни и те же привычки и поступки могут либо нравиться, вызывать умиление и даже восторг, если любишь человека, совершающего их, и, наоборот, оставлять безразличной и даже досаждать, вызывать раздражение, если ты к человеку безразлична.

Например, я помню: когда Марк болел, и лежал потный, небритый, постоянно сморкающийся, и разбрасывал вокруг себя бумажные трупики использованных носовых салфеток, я с удовольствием, требующим психоанализа, подбирала их, и с неведомым мне прежде самозабвением ухаживала за ним, и особенно любила подойти, и наклониться, и потрогать губами его лоб. Я испытывала при этом почти материнское умиление, и весь он сам казался таким родным, домашним, милым в своей неестественной детской беззащитности. Но оттого, что это был не ребенок, а большой, и обычно сильный, и часто подавляющий, и иногда очень взрослый Марк, мое временное физическое превосходство только добавляло к моей нежности нечеткий, но волнующий привкус несколько распущенной изощренности.

Хотя, с другой стороны, если бы на месте Марка лежало какое-нибудь другое больное тело, с воспаленными глазами, поросшее щетиной, я, конечно же, испытывала бы естественное чувство сострадания, но необходимость постоянно ходить за этим телом и подбирать насквозь сопливые салфетки вряд ли вызывала бы у меня чувство умиления, а скорее злобное непонимание: ну почему свои сопли, хоть и прилипшие к бумаге, надо разбрасывать где попало?

К дивану, на котором мы сидели, подошли двое ребят, оба опрятно одетые, аккуратно причесанные, даже на расстоянии источающие бодрящий запах мужской молодежной парфюмерии. Сразу было видно, что эти серьезные англоязычные юноши пришли на вечеринку в надежде с кем-то познакомиться, в смысле с нами, с девушками, и вот сейчас в качестве цели определили Катьку и меня. Они стояли какое-то время рядом, беседуя друг с другом, бросая на нас короткие оценивающие, впрочем, весьма не холодные взоры, не решив еще, видимо, какой именно первой фразой завязать с нами далекоидущий разговор.

Я, хотя непонятно почему, но тоже вдруг заволновалась, ощущая сосущее напряжение, которое, наверное, испытывает животное, чувствуя себя выслеженным начинающейся охотой. И ощущение опасности, и боязнь быть пойманной, и странное, почти эротическое возбуждение от погони — все вдруг разом сливается в этом напряженном волнении. В конце концов один из ребят неизощренно полюбопытствовал:

— Извините, девчонки, вы на каком языке говорите?

— На русском, — без тени кокетства, так что безразличие и меланхолия полностью смешались в интонации, ответила моя подружка.

— А почему не на английском? — попытался развернуть разговор настойчивый ухажер.

— А мы о вас говорим, — игриво перехватила я ниточку безвкусного обмена фразами. Впрочем, особенно игриво не получилось.

Тем не менее ребята сразу оживились, будто прозвучал трубный сигнал «в атаку».

— Значит, сплетничаете, — подхватил другой парень.

— Так точно, — я склонила голову набок, заговорщицки улыбнулась и подняла брови, как то животное, на которое идет охота, когда оно вдруг неожиданно останавливается, и замирает на мгновение, и пристально смотрит на своих преследователей, как бы говоря удивленно: «Так вот кто охотится за мной».

— Смотри, Стив, как девчонки здорово устроились, сами отлично понимают всех вокруг, тогда как их разговор нам с тобой абсолютно недоступен. Получается, что у них перед нами очевидное преимущество, — сказал один из ребят.

Я согласно улыбнулась этому, в общем-то, правильному замечанию и сказала примирительно:

— Нам никакого преимущества не надо, мы не конкурируем здесь ни с кем. Хотя, конечно, это и есть настоящее уединение. Именно так я понимаю уединение, — и, посмотрев на ребят и заметив, что они не очень врубились, о чем это я, добавила снисходительно: — Я понимаю настоящее уединение как возможность быть, при желании, непонимаемой там, где ты понимаешь все и всех.

Один из ребят улыбнулся и сказал деланно завистливым тоном:

— Вот бы нам так, — и, становясь более серьезным, добавил: — А сложно выучить иностранный язык с нуля и до нормального уровня?

— А его нет, нормального уровня, — возразила я и увидела, что они опять не поняли. — Видишь ли, язык — это бесконечность, это как Вселенная, поднимаешься на один уровень, а над тобой еще один, переходишь на него, а над тобой новые уровни. И как бы высоко ты ни поднялся, над тобой по-прежнему бесконечность.

Катька все это время сидела молча, справедливо полагая, что объяснять что-то этим мальчикам совершенно необязательно, и с величественным равнодушием рассматривала то бокал с вином, который держала, то свои удлиненные холеные ногти, лениво бросая взгляды, ни на кого конкретно, а так, на окружение, но я-то знала, что несколько изящных колкостей уже приготовлены ею и для наших простоватых ухажеров, и для меня самой. Эта Катькина расслабленная поза сразу отрезвила меня, и я поняла, что говорю слишком серьезно в обществе, где никто к серьезности не готов, и, поняв это, широко заулыбалась, завертела головой, легонько захлопала в ладоши, как бы призывая к вниманию, и громко затараторила:

— Хотите, расскажу смешную историю, как раз про язык, в смысле языковую, ну, как раз про то, о чем мы говорили? — и обвела взглядом комнату, ожидая поддержки.

Поддержка последовала — от кого кивком головы, от кого взглядом, а от Марка — все та же улыбка, только, может быть, более внимательная.

— Значит, так, — выпендрежно начала я, — история длинная, займет время, и пусть никто, пожалуйста, меня не перебивает, а то я запутаюсь. Так вот, — я набрала побольше воздуха, — у меня есть приятель Лио, это по-новому, а раньше Лёней звался. Ты, Катя, его, наверное, знаешь, он когда-то, скажем так, ухаживал за мной и... — я выдержала кокетливую паузу, — как-то зазвал меня в казино, в Коннектикут. Значит, приехали мы туда, вошли в зал и обалдели. Я первый раз очутилась в казино, и Лио, как потом выяснилось, тоже. Ну, вы знаете, казино есть казино, куча всяких автоматов, всякие крупье во фраках с бабочками карты перемешивают, и народ с безумными от возбуждения глазами ходит от стола к столу, костяшками перестукивает.

Приятель мой, человек осторожный, рассудительный, денег на пустое занятие это выделил весьма ограниченно, но недостаток свой куркулевский с лихвой компенсировал горячим стремлением непременно их все просадить.

Сделали мы с ним кружок по немаленькому залу, и говорит он мне, что, мол, не понимает он ни хрена во всех этих автоматах и прочих рулетках, а знает он одну лишь старинную русскую игру «очко», которая, как выяснилось, пустила также корни и на казиношном Западе. Единственное, говорит мне Лио, надо бы мне правила в подробностях выяснить, а то, глядишь, не совпадут они с теми, знакомыми с детства, и пропадут все мои ограниченные средства понапрасну.

Посмотрели мы с Лио вокруг и видим, стоит невдалеке сотрудник ихний, казиношный, как и полагается, во фраке и бабочке, сам узенький такой, элегантный, холеный. Лио, будучи парнем, наоборот, широким и в плечах, и, вообще, с киевской, Киев — это город такой на Украине, — пояснила я не осведомленному в географии собранию, — с киевской уверенностью решительно направляется к нему и, как я слышу, интересуется на самом что ни на есть английском языке, правда с примесью украинского гэканья, в чем, собственно, правила этой вот карточной игры. Чувак же элегантный мало того что во фраке, так еще и отвечает, к полному неудовольствию Лио, хоть и с вежливой улыбкой, но с плохо Лио разбираемым британским акцентом.

Не знаю, зачем им потребовалось его из самой Британии выписывать, своих шулеров, что ли, в Америке не хватает. Ну, Бог с ним. Так, значит, стоят они оба, один с киевским, другой с йоркширским акцентами, и видно мне со стороны — не вполне они понимают друг друга, акценты мешают.

Но, повторяю, Лио парень настойчивый, я в этом потом сама убедилась, и позорного незнания приднепровских английских диалектов чуваку британскому не спускает, а все спрашивает: «А сколько у вас здесь кинг стоит?» — что означает: «Сколько очков за короля дается?»; «А сколько у вас здесь квин стоит?» — что означает: «Сколько очков за королеву?» Не думаю я, что фраза: «Сколько у вас здесь кинг стоит?» — является наиболее для казино грамотной, но понять Лио я лично запросто в состоянии: не знал он, как вопрос свой нехитросложный по-другому выразить на не совсем еще поддающемся языке, а потому избрал простейшую магазинно-покупательскую форму.

Тем не менее ответы свои он получает, и, понимаю я, начинает у них двоих контакт налаживаться. Но тут вдруг чувст-

23

вую, что глаза мои непроизвольно расширяются, безумная улыбка начинает блуждать по отрешенному лицу, и боюсь я слово вымолвить, чтобы не спугнуть самого моего, может быть, счастливого за долгое время момента.

Потому что слышу я, как Лио, пытаясь спросить чувака: «А сколько у вас здесь туз стоит?» — вместо загадочного английского слова «эйс», означающего туз, употребляет куда более обиходное слово «эс», означающее, как мы все знаем, «задница». И понимаю я, что перепутал Лио эти два слова не по злому умыслу, а по той простой причине, что сложно различить такую, на самом деле, едва уловимую разницу уху, привыкшему к однозначному украинскому говору. И не то чтобы Лио не знал значение слова «эс», то есть «задница», но где-то слышал он раньше, что называли туза вроде бы как «эс», и даже подумал тогда с удивлением: не чудной ли этот английский язык, в котором слова «задница» и «туз» произносятся одинаково.

И вот спрашивает Лио узкоплечего и прочее чувака в бабочке: «А сколько здесь у вас стоит задница?» — искренне полагая при этом, что спрашивает: «А сколько здесь у вас стоит туз?»

Лицо у чувака в бабочке не то чтобы вытягивается, а, скорее, принимает форму сдавленного по бокам овала, и не понимаю я пока, то ли это от невыносимой обиды, то ли от еще не осознанной радости, и он, не веря услышанному, уточняет: «Простите, что вы сказали?» Лио, подвоха никакого не чувствуя, без тени сомнения в голосе вбивает непонятливому чуваку, что интересует его самый что ни на есть естественный для казино вопрос: «Сколько здесь у вас задница стоит?»

Смотрю я и вижу, что чувак вконец оторопел и, как становится мне ясно теперь, готов согласиться забесплатно — непривычно ему еще за это мзду взимать. Единственное, что, по-видимому, смущает его, это бескомпромиссный напор Лио. «Простите?» — повторяет он, притворяясь, что не понял.

Лио, надо сказать, эта ситуация стала порядком раздражать. Отсутствие сотрудничества со стороны обслуживающего персонала не соответствовало его представлению о достоинствах общества свободного предпринимательства. Поэтому, уже с недовольными нотками избалованного клиента в голосе, Лио еще более напористо повторят: «Ну чего непонятно-то? Сколько задница стоит?»

Я, надо сказать, к этому моменту уже опустилась на корточки, не доверяя постепенно слабеющим и мелко трясущимся от беззвучного хохота коленкам.

Британский чувак, казалось, только и ждал этого последнего подтверждения своих, как я теперь уже точно поняла, самых что ни на есть счастливых догадок и вдруг, совершенно неожиданно для Лио и с более дружелюбной, чем официальная, улыбкой, представился: «Джон». Это явно сбило Лио с толку, но, решив не быть примитивно невежливым, он протянул руку и буркнул: «Лио».

Чувак схватил его руку и, не выпуская ее, что-то затараторил со своим, еще более усилившимся от неожиданного волнения, британским акцентом, из чего Лио только и смог уловить, что для решения этого деликатного вопроса чувак приглашает его в свой кабинет на втором этаже.

Не в силах сразу охватить вдруг изменившуюся ситуацию и подсознательно вздрогнув от слова «пройдемте», сказанного хоть и на английском, но всколыхнувшего не самые приятные воспоминания, Лио разом изменившимся неуверенным голосом произнес: «Куда пройдемте?»

— Ну как, — сказал Джон, все еще поглаживая широкую ладонь Лио с подступающим к запястью медвежьим волосяным покрытием, — ко мне в кабинет, — и он немного заискивающе улыбнулся, как бы намекая, что вот прямо здесь мы ведь не можем, люди кругом и неудобно как-то перед людьми. Но Лио — парень не то чтобы подозрительный, а, скажем, осторожный, и он не пойдет ни с кем никуда, пока не поймет совершенно ясно, для чего и зачем. И поэтому он задает понежневшему чуваку вполне естественный, хотя и немного растерянный вопрос: «А чем там лучше, чем здесь?»

В глазах чувака я, с трудом отползшая к ближайшему игральному автомату и подперевшая себя им, поскольку крайне нуждалась уже в стабильной опоре, прочитала смесь ужаса и радости неизведанного.

Не зная, на что решиться, и, по-видимому, решив узнать чуть больше о своем предстоящем партнере, он вдруг осмелился на совсем интимный вопрос: «Простите, — сказал он, — я слышу в вашей речи акцент, но не могу его идентифицировать. Если не секрет, вы откуда родом?» — «Я? — нерешительно переспросил Лио и, подумав, вдруг с неожиданной решимостью ответил: — С Украины». — «С Украины...» — почти в беспамятстве повторил чувак, и сдавленный стон радостного возбуждения сорвался с его влажных уст.

Мне следует пояснить вам, почему тон Лио вдруг претерпел неожиданную метаморфозу. Дело в том, что для Лио все разом стало понятно — и почему чувак представился ему, и почему он предложил пройти к себе в кабинет, а главное, почему чувак осведомился о его, Лио, стране происхождения.

Прочитав маленькую табличку на нагрудном кармане Джона, говорящую о высокой Джоновой менеджерской позиции, Лио вдруг понял, что чувак, проявив свои недюжинные психологические способности и распознав в Лио именно то, что так долго никто распознать не мог, хочет предложить Лио помочь казиношной компании распространить свой казиношный бизнес на украинские города и веси.

И оказалось, что не против уже Лио пройти в комнату на втором этаже, так как знает он, по старой фарцовской закалке, что серьезные деловые предложения не решаются на глазах у публики под трескотню игральных автоматов.

«Ну чего, пошли, — говорит Лио чуваку и, обернувшись ко мне и увидев меня сидящей на корточках с изможденным от счастья лицом, интересуется: — Марин, ты чего? С тобой все в порядке?»

Джон, увидев меня в более чем странной позе и определив во мне особь конкурирующего пола, сразу оценить изменившуюся ситуацию не сумел и, отпустив руку Лио, начал водить руками то в мою сторону, то в его, а потом почти беззвучно прошептал: «И она тоже?» Лио же, интерпретировав его жестикуляцию как имитацию движения раздачи карт, сказал, благородно заступаясь за меня: «А чего? А чем она хуже?»

Вечный вопрос: откуда что берется? Ну спрашивается, откуда, из какого такого неведомого резерва взялись у меня силы хоть со слезами, хоть и дрожащим голосом, но выдохнуть: «А чем я хуже? Моя эс стоит здесь столько же, сколько и твоя эс. И вообще, я тоже с Украины. Да, Лио?» «Да», — по-партнерски подтвердил Лио, считая, что я изменила место своего бывшего проживания, чтобы поучаствовать в раздаче казиношных украинских прибылей.

«С Украины... — как загипнотизированный, повторил чувак, и видно было, что последняя капля рассудка отступила под напором его смешанных чувств. — Пойдемте все вместе, — выдавил он из себя и добавил, начиная тяжело дышать: — Ко мне на второй этаж».

«Пойдем, Марин, — деловито сказал Лио, но тут игральный аппарат, поддерживавший меня, куда-то мотнулся, и я упала набок, подхватив руками живот, суча ногами так, что у меня слетела туфля, и так долго сдерживаемый яростный, сумасшедший хохот перекрыл доминирующее до этого цикадное щелканье игровых автоматов.

Тут сбежалась толпа, Джон в ней затерялся, вызвали медперсонал, мне давали что-то нюхать, а потом вывели на улицу, якобы дать отдышаться, а на самом деле, чтобы я своей разнузданностью не отвлекала клиентов от незаметного, постепенного процесса расставания с деньгами.

Лио на мою сумасшедшую выходку страшно обиделся, будучи уверенным, что я послужила преградой к его возвращению в Житомир и прочие районные центры в завидной роли графа Монте-Кристо, и, по-видимому, из-за этой нелепой обиды ничего из нашей зарождавшейся дружбы так и не получилось. Хотя мне обидно, что не знает он, от чего я его уберегла. Много, что ли, мне надо, достаточно было бы простой человеческой благодарности.

Я выдохнула, обвела взглядом комнату, давая понять, что закончила. Во время моего рассказа присутствующие, особенно женской принадлежности, хотя смущенно, но нередко похихикивали, а порой мне даже приходилось выдерживать паузу, чтобы басовитый хохоток не заглушил части повествования. В общем, я оценила реакцию на рассказ как ободряющую и почувствовала себя реабилитированной за свою начальную несдержанную серьезность.

Надо сказать, что история эта была домашней заготовкой, рассказывала я ее попеременно разным людям раз шесть-семь, постоянно что-то изменяя, добавляя, подбирая новые слова и интонации. Такое обкатывание не прошло впустую, и в целом я выдала ее на одном дыхании, с несущественными запинаниями и заминками. Народ в комнате все еще посмеивался, и тот парень, что заговорил первым, подошел и сказал тоном ценителя:

— Тебе бы юмористом быть.

Стараясь сдержать вызванное длинным монологом возбуждение, я подняла глаза и скромно, даже смущенно, спросила:

— Так тебе понравилось?

— Конечно, — ответил он и хотел продолжить, но кто-то из глубины комнаты перебил его:

— Марина, а эта история действительно происходила?

О, как я ждала этого вопроса!

— Конечно, нет, — я смущенно опустила глаза. — Я придумала ее, — и, как бы сомневаясь, продолжать ли, все же добавила: — Только что.

Эта невинная ложь тоже была частью истории.

— Так значит, ты импровизировала? — последовал удивленный вопрос.

— А разве вы не заметили? — засмеялась я от удовольствия.

Теперь номер был выполнен до конца, и я могла расслабиться.

Тот парень, что заговорил первый, подсел на диван рядом со мной и представился:

— Меня зовут Стив, а тебя, как я понял, Марина.

Голос его утратил наглаовато-пижонский тон уверенного охотника.

Весь оставшийся вечер мы просидели болтая — я, Катька, Стив и его приятель. Порой я пробегала взглядом по комнате и каждый раз невольно, на долю секунды, останавливалась на Марке. Он все так же стоял, прислонившись к стенке, с неизменной бутылкой пива, и только взгляд его не блуждал, как прежде, а был устремлен в одну точку, и задумчивые глаза, я вдруг заметила, став темно-серыми, придали особую выразительность его лицу.

Только лишь однажды я поймала его взгляд, но тут же мои глаза метнулись в сторону, не желая ни поощрять его, ни соперничать с ним. Я не заметила, когда он подошел, только вдруг услышала свое имя, произнесенное почти по-русски, без английского коверкания родных мне звуков, с твердым «р» и правильным ударением.

Я подняла глаза. Марк смотрел на меня почти в упор, и я вблизи смогла различить две симметричные морщины, бегущие от носа к уголкам губ. Глаза его, ставшие вдруг светло-серыми с уже проблескивающей голубизной, казалось, старались загипнотизировать меня, и я почти зло подумала: «Ну давай, посмотрим, кто кого. Может быть, я тебя скорее заворожу, у меня-то глаза черные».

— Извините, ребята, — сказал он и добавил просто: — Можно я вам как-нибудь позвоню, Марина?

«Ну вот, Катька оказалась права, — раздраженно подумала я. — Вот так он девочек и снимает», — и с почти искренним безразличием пожала плечами.

— Пожалуйста, я на двести шестьдесят девятой странице телефонного справочника, четвертая сверху, — и, вдруг засомневавшись, действительно ли хочу, чтобы он мне позвонил, добавила: — Только я все время занята.

Он все так же пристально смотрел на меня, глаза его стали почти голубыми, и я вдруг представила, что могу управлять их цветом, и тут же пожалела о своей последней скоропалительной фразе.

Марк понимающе улыбнулся, лицо его потеплело, а голос прозвучал мягко, но в то же время не оставляя ни тени сомнения:

— Обещаю, я позвоню, когда вы будете свободны. Еще раз извините, ребята, — повторил он и отошел.

Я видела, как он прощался в коридоре с кем-то из знакомых и потом исчез, ни разу больше не посмотрев в мою сторону. Стив со своим приятелем, понятно, напряглись от неожиданного вторжения третьей стороны, но виду не подали. На прощание мы договорились как-нибудь встретиться вчетвером и сходить куда-нибудь, но я уже заранее знала, что если они и пойдут, то без меня.

Марк позвонил мне через четыре дня и действительно застал меня лениво читающей книжку, полулежа на потускневшем диване в моей маленькой и щербатой однокомнатной квартирке, которая, несмотря на все старания вдохнуть в нее уют и теплоту, все равно невытравимо пахла казенным безразличием временного жилья.

Не то чтобы все эти дни я ждала, когда он позвонит, нет, я давно уже приучила себя не думать об обещанных звонках и не расстраиваться, не дождавшись их. Скорее, я, иногда вспоминая о нем со спортивным азартом лошадника, поставившего на неизвестную и потому сомнительную лошадь и гадающего: дойдет — не дойдет, думала: позвонит — не позвонит. И все же, когда я услышала его голос и, конечно, сразу узнала его, я обрадовалась и даже почувствовала легкий приступ волнения, исходящий сразу из двух источников: одна волна поднималась из области сердца, тогда как вторая спускалась из затылочной области и сходилась с первой где-то в районе голосовых связок.

— Здравствуй, — сказал он. — Это Марк.

— Марк?

Я удивилась, услышав его имя.

— Да, помнишь, мы познакомились в субботу. Ты еще сидела с девушкой и двумя ребятами, и мы договорились, что я тебе позвоню.

— Мы договорились? — поставила я под сомнение его утверждение.

— Ну, в общем, типа того, — пошел он на компромисс. — Так вот, меня зовут Марк.

— Ага, вот значит, какое оно, имя загадочного, молчаливого незнакомца, — не найдя ничего лучше, манерно проговорила я.

— Я постараюсь в дальнейшем компенсировать свой давешний недостаток красноречия. Хотя не уверен, что у меня получится так, как у тебя.

Потом он спросил сразу, без перехода:

— У тебя есть какие-нибудь планы?

— На когда?

— Как на когда? На сегодня.

— Странно, — сказала я. — Это странно, но у меня нет планов. У меня сегодня первый выходной за последние три недели. Как ты узнал об этом?

— Я почувствовал, — сказал Марк и после паузы добавил: — Мне кажется, я умею тебя чувствовать.

— Это непонятно, хотя забавно, — на всякий случай, чтобы как-то отреагировать на его сомнительную фразу, сказала я.

— Так что, встретимся?

Вообще, его голос звучал сдержанно и в то же время расслабленно, без обычных для первого звонка бравурно-нахрапистых ноток; так звучит голос старого приятеля, давно не появлявшегося и вдруг прорвавшегося из небытия.

— Хорошо, — просто сказала я, отбрасывая, в свою очередь, ненужную вычурность, которая возникает вместе с волнением как своеобразная форма самозащиты.

Мы встретились в дешевом итальянском ресторанчике и проболтали часа два. Необычным было то, что он ничего не спрашивал обо мне — ни где я учусь и учусь ли, ни где работаю, ни о моем прошлом, — вообще не задал ни одного вопроса. Впрочем, при этом он ни слова не рассказал о себе.

Разговор наш не касался никакой конкретной темы и был вроде как ни о чем и вроде как обо всем. Он парил над темами, лишь слегка касаясь их и не поддаваясь соблазну углубиться, создавал атмосферу легкости и беззаботности. Я знала это и раньше — поддерживать такой разговор сложнее, чем говорить о чем-то конкретном и серьезном, так как он требует особой изобретательности и раскрепощенности фантазии. Даже когда мы оба замолкали, пауза нисколько не казалась лишней и не давила, как обычно давят паузы. Как правило, являясь доказательством отсутствия общего, они тяжело нависают над разговором. Здесь же пауза была простой передышкой для голоса, естественной частью общения, подключающая к нему взгляд внимательных глаз, улыбку, движения рук.

Мне было легко с Марком, и я была благодарна ему за вечер. Когда мы подходили к моему дому, я решила, что, если смогу прочитать его движение, направленное к моим губам, то отвечу встречным движением, чтобы одобрить его и, может быть, чтобы ощутить вкус его слегка сжатых губ, но он такого движения не сделал или я не смогла разглядеть. Он просто протянул мне руку, и мы договорились встретиться через пару дней, совсем поздно, после моей работы.

ГЛАВА ТРЕТЬЯ

Так мы начали встречаться и продолжали встречаться почти каждый день. Марк ждал у подъезда моего дома или прямо у магазина, где я работала по вечерам после учебы — надо ведь было как-то платить за квартиру, — и мы шли куда-нибудь вместе перекусить и сидели до упора, пока засыпающая официантка не начинала смотреть на нас, единственных оставшихся в зале, как на личных врагов, и от этого вполне откровенного взгляда мы отвлекались друг от друга и потому вставали и уходили. Когда я освобождалась слишком поздно и была настолько усталая, что даже сама мысль о еде представлялась избыточной, мы просто брели по поздним вечерним улицам, и Марк брал мою ладонь в свою, и мы болтали о всяком разном, и мне становилось покойно и умиротворенно так, что даже сглаживалась усталость.

Чем дольше мы встречались, чем плотнее он наполнял мои вечера, а вместе с ними и мои мысли и мое сознание, тем больше я начинала ощущать перемену в еще недавно занудливой повседневности. Теперь и сама жизнь, и мое в ней пребывание вдруг обрели разумное продолжение и смысл.

Скоро эти вечерние встречи с Марком переросли в потребность, в ежедневную необходимость, затмив и учебу, и, конечно, работу, и подруг, и прочую социальную жизнь. И так оно шло, и так оно продолжалось и продолжалось по нарастающей, и Марк все глубже входил в мою жизнь и занимал в ней все больше места, пока вдруг я не почувствовала, что, кроме него, в ней, по сути, ничего и не осталось. И хотя все происходило именно так, и наши отношения неуклонно развивались, все же они оставались на неизменном уровне, потому что в их движении, как ни странно, отсутствовала сексуальная направленность.

Не то чтобы я не могла прожить без секса, скорее наоборот — к своим двадцати двум годам я уже поняла, что секс только ради секса меня не интересует, и я легко могла построить отношения с ребятами без его базовой поддержки.

Более того, я знала, что получаю удовольствие только в том случае, если влюблена или люблю и если он, кого я люблю, тоже уже успел притереться ко мне, к моим ощущениям, к моим привычкам, и по жизни вообще, и в постели в частности. Ведь занятие любовью — это своего рода партнерство, а для того, чтобы что-нибудь сделать хорошо в партнерстве, надо, как минимум, знать и чувствовать своего партнера.

Исходя именно из такого, скорее прагматического, чем морального, подхода, я не была сторонницей ни случайных связей, ни новых встреч и не стремилась к ним. Когда я все же решала попробовать и это свершалось с кем-то, кто мне очень нравился и с кем, я надеялась, у меня возникнет что-то длительное, я всегда волновалась, и волнение отвлекало, и я не могла сконцентрироваться и больше думала и анализировала, чем чувствовала.

Я, конечно, могла оценить нового партнера и признать, например, что да, он хорош, и техничен, и ласков, но это было как наблюдение со стороны, как будто не я являлась на самом деле предметом его техники и ласки. Я тоже старалась быть и техничной, и ласковой, но именно старалась, желание исходило от головы, от понимания необходимости, а не от естественного, неотделимого от чувства порыва.

Это как с юмором, шутила я, когда пыталась довести свои нехитрые ощущения до своих неверящих подруг, ты можешь услышать анекдот и подумать про себя: да, это смешно, это остроумно, при этом, однако, не засмеявшись и даже не улыбнувшись, то есть оценить юмор как бы со стороны. И только от чего-то редкого, только от очень блестяще остроумного начинаешь хохотать, так и не успев как следует понять, от чего именно.

И хотя сравнение юмора с сексом само вызывает улыбку, но ведь правда — для того, чтобы во время любви голова отключила свой аналитический механизм, ты должна чувствовать того, с кем ты, как и он должен чувствовать тебя, знать реакцию на самое незначительное движение, разгадать ответ на самое неслышное слово, распознать самый легкий вздох. А такое умение требует и времени, и опыта, и знания друг друга, и знание это становится особенно эффективным, только лишь когда соприкасается с любовью.

Ведь это все туфта, выдуманная романтическими писателями, в основном льстящими себе мужчинами, что женщина помнит как-то особенно своего первого партнера и как-то особенно любит его всю жизнь. Такого не может быть хотя бы потому, что в первый раз и почувствовать-то ничего нельзя, кроме нервозной боли, страха и волнения, а этих животных чувств память сторонится и держать в себе не хочет. Так было и со мной.

Своего первого мужчину я скорее случайно выбрала именно для этой цели, для первой моей ночи — не потому, что я как-то безумно хотела именно его или хотела вообще, а потому, что моя девственность начинала рождать у меня комплексы и давить на меня, и я вполне умственно решила от нее избавиться.

Потом, хотя и очень короткое время, скорее из любопытства и из-за возбуждающих рассказов моих более опытных подружек, мне захотелось попробовать разного, и я пару раз легко поменяла партнеров. Но этого оказалось для меня достаточно, я очень скоро поняла, что, меняя вот так, безотчетно, я, возможно, что-то пропустила и, наверное, пропускаю вообще, так как от этих двух-трех попыток у меня не осталось ни удовольствия, ни памяти. Я уже начала бояться, что, может быть, что-то не так с моей физиологией, но первый длительный опыт лишил меня всех страхов. Он настолько многому научил меня, настолько оказался показательным, что я в своей, в общем-то короткой, сексуальной жизни стала стремиться к длительности и стабильности, что и определило мою женскую суть и мое женское понимание любви физиологической.

С Марком же было по-другому. Он не только не пытался продвинуть наши отношения в сторону секса, но у меня возникало ощущение, что он вообще не думал об их развитии в этом направлении. Такое поведение не только казалось странным, оно и было странным — мы встречались уже почти месяц, а самым большим достижением были дружеские поцелуи в щеку у моего подъезда, когда Марк меня провожал.

Не то чтобы я стремилась к большему, но такое непривычное для меня развитие событий казалось подозрительным и наводило на размышления относительно его, Марка, возможностей. Пару раз я даже хотела поделиться с Катькой этой начинающей беспокоить меня проблемой, я бы так и сделала, наверное, в любой другой ситуации, но что-то удерживало меня в данном конкретном случае. Вскоре я поняла, что моя неожиданная скрытность, нежелание выставлять напоказ свои отношения с Марком имеют глубинные причины и тут же заподозрила себя в чем-то пугающе серьезном и задалась вечным вопросом: а не влюбилась ли я?

Парадоксально было и то, что чем дольше мы общались и чем дольше ничего не происходило и Марк продолжал бездействовать, тем сильнее он меня возбуждал — и его внешний вид, и манеры, и голос, — и тем резче, откровеннее я думала о нем и представляла его с собой.

Дело дошло до того, что я стала фантазировать о нем, засыпая, и он не покидал меня с наступлением сна. Когда мы встречались, кожа моя начинала вздрагивать от каждого его, даже совсем нечувствительного, прикосновения, и я с трудом сдерживалась, чтобы не выдать волнения, и мне приходилось закрывать глаза и напрягать мышцы в попытке унять дрожь. Постепенно это желание стало навязчиво преследовать меня, и одна только мысль о Марке, только его голос в телефоне, один его взгляд вызывали у меня секундный ступор, обусловленный тяжестью накопившегося и нереализованного порыва.

Однажды мы сидели вечером в маленьком ресторанчике, была суббота, и уютное помещение было заполнено до отказа говором, смехом, движением. Мы расположились за круглым столиком, и Марк что-то рассказывал мне. То ли голос его, всегда негромкий, затерялся в шуме вокруг, то ли я так сконцентрировалась на его губах и мне не важно было, что они произносят, но я не слышала ни его слов, ни голосов и сутолоки рядом. Я смотрела на него, не знаю, как долго, я даже не помню точно, о чем думала, только вдруг ощутила резкую и сладкую волну, съедающую мое тело, и, когда она подступила к груди, я едва удержалась, чтобы не вскрикнуть.

Я даже не поняла сразу, что произошло, — настолько все затуманилось, и, только лишь пробившись сквозь эту туманную паутину, я осознала, что нога моя, верхней своей частью лежащая на другой ноге, методично сдавливала и отпускала мышцы в самом своем основании, и, видимо, это ритмичное движение, вошедшее в такт с моим воображением, и вызвало сейчас восторженную и даже пугающую реакцию. Когда я разобралась, что же произошло на самом деле, мне стало немного страшно от очевидности того, что мои рефлексы и тело сильнее меня и не поддаются контролю. Но в то же время я почувствовала налет неосознанной, наверное очень женской, гордости — надо же, как я на самом деле могу! Как бы то ни было, мне стало ясно, что хотя я, как смешно выяснилось, могу обойтись и вот таким странным образом, но все дело принимает болезненно запущенную форму и требует разрешения, желательно до того момента, как я начну вводить в практику процесс сексуального удовлетворения в ресторанах и прочих публичных местах.

Когда мы вышли на улицу и Марк направился было по направлению к моему дому, я взяла его за руку и сказала, загадочно улыбаясь:

— Нет, Марк. Сегодня я хочу проводить тебя, — и когда он поднял брови в удивлении, я добавила: — А почему бы и нет, в этой стране, говорят, равноправие. Почему ты должен всегда меня провожать? Давай я хотя бы разок доведу тебя в сохранности до дома.

Я понимала, что слова мои, да и поступок, выглядят глупо и прозрачно и что Марк скорее всего все понял, но у меня не было времени на подготовку, а ничего лучше я придумать не смогла. Мы сели на трамвайчик и доехали до остановки, рядом с которой, прямо через дорогу, находился дом, где жил Марк.

Это был самый престижный район Бостона, где красного кирпича дома выходят на реку и где невысокие старинные, видимо переделанные еще из газовых, фонари создают таинственное и праздничное настроение. Я не знала, что Марк живет здесь, но сейчас меня это новое знание не особенно занимало: разом нахлынувшее волнение стремительно затапливало меня с головой, и единственное, на что еще хватало холодного рассудка, это на всякие замысловатые слова, которыми я проклинала свою развязную инициативу.

Мы остановились возле его подъезда, и наше надуманное прощание было настолько искусственным, что, конечно, ему ничего не оставалось, как предложить мне подняться наверх выпить кофе, и, конечно, я согласилась, и, конечно, мы поднялись.

Его квартира на четвертом этаже была небольшой, хотя более чем достаточной для одного человека, с, видимо — я точно не знала, — дорогой мебелью, с большим, почти во всю стену, окном на реку. Все здесь было красиво и необычно для меня, уже отвыкшей от домашнего уюта, — слишком много ненужных вещей создавали атмосферу тепла, и, как ни странно, не самый образцовый порядок только добавлял ощущение раскованности. Я с горечью подумала о своем жилье и даже порадовалась сейчас ненастойчивости Марка, из-за которой мне так и не удалось его к себе пригласить.

Я подошла к окну и стала смотреть на реку, на покачивание отраженных в воде огней противоположного берега. Я не заметила, как Марк оказался рядом, и только вздрогнула от прикосновения, от того, как он обнял меня за талию, и сердце по-дурацки остановилось и пропустило удар, и замерло дыхание, и я уже не знала, что делаю, потому что все вокруг качнулось и расплылось, и я, онемевшая, не осознавая своих движений, оказалась прижатой к его груди, и в испуге и отчаянии с мольбой посмотрела на него, и увидела его глаза, заливающие все своей синевой, и услышала, как он шепнул: «Как я хотел тебя все это время».

Я кончила почти сразу, почти мгновенно, отчего меня немного отпустило, и я смогла удивиться этому, впервые открытому, своему качеству. Но он ничего не заметил, и я продолжала ощущать его в себе, и через несколько мгновений все снова начало кружиться перед глазами и постепенно слилось воедино, и я уже не могла ничего различить и потому закрыла глаза.

Он двигался во мне как-то неожиданно, по-другому, с такими движениями я не была знакома раньше, это не было плавное ритмическое колебание определенной амплитуды, а, скорее наоборот, движения рваного, если вообще существующего, ритма. Он то убыстрялся, то замирал и почти останавливался, и я замирала вместе с ним, но потом вдруг, в самый неожиданный момент, ударял меня внутри так глубоко и с такой неожиданной силой, что, мне казалось, не только крик, но и вся моя плоть вырываются наружу.

Удары эти все нарастали и по силе, и по скорости, и, когда я уже начинала к ним привыкать, когда я уже начинала ловить их безумный ритм и подстраиваться под него, они вдруг так же неожиданно замирали на полудвижении, полувзмахе. Мои бедра еще чуть дрожали, ожидая продолжения, но его не было, и они расслаблялись, и именно в этот момент, застигнув врасплох, он снова ударял меня одиночным немилосердным движением, и от неожиданности, не успев собраться, я снова рассыпалась в стоне и в неверии выкрикнутого «нет, не надо», но он не понимал все равно.

Потом он снова останавливался, и, сменив и ритм, и угол, и само движение, сделав его вращательным, упирался в стенку, и начинал надавливать на нее, только на это одно место, так что я сжималась от резкости ощущения, но потом он снова менял направление вращения, ища другую, еще нетронутую точку и снова находил, и я снова сжималась, пока все не менялось опять.

Я погрузилась в эту запутанную ритмику блюзовой мелодии и растворилась в ней, пока не почувствовала, как выгнулось в моих руках его тело, и он подался вверх, и я ощутила его разом удесятеренное, дошедшее до дрожания напряжение и горячий, будоражащий всплеск внутри меня, и все многократно усилилось и смешалось, переплелось, и он сжал меня, не щадя моего тела, и все было так сильно, что я только услышала его крик или стон, и догнала его своим, и накрыла его.

Мы лежали без движения, без звука, без дыхания, без сил в темноте комнаты, да и откуда им было сейчас взяться, они все были израсходованы, и им требовалось время, чтобы накопиться вновь. Когда я смогла думать, я поняла, что сейчас в мою любовь вошли и благодарность за то неземное, что он позволил мне только что испытать, и трогательная нежность к нему за то, что ему тоже было хорошо со мной.

Наконец я смогла повернуться на бок и, приподнявшись над распластанным Марком, стала разглядывать его неживое лицо. Видимо, он почувствовал мой взгляд, потому что открыл глаза и, не улыбаясь, очень серьезно сказал:

— Ты обалденная.

И он протянул усталую руку, и обнял меня за шею, и потянул к себе.

— Нет, это ты обалденный, — несогласно прошептала я, пока мои искусанные губы не успели достичь его рта. — Ты так потрясающе кончаешь, — сказала я потом.

Я не видела, но почувствовала, как он улыбнулся.

— Ты тоже.

Я восприняла это как похвалу.

— Ты останешься у меня?

— Мне надо будет рано уйти, — ответила я, понимая, что это положительный ответ.

Это была первая, но не единственная ночь, когда я осталась у Марка. Собственно, я оставалась у него каждый раз, когда мне на следующий день не надо было вставать с рассветом, что случалось не так часто, как мне хотелось бы, но все же раза два в неделю.

Утром мы отправлялись завтракать в соседнее кафе, и это был беспечный и беззаботный завтрак. Мы пили кофе, и ели вкусные с изюмом булочки, и болтали о чем-то под стать завтраку — очень беспечном и беззаботном, и смотрели друг на друга с нежной лаской, и от утренней, ранней, чуть сонливой разнеженности я относилась к Марку особенно трогательно, и мне хотелось дотронуться до него, и снова оказаться в его квартире, и замереть там рядом с ним на целый день до завтрашнего такого же завтрака, но это было невозможно, так как впереди ждали дела.

Впрочем, вечером он, как всегда, встречал меня у работы, и мы снова были вместе, и снова проводили час или два, и, если я не могла поехать к нему, он не настаивал и провожал меня, и я целовала его в губы и не могла оторваться от него и оставить его этой ночью одного, но все же заставляла себя, зная, что все продолжится завтра. И все действительно продолжалось завтра, и мы скользили по дням и неделям, пока они не перетекали в месяц, а потом в другой, и мне было необыкновенно легко, и ничто не вклинивалось в этот счастливый распорядок, ничто не вызывало вопроса, и поэтому ничто не требовало ответа ни от меня, ни от Марка.

ГЛАВА ЧЕТВЕРТАЯ

Я не помню точно, когда Марк все же спросил меня, где и на кого я учусь, я просто не обратила тогда внимания на этот его несущественный вопрос. Помню только, что мы сидели в простеньком кафе уже вполне сытые и единственное, что оставалось на столе, были две неполные чашки кофе, да еще хлебница с парой разломанных пополам булочек.

— В Бостонском университете, — ответила я, — на экономическом.

— Что это значит? Я имею в виду, кем ты станешь? — спросил он.

— Если честно, я сама точно не знаю. Но вроде бы в финансовых компаниях, делать аудит, рассчитывать налоги или быть финансовым советником. В общем, заниматься разной туфтой типа этого.

— И тебе нравится? — спросил он. Я скорчила гримасу недоумения.

— Нравится? Даже не задумывалась над этим, — попробовала уйти от ответа я, но потом добавила по инерции монотонно: — Нормально.

— А зачем же ты тогда пошла туда учиться? — опять спросил Марк.

— Зачем я пошла туда учиться? — лениво повторила я его вопрос, показывая этим, что мне этот разговор не особенно интересен. — А куда еще? Экономисты везде требуются, работы полно, посмотри газету, куча объявлений, зарплата хорошая. Что еще надо — стабильность и вера в завтрашний день. — Я попыталась свести разговор в шутку, мне не нравилась тема, слишком односторонняя, слишком про меня, и я не хотела продолжать.

Марк мягко улыбнулся, он всегда так улыбался, когда не соглашался, и я поняла, что мне не удастся отделаться формальной отговоркой.

— Но если тебе не нравится.

— Я так не сказала, я сказала «нормально». Не так чтобы я жутко тащилась от всех этих дебетов, кредитов и прочих дисперсмантов, но, я думаю, никто не тащится.

Я потихоньку начала раздражаться, разговор был мне не по душе.

— Я думаю, кто-то тащится. Кто-то наверняка тащится, — повторил Марк. Он говорил медленно, как бы взвешивая слова, аккуратно их подбирая. — И ты всегда будешь проигрывать им.

Это было уже что-то новое, никогда раньше Марк не говорил со мной таким тоном — безапелляционным, давящим.

43

— Послушай, — сказала я, — я ни с кем соревноваться не собираюсь. Очень хорошо, если кто-то станет лучше меня. Будет кому местную экономику поднимать.

— Зачем начинать, заранее зная, что тебя ожидает неудача? — задумчиво и как бы самому себе сказал Марк. — Это как игрок, который выходит на поле, заранее готовясь проиграть матч. Только для тебя поражение в результате выльется в напрасно потраченные годы, постоянное неудовольствие, и потом невозможно будет что-либо изменить и...

— Хорошо, — перебила его я. — Откуда ты знаешь, что меня ждет неудача? Ты что, считаешь, что я соображаю плохо? Так вот, в качестве информации, я одна из лучших на курсе!

— Малыш, ты только не злись, — сказал он миролюбиво, — мы ведь просто обсуждаем. Я уверен, что ты способная. Более того, ты способнее многих других, которых я знаю. А я знаю много сильных людей.

Я бы подумала, что он шутит, если бы голос его не звучал настолько серьезно.

— Но, видишь ли, когда мы говорим о лучших, в силу входят другие правила. Это как законы Ньютона, которые действительны только на Земле и распространяются на всех, кто здесь находится, но за пределами ее они не действуют. Там, в космосе, властвуют законы Эйнштейна и геометрия Лобачевского, а не Евклида, например.

— Но там нет жизни, как ты говоришь, за пределами Земли, — возразила я.

— Это ты так думаешь, — отмахнулся он от меня. — Так же и среди творческих людей: для них действуют другие законы, — он сделал паузу, подбирая слова, — счастья, гармонии, даже любви — абсолютно другие законы, и конкуренции тоже.

— Ну хорошо, и какие же они, эти законы? — уже скорее саркастически, чем добродушно, спросила я.

Он все так же мягко улыбнулся.

— Все я не знаю, о многих сейчас незачем говорить, но самый простой — тот, о котором мы сейчас спорим, — он опять остановился, опять подбирая слова. — Человек хорош в том, что любит, а любит то, в чем он хорош.

— Это несложно.

— Конечно, несложно, — не понял он моей иронии или сделал вид, что не понял. — Более того, банально, но парадокс в том, что самые простые и банальные вещи как раз из-за своей простоты и ускользают от нас.

Нет, подумала я, все он понял.

— Но я не об этом. Получается замкнутый круг: чем больше ты любишь то, чем занимаешься, тем лучше это делаешь. А чем лучше делаешь, тем больше ты это любишь. В результате человек поднимается над собой, даже над своим талантом, и конкурировать с ним становится сложно.

Теперь я поняла, что меня раздражал, даже больше, чем сама тема, его тон. Он говорил со мной, как с ребенком, — поучительно, даже назидательно, — и говорил бы что-нибудь оригинальное, а то, действительно, общие места. Я хотела сорваться на резкость, чтобы закончить наконец этот ненужный разговор, я уже приготовила фразу, но в последний момент все же сдержалась и промолчала. Вместо этого я перешла на еще не забытый московский, более развязный тон.

— Ну ты романтик. Тебе бы все о высоком. Какие там любишь не любишь, тоже мне ромашки! Выжить бы, — вдруг вырвалось у меня в сердцах. — Ты бы посмотрел, где и как я живу, пашу на двух работах, чтоб прокормиться, занимаюсь по ночам, сплю четыре часа!

Меня понесло по-настоящему. Все, что накопилось во мне, вся усталость, разочарование, бессмысленное ожидание чего-то, постоянные ограничения и нехватка — все это из-за дурацкого разговора вдруг наслоилось одно на другое и рванулось из меня, и я не в силах была сдержаться.

— Ты знаешь, когда я последний раз к зеркалу подходила? Когда у меня время было накраситься? — я почувствовала слезу у себя в голосе. — Хорошо еще, что в этой стране и краситься-то не надо, все равно никому дела нет. — Вот уже и на страну покатила, подумала я. — Если бы я родилась здесь, я бы, как ты, думала о высоком, о космосе, о душе, а не о том, как мне за квартиру заплатить и на что зуб, который, сволочь, уже вторую неделю болит, залечить.

Я остановилась, чтобы сдержаться и действительно не расплакаться, очень уж стало жалко себя, особенно из-за этого зуба.

— Ты, Марк, с кем разговор этот затеял? — все же кое-как взяла себя в руки я. — Творчество-шморчество! Ты с друзьями своими йельскими об этом поболтай, а со мной о чем-нибудь более земном, например, где будильник достать, который звонит погромче, чтоб завтра полшестого не проспать.

Я наконец замолчала. Он смотрел на меня все то время, что я говорила, смотрел прямо в глаза, уже не улыбаясь, подперев голову рукой и закрыв ладонью подбородок. Взгляд его, став мягким, светился нежно-голубым теплом и, мне показалось, даже нежностью.

Зачем я все это наговорила? Глупо, подумала я.

— Я тебе завтра позвоню в полшестого, разбужу, — абсолютно серьезно сказал он.

Я улыбнулась, это было мило. Хорошо все же, что я не расплакалась, было бы совсем по-дурацки. Мы замолчали. Я постаралась успокоиться и снять с себя напряжение и досаду спора.

— Я понимаю то, о чем ты говоришь, — сказал наконец Марк. — Я знаю это ощущение. Оно вызывается не только эмиграцией, но и многими другими, вообще любыми поворотными событиями.

Лицо его, все так же лежащее на ладони, склонилось теперь ближе к столу, и взгляд сосредоточился на хлебном мякише, который он катал двумя пальцами.

— Видишь ли, — он говорил как бы самому себе, — любой большой шаг в жизни человека есть отступление, которое зачастую приводит к потере. Не только эмиграция, но и рождение ребенка, смена профессии, что еще? наверное, женитьба — вообще любое значимое движение, которое совершает человек, отбрасывает его назад, каждого по-своему, но все равно отбрасывает, лишает чего-то. Либо привычного стиля жизни, либо интересов, либо системы ценностей, планов, надежд, да чего угодно. В какой-то момент начинает казаться, что потеряны время, силы, что для восстановления, возвращения в исходную позицию потребуется вся длина оставшейся жизни. Но это ошибочное ощущение, и дело даже не в том, кто восстанавливается быстрее, а кто медленнее, а в том, что некоторые выходят из своего отступления в результате более сильными, чем были прежде. То есть они, кто возвращаются, сразу перескакивают прежние, исходные позиции, переходя как бы на новый виток спирали.

— Как Монголия из феодализма в социализм, — перебила я его еще заученным в школе.

Я опять начала злиться: ну зачем он снова возвращается к этой теме?

— Что? — не понял он.

— Нет, ничего, — мотнула головой я.

— Понимаешь, кого-то отступление отбрасывает назад навсегда, а кого-то — обогащает и поднимает над теми, кто не знал поражения.

— А поражение-то здесь при чем? Поражения-то вроде не было, — опять съехидничала я.

— Ну ладно, — наконец-то он понял, что разговаривать со мной бесполезно, — давай закончим пока.

— Да, давай закончим. Только один вопрос, — как бы вдруг спохватилась я.

— Конечно, — согласился наивный Марк.

47

— Ну-ка, признавайся, сколько детей ты успел народить, и все небось от многочисленных законных жен.

Он пожал плечами, не понимая.

— Откуда же ты так качественно про отступления набрался? Я вдруг поняла, что скорее злюсь, чем шучу. Он тоже понял это.

— Хорошо, давай закончим, — снова согласился он и добавил: — Ты пойдешь сегодня ко мне?

— Нет, — ответила я, — я лучше сегодня к себе, в свое отступление, а то чего-то не обогащалась давно. Пойдем, а?

Мне действительно хотелось уйти побыстрее, а то я чувствовала, что мы можем поругаться, вернее, я могу. Мы встали из-за стола и направились к выходу. Уже на улице, перед моим вечно поникшим домом, он притянул меня к себе, обнял и сказал мягко:

— Я знаю, что был нетактичен сегодня. Понятно, что по больному, но я должен был все это сказать. Ты делаешь ошибку, я уверен. Обещай мне, что подумаешь, о чем мы говорили, ладно?

— Обязательно, — скороговоркой выдавила я, повернулась и стала подниматься по ступенькам к подъезду. Знает, что по больному, а все равно продолжает, подумала я, спиной чувствуя, что он смотрит, как я открываю дверь. Я открыла ее и вошла внутрь, так и не обернувшись.

ГЛАВА ПЯТАЯ

Смешно было то, что Марк действительно позвонил мне следующим утром ровно в полшестого, и голос у него был заспанный и оттого особенно теплый и милый.

— Давай вставай, пора, полшестого, — чуть-чуть заплетающимся языком пробурчал он.

— О, — я потянулась в постели, — я могла еще десять минут поспать.

— Ты же сказала: в полшестого, — все так же невнятно сказал Марк.

— Ладно, встаю, — согласилась я трезвея. — Счастливчик, ты-то небось еще спать будешь.

— Конечно, буду. В такую рань встают либо сумасшедшие, либо одержимые.

— Я одержимая, — выбрала я из двух.

— Кстати, — вдруг его голос зазвучал совершенно нормально, без намека на сонную расслабленность, — освободи себе субботу. Мы приглашены на вечер.

— На вечер? — удивилась я. До этого мы ни разу никуда не ходили, встречаясь, только чтобы увидеть друг друга. — Куда? Мне стало любопытно.

— Какая тебе разница? Приглашены. Давай вставай, а то опоздаешь. Целую.

— Целую, — машинально ответила я и повесила трубку.

Как ни странно, но почему-то тот дурацкий разговор в кафе запал мне в душу. Возможно, потому, что это был первый случай, когда Марк был напорист, почти агрессивен со мной и не побоялся сказать неприятное. «А что, если, — вдруг неожиданно предположила я, — что, если он прав?»

Не то чтобы все эти науки, которые я изучала, очень раздражали меня, скорее, они оставляли меня равнодушной. Если честно, я никогда не задумывалась, что всей этой занудностью мне придется заниматься всю оставшуюся жизнь. Не потому, что мне эта мысль была непонятна, чего же может быть проще, а просто я вообще никогда не думала в терминах «всей жизни». Ну учусь, ну закончу когда-нибудь, через несколько лет, ну, наверное, пойду работать, ну, начну зарабатывать — и все, и на этом фантазия и мечта останавливались, потому что

49

дальше и не стремились. Даже день окончания университета маячил в таком расплывчатом отдалении, что думать о нем, казалось, все равно что думать о следующей жизни, в которой я буду, может быть, кротом, хотя все же лучше белкой, хотя бы хвост пушистый.

Но после разговора с Марком я вдруг представила, что мне на самом деле придется до бесконечности заниматься этой смертельно одинаковой бухгалтерией, хоть назови ее экономикой, и сразу такая тошнотворная скука охватила меня, что я бы предпочла действительно стать кротом, или белкой, или кем мне там полагается, прямо сегодня. Не то чтобы я думала обо всех этих теориях, о которых говорил Марк, о всяком там творческом парении и прочих красивостях, а просто горизонт моего жизненного планирования отодвинулся, и я представила себя в будущем, там, где никогда почему-то до этого себя не представляла.

«Но, с другой стороны, — подумала я, — а что не занудно, что вызывает у меня одухотворенный восторг?»

И честно призналась: ничто, во всяком случае, ничто из того, что я знаю.

В школе я всегда училась хорошо, все давалось мне более или менее одинаково легко, я ничему не отдавала особого предпочтения, может быть только к десятому классу — косметике.

В институт в Москве я поступила в тот, в котором, чего греха таить, имелись прочные знакомства. Романтическая идея призвания, так яростно проповедуемая в школе, как и все другие проповедуемые в школе идеи, в меня не запала. Сама идея призвания, особенно для «будущей женщины», казалась тогда, в той стране абсурдной.

В процессе своего незаконченного высшего образования я иногда с интересом наблюдала за незначительной группкой очень увлеченных не то радистов, не то программистов, вечно озабоченно обсуждающих всякие транзисторы и прочие острые и колкие железки, но наблюдала за ними скорее с анатомическим, чем с практическим интересом. Они, надо сказать, хоть и вызывали у всех нормальных людей, и у меня в том числе, уважение своей замкнутой увлеченностью, но я все же подозревала их… хотя даже не понятно, в чем — может быть, в отсутствии гармоничной полноценности.

Так что к субботе, к моменту, когда Марк заехал за мной, моя новая жизненная позиция выглядела приблизительно так: хорошо, я не хочу заниматься этой уже осточертевшей мне бухгалтерской гнусностью. Но чего же тогда я хочу?

По домофону голос Марка звучал привычно, как будто мы с ним почти не поссорились несколько дней назад. Когда он появился в дверях и я взглянула на него, мой взгляд беспомощно заметался, пытаясь то разом охватить его всего, то выделить отдельную деталь, но, как завороженный, не в силах был вырваться из поля притяжения, создаваемого его фигурой. Лицо мое, наверное, выражало комическое изумление и растерянность, что добавляло всему моему виду неподдельную искренность.

— Марк, — протянула я, — это ты?

Марк смущенно улыбнулся и развел руками. Он был в черном фраке, в блестящей белизной рубашке с жабо и, что было умилительнее всего, в бабочке.

— Неужто это так серьезно? — с неподдельным испугом спросила я.

Я никогда не видела его таким прежде. Когда мы встречались, он всегда был в джинсах и в рубашке со свободным воротом или в свитере — смотря по погоде. Более того, вид у него был не то что небрежный, а, скорее, вид человека, не обращающего внимания на свою одежду и к тому же подчеркивающего это. Мне и в голову не приходило представить его

51

даже в костюме с галстуком, не то что во фраке. В моем воображении он ассоциировался только с этим неформальным, чуть артистическим образом, который, в общем-то, был мне привычен и нравился. Но сейчас он выглядел совсем иначе: картинка из журнала, образ из телевизионной передачи про роскошную жизнь — изящный, броский, светский и потому так очевидно не соответствующий убогой обстановке моей одинокой квартирки.

— Марк, — сказала я, потихоньку приходя в себя, — для нас нет счастья в этой жизни.

— Почему? — спросил он, принимая мой тон.

— Мы с тобой самая что ни на есть неравная пара. У меня нет шансов дотянуться до тебя.

— Мы купим тебе фрак и сравняемся, — предложил он.

Это меня успокоило. Я подошла к нему, подняла руки и, чтобы они кольцом сошлись на его шее, потянулась вверх, даже приподнялась на цыпочки.

— Нет-нет, не наклоняйся, — предупредила я его движение мне навстречу, — я сама, — и почти вплотную приблизилась к его лицу. — Марк, — несчастным голосом прошептала я, — а что, если они не продают фраки для женщин? Мы тогда пропали.

Мои губы лишь чуть коснулись его кожи, а руки на шее разомкнулись, и одна, передвинувшись чуть повыше и погрузившись в теплую густоту его волос, позволила второй соскользнуть на его грудь и продолжить скольжение вниз, ощущая каждую мышечную неровность его тела и отдавая свою, заряженную несколькими днями разлуки, энергию и теплоту.

— Во сколько нам там надо быть? — заговорщицки тихо спросила я.

— Ты чудесная, — сказал он. — Я так соскучился. — Он все же наклонился, и его губы нежно и влажно пробежали по моей шее. — Но нам надо ехать, мы не можем опаздывать.

Ну на секунду, — прошептала я.

Он покачал головой.

— Нам надо ехать, — повторил он.

Я опустила руки и отступила на шаг.

— Вот. Вот он, пример прагматичной Америки. Вот о чем меня предупреждали бдительные товарищи, — громко сказала я и, резко сменив тему, развела руками и сказала: — Но мне действительно нечего надеть. Я не знала, что этот вечер такой важный, ты мне не сказал. Впрочем, если бы я и знала, мне все равно нечего надеть.

Я не кокетничала, с одеждой действительно приключилась обычная беда. Я ходила от гардероба в ванную и назад к гардеробу раз десять, вытаскивая разные, заведомо обреченные юбки, кофточки и рубашки, потом снова шла в ванную примерять их, ища хоть какую-нибудь разумную комбинацию.

— Ну все, сказала я обессиленно и в отчаянии рухнула на кресло, — я никуда не поеду.

— Ну что такое? — как бы успокаивая ребенка, проговорил Марк.

Все это время он терпеливо и не без интереса рассматривал жалкие результаты тщетных моих изощрений.

— Ты же видишь, мне нечего надеть.

— Тебе сколько лет? — вдруг неожиданно спросил Марк. «Кстати, — подумала я, — а ведь он действительно не знает моего возраста. Ведь он никогда не спрашивал, а я не говорила».

— Скоро двадцать два, — настороженно созналась я. — Это много или мало?

Он улыбнулся, по-моему от удовольствия.

— Это мало, — заключил Марк. — Это настолько мало, что ты можешь вообще ничего не надевать, — попробовал пошутить он.

— Так ведь холодно будет, — заканючила я.

— Тогда надень вот ту черную юбочку, которую ты примеряла, эту блузку с декольте и белый пиджак. Самой юной после тебя женщине будет лет на двадцать больше. Ты в любом случае вне конкуренции.

— Ты чего? Юбка короткая слишком.

— Нормально, — одобрил Марк. — У тебя красивые ноги. Поверь мне, все только на тебя и будут смотреть. У тебя туфли на каблуках есть? — спросил он.

— Недооцениваешь, значит, — надменно произнесла я и, подумав про единственные туфли, которые купила еще перед отъездом из Москвы, добавила с вызовом: — Не иметь туфель! До такого я еще не опустилась! Но всю ответственность за мои голые коленки ты берешь на себя, — погрозила я ему пальцем, собирая указанные вещи и направляясь в ванную.

— Беру, беру, — с готовностью крикнул он мне из комнаты.

— А краситься можно? — крикнула я в ответ.

— Обязательно, — откликнулся он. — Только быстро, а то мы действительно опоздаем.

— Ну, вот где я все компенсирую, — сказала я себе, подходя к зеркалу.

Когда я вышла из ванной, одетая и накрашенная, я встретила теперь уже его изумленный и оттого еще более лучистый взгляд, и он сказал почти серьезно:

— Может, действительно никуда не поедем?

— Нет, — ответила я решительно, — у тебя был шанс, ты его упустил. Теперь я хочу на бал.

Мы спустились вниз, и Марк открыл ключом низенькую дверцу «порше».

— Это твоя машина? — почти выкрикнула я, делая ударение на каждом слове.

Он опять смущенно улыбнулся, как тогда, когда зашел в мою квартиру.

— Так ты, оказывается, буржуеныш, — сказала я и поняла, что прозвучала не так задорно, как я хотела того. — Вообще, я про тебя ничего не знаю. Ты кто? Неаполитанский принц, который инкогнито соблазняет молоденьких девочек?

— А что, если принц, ты меня больше любить будешь? — неуклюже увернулся он от моего проницательного вопроса.

— Я всегда говорила, что принцы самые закомплексованные люди на свете, — я выдержала небольшую паузу. — После принцесс, конечно.

Я вдруг подумала, что ведь на самом деле про него ничего не знаю. Ни что он делает, ни чем зарабатывает. «Но, — одернула я себя, — какое это, в конце концов, имеет значение?»

Мы проехали минут десять молча.

— Я хотела поговорить с тобой, — наконец сказала я.

Я действительно собиралась начать этот разговор в первый удачный момент.

— Помнишь, мы говорили о моей учебе. Ну, о том, что она мне неинтересна?

Он кивнул головой.

— Я, как и обещала, думала об этом и решила, что, наверное, в чем-то ты прав.

Он улыбнулся, то ли тому, что я думала, как он и просил, то ли тому, что он прав.

— Но вот что меня смущает и что я хотела спросить. Смотри, — я говорила медленно, как часто говорил он сам, осторожно подбирая слова. — Допустим, ты прав и мне не надо заниматься тем, чем мне не нравится, но смотри, сейчас я уверена, что, когда закончу, я смогу найти работу и зарабатывать. А есть куча профессий, которые, — я замялась, — для души, что ли, но для которых нет работы.

— Конечно, ты права, — он согласился сразу, как бы не раздумывая. — На некоторые специальности спрос больше, да и оплачиваются они лучше, чем другие. Однако здесь есть хитрость, не такая уж, впрочем, хитрая. Заключается она в том, что человек, который очень хорош в малооплачиваемой работе, в большей мере востребован и, соответственно, зарабатывает больше, и иногда значительно больше, чем человек, который слаб в своей высокооплачиваемой профессии.

Голос его снова звучал поучительно, как будто он читал лекцию перед подростками, выбирающими тернистую дорогу в жизнь. Но почему-то это не раздражало меня так, как во время нашего предыдущего разговора.

— Сейчас я тебе скажу нечто, что не является социально корректным утверждением и что не очень пропагандируется перед широкими массами...

Я оторвала взгляд от надвигающейся в лобовом стекле дороги и с любопытством перевела его на Марка, так как, в принципе, я обожала социально некорректные утверждения.

— Творческих людей очень мало на этой земле. Под творческими я понимаю не образованных, не интеллигентных, не эрудированных и даже не способных, даже не талантливых, а именно творческих — тех, кто может что-то придумать, что-то создать, подойти с нестандартной, новой стороны. Короче, кто может творить.

Это не было самым социально некорректным утверждением, которое я слышала в своей жизни, и поэтому я осмелилась спросить:

— Разве в таком случае талант и творчество не одно и то же? Ты почему-то разделил их.

Он опять улыбнулся.

— Каждый творческий человек — талантлив, но не каждый талантливый человек — обязательно творческий. Поэтому творческих людей значительно меньше, чем талантливых.

— Что-то я не очень улавливаю границы, — упрямо повторила я.

Я почувствовала, что опять пытаюсь спорить с ним и доказать, что хоть в чем-то не согласна с ним и хоть в чем-то он не прав. Наверное, его менторский давящий тон начинал опять раздражающе действовать на меня.

— Ну смотри, допустим, кто-то родился с талантом спортсмена — атлетически сложенный, гармонично сбалансированный, с хорошей реакцией и так далее. Он, наверное, при наличии всего прочего может стать хорошим, скажем для простоты, футболистом. Но он не станет исключительно хорошим, если у него нет таланта творчества, если он не творит на поле, не создает каждый раз или пусть хоть иногда — каждый раз трудно — что-то неожиданное, новое, чего никто не ожидает. А если на поле есть человек, который, может быть, менее атлетичен или, скажем, бегает медленнее, но имеет этот талант творчества, то он, наверное, стоит, я имею в виду и материально, но не только, больше, чем другие, более быстрые мальчики.

Это понятно, — нехотя согласилась я. — Хотя пример из футбола не самый для меня показательный.

Я все же нашла к чему придраться.

— Извини, — сказал Марк. — Так вот о чем я, — он задумался на секунду, как бы ловя нить мысли. — Да, творческих людей мало, — вспомнил он то, с чего начал, — но еще меньше тех, кто нашел себя, нашел то самое место, где смог максимально проявить свои способности. То есть таких счастливых случаев единицы. Для творческого человека не найти себя, не реализоваться — трагедия. Откуда, ты думаешь, берутся очереди в кабинеты психиатров?

Я пожала плечами и сделала это вовсе не из кокетства, а потому, что на самом деле не знала ничего про очереди в эти самые психиатрические кабинеты.

— Но творческий человек, попавший в правильное для себя место, — жемчужная редкость и ценится очень и очень. Поэтому, малыш, я наконец подхожу к ответу на твой вопрос.

Наконец-то, подумала я, и засомневалась, сказать это вслух или нет, и решила сказать. Но Марк не отреагировал, и я решила, что могла и промолчать.

— Творческий человек в непрестижной профессии в результате добивается большего, чем обыкновенный человек в престижной профессии, по той причине, что он выходит за рамки этой профессии. То есть, например, творческий портной скоро перестает быть портным, а становится модельером, и лучшим модельером, чем другие, простые модельеры, которые с самого начала были модельерами. В результате он получает куда как больше, чем, скажем, тот же экономист, который принадлежит к изначально более оплачиваемой профессии.

Он замолчал. Мы оба какое-то время молчали. Марк затормозил у светофора.

— Так, куда тут ехать? — задумался он вслух. — Кажется, направо, — ответил он сам себе. — А потом, малыш, я знаю, это будет звучать кощунственно для тебя сейчас, но поверь мне и поверь, что потом это станет для тебя очевидным: деньги — это, конечно, важно, но, помимо них, есть еще другие, не менее важные факторы, такие, как кайф от реализации себя или кайф от пребывания в подходящей для тебя социальной среде обитания. Опять же, поверь мне — если ты не врожденный, скажем, программист, тебе будет скучно в среде программистов, а через какое-то время — тошно, тогда как программисту будет через какое-то время тошно в среде, скажем, искусствоведов. И это важно, потому что если ты проводишь на работе восемь часов в день, что составляет треть суток, то ты хочешь, чтобы тебя окружали подходящие для тебя люди с подходящими, по твоим понятиям, интересами.

Он опять замолчал.

— Знаешь, — сказала я, — ты, конечно, все правильно говоришь, но ты так серьезно развиваешь в общем-то понятные и иногда, только не обижайся, очевидные мысли.

Я не знаю, зачем я это сказала, наверное, опять чтобы позлить его за такую менторскую самоуверенность. Но даже если мне это и удалось, то виду он, во всяком случае, не показал. Он помолчал, а потом сказал спокойно, впрочем, все таким же гнусным тоном:

— Во-первых, в этой жизни все достаточно просто. Мы ведь не говорим о квантовой физике или микропроцессорных чипах, мы говорим о вещах, определяемых здравым смыслом. К тому же революционные идеи рождаются шекспирами и эйнштейнами один раз в столетие, а может быть, еще реже, а все остальное достаточно просто и является как бы доводкой идей Шекспира или Эйнштейна — это даже в сложных науках так. Но мы с тобой-то сейчас не претендуем ни на что революционное, просто так — нашу жизнь обсуждаем. Во-вторых, не относись к простоте свысока. Типичная ошибка как раз в том, что люди не задумываются о сложности простых вещей. Смешно, хотя печально смешно, то, что люди совершают ошибки в той или иной ситуации не потому, что ситуация сложна и оттого им недоступна, а наоборот: ситуация часто проста и вполне доступна, просто человек не дает себе труда задуматься и разобраться в ней и именно потому ошибается.

Марк вдруг улыбнулся, и сразу как-то голос его стал мягче, потеряв нотки поучительной занудливости.

— Однажды, несколько лет назад, — казалось, он совсем расслабился, — скорее, много лет назад, я слушал по радио комментарий какого-то хоккейного специалиста. Вдруг слышу, он говорит: «Для того чтоб забросить шайбу в ворота, надо, чтобы шайба была направлена в створ ворот». Я услышал это и думаю, что за ерунда, это же очевидно, и ежу понятно: чтобы забить гол, надо, чтобы шайба попала в створ ворот. Зачем об этом по радио говорить, да еще выдавать себя за хоккейного специалиста, это же смешно. Но почему-то его простота вдруг запала в меня, и я иногда не то что думал, а, скорее, вспоминал тот радиокомментарий.

И вдруг однажды до меня дошло, что простота эта не такая уж и простая и определяет всю игровую хоккейную стратегию. Потому что один подход — быть изощренным, делать разные финты, обманывать вратаря — может всех удивить, но если при этом не попадаешь в ворота, то, как бы все ни восхищались твоими финтами, гола — цели игры не будет. А можно просто, не мудрствуя, незамысловато, может быть, даже и не сильно бросить, и, если попадешь в створ ворот, глядишь, и шайба как-нибудь влетит в сетку.

И может быть, подумал тогда я, одна тактика игры лучше, чем другая, а может быть, наоборот, но это не имеет значения. Важно то, что эта, кажущаяся такой очевидной, и на самом деле такая очевидная фраза, услышанная мною по радио, определяет стратегию игры, принцип ее построения. И еще я понял, что человек, который высказал ее, действительно профессионал и специалист в области хоккея и что он, я уверен, долго думал над вопросом, тогда как мне ничего подобного никогда в голову не приходило и не могло прийти именно потому, что я не специалист. Но самое главное, что я понял тогда, — не надо относиться свысока к простоте. Простота часто ускользает от нас, скрывая неожиданную глубину, и от нее зачастую многое зависит.

Все это время, пока он говорил, теперь уже совсем мягким голосом, будто рассказывая сказку, я вглядывалась в его лицо и вдруг поняла, наверное в первый раз за все месяцы нашего общения... Я в первый раз поняла, что этот человек, который был так приятен мне и как собеседник, и как любовник, и как просто товарищ, с которым хорошо находиться рядом, на самом деле несет в себе и глубину, и опыт, и знание, о которых я даже не подозревала. Я вдруг осознала, что разделяют нас не только годы, но, вместе с ними, и пропасть в понимании жизни, которое эти годы приносят. Что, наверное, случались в жизни его события и эмоции, не случившиеся еще со мной и давшие ему возможность думать о таких вопросах, о которых я никогда не задумывалась, потому что они просто не приходили в мою голову, не были в рамках моего жизненного опыта.

Я вдруг почувствовала приступ особенной, ранее незнакомой нежности — странно беззащитной, оголенной и оттого еще более чувственной, готовой вылиться в какое-то особенно проникновенное действие, еще не определенное мной и потому еще не нашедшее своего выражения.

— У тебя все время слишком мальчишечьи примеры, не самые доступные для меня, — сказала я улыбаясь. — И термины странные, вот эти, как ты их назвал, хоккейные винты, что ли.

Я замолчала и, больше не в силах сдерживаться, запустила руку в его волосы, не найдя ничего лучшего, чем выразить себя в этом не самом замысловатом движении.

— Ты странный, ты знаешь это?

То ли рука моя, то ли голос все же выплеснули скопившийся во мне заряд нежности, но Марк вдруг резко рванул машину к тротуару и остановился. Он перегнулся ко мне, и я услышала чуть сдавленное дыхание.

— У тебя помада при себе? — выдохнул он, и я увидела даже в подступающем с улицы полумраке мгновенно меняющийся цвет его глаз.

Я не почувствовала ни его губ, ни языка, ни запаха его возбуждения, я больше вообще не способна была что-либо чувствовать. Потому что в голове моей вдруг помутилось, и незнакомая по прежней жизни, дурманная, почти материально осязаемая теплая волна поднялась откуда-то из недр моего тела и ударила в виски и в глаза, и сознание мое медленно качнулось и расплылось, стало неосязаемо тонким и рассеялось по всему телу, перейдя в новую, неожиданную субстанцию, и так и не вернулось в обычное состояние, даже когда он отстранился и откинулся на свое сиденье — тоже с вполне ошарашенным видом.

ГЛАВА ШЕСТАЯ

Я действительно выглядела нелепо в небрежном своем наряде на фоне непривычной для меня роскоши этого вечера, вернее бала, среди солидных мужчин, почти неотличимых в однообразии фраков, и женщин, каждая из которых, наоборот, бросалась в глаза волнующей изощренностью своего вечернего платья. Как только я вошла в зал увитого плющом особняка, и, мгновенно оценив крайне неблагоприятную для себя обстановку, я в сердцах прошипела Марку на ухо:

— Вернемся домой — я тебя убью.

— Не могу дождаться, когда мы вернемся домой, — постарался отделаться он глупой шуткой, хотя я, конечно, не шутила, и он, заметив это, добавил: — Не нервничай, ты восхитительна, прекрасна, очаровательна. Ну что мне еще сказать, чтобы ты поверила.

— Нет, ты это все специально подстроил, — бормотала я, пытаясь как можно незаметнее одернуть юбку, чтобы она хоть как-то дотянулась до верхних костяшек коленок, но при этом чтобы пояс ее не опустился ниже бедер. — У тебя какие-то гнусные цели, ты специально хотел меня напоказ выставить, — продолжала злиться я.

— Малыш, не нервничай, — повторил он. — Ты здесь самая молодая и вообще самая-самая, а знаешь, какие у тебя ноги? Скрывать их — преступление. Ты думаешь, отчего они все в длинных платьях?

— Ладно, ладно, лапшу-то на уши другим вешай, — не унималась я.

На меня действительно одинаково пристально смотрели представители обоих полов, и, если честно, я не могла понять — с подозрением смотрели или с жизнерадостным интересом. В любом случае это многозначительное внимание в восторг меня не приводило.

Мы подошли к сервированному столику, и Марк взял мне легкий коктейль и что-то себе. Выяснилось, хотя мне уже ничто не казалось странным, что его многие знали — останавливались, здоровались, расспрашивали. Марк каждый раз представлял меня, и каждый раз я обменивалась рукопожатиями и говорила то, что говорят при знакомстве, неестественно широко улыбаясь, смеясь неостроумным шуткам и пытаясь заставить себя не смотреть вниз, на бесстыжий край своей юбки.

Люди в зале были разного возраста, от «под сорок» до очень стареньких. Они сбивались в тесные кучки, и по доносившимся оттуда жизнерадостным возгласам можно было судить, что они просто тащатся друг от друга.

Не могу сказать, чтобы мне было скучно, — все же новая обстановка, да и смешные дядечки попадались, но и безумно весело мне тоже не было.

В группе, к которой прибились мы, вернее я, так как Марк естественным образом интегрировался в нее, какой-то мужик, безумно интересный, больше похожий на яхтсмена, в одиночку переплывшего Атлантику, чем на ученого, рассказывал о том, как где-то в Сахаре под песком нашли новую пирамиду высотой, если с нее счистить все наслоения, около ста пятидесяти метров. Внутри нее, в саркофаге, обнаружили еще вполне свеженькую мумию очень хорошенькой царицы. Он так и называл ее «царица», и, так как имя ее еще не определили или не придумали, создавалось впечатление, что она его персональная царица, а он ее подданный. Такая фамильярность вносила дополнительное личностное ощущение, и царица ассоциировалась именно с этим сахарным исследователем, и даже можно было предположить какую-то, чуть ли не подозрительную, связь между ними — так бережно он о ней говорил. Если без иронии, то было на самом деле интересно, чувак сам участвовал в раскопках и рассказывал так образно, что ему хотелось позавидовать и упросить взять с собой обнаруживать новые пирамидные лежбища хорошеньких самодержавок.

По тому, как Марк подключился к разговору, иногда очень специальному — что-то насчет презервации саркофага и прочее, с непонятной, во всяком случае мне, терминологией, я поняла, что, как это ни удивительно, темой он владеет. К тому же, не имея возможности самой определить глубину его познаний, я заметила, что обветренный мужик говорит с ним если не с уважением, то и без всякого профессионального превосходства. Что запутало меня полностью, так это то, что Марк стал приводить цитаты из каких-то специальных археологических журналов, о которых я, естественно, никогда не слышала, называя, помимо терминов, имена авторов статей, и собеседник его, достав ручку, сделал пометки в своей записной книжке.

Впрочем, все выглядело вполне мирно, они не спорили, и я подумала, что Марк не пытается как-то специально продемонстрировать перед профессионалом свою, как я все же подозревала, любительскую ученость. Они беседовали минут двадцать-двадцать пять, и потом Марк вывел меня из плотной группы переминающихся с ноги на ногу людей.

— Так, — сказал он, — обед начнется через пятнадцать минут, а нам еще надо найти Рона. Он должен быть где-то здесь.

— Ну-ка сознавайся, откуда ты все это про археологию знаешь? — потребовала я с напускной строгостью и, не дожидаясь ответа, добавила: — Сначала выясняется, что он на «поршах» разъезжает, потом — что в мумиях собаку съел. Собственно, меня интересует только одно: что ты еще такое-этакое знаешь и такое-этакое имеешь?

— Потом расскажу, — улыбнулся Марк, ясное дело, ему было приятно, что он произвел на меня впечатление. — Пойдем Рона искать.

Он взял меня за руку и повлек за собой.

— Вот так всегда: какого-то Рона придумал. Ну-ка сознавайся, что у тебя с мумиями было? И главное, отвечай, где? Прямо в саркофаге? Куда мумиенка дел? С мамкой оставил? Нехорошо... — лепила я разную чепуху, отчего улыбка не сходила с его лица.

Рона мы нашли в другом конце зала, он тоже стоял в группе людей, вернее будто вырастал из нее, причем не только вверх, но и вширь. Доминировали не только его фигура, но также его голос, смех, движения. Все вместе они создавали вокруг наэлектризованное поле, попасть в пределы которого означало оказаться под влиянием притягательной энергии обаяния Рона, которую я почувствовала мгновенно и сразу приняла. Он был — нет, не толстый, — потому что масса его гармонично распределялась по всей длине далеко не миниатюрной фигуры, увенчанной крупной головой, такими же чертами лица и большой шапкой черных, вьющихся волос. Голос его, тоже громоздкий, выделялся тем не менее умеренным равновесием, а как бы постоянно подразумеваемая ирония, сконцентрированная в чуть смущенной улыбке, только оттеняла размашистость его фигуры и движений.

Он рассказывал что-то, по-видимому, очень смешное, и люди, стоявшие вокруг, заливались по-детски неискушенным смехом, да и сам вид его, тоже чуть детский, смеха иного качества вызвать и не мог.

Мы с Марком подошли, когда он уже заканчивал свой рассказ и, увидев нас, замахал рукой: мол, подождите секунду.

— Чем ты их так насмешил? — спросил Марк, когда Рон вышел из круга и люди, создававшие его, сразу разбрелись, лишившись основы Ронова притяжения.

— Так, баловался, — и тут же переключившись на меня, представился: — Рон, а вы и есть Марина, о которой Марк так много рассказывал.

— Надеюсь, хорошо? — не нашла ничего лучше я, пожимая его руку.

— Исключительно, — ответил Рон.

— Ты видишь самого несерьезного математика, по крайней мере в Америке, — отрекомендовал мне Рона Марк. — Вернее, не так: самого несерьезного человека из всех серьезных математиков.

— Не слушайте его, Марина, несерьезный человек не может быть серьезным математиком. А так как я человек, безусловно, несерьезный, то и математик я несерьезный. Ну что, — он обратился к Марку, — сейчас эта лекция начнется. Мы сидим за самым дальним столиком, чтобы как можно хуже слышно было. Я постарался, — хвастливо добавил он.

— Не любит лекций, — кивнул на Рона Марк.

— Не люблю. Читать люблю, а слушать нет, — легко согласился Рон.

Мы подошли к столику, действительно находящемуся на самом отшибе, почти в слуховой недосягаемости от подиума. Все в зале уже сидели или рассаживались, на столах стояли тарелки с легкой закуской.

— А о чем лекция? — спросила я.

— Понятия не имею, — сказал Рон. — Сегодня Альтман говорит. Небось шутить про свою физику будет и денег на нее просить.

— На кого? — не поняла я.

— На физику, — пояснил Рон. — Они всегда на таких выступлениях на свои проекты денег просят. Здесь тьма журналистов, и пара людей из Госдепа, и конгрессмен из комиссии по науке.

— Ну, все же лауреат Нобелевской премии, — заметил Марк.

— Никто и не спорит, — сказал Рон, слегка ерзая на стуле, как бы пристраивая его под себя. — Кресла у них какие-то маленькие, — недовольно пробурчал он. — Я надеюсь, перекусить-то они сначала дадут, на голодную башку какая уж тут лекция, — сменил он тему и основательно осмотрел закуски. — Я на днях новую теорию придумал о дискретности человеческой жизни, — выдал он почти без перехода, кладя в рот розовый кусок лососины. — Считается, что человек живет одну непрерывную жизнь, плавно переходя из одного этапа развития в следующий, из младенчества — в детство, половое созревание, подростковый период и так далее. Так?

— Ну, приблизительно так, — согласился Марк.

— Так вот не так.

— Это смелое утверждение, особенно для служителя точных наук, — перебил его Марк.

— Не для меня, — отмахнулся Рон. — Сравни себя теперешнего — сколько тебе? Тридцать шесть? — с собой же, но двадцатилетним, и скажи мне, что между вами двоими общего, кроме того, что у вас единое самосознание. Подход к жизни изменился, понимание и оценка жизни изменились, ощущение себя в жизни изменилось, ценности изменились, цели изменились, пути их достижения тоже изменились. Так? — опять спросил он.

— Продолжай, продолжай, — с удовольствием ответил Марк, как будто Рон действительно ждал от него одобрения.

— Проблемы, которые были тогда, сейчас тебя никак не волнуют, женщины, которые нравились тогда, сейчас тебя тоже не волнуют, более того, ты их и не помнишь. Ну, а если вспомнишь, то удивишься, как это тебя тогда угораздило на них глаз положить. В результате если ты вдруг сравнишь двух себя, то выяснится, что вы — два совершенно разных человека. Так?

На сей раз Марк промолчал, только кивнул.

— Но теперь сравни себя двадцатипятилетнего и себя пятнадцатилетнего. Опять же все разное — и интересы, и цели, и ощущения, и все остальное. Снова получается, что вы — два разных человека, ты двадцатипятилетний и ты пятнадцатилетний. Соответственно, между тобой теперешним и тобой пятнадцатилетним нет вообще ничего общего, два не связанных с собой человека. Мы можем опуститься еще дальше по древу, так сказать, жизни и доказать, что аналогично нет связи между Марком пятнадцатилетним и Марком — пятилетним мальчиком.

К этому моменту Рон доел последнюю закуску, аккуратно утерся салфеткой и продолжал еще с большим, казалось, теперь уже сытым удовольствием:

— Теперь давайте введем термин «человеческая жизнь» и определим его не примитивным фактором физического рождения и смерти, как это обычно делается, а более сложно — уникальным набором жизненных атрибутов, или, иными словами, набором жизненных правил. Эти атрибуты включают и правила морали, и систему жизненных ценностей, и понимание жизни, и, кроме того, текущие заботы, интересы, цели и планы по их достижению и так далее. То есть мы говорим, что жизнь и ее уникальность определяются именно этим комплексным набором, который, если изменился достаточно, создает необходимые предпосылки для начала новой «человеческой жизни». Таким образом, ты, Марк, прожил не одну жизнь, дожив до своего возраста, а, как мы теперь знаем, как минимум, четыре не связанных между собой жизни.

А что, подумала я, пожалуй, он прав. Какое отношение я сегодняшняя имею к себе московской? Никакого! Все изменилось во мне, я себя, скажем, пятнадцатилетнюю вообще не особенно помню. Я и вижу-то себя, когда вспоминаю, как бы со стороны, и это мое видение и есть то единственное, что нас — меня смотрящую и меня осматриваемую — связывает. То есть ничего. Нет, он точно прав.

— Дальше, — продолжал Рон, — мы можем дедуктивным методом построить зависимость, так сказать, независимости наших жизней, доказав, что если Марк тридцатишестилетний не связан с Марком пятнадцатилетним, то он не связан и с Марком шестнадцатилетним. Теперь мы интерполируем нашу зависимость и, следи внимательно, приходим к тому, что Марк теперешний также не связан с Марком тридцатичетырехлетним и, более того, Марк сегодняшний становится несвязанным с Марком вчерашним. То есть мы делаем вывод, что Марк прожил не четыре, а множественное количество различных жизней, не связанных друг с другом. То есть, иными словами, Марк каждое мгновение умирает и каждое мгновение рождается свеженький Марк. При этом жизненные атрибуты, такие, как, например, система моральных ценностей, смещаются, и на это я обращаю ваше внимание особенно, потому что тут возникает сразу множество вопросов. Например, такой парадокс: если Марк недельной давности и сегодняшний — разные люди, то несет ли сегодняшний Марк ответственность за поступки Марка недельной давности? Но это, впрочем, вопрос к юриспруденции.

— Вот такой подход мне нравится, — сказал Марк.

— Единственное, — продолжал Рон, не обращая внимания на ремарку, — что связывает разные дискретные жизни одного и того же человека, так это самосознание и частичная общая память. — Он обвел взглядом поверхность стола с его уже пустыми тарелками и вздохнул от разочарования. — Они горячее принесут когда-нибудь?

— Вы, наверное, из своей последней жизни ушли, не перекусив, — не выдержала я.

Он посмотрел на меня внимательно, даже пристально, и я не вполне поняла, что стояло за этим взглядом, но замечание мое проигнорировал.

— Я, конечно, сейчас все упростил для краткости. Конечно, набор жизненных правил каждое мгновение не меняется полностью, а видоизменяется незаметно для, так сказать, невооруженного глаза. Более полная смена жизненных атрибутов, ведущая к переходу в следующую жизнь, происходит со временем, которое тоже может варьироваться в зависимости от условий, при которых происходит переход. Но в целом идея ясна. Что особенно интересно — вся эта теория достаточно просто формализуется. Я построил модель и определил массу интересных зависимостей, например корреляцию между возрастом человека и циклом полной смены жизненных атрибутов, то есть то, что мы называем жизненными правилами, ну и так далее.

Он оглядел нас не просто лукавым, а вызывающе лукавым взглядом, и я вдруг засомневалась, а не навешивал ли тут этот толстячок-здоровячок длиннющей лапши на наши растопыренные ушки. В этот момент все же принесли еду, и он отстранился от стола, как бы освобождая пространство для официанта, чтобы тот смог протиснуть тарелку с чем-то обжигающе горячим и шипящим.

— Ну что, — сказал Марк, после того как Рон сосредоточился на еде и стало понятно, что изложение своей теории он закончил, — раскритиковать тебя?

— Давай валяй, души дерзновенную мысль, — ответил Рон, и я опять подумала, что, может быть, он все время просто дурачил нас или, по крайней мере, меня, а может, развлекал.

— Ну, во-первых, мне понравилось и звучит правдоподобно, но есть пара неточностей. Ты не учитываешь, что Рон в новой своей жизни зависит от Рона из старой жизни. Если с Роном в старой жизни происходят какие-то события, они оказывают влияние на нового Рона, и, таким образом, формируют его. Так что существует еще одна связь между жизнями, помимо памяти и самосознания.

— Ну, это зависит от того, веришь ли ты в качества врожденные, то есть в гены, или в приобретенные, то есть в воспитание, окружающую среду и прочую социальную чушь. Если ты, вместе со мной, за гены, то события предыдущей жизни не имеют значения для жизни будущей, — произнес Рон как бы по ходу, как бы в добавление к заглатываемой целиком какой-то длинной, но наверняка подводной океанской твари.

Вообще, казалось, что тема перестала его интересовать, а если и продолжала, то, во всяком случае, значительно меньше, чем горячий продукт, остававшийся еще пока на его тарелке.

— Это уже как тебе будет угодно, — не стал возражать Марк. — Но не кажется ли тебе, что ты в своей теории не учел влияние памяти на сознание? Не кажется ли тебе, что текущее состояние нашей памяти, я имею в виду то, какой набор воспоминаний она содержит в данный момент, и определяет, по большому счету, состояние нашего сознания, или, в рамках твоих терминов, систему жизненных атрибутов. По мере продвижения по жизни содержимое памяти меняется, что-то вычеркивается, что-то заносится, и в зависимости от этого изменяется наше сознание, а с ним и состояние нашей жизни. Например, депрессию, наверное, можно диагностировать, проанализировав некий срез памяти, если это возможно, и обнаружить там много невеселых воспоминаний и совсем мало веселых.

— А не наоборот ли? Не изменяет ли сознание память, во всяком случае в твоем примере с депрессией? — перебил Рон.

— Мы не знаем, что первично. Важно то, что, регулируя память, изменяя ее содержимое, восстанавливая какие-то потерянные ее куски и истребляя другие, мы можем воздейство-

71

вать на сознание, то есть на то, что ты называешь жизненными атрибутами.

«Да, — подумала я, — это что-то новое. Чего эти ребята только не придумывают: то жизнь, которую живешь, вовсе и не одна, то я определяюсь тем, что помню. И непонятно, то ли они серьезно, то ли меня разыгрывают».

Я внимательно посмотрела на Марка. Если он и шутил, то делал это с вполне серьезным выражением лица.

— А это означает, — продолжал он, — что новая жизнь через память переплетена со старой. Это означает, что обе они не просто используют общую память, как ты говоришь, а связаны непростой зависимостью.

— Хорошо, — только и ответил Рон, и непонятно было, либо он согласен с тем, что сказал Марк, либо все сказанное его вообще не интересовало. Может быть, интерес его закончился с обретенным чувством сытости.

Я тут же вспомнила, что Марк, позвонив мне однажды после того, как мы не виделись несколько дней, сказал, что все эти дни вспоминает, как после совместно проведенной ночи он ушел утром по делам, оставив меня на пару часов одну. Когда же он вернулся, я открыла ему дверь, и, за неимением халата, на мне была его рубашка, надетая на голое тело и лишь слегка прикрывающая его. Но он был озабочен обычной утренней рутиной и потому еще, что события ночи не успели рассеяться в нем, сразу ушел на кухню и стал просматривать почту. И вот с тех пор он не может простить, что в своей тупой толстокожести упустил этот шанс, который, как всякий шанс, уникален и неповторим, невоспроизводим до конца, и что теперь он не понимает, как такое могло произойти. «Во всем виновата сытость, — добавил Марк. — Сытость не изощренна».

«Действительно, — подумала я сейчас, смотря на Рона, впрочем не пытаясь представить его в едва прикрывающей рубашке, — сытость не изощренна».

Между тем началась лекция, она, конечно, была популярной, но все же о квантовой физике, и потому я даже не пыталась вникнуть. Рон тоже отреагировал вяло, меланхолично, почти как я, хотя наверняка понимал куда как больше. Марк же, напротив, слушал с интересом и даже отправил записку с вопросом.

— Ты и в квантовой физике сечешь? — искренне удивилась я, когда человек на подиуме стал отвечать на вопросы, и зал немного оживился и стал шумнее, и я не боялась больше шептать в тишине.

— Марина, — как бы жалея меня, улыбнулся Рон, — этот человек, — он кивнул на Марка, — тем и отличается, что знает если не вообще все, то приблизительно все. Он тем и известен в народе.

— Откуда ты все знаешь? — подозрительно спросила я у Марка, но он промолчал, как бы давая Рону ответить за него.

— Иногда о причинах не надо задумываться, а надо просто принимать факты в себя.

И сама фраза, и тон были уже слишком ироничны, даже неприлично ироничны, даже резки. Во всяком случае, я приняла этот выпад на свой счет, и не могла оставить его без ответа, и поэтому вставила свое:

— Ну да, как горячую устрицу... — я попридержала фразу, чтобы он не обжегся, и потом, когда поостыло, закончила утверждающе: — Через рот. В себя.

Я заметила, что Марк улыбнулся.

ГЛАВА СЕДЬМАЯ

Уже в машине, по дороге домой, я, прокручивая в себе только что прошедший вечер, поняла, что он был удивительным и что я видела удивительных людей и слушала удивительные разговоры. Я подумала, что люди, встреченные мной сегодня, совершенно не похожи на тех, с которыми мне приходится встречаться в своей повседневной жизни — на моих приятелей и знакомых. Еще я подумала, что им, друзьям моим, да и мне тоже, никогда бы не пришло в голову рассуждать о дискретности жизни, или как это называлось, что если бы такая идея и пришла кому-то из нас в голову, то показалась бы нелепой в своей совершенной непригодности.

— Ты считаешь, — спросила я Марка, — он серьезно все это говорил?

— Кто? — не понял Марк.

— Рон. О дискретности жизни.

— Конечно, серьезно. Ему пришла идея, может быть, с философской точки зрения, абсурдная или банальная, а может быть, и нет, не знаю. Но интересно то, что он пропускает ее через свою призму, через которую он вообще смотрит на мир, — через призму математических моделей, и возможно, что, пройдя через нее и преломившись как-то причудливо, она вдруг станет вполне заслуживающей внимания.

— Но он говорил как-то, мне показалось, шутя, — сказала я.

— Он всегда так говорит. Это такое средство самозащиты, — Марк пожал плечами и повторил: — Я уверен, он был вполне серьезен.

— Странно, что он думает о таких вещах.

— Почему, ничего странного, — не согласился Марк. — В жизни есть много вопросов, над которыми мы обычно не задумываемся. Но на каждую, самую, казалось бы, никчемную проблему, которая только может существовать в мире, есть, как минимум, один человек, который эту проблему изучает, порой годами, и пытается решить. Это и определяет сбалансированность человеческого прогресса.

Мы замолчали и так, молча, проехали минут пять.

— Я еще хотела тебя спросить, — осторожно начала я. — Ты сегодня по дороге на этот вечер говорил о творчестве и прочих вещах. При этом, как мне показалось, ты как бы имел в виду меня. Так вот, я хотела спросить, почему ты думаешь, что все это имеет ко мне отношение? Я всегда считала, что я — самая обыкновенная. Где-то лучше, где-то хуже, но в целом я никогда в себе ничего такого, никакого дара не замечала, да и никто не замечал.

Он молчал пару минут, потом проговорил:

— Видишь ли, малыш, мне кажется, повторяю, кажется, что в тебе есть божья искорка, может быть пока не пламя, а искорка, но каждую искорку можно раздуть. Это требует времени и труда, но это возможно. В тебе есть тот неожиданный подход к жизни, та неадекватность оценки и неадекватность реакции, которые — не всегда, но часто — являются сопутствующими признаками творчества, как, скажем, пироп сопутствует алмазу. Да-да, я не ошибаюсь: в тебе что-то есть, и жалко будет, если это «что-то» растратится впустую. Но, если я и ошибаюсь, ты тоже ничего особенного не потеряешь.

— Не поняла. Чего я не потеряю?

— Я знаю, я неясно говорю, подожди, я сейчас постараюсь сказать иначе. — Он замолчал. — В этой жизни существует множество различных уровней, я не имею в виду то, о чем Рон говорил, я имею в виду социальные уровни. Я не открою ничего нового, сказав, что стили жизни на разных уровнях отличаются, но, поверь мне, люди даже не представляют, как разительно они отличаются. И опять я не имею в виду материальную сторону, я говорю, скорее, о комплексном подходе.

Вот хороший пример, — эти три слова он проговорил неожиданно быстро, видимо боясь, как бы «хороший пример» не ускользнул от него, — ты только что спросила, серьезно ли говорил Рон о своей новой теории. Дело в том, что в обычной ситуации его мысли покажутся нелепыми, как и сам человек, высказывающий их, покажется нелепым. Но на его уровне они вполне законны, так как находящиеся на нем люди вообще часто думают о странных на первый взгляд вещах. Более того, положение Рона дает ему не только право на такие мысли, но и возможности их каким-то образом разрабатывать. Например, он имеет возможность строить математические модели, чтобы доказать свою идею. Скорее всего, эта идея в данный момент для него просто игрушка, которая тешит его, но он может законно играть ею, взять, например, студентов в помощь, создать факультатив и так далее. Потом Рон, возможно, начнет обсуждать идею с другими людьми, которым, так как они находятся на том же уровне, и в голову не придет считать ее безумной. Забавной, ловкой игрой ума — может быть, но не безумной. Дальше, если захочет, Рон сможет написать статью, и его статус позволит ему опубликовать ее, и, кто знает, не станет ли его идея в какой-то момент вполне законным научным подходом. И так далее.

Марк оторвал взгляд от дороги и на мгновение перевел его на меня.

— Что я хочу сказать? Уровень, на котором находится человек, определяет и его интересы, и то, как он располагает своим временем, и его социальное окружение, и цели, и многое другое, что в конце концов определяет качество всей жизни. Но главное — только определенный уровень определяет свободу мысли и ума. У Рона он достаточно высок, и для него эта свободная игра ума естественна, тогда как для других — непозволительная роскошь.

Он замолчал, как бы оставляя место для моих возражений, но их у меня не было, я молчала, я хотела, чтобы он продолжал.

— Хитрость заключается в том, что на определенный уровень необходимо попасть сразу, так как очень сложно, скорее невозможно поменять его, особенно в такой устоявшейся системе, как наше общество. В этом-то и идея: сразу попасть именно на тот уровень, в котором будешь себя наиболее органично чувствовать, и точность попадания в данном случае исключительно важна, так как это — на всю оставшуюся жизнь.

Он опять сделал паузу, и я опять не проронила ни слова.

— Не надо думать, впрочем, что на уровне, на котором находится Рон, все люди одарены талантом творчества. Ничего подобного. Люди разные, попадаются творческие, в основном — нет, хотя в его среде процент творческих выше, чем в среднем. Но, попав туда, способный ты или нет, ты в любом случае там и остаешься, так как перейти на другой уровень, как мы знаем, сложно. Поэтому любой человек, попав туда, будет пользоваться всеми привилегиями своего статуса. Теперь я возвращаюсь к тому, с чего начал: если у тебя, и я имею в виду тебя, действительно имеется та самая искорка, а я повторяю: мне кажется, что да, имеется, то чудесно, твое место там. Но если я ошибаюсь и ее нет — тоже ничего страшного, просто получишь удовольствие от присутствия.

Я продолжала молчать, так мы и доехали в тишине до самого дома. Какое-то неясное, смутное чувство поднималось во мне, и, хотя я еще до конца не смогла разобраться в нем, я ощутила нервозное волнение, смесь возбужденного отчаяния и страха, как, наверное, перед прыжком с парашютом. Я знала, такое чувство всегда начинало тревожить меня в тот момент, когда я еще не понимала, нет, скорее, нащупывала своей более животной, чем разум, интуицией, что что-то скоро изменится в моей жизни и что я уже сама подневольно стремлюсь к этой перемене.

Я должна сознаться: этот вечер произвел на меня впечатление, но не фраками и вечерними платьями присутствующих, а непривычной расслабленностью людей. Вспоминая их, да и всю атмосферу вечера, я догадалась, что самое разительно непривычное для меня было ощущение общей беззаботности.

Нет, я понимала, конечно, что у них, как и у любых нормальных людей, полно повседневных и неповседневных забот, но эти заботы казались мне другого порядка, чем, скажем, мои или моих знакомых. Какие улетные фантазии завораживали меня в те редкие минуты, когда я могла заставить себя не думать о том, чем платить в следующий месяц за квартиру или лечь ли мне сегодня в три часа ночи либо, наоборот, прямо сейчас, в двенадцать, и проснуться в четыре утра, чтобы успеть подготовиться к занятиям? Позвонить Катьке и поболтать с ней полчаса, узнав у нее все последние сплетни и перемыв и без того давно стерильные косточки всем нашим близким и далеким знакомым. Или, если Катьки не было дома, взять какой-нибудь самый простенький детектив, чтобы не задумываться, и, включив какую-нибудь туфту по телевизору, не проникаться до конца ни тем, ни другим.

Мысль о дискретности хоть жизни, хоть чего другого, так же, как информация о древних пирамидах или о каких-то там квантовых явлениях, не могла в принципе коснуться моего сознания, не потому, как я надеялась, что мое сознание было слишком упрощенно для них, а потому, что мысли эти не водились в среде обитания, моего сознания. И наоборот, моему сознанию никогда не доводилось попадать в среду обитания подобных мыслей.

Я поняла, что существуют они как бы в разных плоскостях и пересечься им просто не представлялось возможности. И не то, опять пришло мне в голову, что Катькины впечатления о ее мальчиках казались мне не стоящими времени или внимания, а просто не были они такими отвлеченными и потому беззаботными по сравнению с теми разговорами, что я слышала на вечере.

78

ГЛАВА ВОСЬМАЯ

Я ходила, думая об этом, недели две-три, пытаясь разобраться в своих ощущениях, пока они, неясные и расплывчатые, не выразились в одной короткой фразе: «Я *не там*».

Уже потом, через годы, я, анализируя процесс мышления, разобралась, как та или иная мысль находит во мне конкретную форму. Сначала, поняла я, и мысли-то никакой нет, а только неопределенное, зыбкое, только интуитивное ощущение, догадка, взявшаяся из ниоткуда или, скорее, из всего — в общем, не знаю. Это эмбрион будущей мысли, и не надо бояться, что он бесследно рассосется, так же, как и не надо пытаться его развивать искусственно — он никуда не денется, он внутри, и требует, как любой эмбрион, естественного, нефорсированного развития.

Чуткая эта догадка может иногда перестать ощущаться, показаться потерянной, но не нужно беспокоиться, она не потеряется, она просто затихла и вернется, окрепшая и вызревшая. Со временем затаившееся чувство незаметно для нас самих перерабатывается, переваривается желудочным соком нашего сознания, и частички его, видоизменившись как после химической реакции, оседают где-то на дне. Постепенно, скопившись в достаточном количестве, они склеиваются между собой, создавая единую массу родившейся мысли.

Но мысль эта, уже сформировавшись внутри, еще не умеет выйти наружу, так как не знает, как выразить себя. Тогда сознание снова принимается за работу, осторожно, на ощупь, как слепой в узком коридоре, пытается оно вписать мысль в пока еще неуклюжую словесную форму, практически никогда не добиваясь успеха с первых судорожных попыток. Только лишь потом, проговорившись и мысленно, и вслух, мысль находит, скорее пробивает, протаптывает ту единственную тропинку, которая дает ей самое предельное выражение.

Так вот, недели две или три понадобилось мне, чтобы однажды, когда я осталась ночевать у Марка, уже поздно, умиротворенная и расслабленная, лежа головой на его плече, так, чтобы ему было удобно откинутой рукой скользить по моей груди, вызывая этим дрожь идущей мурашками кожи, я сказала ему:

— Я поняла наконец: я *не там*.

— А где ты? — лениво отозвался он, думая о только что происшедшем.

— Нет, я не об этом, я вообще не о нас, — произнесла я. — Я о своей жизни вообще. Я просто не там.

— Ты не имеешь в виду — географически? — спросил он, и я догадалась, что он, умничка, понял, о чем я говорю.

— Не имею, — подтвердила я.

— Да, — сказал он, — ты *не там*.

Мы замолчали, но я знала, что он еще скажет что-то.

— Я тебе говорил — ты *не там*, — повторил он. — Знаешь, когда-то давно я прочитал одну притчу про птицу, которая хотела научиться быстро летать.

Я несколько раз повела головой, как бы для того, чтобы потереться щекой, а на самом деле — просто чтобы удобнее примоститься на его плече, ожидая рассказа. Я любила его истории, я привыкла к ним, даже стала зависима от них, но не болезненно, как от тяжелого наркотика, нет, скорее, как от невесомо легкого.

— Так вот, эта птица постоянно искала пути для более скоростного полета, пробовала складывать по-разному крылья, придавая им новые аэродинамические формы, использовала всякие другие хитрости. История там на самом деле длинная, но в результате птица научилась летать так быстро, как обычные птицы и представить себе не могли. Кстати, они за это выгнали ее из стаи, но это так, к слову.

Я так сладко пристроилась у него на плече, и голос его, такой сейчас ровный, и рука его, расслабленная на мне, — все приносило умиротворение и безмятежное спокойствие. Я лежала с открытыми глазами, и мне не хотелось спать; свежий, чуть пропахший тиной океанский воздух, перемешанный с вялыми ночными звуками города, лишь добавлял фантастическую правдивость его размеренному рассказу.

— Но дело не в этом. Дело в том, что однажды во время очередной тренировки — а птица эта только тем и занималась, что тренировалась, — она полетела так быстро, что как бы провалилась куда-то, и выяснилось, что там, куда она попала, в некое другое измерение, там уже живут птицы, те немногие, со всех концов света, для которых идея летать быстро была единственно важной в жизни. Более того, если какая-нибудь из них вдруг начинала летать качественно быстрее, она исчезала из данного измерения и перемещалась в другое, туда, куда попадают птицы, которые умеют летать еще быстрее. Так продолжалось до тех пор, пока избранные не начинали летать со скоростью мысли.

Марк остановился, я лежала, рассматривая на потолке медленно ползущие тени, и думала, что как бы мне ни был интересен его рассказ, но не он определяет сейчас этот поздний вечер. А определяют его, скорее, голос, интонации, успокаивающая теперь равномерность, они-то и создают ту уникальную среду, в которой мое тело открывает все миллионы своих поверхностных пор и впитывает, втягивает ими и голос Марка, и его скользящий по мне взгляд, и легкие прикосновения руки, да и сам ночной рассказ.

Да, да, догадалась я, это и есть самое главное: ведь любовь, и физиологическая, и эмоциональная, она ведь не про примитивные эрогенные зоны, да и не про первичные и вторичные половые признаки. Она как раз про такое редкое состояние, когда открываются бесчисленные кожные поры и именно они впитывают и тело любимого, и источаемую им энергию, но и не только. А еще голос, и взгляд, и тепло, да и весь загипнотизированный воздух пропитанной ими комнаты. Ведь только так происходит полное, предельное взаимопроникновение друг в друга — только через открытые любовью поры.

— Вот такая история, — продолжил Марк, — и хотя она в простой основе своей про самосовершенствование, я нашел в ней свою собственную мысль: бывают другие измерения, кроме того, в котором мы находимся, и мы можем даже не догадываться об их существовании. И еще, желание перейти в другое измерение не может являться целью, то есть может, но тогда она становится практически недостижимой. Единственная цель, — он повернул ко мне лицо, и его глаза оказались совсем близко, — для которой стоит учиться быстро летать, — это быстро летать. Понимаешь, она первична, и, только когда она достигается, происходит переход в новое измерение со всеми вытекающими жизненными благами. Но почти никогда наоборот. Иными словами: цель — подняться над собой, и только она, какой бы идеалистической и наивной она ни казалась, на самом деле приводит к успеху.

Он замолчал.

— Поздно уже, спи, — сказала я, почувствовав почему-то странный прилив нежности к нему, и протянула руку, и провела ладонью по его щеке. — Спи, любимый, — повторила я, почувствовав, что первая фраза не смогла выразить всю накопившуюся ласку, но, не удовлетворившись также и второй, я приподняла голову с такого удобного плеча и, подавшись вперед, предельно вытянувшись и прижавшись всею собой к его телу, прочувствовав каждой клеточкой его податливую упругость, так что будто снежная россыпь неожиданно сдвинулась где-то у позвоночника и растеклась морозной дрожью по спине, я поцеловала его в не умеющую спрятаться даже в темноте, чуть вибрирующую жилку на шее, так как выше было мне не достать.

Он еще сильнее прижал, почти сдавил меня освободившейся рукой, так что грудь моя больно вдавилась в его тело. И оттого, наверное, сердце на мгновение выскользнуло и, неловко метнувшись, стремительно пронзило что-то внизу живота, что заставило меня податься вперед и еще сильнее вжаться в бедро Марка самым своим краешком, и новая вспышка боли потонула в мутящей теплоте, захватившей всю меня — и тело мое, и сознание, и движения — и только позволившей мне прошептать:

— Нет, подожди, не спи еще.

ГЛАВА ДЕВЯТАЯ

Через пару дней, когда Марк встретил меня после работы, мы шли вдвоем по уже почти ночной улице, и краснокирпичные дома, вобравшие в себя также старческие цвета пережитых столетий и увитые бородатым плющом, с ажурными балкончиками и полукруглыми башенками, создавали ощущение игрушечной нереальности. Улица была пуста, только редкие машины тревожили своими фарами и без того трепетный и неравномерный свет усталых фонарей. Мы говорили обо мне. Я сказала, что думала и приняла решение и что хочу попробовать и рискнуть, и черт с ней, с этой бухгалтерией. Он посмотрел на меня внимательно и спросил, решила ли я, на какой факультет хочу переходить. Я ответила, что это как раз я и не знаю, и мы оба засмеялись.

— Я знаю точно, что не хочу заниматься математикой, физикой, химией и прочей технической инженерией, — сказала я.

Он спросил:

— Это потому, что тебе не нравятся точные науки?

Я задумалась. Все же непросто выразить словами то, что скорее чувствуешь, чем понимаешь.

— Да нет, — произнесла я после паузы, — не то чтобы они не нравились мне, просто я к ним безразлична. Дело, наверное, в том, что я не вижу жизнь через формулы, функции и интегралы.

Марк согласился, но в голосе его было удивление. Он сказал, что это правда, что я очень хорошо сформулировала, и наклонился, и в виде одобрения поцеловал меня.

— Это правильно, — продолжил он, как бы размышляя. — Человек должен уметь выражать жизнь через то, чем он занимается, если он занимается этим серьезно.

И, помолчав немного, добавил, что какая я, однако, умничка, как здорово я сообразила, что это чудесная мысль и что он никогда не думал об этом именно в таком ракурсе. Мне вдруг стало неожиданно приятно от его похвалы, и я подумала, что вот так оно, тщеславие, доселе неведомое мне, и зарождается.

— Действительно, — сказала я, ободренная, желая развить успех своей мысли, — композитор выражает свое понимание мира через музыку, которую создает, тогда как музыкант передает свое восприятие, интерпретируя эту музыку так, как только он ее понимает. Так же и портной, наверное, выражает свое видение мира через костюмы, которые шьет. А математик выражает мир через формулы, футболист — через игру, — ехидно привела я наиболее привычный для Марка пример из спортивной жизни, — и так далее. И тут главное — найти ту среду, через которую удобнее всего передавать свое понимание мира.

— Ты действительно думала об этом, — сказал Марк улыбаясь. — И очень здорово придумала. Это отличная мысль.

Я ответила, что да, я действительно думала, что, видишь, я стала твоей хорошей ученицей, на что он сказал, что он здесь ни при чем, это просто мой нестандартный подход и нестандартная оценка жизни, о которых он говорил.

— Самое нестандартное в ней, — заметила я, дождавшись, когда он закончит нахваливать меня, — это то, что я так и не придумала, через какую среду хочу выражать свое, — тут я развела руками, как бы очерчивая шар глобуса, — понимание мира.

Мы опять заговорили о разных специальностях, и он спросил, как я отношусь к гуманитарным наукам, на что я ответила, что они мне симпатичны, как, впрочем, и сами гуманитарии, но заниматься ими я, наверное, не очень стремлюсь, так как мне всегда казалось странным, например, литературоведение.

Зачем, спрашивается, докапываться, что именно автор хотел сказать тем или иным текстом? Автор что хотел, то и сказал, и кому надо, тот поймет, а кому не надо, поймет по-своему. Не является ли это попыткой литературоведа, вернее общества, которому данный литературовед служит, подчинить своему мнению мнение читателя вместе с самим литературным произведением?

Я сама начинала понимать, что перебарщиваю, но ничего не могла поделать, уж очень мне сейчас хотелось порассуждать да поумничать.

— Или история. Ведь очевидно же, что историк подделывает прошлое именно под свою, весьма необъективную точку зрения, и таким образом получается не одна общая история, а много разных — столько, сколько книжек о ней написано. Знаешь, — я перевела дух, почувствовав, что уж очень впала в обличительный раж, — чем мне всегда хотелось заниматься? Философией. Нет, скорее, теологией. Я хотела бы выучить аравийский, древнееврейский, изучать Талмуд и каббалу, скрипты Мертвого моря, Евангелие и прочее, что-нибудь мистическое, про душу, про смерть, про смысл жизни, то есть про вечное. Знать то, что в детских книжках знают старые бородатые волшебники или мудрецы, — постаралась я выразить таким образом свое представление о науке теологии.

— То есть ты хочешь быть мудрецом? — сказал Марк и выпустил мою ладонь из своей.

— Мудрецом? — засомневалась я. — А почему бы нет? Хочу быть мудрецом.

— С бородой? — подозрительно спросил Марк.

— Ну... не знаю. Если только ты найдешь ей какое-то специальное применение, в общем-то, наверное, разное можно вытворять с бородой, особенно с длинной. А так, самой, мне борода ни к чему. Зачем мне борода? Нет, — твердо решила я, — мне не нужна.

— Действительно не нужна, — засмеялся Марк, а потом спросил: — А почему именно теология?

— Не знаю, — созналась я. — Может быть потому, что все, что касается загадки жизни, всегда очаровывало меня. Я всегда чувствовала волнение, когда слушала выступление какого-нибудь писателя или ученого или читала книгу с философским подтекстом. Мне казалось, что вот сейчас что-нибудь откроется, что даст на все ответ, и все разом встанет на свои места, и не надо больше будет спрашивать себя: как? почему? и что дальше? Мне всегда казалось, что существует лишь один главный вопрос, а все остальные, может быть, тоже важные, но второстепенные. Знаешь, как в научной фантастике физики пытаются найти единственную формулу построения мира...

— Они на самом деле пытаются. И клянутся, что найдут, — перебил меня Марк.

Я нервничала и была немного возбуждена, потому, наверное, что пыталась говорить о том, что скорее чувствовала, чем понимала, и о чем, конечно же, никогда не говорила прежде, и поэтому было страшно не найти слов, не выразить, даже не для Марка, а для себя. И еще потому, что тема была настолько нереальна, абстрактна и настолько внутри меня, что я боялась ее. Я даже не сразу обратила внимание на последнюю реплику Марка, настолько была сконцентрирована на своем.

— Да? — с деланным удивлением отреагировала я, пытаясь снова собраться. — Так о чем я? Ну вот, я потеряла мысль, ты меня сбил, — я совсем растерялась.

— Ты говорила о главном вопросе, — направил меня Марк.

— А, да. Так вот, если он вдруг будет решен, то все остальные вопросы разрешатся автоматически, сами по себе, как бы вместе с ним. И вот я слушала, и читала, и не то чтобы ждала ответа, но хотя бы намек, хотя бы направление. Но, — я развела руками, — никто ничего не подсказал, я так ничего и не нашла.

— Он не в физике, этот ответ, если, конечно, он вообще существует, — сказал Марк.

— Я тоже так думаю, хотя и не могу судить. В физике, сколько бы я ни слушала, ни читала, все равно не поняла бы ничего, будь там сколько угодно ответов. Но мне тоже почему-то кажется, что не в физике. Я не знаю, скорее в литературе, в философии, в теологии, не знаю.

Я замолчала, и вдруг ко мне пришло продолжение:

— Смотри, интересно, если ты возьмешь русских писателей, самых больших, то, помимо того, что они писатели, каждый из них еще своего рода философ со своей концепцией. Может быть, и без ответа на этот главный вопрос, но с попыткой. Смотри, Толстой, Достоевский, любишь его или нет, не имеет значения — я, например, не люблю, — но в концепции ему не откажешь. Потом Чехов. Кто еще? Булгаков с Мастером — все, как минимум, ставили вопросы и, плохо или хорошо, пытались на них ответить. То есть я хочу сказать, что русская литература как бы переплелась с философией.

— Почему только русская? — спросил Марк.

— Ну потому, что я больше нигде этого не находила, такой насыщенности.

— Может быть, это просто ты не находила? — сказал Марк с заметной хитрецой в голосе и делая ударение на «ты».

— Ну почему? — почти обиделась я. — Я достаточно много читала. — Конечно, это прозвучало по-детски, как в школе перед учителем, и потому я добавила агрессивнее: — Ну посмотри, о чем здесь пишут — детективы, деньги, прочая туфта.

— Я не буду с тобой спорить, — спокойно сказал Марк, — я ведь с тобой заодно. Я только хочу сказать, что в любой стране в основном пишут детективы, потому как их писать намного проще, и, конечно, в России их тоже большинство. Просто аналогов Толстому в мировой литературе всего несколько, и давай мы будем сравнивать сравнимые величины, а то иначе нечестно.

— Ну, например? — пошла я ва-банк.

— Ну, например, — Марк ненадолго задумался, — это относительно, конечно, и зависит от вкуса. К тому же я не противопоставляю, я просто говорю о титанах такой же величины, как, скажем, Толстой, кто ставил вечные вопросы.

— Ну так кто же? — не выдержала я.

— Прежде всего, конечно, Шекспир. Кто-то сказал, что после Шекспира человечеству уже не о чем писать. Потом Гете, Данте для своего времени. Из более поздних, например, Пруст, можно еще кого-нибудь назвать.

— Ну, не знаю, — нехотя согласилась я. — Это в конечном счете не имеет значения. Я только пыталась сказать, что я, может быть кое-как, но все же воспитывалась на том же Толстом или Чехове, и, может быть, от этого все те вопросы, которые мучили их, стали мучить и меня. Не знаю.

Я замолчала, молчал и Марк, и пауза эта постепенно вернула нас на землю.

— Я не знаю, как насчет теологии, — наконец сказал Марк, — мне кажется, что ею надо заниматься с детства, так как она не только близка к религии, а как бы является ее продолжением. То есть люди вокруг тебя в большинстве своем будут не просто знать, но и чувствовать многое из того, что ты только начнешь изучать. Это не значит, что ты их в результате не обгонишь, но зачем начинать, давая кому-то заведомую фору?

Я согласилась и, наморщив лоб, и разведя руками с открытыми, как у большой фарфоровой куклы ладошками, этакая капризная Мальвина, сказала, что ну вот, на этом моя карьера великого ученого закончилась по той простой причине, что на меня не хватило научных наук. Марк обнял меня и, прижав к себе, сказал, поддерживая мой несерьезный тон, чтобы я не расстраивалась, что мы что-нибудь придумаем.

— Ты хочешь есть? — спросил он.

— Нет, но домой идти тоже не хочется, — ответила я.

— Пойдем возьмем мороженое и посидим внутри, — кивнул Марк на малюсенькое кафе в три столика.

Я согласилась, и мы вошли. Марк принес мороженое и сел напротив меня с вафельным стаканчиком в одной руке и салфеткой в другой. Он откусил от плотного шарика, на губы его легла полоска молочной влаги, я пыталась запомнить их именно такими, как будто подернутыми туманным облаком.

— Если тебе хочется познать суть вещей, — начал говорить Марк после паузы, — то, может быть, стоит подумать о психологии. Насколько я понимаю, она более приземленная, чем теология и философия, к тому же она куда как более «научная наука», я имею в виду, более конкретная. Суть вещей — это прежде всего человек, даже не сам человек, а его сознание, его душа, и именно этим как раз занимается психология — душой и сознанием. К тому же, насколько я знаю, психология как наука находится в самом зачатии, человечество знает о Вселенной куда как больше, чем о себе, то есть о человеке. Фрейд, по сути, лет семьдесят назад создал современную психологию, и, как бы его ни опровергали, серьезной альтернативы его подходу нет до сих пор.

Марк замолчал, смакуя мороженое, — он взял себе «черри-гарсия», пломбир с огромным количеством пьяной вишни, в изобилии перемешанной с осколками черного шоколада. Это было типично для Марка — говорить о чем-то важном, а потом прерваться и как ни в чем не бывало сосредоточиться на сиюминутном, как бы показывая, что сиюминутное тоже имеет значение. Я набралась терпения и молчала, догадываясь, что это на самом деле лишь замаскированный путь собраться с мыслями, чтобы потом продолжить с еще большей убедительностью.

— На самом деле, наверное, чертовски интересно, нет, даже не понять, как устроен человек, понять это, наверное, невозможно, а хотя бы дотронуться до этой безусловно самой великой загадки.

Мне показалось, что идея заниматься психологией так понравилась Марку, что он сам загорелся ею.

— К тому же, — продолжал он, — насколько я знаю, существует несколько различных направлений — психология поведения, психология мышления, клиническая психология, экспериментальная и другие. Я бы тебе посоветовал узнать у себя в университете про клиническую потому что, — он задумался, — во-первых, она самая что ни на есть «про людей». Другие занимаются мышками, голубями и прочей живностью, исследуют их рефлексы, поведение. Что тоже интересно, но к людям все это хотя и имеет отношение, но не самое непосредственное. Во-вторых, суть вещей — мы ведь о сути вещей говорили — лучше всего изучать на аномалиях, а клиническая психология занимается именно больными душами. В-третьих, глядишь, выучишься, и вылечишь кого-то, и принесешь пользу, а это очень важно в работе — видеть ее результаты, и немногие профессии позволяют получать такое на самом деле колоссальное удовольствие. В-четвертых, можно будет открыть свою практику, и хотя мы ни о каких деньгах сейчас не говорим, именно частная практика дает большую часть дохода.

Я слушала внимательно, но все же ждала, когда он перестанет перечислять по пунктам преимущества своей идеи.

— В-пятых, — не унимался он, — я почти ничего про клиническую психологию не знаю, и мне тоже будет интересно.

Я скорчила гримасу недоумения: мол, а ты-то тут при чем, и, не выдержав, спросила с сомнением:

— А ты что, тоже пойдешь учиться вместе со мной?

— Я всегда буду учиться вместе с тобой. — Он перегнулся через стол, поцеловал меня в лоб холодными от мороженого губами, так что я вздрогнула. — А потом, когда-нибудь, я буду учиться у тебя, — добавил он, садясь на место.

Сейчас я уже не помню, когда впервые подумала о психологии как о странной и единственной науке, которая амбициозно ставит своей главенствующей, хотя и замаскированной целью познание человеческой души. Пусть цель и недостижима, но тем более захватывает поступательность, тем более волнующим является каждый шаг. Но что я точно помню, это то, что именно тот вечер в маленьком кафе с Марком, незаметно внушавшим мне свои мысли, и явился пунктом, от которого начался отсчет моего самозабвенного погружения в загадку.

Именно после этого дня в первый раз я почувствовала, что есть невидимая, но пугающая сила в психологии и в людях, занимающихся ею. Сначала, когда я не знала еще, как все происходит на самом деле, мне представлялось, что эта наука несет какую-то разгадку, и, думая так, я даже засомневалась, хочу ли я эту разгадку узнать.

Люди, которые, как мне тогда казалось, постигли ее, представлялись мне видящими насквозь суперчеловеками, не выпускающими свое всесильное знание за круг непроницаемого, молчаливого ордена. Когда по прошествии лет я стала сама частью этого ордена и поняла, что, как бы ни были обширны собранные знания и как бы глубоко ни были они проанализированы, их кажущаяся грандиозность только высвечивает ничтожную тщетность перед самой немыслимостью задачи, тогда и сама задача представилась мне еще более божественно-величественной. Именно поэтому, поняла я, бессмыслен прямой подход, лобовая атака в надежде осмыслить ее, и только лишь от попытки изучить отклонения человеческой души, ее аномальные таинственные процессы возникает пусть призрачная, но все же надежда хотя бы обозначить подход к устремленной в небеса вершине.

Однажды, годы спустя, я случайно встретила на конференции своего сокурсника, который с успехом работал и в госпитале, и в университете в одном из западных штатов. После традиционных расспросов с не до конца подавленным стремлением показаться успешнее, даже, может быть, не преувеличивая, но все же выпячивая свои наиболее заметные достижения, зная при этом заранее, что потом будешь испытывать неловкость перед самим собой за свое, с детским душком, хвастовство, разговор перешел на более общие темы. Он сказал, что читал мои работы, и высоко отозвался о них, и мне было особенно приятно услышать похвалу именно от него.

Я чувствовала к нему доверие, мы иногда, много лет назад, вместе сидели до ночи в библиотеке, и поэтому, когда он спросил между прочим, как я отношусь к тому, чем занимаюсь, я наивно раскрылась, отбросив обычную иронию стандартных отговорок. Я сказала — и звучало это, наверное, незащищенно серьезно, — что да, я по-прежнему предана своей главной идее, и попыталась объяснить, почему, употребляя все те же слова: «душа», «загадка», «недостижимость»…

Вдруг я поймала на себе его взгляд, немного подозрительный — не разыгрываю ли я его, и, когда мне пришлось подтвердить, чувствуя, впрочем, подступающую неловкость, что я не шучу, а говорю вполне серьезно, взгляд его изменился и стал, как мне показалось, почти сочувствующим. Я оборвала свой затянувшийся монолог, и после паузы он возразил, сказав, что он со мной не согласен, что профессионализм растворяет возвышенное в количестве ежедневных пациентов, в бестолковости студентов, в постоянстве нервозных мелочей, в занудливости бумажной работы. «Более того, — добавил он, — чем профессиональнее я себя чувствую, тем больше у меня появляется здорового скептицизма к профессии, что, в свою очередь, повышает мой профессиональный уровень». Он также сказал, что не хотел бы, чтобы я воспринимала его слова личностно, но, на правах старого товарища, он полагает, он имеет право напомнить мне, что термин «душа» ненаучен, и вся моя наивная велеречивость его удивляет, и ему интересно, как я ухитрилась совмещать свой идеалистический подход с практической конкретикой.

Я не стала с ним спорить, не стала возражать, что если за каждым пациентом, за каждым опытом, конечно, непосредственно не стоит возвышенное, для которого, просто, нет ни времени, ни места, почему все-таки при этом глобальная цель познания не может, пусть не вмешиваясь непосредственно, а скорее исподволь, ненавязчиво определять общее направление и смысл всей работы. Я сказала только, ощущая досаду за обнаженную свою откровенность и, по-видимому, неловко улыбаясь, что понимаю его и что отчасти он прав, но все это крайне индивидуально, и я по-прежнему чувствую очарованность и, пускай наивную, пускай по-студенчески детскую, преданность таинственной громаде задачи, которую, я знаю, мне не решить. И я пожала плечами, мол, ничего не могу сделать: знаю, глупо, но я так чувствую.

Он посмотрел на меня пристально, но взгляд его, ставший вдруг серьезным, уже не нес в себе ни подозрительности, ни сочувствия. Самое интересное в этой истории то, что через пару недель, уже после конференции, я получила от него по электронной почте письмо, в котором он писал, что много думал о нашем разговоре, что даже плохо спал первые дни, и в результате понял, что потерял некую живую ниточку, связку с тем, что делает. А то, что он называл профессионализмом, в результате убило в нем радость ежедневной работы, и он признает, что я права, и понимает теперь, почему именно я сделала то, что сделала, имея в виду мою знаменитую методику. Я ответила ему, что рада, если наш разговор как-то помог ему, и пожелала вновь найти ту живую нить, о которой он так образно упомянул.

Впрочем, сейчас, когда прошло столько лет с того дня, когда впервые значение слова «психология» закрепилось у меня в сознании и потом, перемешиваясь и переваариваясь вместе с набранными знаниями, опытом, тяжелой работой, много раз видоизменялось, мне уже трудно понять, когда сформировалось, приняло различимую форму мое сегодняшнее представление о ней.

Это вообще так — слои памяти переплетаются между собой. Какое-то воспоминание из далекого прошлого вдруг оказывается наверху, то, что вроде бы совершилось с ним одновременно, почему-то исчезло, затерялось, а то, что всплыло, причудливым образом состыковывается с другим воспоминанием из другой эпохи и составляет никогда не существовавший, но ставший вдруг реальным узор прошлого. Но память — живой организм, она дышит, пульсирует, находясь в постоянном изменяющемся движении, выводя на поверхность по какому-то своему, неведомому нам закону, казалось, давно потерянные отростки прошлого и, напротив, безжалостно потопляя в своей недосягаемой глубине то, что кажется таким непотопляемым. Марк правильно сказал тогда Рону: человека можно определить мозаикой его текущей памяти — изменился ее рисунок, поменялась цветовая гамма, и что-то изменилось в сознании самого человека, чуть по-другому стал он воспринимать окружающий мир, или, как говорил Рон, поменялись атрибуты его жизни.

ГЛАВА ДЕСЯТАЯ

Я позвонила Марку из шумного коридора университета, из автомата, стоявшего рядом с административным офисом, где я только что говорила с секретарем факультета психологии, и тупой комок обиды и разочарования все еще стоял у меня в горле. Слава богу, Марк был дома, и слава богу, я услышала его мягкий, ровный, спокойный голос.

— Марк, — сказала я без вступления, — ничего не получится, я только что разговаривала с секретарем, мне надо начинать с самого начала. Они ничего не зачтут мне, — голос мой дрожал, скорее от досады, чем от слез. — Я не буду никуда переходить, я уже год тут отучилась, два года в Москве, и теперь все сначала, нет, я не буду...

— Подожди, — перебил меня Марк, — не нервничай, я ничего не понял. Ты разговаривала с каким секретарем?

— Психологии.

— Так, факультета психологии, — поправил меня Марк. — И он сказал, что, если ты будешь переводиться, тебе не зачтут предметы — ни тех, которые ты изучала здесь, ни тех, что в Москве. Так?

— Секретарь — баба, так что не «он» сказал, а «она» — внесла я раздраженную поправку.

— Неважно. Я правильно суть уловил?

— Правильно, — наконец согласилась я.

— Так, когда у тебя следующий перерыв?

— Сейчас будет две лекции подряд, а потом перерыв, по-моему, полчаса.

— Хорошо, — сказал Марк. — Жди меня в кафетерии на втором этаже через два часа, я приеду, и мы все обсудим. Только успокойся и не нервничай. Мы все решим.

— Хорошо, — сказала я и, не попрощавшись, повесила трубку.

Он, как и обещал, приехал к самому началу перерыва, и мы сели за столик в очень шумном и не самом чистом кафе.

Я уже успокоилась, конечно, и мне стало, в основном, все равно — психология, астрономия, бухгалтерия — какая разница, но начинать все с самого начала, нет, я не буду. Даже не понятно, почему я расстроилась поначалу. Неделю назад я и не думала ни о какой психологии, для меня и науки такой не существовало, и вдруг, надо же, чуть не расплакалась.

Я знаю, ответила я себе, я просто фантазировала всю эту неделю, представляя себя модной психологиней, лечащей людей, читающей лекции, то есть мечтала об образцовом золушкином пути, о котором так или иначе мечтают все девушки, правда в основном, в отличие от меня, в юном, подростковом возрасте. А когда быстренько выяснилось, что кареты и дворцы мне особенно не светят, стало обидно до слез.

Я успокоилась настолько, то есть, вернее, мне настолько стало все безразлично, что я бы отменила встречу с Марком, если бы смогла. Но я не смогла, не успела, хотя, когда он подошел, мне, если честно, даже обсуждать ничего уже не хотелось.

— Ты что будешь? — спросил Марк, направляясь к буфету.

— Кофе.

— Что-нибудь еще?

Нет, только кофе. Есть совсем не хочется, — ответила я.

Он пожал плечами.

— Я не знал, что ты сегодня пойдешь на кафедру выяснять, — сказал он, вернувшись с двумя кофе и маковой булочкой.

— А что произошло бы, если бы ты знал? — полюбопытствовала я. — Что изменилось бы?

— Наверное, ничего. Я просто хотел поговорить с тобой перед этим.

— И что это бы изменило? — упорно и не без иронии настаивала я.

— На самом деле, ничего. Просто ты была бы подготовлена, вот и все.

Я пожала плечами, мол, хорошо быть подготовленной, конечно, не мешает быть подготовленной, но я и так ничего.

— Смотри, малыш, — начал Марк медленно, как-то неестественно мягко проговаривая каждый звук. — Давай посчитаем, этого мы еще не делали. Если ты перейдешь...

— Никуда я не собираюсь переходить, — перебила его я. — Я все заново начинать не собираюсь, к тому же платить еще за один год, и вообще! — выплеснула я то, что собралось у меня где-то под горлом.

— Хорошо, малыш, мы с тобой только теоретизируем, да?

— Ну, — неохотно согласилась я.

— Итак, допустим, ты перейдешь, или даже не так, не ты...

— Вот именно, не я, — не удержавшись, вставила я.

— Скажем, кто-то поступает с самого начала на психологию, — не обратил он внимания на мое замечание. — Чтобы получить бакалавра, надо четыре года. Потом магистра — еще два года. Но это еще не все, клинический психолог должен иметь степень доктора наук, это еще пять лет. Без диссертации нельзя ни преподавать, ни открыть практику — ничего. Итого, все обучение занимает одиннадцать лет.

— Одиннадцать лет, — проговаривая каждый слог, искренне удивилась я. — Мне будет тридцать три, когда я закончу учиться. Нет, я до этого возраста вообще не доживу.

— Кроме того, — продолжал Марк, не реагируя на меня, — по завершении учебы надо написать диссертацию, а потом сдать непростой экзамен, чтобы получить лицензию на практику.

Я уже перестала серьезно относиться к тому, что он здесь наговаривал, так, сидела ради приличия. Одиннадцать лет коту под хвост — ни денег, ни работы, ни времени на личную жизнь. Нет, это не для меня, пусть он другим рассказывает.

— Теперь, после того как я тебя напугал, слушай внимательно: этот график стандартный, а значит, не для нас.

— Не поняла.

Я действительно не поняла.

— Мы с тобой люди нестандартные, поэтому стандартные графики нас не устраивают.

Я улыбнулась своей самой скептической улыбкой и удивленно качнула головой, мол, ну поделись, какие у тебя еще, милок, фантазии. Тем не менее почему-то, сама не понимая почему, стала внимательна.

— Смотри, они, конечно, зачтут тебе года полтора, все же ты училась больше трех лет.

— Не зачтут! — почти выкрикнула я. — Я тебе говорю — не зачтут, я же только что с ними скандалила. Странный ты, я ему говорю, не зачтут, а он все свое.

— Можно я скажу? — все так же спокойно, почти с улыбкой сказал Марк.

— Хорошо, — кивнула я.

— Этот вопрос я беру на себя. Это мое дело, но года полтора тебе зачтут. — Фраза показалась мне по-заговорщицки таинственной, зато прозвучала она весьма уверенно.

— Дальше, учиться на бакалавра остается два с половиной года, но ты должна закончить максимум за два, лучше за полтора.

— Как это?

Мне становилось интересно.

— Будешь брать не по три-четыре предмета, как все, а по пять-шесть. Итак, скажем, по максимуму — два года. Дальше, магистра ты должна будешь сделать за год вместо двух, это возможно. Итого три года. Потом докторскую тебе надо будет написать за три года. Итого шесть лет. На самом деле, пока защитишься, будет шесть с половиной. Тебе сейчас двадцать два, значит, в двадцать восемь ты будешь вполне лицензированным психологом, что не отлично, но нормально.

— А что отлично? — спросила я.

— Отлично — это лет двадцать шесть, иногда, хотя редко, двадцать пять. Ты, конечно, упустила время из-за эмиграции, но двадцать восемь тоже нормально еще, хотя уже предел, позже — плохо. На возраст защиты смотрят, что, конечно, глупо, но это определенный показатель, во всяком случае до тех пор, пока не появятся другие показатели — статьи, книги и прочие вещественные доказательства. Но в твоем случае двадцать восемь будет отлично, так как окружающие будут понимать, что ты из России, с другим языком, все делала с нуля, на пустом месте, сама. Все это будет говорить в твою пользу и вызывать симпатию, то есть, если разобраться, твои кажущиеся недостатки являются большим плюсом.

Он говорил так спокойно и обыденно, и, казалось, так хорошо знает то, о чем говорит, и голос его был такой ровный и уверенный, что мечты последней недели вдруг разом все вернулись ко мне, а может, они и не уходили вовсе, а так, просто притихли, дожидаясь своей минуты. Впрочем, я не могла упустить возможность покапризничать немного.

— Какая разница? В моем случае что двадцать восемь лет, что двадцать пять — одно и то же: одинаково нереально.

Он улыбнулся.

— Конечно, малыш, будет сложно, тебе предстоят непростые шесть лет. Но ты справишься. Кто, если не ты? — он замолчал, глядя на меня, а потом закончил: — К тому же я тебе помогу.

Я смотрела на него и опять подумала, что, наверное, в его жизни уже было много всего разного и я и представить себе не могу того, что он знает и умеет. Я вдруг поняла, как он не соответствует этой студенческой столовке, с ее шумом и неразберихой, с ее сиюминутностью и беззаботностью, я вдруг увидела, какая громадная дистанция отделяет его от всех этих ребят вокруг нас. Интересно, почему же я эту дистанцию не ощущаю и никогда не ощущала, даже не задумывалась о ее наличии. И тут, сейчас, в этой бестолковой столовке я поняла, что это Марк, это просто его манера, его стиль — не дать мне почувствовать пропасть, лежащую между нами.

Я вдруг вспомнила, что однажды мы были в гостях у моих приятелей, симпатичной молодой пары, мужа и жены, и жена была на седьмом месяце, и они оба были зациклены на детях в волнении своего долгого ожидания и ни о чем больше решительно говорить не могли. И вот Марк тогда, поддерживая тему о воспитании детей, сказал, что, пожалуй, самое важное — это постоянно находиться на уровне ребенка, опускаться до него независимо от того, сколько ребенку лет, и разделять вместе с ним его интересы, заботы и увлечения. И по мере того как ребенок растет и его увлечения меняются, ты, с высоты своей взрослости, должен каждый раз заново подстраиваться под него.

Потом он добавил, что это единственный путь сокращения дистанции — он именно так и сказал: «дистанции» — между родителем и ребенком. К тому же нет лучшего способа направить сына или дочь и дать им максимально раскрыться. Именно таким образом, не наставительными менторскими моралями, а как друг и единомышленник.

Но главное, сказал тогда Марк, что только так появляется единственная возможность прожить жизнь заново — детство, юность, — еще раз. Только вместе с ребенком. Я помню, что подруга моя, заинтересованно посмотрев на Марка, спросила, есть ли у него самого дети, на что Марк ответил, что нет, и на вопрос почему, виновато улыбнулся и развел руками.

И вот сейчас, когда я вспоминала тот разговор, внезапная мысль пришла мне в голову: а не так ли, не по такому же плану он ведет себя со мной? Не преследует ли он ту же цель, о которой говорил тогда, не хочет ли он заново прожить отрезок от двадцати двух и дальше — то, что в его «за тридцать» понимании и есть молодость?

Неожиданная эта догадка неприятно поразила меня именно тем, что я заподозрила его в корысти по отношению к себе, пусть даже в такой нелепой корысти. Я тут же предпочла отогнать подленькую мысль, сказав себе, что даже если у него и существует цель, то она наверняка неумышленная. А если и умышленная, то тоже ничего плохого, ведь она не обесценивает его отношение ко мне, а, наоборот, обогащает.

Я еще раз посмотрела на него. Он, в своих неизменных джинсах, свободной рубашке с расстегнутыми верхними пуговицами, легко мог сойти за молодого либерального профессора, объясняющего что-то студентке, то есть мне.

— Ну и что теперь делать? — спросила я.

Я вдруг успокоилась, от паники не осталось и следа, казалось, что ко мне не просто вернулась уверенность, а что она вообще никогда не покидала меня.

— Теперь тебе надо заполнить анкеты и написать заявление, чтобы тебе зачли как можно больше предметов, которые ты уже изучала. Потом отдать их, эти документы, в деканат факультета психологии.

— Это просто, — улыбаясь, сказала я.

Он тоже улыбнулся.

— Все несложно.

ГЛАВА ОДИННАДЦАТАЯ

Все получилось действительно так, как он говорил. Я подала документы о переводе, написала заявление с просьбой зачесть мне предметы, которые или подобные которым я уже изучала, подкрепив его всевозможными переведенными и заверенными копиями.

Через две недели мне пришло письмо из университета с извещением, что я зачислена, что плата за обучение будет такая-то, но если я претендую на стипендию — а я, конечно, по своей бедности претендовала на все возможные в мире стипендии, — то должна обратиться туда-то и туда-то с такими-то документами. Но самое неожиданное, хотя нет, ожиданное, правда почти невозможное, было в маленьком отдельно приложенном листочке, где говорилось, что, принимая во внимание те предметы, которые я изучала прежде, факультетская комиссия сочла возможным зачесть мне следующие курсы... И после этих слов шел отнюдь не коротенький список.

Я тут же в своем не желающем сдерживаться возбуждении схватила калькулятор и, после несложных, но неоднократно повторяемых из-за недоверия к себе вычислений, пересчитав все предметы на курсы, потом на часы, недели, месяцы и семестры, наконец утвердилась в своем невероятном подсчете: то, что мне засчитали, во временном эквиваленте составляло приблизительно полтора года. Я тут же набрала телефон Марка, но его не оказалось дома, работал автоответчик. Я подумала, что это даже лучше и неловкие слова благодарности проще наговорить на безмозглую машину.

— Марик, Марик, ты могуч, ты гоняешь стаи туч-ных профессоров и прочих препо-давателей, — попробовала я скаламбурить на с трудом приспособленном к рифме языке. — Может быть, раз ты такой всесильный, скажешь им, чтобы они мне и стипендию приподняли, ну, хотя бы на пару дюймов. А то за свою тягу к знаниям мне всю жизнь придется долги образовательные выплачивать, — набралась наглости я и, перед тем как повесить трубку, сказала совсем другим голосом, полным нежности: — Спасибо тебе, любимый.

Потом, ведомая врожденным рефлексом, я вышла на улицу, и, зайдя в не самый дешевый магазин, купила не самую дешевую рубашку приблизительно размера Марка, и, приложив трогательную открытку, купленную по соседству, с трогательным котенком, просящим чего-то (я предположила — стипендию), отнесла пакет на почту и отправила Марку.

Он позвонил мне на следующий день и сказал, что получил мое сообщение на автоответчике, и хотя не до конца понял про стаи, но в целом ему понравилось, и еще он получил посылку, и она ему тоже понравилась, и что он не воспринимает ее как взятку, а только как благодарность. Голос у него действительно был веселый и довольный, и я была рада.

— Какую посылку? — деланно удивилась я. — Ах, эту? Не обращай внимания, я вчера всем своим знакомым рубашки рассылала. Кстати, тебе размер подошел? Этот цвет как раз к твоим глазам, — тараторила я, довольная больше Марка тем, что ему пришелся мой, совсем не пустяковый для меня, знак внимания.

— Малыш, — сказал он, когда мы закончили про рубашку, — мы с тобой едем на неделю в Кейп, со следующего понедельника, я уже снял там квартиру.

Я, конечно, много и часто слышала о Кейп-Коде, небольшом океанском курорте, где Гольфстрим подходит к самому берегу, и знала, что этот теплый водянистый рай находится совсем недалеко, часах в трех езды от Бостона, но, конечно же, ни разу там не была.

— Нет, милый, спасибо, но я не могу, меня с работы не отпустят.

И тут же мне стало ужасно обидно, прямо до слез, из-за того, что не отпустят, что не могу, что гольфстримские потоки не нахлынут на мое давно не загоравшее тело.

— А ты уходишь с работы. Ты что, еще не знаешь об этом? — безапелляционно заявил он.

— Марк, у тебя, родной, ориентация во времени нарушилась. Ау, я еще не стала доктором, и хотя зарплата у меня небольшая, но она мне нужна.

— Какая-то ты меркантильная, — его голос был подозрительно беспечным, и я насторожилась. — Ты теперь работаешь в другом месте, вполне в соответствии со своей новой специальностью.

— Марк, милый, прошу тебя, — взмолилась я, — это слишком много для меня за такое короткое время, пощади. Какое такое место?

— Ну это лучше не по телефону, давай встретимся, и я тебе расскажу. Ты когда свободна?

Когда мы встретились, Марк рассказал, что один его приятель, впрочем, имя не уточнялось, заведует организацией, курирующей дома, где живут, скажем, не очень психически здоровые люди, которые не могут функционировать сами, без присмотра, но которые не нуждаются в изоляции в более строгих учреждениях. Поэтому их селят в обычном доме, где каждый человек занимает комнату и где они живут своей маленькой коммуной, готовя себе еду, следя за порядком и так далее, в общем, проводя аналогию с моим детским прошлым, как в пионерском лагере. Если продолжить эту аналогию, то в пионерском лагере был пионервожатый, который следил за детьми, позволяя им, впрочем, исподтишка покуривать и целоваться, если возраст подошел. Вот на такое место пионервожатого и уговорил Марк своего товарища взять меня.

— В целом, работа халявная, — делилась я с Катькой неожиданной новостью по телефону. — Три раза в неделю с восьми вечера до восьми утра, всего тридцать шесть часов, ночью спать можно, не на посту все же. Главное — следить за ними, чтобы чего не натворили, и проверять, чтобы лекарства принимали.

— А платят-то как? — поинтересовалась нетактичная Катька.

— Платят даже лучше, чем в магазине, — уклончиво ответила я.

— Надо говорить не «даже лучше», а «куда как лучше», если уж вконец пала жертвой повальной американизации, — съязвила Катька, закрывая этим вопрос.

ГЛАВА ДВЕНАДЦАТАЯ

Мы с Марком уехали в Кейп через неделю, когда в начале июня у меня закончились занятия в институте. Был еще не сезон, лето только начиналось, и курортный городок, в котором Марк снял квартиру, хотя и находился в нервном возбуждении от предстоящего людского наводнения, не утомлял тем не менее суетой разномастной толпы. Наоборот, было тихо и на улицах, и в маленьких кафе, выставивших на каменистые улочки легкие белые столики. Редкие машины не могли испортить вялой идиллии, и лишь свежий океанский ветерок препятствовал ленивой расслабленности, временами все же берущей свое.

Всю эту неделю мы не делали абсолютно ничего, только бродили вдоль нескончаемого узкого пляжа, пахнущего, впрочем, только при ползучих приливах, сырым запахом тины, слушая, как тяжелая, размеренная волна сглаживает нервный и докучливый крик чаек. Когда же становилось слишком жарко, мы оставляли океан до следующего утра и шатались по разбросанным, ломким отросткам переулков, заглядывая в маленькие, размером в жилую комнату, галереи и магазинчики, примеряя нелепые шляпы, панамки и прочие курортные ненужности. Когда игрушечные магазинчики эти надоедали, мы устраивались за белым столиком такого же игрушечного кафе, и одинокая хозяйка его, довольная уже тем, что может хоть с кем-нибудь переброситься словом, приносила нам либо коньяк, либо пиво, либо, если нам было особенно лень, соку.

Может быть, потому, что это был мой первый отпуск в Америке, сам городок своей нереальностью и маленькой гаванью с покачивающимися на солнечной зыби лодками, такими же белыми, как и все вокруг, с выставленными стоймя, в постыдной наготе от отсутствия паруса, мачтами, напоминал какую-то томящую сказку Грина, полностью забытого, но сейчас вдруг пришедшего на память из детства.

Я выбирала, забираясь по колено в воду, так, что холодило икры, разноцветную гальку и причудливые ракушки и потом бежала к Марку показывать их, и мы уже вдвоем отбирали самые замысловатые, которые собирались взять с собой в Бостон, и я закидывала руки, обнимая его за шею, и, привставав чуть на цыпочки, утыкалась губами в пахнувшую солнечными лучами, разогретую кожу щеки.

Он обнимал меня за талию и крепко прижимал к себе, отрывая от земли, так, что, что-то смещалось внутри хрустнувших косточек, и замирало ставшее прерывистым дыхание, и я шептала с последним выдохом оставшегося в легких воздуха: «Пусти, сломаешь». Потом я находила его губы, и трогала их своими, и, чувствуя их, как правило, чуть коньячный запах, все еще вдавленная в него, чуть задирала голову, так что глаза мои оказывались на уровне его глаз, и, почти не отделенные от них, они создавали зыбкую двойную связь, замкнутую между переплетенными губами и взглядами. Потом я отстранялась от него, не в силах больше существовать без сбившегося дыхания, и он отпускал меня и клал свою руку на оголенное благодаря безрукавной майке плечо, прижимал к себе, и мы снова шли по пляжу, и он говорил что-то, и я думала: «Если это не счастье, то что же тогда счастье?»

Я никогда раньше не занималась любовью так много и так часто, и, как это ни казалось странным, но, может быть, именно поэтому, а может быть, оттого, что ничто — ни дела, ни заботы — не отвлекали мой отдыхающий ум от Марка, мне так же много и часто хотелось любить его. Тривиальная простота, незамысловатая естественность перехода от желания к действию, как ни парадоксально, только добавляли возбуждения.

В любой момент, каждую секунду можно было щекотнуть ноготочком по его расслабленной ладони, поднять голову, посмотреть ему в глаза, и сказать: «Я хочу тебя», и повернуться к нему, и прижаться, и почувствовать упругость, и услышать больше утверждение, чем вопрос: «Пойдем?»

И сразу сама дорога назад, к дому, вдруг наполнялась ожиданием любви не менее волнующим, чем сама любовь. Ноги пытались пойти быстрее, но сознание сдерживало их, как бы стремясь затянуть это невинное и оттого еще более томительное и тянущее желание. От понимания того, что, пока мы не придем, оно не окончится, а, наоборот, будет расти и растекаться, заполняя тело и голову, загоралось краской волнения лицо, и покрывались блестящей туманной пленкой глаза, и все внутри уже качалось на кончике взрыва, не смея, впрочем, разорваться.

А там, в квартире, не обремененное городскими условностями тело ловко, в мгновение, лишало себя свободных штанов, легкой майки и почти несуществующих трусиков и рассыпалось миллиардами прикосновений, и в голове происходил давно запланированный взрыв. И не надо было никаких прелюдийных ласк, и никакие книжные изощрения не могли заменить головокружительного скольжения лишенного притяжения тела, и, соединяясь с ускользающим сознанием, каждое интуитивное, но чуткое движение бедер отдавалось в последнем сохранившемся чувстве, вобравшем в себя все вместе — нежность, ласку, обожание, любовь, — единственном чувстве, еще как-то связывающем тебя с колышущимся внизу земным миром.

Со мной произошла странная перемена: я теперь не стремилась кончить. Более того, я боялась кончать, зная, что это остановит, уничтожит, убьет это безумное состояние тающего тела, и, когда требовательная, но осторожная рука Марка как-то неожиданно перехватывала мою ногу, я открывала глаза, и, видя его глаза над собой, всегда изумрудного, лучистого цвета, я, оттого что разучилась говорить, лишь в отчаянии качала головой и только потом, от накатывающей опасности успев найти самые простые слова, шептала, скорее инстинктивно, чем сознательно: «Нет, нет, так нельзя».

Сам процесс любви казался настолько изощреннее, подключал к себе настолько больше многомерных эмоций, был глубже и сложнее последнего, пусть самого сильного, завершающего рывка, растянутое желание этого рывка несло настолько больше таинственного смысла, чем он сам, что даже сила его зависела от того, насколько его удавалось затянуть.

И только когда его тело напряженно выгибалось и сразу мышечной тяжестью своей удваивало свой вес, больно вдавливая меня внутрь себя, и рука его, судорожно хватавшая мою руку, сжимала ее до невыносимой, но сейчас нечувствительной боли, и внутри меня все немело и на мгновение замирало, а потом взрывалось, рассекая и расщепляя... Именно в этот момент мое тело, подчиненное его властному порыву, стремительно бросалось навстречу и больше не в силах и не желая сдерживаться, последним движением настигало все еще пульсирующую упругость, и все сметающая волна теплоты неестественной силы, растекаясь во все стороны от самого низа живота, накрывала и всю меня, и мой сдавленный крик, и мои сжатые до крови руки.

Потом я, лежа на боку, смотрела на его более обычного очертившееся, чуть изнуренное, но счастливое лицо и с забытой улыбкой наблюдала, как земная жизнь постепенно возвращается к нему. Все еще с закрытыми глазами он дотрагивался до меня, теперь уже легкими, почти невесомыми пальцами, там, где падающая линия приподнятого бедра пересекала другую, плавно скользящую от груди, и обе они, смешиваясь, создавали переход, как говорил Марк, плавной гармонии.

Чуткие кончики его пальцев пробегали вдоль очерченной ими же ложбинки, и мое расслабившееся тело, все еще начисто лишенное кожи, а может быть, только лишь сейчас выползшее из нее, отвечало на прикосновение изумительно растекающейся дрожью, неожиданно пронзая сердечную мышцу стремительными разрядами так, что опасно замирало сердце.

Вместе с расслабленностью, как ни странно, наступала усталость, даже не усталость, а изнурение, изнурение не только всего тела, но и чувств, воли, желаний, мысли. Тянуло ноги и сдавливало грудь, руки тяжелели так, что даже пальцы не в силах были приподняться над белой плоскостью простыни, да и сознание вдруг наливалось свинцовой усталостью, как будто то, что произошло, потребовало и щедро получило все мои жизненные ресурсы, оставляя меня, выжатую, без сил и желания жить дальше.

Казалось, что каждая клеточка меня, моего тела и души, отдала свою незримую часть, какой-то свой кусочек — иначе откуда это глобальное трехмерное изнурение?

Я так и сказала Марку: «Я люблю тебя на клеточном уровне». Это правда, он вошел в каждый мой микроскопический орган, в каждую клетку, и теперь я чувствовала его не руками, не грудью, не животом, не какой-то другой, отдельной частью моего тела, а всем бесчисленным клеточным набором сразу, одновременно, включая даже самые глубинные из них, спрятавшиеся под ребрами, зарытые в печени, в легких, и те, ютящиеся на поверхности, в сгибе ноги, в пульсирующей жилке шеи. Именно поэтому каждая клетка, преданно подчиняясь ему, безотчетно жертвует частью себя. Не беря в расчет мои жизненные возможности, она безжалостно по первому требованию отдает ему наиболее живительную свою часть, отвергая мой даже самый ненавязчивый контроль.

Только тогда, когда сказка окончилась и я сидела в безмолвной панике внутри жужжащего «порше», возвращаясь назад в Бостон, и с тревожной тоской думала, что такого чуда никогда больше не случится в моей жизни, и украдкой поглядывала на Марка, который как-то необычно сосредоточенно следил за дорогой и почему-то держал руль обеими руками, он вдруг, так и не отрывая взгляда от дороги, сказал:

— Знаешь что, почему бы тебе не переехать ко мне?

Это грохнуло так неожиданно, что я вздрогнула. Я никогда не задумывалась над возможностью жить вместе, наши отношения я воспринимала как подарок, как волшебное чудо, возникшее из ничего, и мысль о том, куда они ведут и во что могут вылиться, нисколько не занимала меня. Я не смотрела на Марка ни как на потенциального мужа, ни как на пусть длительного, но временного любовника — я вообще не определяла его статуса в моей жизни, просто наслаждаясь его пребыванием в ней, не ставя это пребывание под пугающие вопросы реальности — как, зачем и что дальше. Я знала, я придумала уже давно и придумала сама, не претендуя, впрочем, на право первородства, что человеческие отношения, как и многое другое в этой жизни, живут в динамике и, наоборот, засыхают и отмирают от бескровной статики.

Под этим я понимала, что отношения должны постоянно дышать, видоизменяться, переходить из одной формы в другую, то есть жить в развитии. Я уже тогда это понимала, но тем не менее моя любовь к Марку не требовала еще дополнительных искусственных стимуляций. Она вполне могла продержаться на ежесекундной новизне наших встреч, слов, взглядов, на, казалось, каждый раз другом, уникальном чувственном возбуждении и особенно на его бесконечных рассказах, таких неожиданных, исковерканных до неузнаваемости фантазией, так же, как и на моих диковинных для него воспоминаниях из прежней жизни.

Годы спустя я поняла, что источником позитивной динамики в этом мире, полном забот и лишений, волнений о будущем, настоящем и даже прошлом, в мире, в котором все, даже секс, приедается, становится обыденным и теряет свою остроту, единственным неиссякаемым источником позитивной динамики становится человеческий интеллект. Только он, не ограниченный, как секс, рамками поз, движений и вообще, в идеале, никакими другими рамками, преломляя через себя, казалось бы, несущественные ежедневные события, разговоры, новости, каждый раз привносит в монотонность жизни свежее разнообразие мыслей и впечатлений, создавая при этом единственную вечную позитивную динамику — динамику человеческого общения.

Каждый раз, когда я возвращалась домой, Марк встречал меня в проеме двери гостиной, босиком, с непременной ручкой, висящей колпачком вверх у второй пуговицы расстегнутого ворота рубашки, с книжкой, прихваченной на нужной странице указательным пальцем. Я подставляла губы под его поцелуй и, усталая, брела на кухню, где он уже наливал для нас чай, и какой-то легкий ужин, сделанный мною загодя, вынимался из холодильника, и мы садились за стол, он изучающе смотрел на меня и спрашивал оживленно: «Ну что? Давай рассказывай». И я рассказывала ему обо всех новостях прошедшего дня, все, о чем я думала и что приходило мне в голову, для разрядки даже опускаясь до забавных сплетен.

Если новость или мысль ему нравилась или казалась важной, он тут же подхватывал ее, по-своему интерпретируя, поворачивая какой-то новой, неожиданно раскрашенной стороной, так что в ней появлялась сразу дополнительная, не замеченная мной раньше ниточка, иногда ведущая к новой, еще лишь слегка осязаемой идее. И если Марк считал нужным, он сразу записывал ее двумя-тремя понятными только ему одному фразами в блокнот, который он всегда носил с собой в кармане брюк.

А потом он рассказывал о своем дне, о том, что происходило с ним, тут же, с ходу, как я догадывалась, что-то допридумывая, и порой это было забавно, а часто просто смешно, и мы оба смеялись, и я смотрела на него и думала: «Мне» не скучно с тобой, Марк».

И проходила усталость, и, если не было слишком поздно и не требовалось что-то срочно доделывать на завтра, мы могли сидеть так час или два, забираясь иногда в дебри специального вопроса, над которым он или я, а часто мы оба одновременно, работали. Или болтали о чем-то отвлеченном, о какой-нибудь забавной чепухе — какая разница, когда все в удовольствие.

Это и было, как я потом поняла, той самой позитивной динамикой, придававшей вкус, цвет и запах каждому новому дню. И, если что-то случалось со мной, первое, о чем я думала, — это как я буду сегодня вечером рассказывать о происшедшем Марку и какой будет его реакция. Впрочем, ничего серьезного мы за этими чаепитиями не обсуждали, серьезное не терпит суеты, для серьезного отводились, как правило, отдельный день и свежая голова.

ГЛАВА ТРИНАДЦАТАЯ

Но это было потом, а тогда, когда Марк так неожиданно и, как мне показалось, тут же сам испугавшись своего безрассудства, предложил мне переехать к нему, я ничего не ответила сразу, создав этим напряженно повисшую паузу.

Пауза разрасталась и начинала давить, и мне необходимо было ответить, и я наконец сказала, что спасибо, что это очень мило с его стороны, но, действительно, так неожиданно, что я должна подумать. Я сказала так не из кокетства и не из желания поморочить его, а потому, что я действительно почувствовала напряженный испуг в наклоне его головы и в том, как держал он двумя руками руль.

В первую минуту мысль о том, что он может быть рядом со мной каждую ночь, что сквозь сон я буду слышать теплоту его дыхания и, повернувшись на это тепло и поймав его щекой, я уткнусь в уютное плечо, а утром первый мой взгляд ляжет на родное лицо, — мысль эта хлестко обожгла меня и стала вдруг правдоподобной возможностью неведомого постоянного счастья. Но я не хотела ловить его на сиюминутности чувств, ему — я знала это — было так же нелегко вот так обыденно, как будто не было этой восхитительной недели, подвезти меня к подъезду, дежурно поцеловать на прощание и услышать безличное «созвонимся». Я не хотела пользоваться его растерянностью, возникшей в предчувствии нелепого расставания, и подумала, что если его желание не рассыплется завтра утром, раздавленное устоявшимися за ночь эмоциями, то я приму его как единственную возможность своего дальнейшего существования.

— Хорошо, — сказал он и замолчал, и мы молчали до самого Бостона.

Когда мы подъехали к моему дому, и Марк достал с заднего сиденья мой маленький чемоданчик, я почувствовала, как закружившаяся голова вдруг заблокировала ноги, и они, занемевшие, подло отказываются идти по этой перекошенной лестнице от него, от его рук, от его голоса, в эту бессмысленную, затасканную квартиру, в ее одиночество, пропитанное затхлым тошнотворным запахом коврового покрытия.

— Тебе помочь? — спросил он, передавая мне чемоданчик, и в его неуверенном движении я тоже прочитала растерянность.

— Нет, спасибо, — я попыталась улыбнуться, — я сама. Позвони мне утром, да? — И, взяв все же себя в руки, я подошла к нему и, вытянувшись, тронула его губы своими. — Я буду ждать, да? — еще раз попросила подтверждения я.

Он улыбнулся и кивнул, мой короткий поцелуй чуть расслабил и меня, и его, подсказав, что если мы и теряем друг друга, то все же лишь на одну ночь.

На новую работу я выходила через день, меня ожидало еще одно беззаботное утро, но тем не менее я проснулась в шесть во взвинченном нервном возбуждении и уже не смогла уснуть. Я встала, накинула легкий халат и пошла в ванную, подтянув недотягивающийся телефон до предела и оставив неприкрытой дверь на случай, если раздастся звонок.

Потом, когда я рассказывала Марку про свои страхи и мы вместе смеялись над ними, он сказал, что тоже проснулся утром, хотя для него вставать рано было непривычно, и не раз порывался мне позвонить, но сдержался, боясь меня разбудить.

Когда я вышла из душа и посмотрела на часы, было уже около семи, и я подошла к окну, не зная, чем занять себя в такую рань. Из дома я выходить не смела, боясь пропустить звонок, поэтому сварила кофе, взяла валяющийся на столике толстый журнал мод, непонятно каким образом попавшим в мою печальную келью, и стала разглядывать изображения роскошных манекенщиц, давно изученных мною досконально от высоких каблуков до замысловатых причесок. Так изучаются диковинные ископаемые дотошным археологом.

Марк не позвонил ни в восемь, ни в девять. Я уже накрасила ногти ярко-красным лаком и сначала тупо сидела, уставившись на них, пытаясь сообразить, когда и зачем я прикупила такой раздражающе кричащий оттенок, а потом побрела в ванную за ацетоном и, заполнив комнату едким запахом, злорадно подумала, что это единственный путь выбить из моих застоявшихся легких гнилой запах истрепанной ворсяной синтетики, намертво прилепленной к полу.

В полдесятого мне пришла мысль позвонить самой, подумаешь, звонила же я ему раньше чуть ли не каждый день. «Если его голос, — подумала я, — покажется мне подходящим, я скажу, что принимаю его предложение и согласна переехать к нему». Я так и решила: подождать еще пятнадцать минут и позвонить самой, но потом отодвинула свой звонок еще на пятнадцать минут, а потом — еще.

Когда он все же позвонил в половине одиннадцатого, меня уже подташнивало — не то от трех чашек кофе, не то, с непривычки, от головокружительного запаха ацетона, не то от подло растекшегося из живота по всему телу нервного волнения. Голос Марка как бы в противовес моему звучал дразняще игриво, совсем не растерянно, как вчера, а даже весело.

— Как спалось? — спросил он, будто зная о муках моей почти бессонной ночи.

— Спасибо, плохо.

Я решила не скрывать волнения. Да и что скрывать, как будто по голосу не слышно.

— Все думала? — почти издевательски спросил он.

— Ага, — призналась я.

Мне опять становилось дурно. Волнение поднималось все выше, обволакивая голову мягкой податливой дурью. Я плохо соображала.

— Ну и что надумала?

— Ты действительно хочешь, чтобы мы жили вместе?

Это был мой акт дипломатии из последних сил. Я специально сказала «чтобы мы жили вместе», а не «чтобы я переехала к тебе», — подчеркивая, что не место главное, а то, что мы будем вместе. Как будто в качестве альтернативы он мог переехать ко мне.

— Да, хочу, — ответил Марк.

Голос его не дрогнул, подтверждая тем самым решительность намерений.

— Тогда я согласна, — с ходу, даже неприлично с ходу, выпалила я.

— Я сейчас выезжаю за тобой.

Его ответ по скоропалительности не очень отличался от моего.

— Сейчас? — не то от восторга, не то от неожиданности удивилась я.

— Конечно, сейчас. Тебе же завтра на работу, сегодня у нас целый день — лучшее время для переезда. К тому же я соскучился.

Это было на редкость трогательно. Все, все тут же отступило — и волнение, и тошнота, а освободившееся пространство заполнила жажда деятельности: приводить себя в порядок, собирать вещи, встречать его.

— Я тоже, — ответила я весело. — Я жду тебя, я тебя завтраком накормлю, — нашла я нелепый путь выразить свою нежность.

— Хорошо, — ответил Марк и повесил трубку.

Он приехал и привез свежие булочки на завтрак, а я, понимая, что выгляжу по-дурацки со своими светящимися от неприкрытого счастья глазами, тут же обхватила его, вжалась и, приникнув головой к его груди, прошептала:

— Это была самая ужасная ночь, знаешь?

Он обнял меня одной рукой, держа в другой пакет с булочками.

— Я даже не предполагал, что за неделю можно разучиться спать одному. Понимаешь, я не знал, куда деть руки, — сказал он. — Как-то они все время мешались.

Я приподняла голову, посмотрела на него снизу вверх и на правах почти жены, ну хорошо, не жены, но все же совсем близкого человека, передразнила.

— Так уж и не знал? Ладно, рассказывай.

Он улыбнулся, довольный моей прозорливостью, но никаких военных тайн не выдал. Я вылила в раковину бадью утреннего недопитого кофе и сварила свежий. Мы сели за стол, я разломила одну из булочек, внутри находилось инородное для мякоти теста тело. Я выковыряла его, понюхала, попробовала на зуб, им оказалось до обиды обыкновенное семечко подсолнуха, хотя и очищенное, конечно.

— Специально в пекарню заезжал, — попытался оправдаться Марк.

Я пожала плечами, надкусила краешек, кофе я пить уже не могла, но булочка была вкусная.

— Знаешь, Марк, есть одна вещь... — сказала я.

— Ты о чем? — спросил он.

— О переезде. Знаешь, ты только не обижайся, но я должна, хотя бы частично, оплачивать квартиру.

Он рассмеялся, именно весело рассмеялся, пытаясь возразить.

— Подожди, подожди, — не дала я перебить себя.

— Хорошо, я слушаю, — согласился он.

— Смотри, я живу здесь, я плачу за квартиру. Я привыкла уже, я это делаю давно, с первого дня. И я хочу жить с тобой, и понимаю, что твоя квартира значительно дороже. Я никогда бы не смогла оплатить ее полностью...

Я так волновалась из-за этого деликатного денежного вопроса, что не знала, как правильно сказать.

— Но я хочу платить то, что могу. Это нечестно, чтобы все расходы брал на себя ты. Это даже будет обидно для меня, это...

Он перебил мой растерянный лепет:

— Не выдумывай. Это моя квартира, я купил ее очень давно, когда она стоила совсем немного. Я не могу и, конечно, не буду брать с тебя денег, я не сдаю тебе квартиру, я хочу, чтобы ты жила со мной. Понимаешь?

Я задумалась. Мне почему-то никогда не приходило в голову, что это его собственная квартира. Теперь-то понятно, что он, конечно, не может брать с меня деньги. Но я действительно не хотела жить бесплатно, я не хотела ни намека, ни подозрения в какой-либо, на самом деле не существующей, корысти. Хотя подленькая мысль независимо от моего желания все же внедрилась в голову: сбросить бы с плеч моего дистрофичного бюджета такую обузу, как квартирная плата, — жизнь стала бы легонькой, как бабочка на летнем газоне.

— Подожди, — сказала я, после того как длительное размышление нагнало складки на моем лбу, — ты ведь платишь за электричество, за телефон, за тепло, за что еще? — Я задумалась, пытаясь придумать, за что еще платят владельцы квартир.

— Плачу, — согласился Марк, так и не дождавшись завершения.

— Ага, — обрадовалась я, — сколько это набегает, если сложить?

Марк задумался на минуту, назвал цифру. Она составляла приблизительно половину того, что я платила за свою вонючую конуру.

— Ну так вот, с сегодняшнего дня это уже не твоя забота.

— Малыш... — попытался возразить Марк, но теперь уже я его перебила.

— Даже не спорь! Все равно это значительно меньше, чем я плачу за свою квартиру.

Я не хотела обзывать ее «конурой» при посторонних, даже при Марке, — все же она, как могла, служила мне столько лет. Я даже вдруг почувствовала к ней неизвестную доселе сентиментальную жалость, из-за очевидного скорого расставания, наверное.

— Ну, если ты так хочешь, пожалуйста, — разрешил мне Марк.

— Я так хочу, — упрямо подтвердила я, как будто речь шла о моем капризе, а не об акте осознанного самопожертвования.

ГЛАВА ЧЕТЫРНАДЦАТАЯ

Переезд занял, конечно, больше чем одну ездку — в машину Марка ничего не помещалось, и пришлось взять напрокат небольшой грузовичок. День был будний, в такие, кроме бездельников как мы, никто не переезжает, и машин на станции проката было полно.

Всегда поначалу кажется, что вещей-то всего ничего — чего там, несколько платьев, две пары джинсов, туфли, ну и еще всякая мелочь типа белья. Но когда выметешь все из углов, выбросишь на обозрение из забытых ящичков да с полочек все поснимаешь, то организуется пусть и не Хеопса, но все равно солидная пирамидка, на которую взираешь в недоумении: откуда набралось столько всего? И выясняется, что вот именно с этой, скажем, подушкой совершенно невозможно расстаться, потому как привыкла, притерлась уже к ней ухом. А вот тот, например, плюшевый медвежонок связан либо с событием, либо с человеком, и куда ж его теперь? Да и все остальные вещи уже давно не нужные, а может быть, и не нужные никогда, но как отказаться от них? Это все равно что по собственному желанию умертвить какую-нибудь несущественную частичку памяти только лишь потому, что для нее в ограниченной костью мозговой коробке не хватает больше места. Да нет, думаешь, пусть будет, место найдется. И находится.

Я вообще немного сентиментальна и к вещам, и к домам, и, конечно, к прошлому. Сейчас мне казалось, что вещи, как домашние животные, были преданы мне столько лет, служили верой и правдой, разделяли мое одиночество и иногда, в своей бессловесной заботе, утешали и помогали. А я, лишь только мне удалось подняться на следующую, так сказать, ступеньку жизни, сразу предательски, по-подлому бросаю их, беспомощных, обрекая на умертвляющую ненужность.

Я понимала, что все эти вазочки, тарелки, пуфики, даже журнальный столик, не говоря о других предметах, которые лишь благодаря свой функциональной пригодности еще претендовали на право называться мебелью, в принципе не могли найти место в квартире у Марка. Тем не менее выбросить их я не могла.

Марк предложил сделать дворовую распродажу, когда по дешевке, за символическую плату, люди продают соседям и просто прохожим незамысловатую утварь. Но я отказалась. Может быть, из снобизма, а может, с непривычки, но мне претило сидеть дурой во дворе среди родных, пахнущих домом вещей, да еще назначать за них цену. Взамен я предложила дать объявление в местной газете: «Отдам в добрую семью с детьми преданный и дружелюбный пуфик», чем, конечно же, вызвала у Марка улыбку.

Лишь на следующий день меня озарила счастливая мысль: я устрою прощальную вечеринку для своих, для русских, на которую сможет прийти любой, кто услышит о ней. Вечеринка будет, впрочем, с сюрпризом: каждый, кто захочет, сможет забрать две, но только две, наиболее понравившиеся вещи из моего дома — если что-то может в нем вообще понравиться, — за просто так, конечно.

Идея понравилась Марку. Он никогда не видел моих соотечественников в природных, так сказать, условиях, когда они не обращали бы на него внимания и не пытались вести себя тише и изысканнее, стараясь избегать политически некорректных высказываний, чтобы не сконфузить этого улыбчивого американчика. На моей же вечеринке он, наоборот, сам мог бы раствориться в людях, затеряться и не нарушать, таким образом, первозданный колорит русского общения.

Я позвонила Катьке — наиболее для меня простой и доступный способ оповестить русскую общественность об ожидающейся халяве. На что она, выслушав мою идею, разумно заметила, что задуманная акция грозит неприятностями, что как бы соотечественники не передрались из-за какой-нибудь понравившейся супницы, и назвала мою затею провокацией для честных, но воинственных граждан.

— Да там и спорить не из-за чего. Я, наоборот, боюсь, что никто ничего брать не захочет.

— Наши-то? — с циничной смесью русофобии и антисемитизма, так болезненно свойственной уроженцам самой обширной страны независимо от их национальной принадлежности, сказала Катька. — Не волнуйся, подметут все — нравится не нравится, эстетические чувства роли не играют.

— Да кончай, Катька, перестань. Чего ты всех под одну гребенку, люди разные. Может, никому вообще ничего не нужно будет, — опять попыталась я.

— Не боись, набегут именно те, кому нужно. Нет, даже не так, — она нашла лучшую форму, — нужно им, не нужно, это они потом, дома разберутся. А у тебя в квартире состоится спортивное состязание — схватить ценнее и бежать скорее. Кто больше схватил и быстрее убежал, тот и победил. И потом, как ты будешь контролировать, сколько чего каждый нагреб? Не будешь же ты за ними ходить и лепетать: «Э, простите, это уже третья ваша вещь. Это вам не полагается, ну-ка отдайте».

Я молчала.

— Я не знаю, — сказала примирительно Катька, почувствовав, что я расстроилась, — ты ведь хочешь нечто вроде прощального вечера устроить и раздать людям свои пожитки, чтобы они тебя как бы вспоминали, правильно? Ты ведь не хочешь базара из этого устраивать?

Она была права.

— Не хочу, — согласилась я.

Мы еще поболтали и решили, что все же мы позовем только знакомых, все равно наберется человек двадцать-тридцать.

Вещи мы будем раздавать, как в лотерее, как когда-то в детстве, в первых классах школы, когда дарились подарки детям, у которых наступил день рождения. У нас, например, учительница вызывала какого-нибудь шалопая к доске, ставила спиной к подаркам и лицом к шеренге именинников, выстроенных тут же, и сама, держа в руке взятый наугад подарок, спрашивала: кому? А стоящий спиной называл имя очередного счастливого именинника. Такой подход был справедлив, а главное, педагогичен, даже Катька с этим согласилась. А мы ведь тоже хотели все сделать педагогично, вот потому и переняли опыт советской школы, впрочем для несколько отличного контингента, да и при других обстоятельствах.

Мы назначили нашу раздаточную вечеринку на ближайшую субботу, и гости начали стекаться где-то к семи часам. Конечно, никакого стола не было, так, несколько упаковок пива, бутылки вина и ликера, бутерброды с колбасой и сыром, ну и прочая закуска из соседней кулинарии.

Людей я в основном знала, хотя не всех, так как кто-то привел с собой либо нового ухажера, либо новую девочку, которых я раньше не видела, поскольку с тех пор, как познакомилась с Марком, отошла от русской светской жизни. Гости были в большинстве молодые, хотя попадались отдельные особи, как правило мужского пола, лет сорока, забредшие со своими более молодыми напарницами.

Катька появилась с новым кавалером, который непривычно сильно пожав мне руку представился как Матвей — среднего роста, плотно сбитый, решительного вида, почти блондин, с веселым взглядом, лет тридцати. Он сразу стал шумно с кем-то спорить и потому особенно привлекал к себе внимание. Катька, по дружбе приехавшая на два часа раньше помогать мне готовить бутерброды, выглядела как никогда ослепительно. Она похудела, и теперь ее величественная фигура элегантно, даже провокационно вычерчивалась под плотно облегающим вечерним платьем.

— Как тебе новый-то мой? — спросила она, и вопрос этот, в принципе Катьке не свойственный, так как обычно чужое мнение ее мало интересовало, наводил на мысль о возможно серьезном ее отношении к «новому-то».

— Очень даже, — одобрила я не только из дипломатических соображений, а, в основном, из-за того, что, как мне показалось, присутствовало в нем что-то, какой-то сдержанный напор. — А сам-то он как? — по старой дружбе поинтересовалась я.

Катька не ответила, а только очень уверенно утвердительно кивнула, и рука ее, держащая стакан на уровне плотного живота, отделила однозначно обращенный вверх большой палец. Я одобрительно подняла брови и посмотрела на Катькиного избранника как бы теперь в новой перспективе, заслуживающей дополнительного внимания.

— Злой он, — вдруг добавила Катька, когда я подумала, что обсуждение закончилось.

— Что это значит? — насторожилась я.

Катька посмотрела на меня с высоты своего роста и, как мне показалась, с высоты своего уникального знания и сказала чуть снисходительно:

— Это значит — кайф!

Я поразмышляла немного и решила не вдаваться в тонкости вопроса.

Подошел Миша, мы знали друг друга давно, с самого нашего американского младенчества. Он был один, в последнее время, когда я встречала его, он всегда был один. Когда-то он пытался ухаживать за Катькой, и, по-моему, у них даже что-то случилось разок-другой, точно не знаю, но в результате между ними выработались странные, почти патологически доверительные отношения.

Он был художником, и художником неплохим, сам он себя, как и все художники, считал гением, а иначе, как он говорил, «зачем вязаться с искусством». Порой его работы выставлялись в галереях, впрочем не в самых известных, но в основном он занимался халтурой, делая иллюстрации к детским книжкам. Жил он скромно, или, если не бояться слов, просто бедно — видимо, иллюстрации хорошо не оплачивались, — но остроумно. Это была его фраза: «Я живу бедно, но остроумно», — говорил он.

Он действительно был остроумным, художник Миша, — не только знал прорву анекдотов, но и умел их смачно рассказывать, естественно присовокупляя к сюжету залетную материщинку, но так интеллигентно, даже невинно, что это никого не смущало. Рассказывая всевозможные байки, смешно меняя голоса, он мог тут же сходу выдумать новое продолжение, что присутствующей публикой ценилось особенно.

Катька как-то рассказала мне, что у него продолжительный роман с одной из его почитательниц, американкой вполне преклонного возраста, хорошо за пятьдесят, которую он, по понятным причинам, от всех скрывает. Катьке же на ее непонимающий вопрос он однажды сознался, что это полнейший «клевяк» и что он, закоренелый московский бабник, никогда в своей жизни ничего подобного себе представить не мог. Мы с Катькой долго обсуждали ситуацию, пытаясь разобраться, в чем же здесь «клевяк», но, так и не придумав, сошлись на мнении, что каждый, в конце концов, находит именно то, к чему стремится. А Катька еще и заподозрила, может быть от подсознательной обиды, всяческие патологии в его характере и организме. Но все это был большой секрет, и поэтому я нарочно непосредственно спросила:

— Мишуля, ты чего один-то?

— Баб нет, — угрюмо ответил он. — Вы, девчонки, все разобраны.

— Ну, ладно, — перебила его Катька, — у тебя был шанс, когда мы, молоденькие тогда еще, скакали без присмотра.

— Чувствуешь, Марин, подруга твоя по-прежнему не может простить, что я этот шанс упустил, — подмигнул мне Миша. И я подумала, что он, наверное, прав, Катька и вправду ревнует его именно к этой пожилой любовнице. Ни к какой другой не ревновала бы, ни его, ни кого другого, а вот таинственную почти старуху простить не может. Как все же загадочен и до зависти притягателен отход от стандарта, и насколько томительным становится он там, где прикасается к нему секс, подумала я.

— Не, бабы-то здесь имеются, в принципе они здесь тоже пасутся, — отглотнув пива из банки и медленно развивая тему, продолжил Миша. — В принципе их запросто даже возможно наблюдать в среде максимально приближенной к естественной, в машинах, например, катящих мимо. Реже в общественных местах, типа метро, совсем редко — на улице, хотя там они тоже, бывает, встречаются. Но водятся они в своих заповедных кущах, или гущах, не знаю, как правильно, как бы автономно, без связи с реальным миром. Во всяком случае, с моим.

— Может, только с твоим? — зловредно спросила Катька. Но Миша не отреагировал на выпад, он был расслаблен и почти меланхоличен.

— Дело даже не в мире, — поправился он, — в мир-то можно проникнуть, ползком, да хоть как. Дело, скорее, в том, что в этой чужеродной атмосфере иная, неведомая нам, система коммуникационных образов.

«Ему уже давно пора про образы, — подумала я. — Как же это, художник — и без образов!»

— Как бы это вам, девочки, объяснить, вы ведь никогда активность в съеме противополых особей не проявляли, во всяком случае внешнюю. Вам ведь ни к чему, вы как раз сами являетесь объектом активного съема. Так что не уверен, проникнетесь ли вы моей мужицкой заботой, или, иными словами, будет ли она вам вдомек.

Мне нравилось, как он говорил — как-то ностальгически, из юности, почти уже забытой в нынешней совсем другой жизни, очень по-московски, на московском, тоже уже размытом временем, сленге.

— Итак, о заботе, — продолжил он нестройную мысль. — Например, когда в большом российском городе, где проходило мое беспутное отрочество, я устремлялся к какой-нибудь телке, я уже без ошибки знал, что не промахнусь, что, по сути, уже подтвержден, что она мне не откажет. Как минимум, в знакомстве. Уверенность же моя наглая бралась не с пустого места, а оттого, что, собственно, мы уже обо всем с клиентом договорились еще до того, как я подошел, мы все обсудили на обоим нам знакомом языке образов. Я посмотрел ей в глаза, она поймала взгляд и вернула его, по самому этому взгляду можно было многое, если не все, понять. Но если я хотел подстраховаться, оставались в запасе, — он опять отхлебнул пива, — улыбка, поднятые брови, наморщенный лоб, манера, например, поправить волосы, когда она уже знает, что ее выбрали. В общем, короче, тьма путей имелась в распоряжении образованной публики, да и не очень образованной тоже, просигналить либо об опасности, типа: «Ну ты, парень, лучше отхлынь, все равно пошлю» или же, наоборот, подбодрить: «Чего медлишь, не бойся, кудрявенький, не обижу». И ты верил ей, и она не обижала, ну, как правило. Да чего я вам, девки, рассказываю, вы все это сами не хуже меня знаете. Мастерство-то не пропьешь.

Катька согласно улыбнулась, ей все же нравился этот мальчик, не дискриминирующий женщин по возрасту.

— Так вот, здесь, я имею в виду тут, образы другие, они не соответствуют тем, которым мы обучены. Это не то что языковая преграда мешает, преграду-то можно преодолеть худо-бедно, сигануть через нее, тут дело хуже. Язык, казалось бы, тот же самый, все слова отлично присутствуют, только смысл у них различный, порой противоположный, вот в чем беда. Помните анекдот, где ребенок просит объяснить матерное слово, услышанное им, и ему говорят, чтобы прикрыть матерную неприличность, что оно является синонимом слова «отлично». И ребенок начинает фигачить одноэтажным без перебоя в самых неподходящих местах, отчего все смеются. Миша снова качественно приложился к банке. Мы с Катькой не отвлекали его, пауза в данном месте его рассказа как бы предполагалась.

— Так и здесь, — наконец-то вернулся он к нам, — ты вроде слово знаешь, используешь его, но означает оно совсем не то, что ты думаешь, вот только не смеется никто. Я помню, когда я высадился отважным десантом на этой земле, — Миша оттопырил палец вниз, видимо указывая, на какой именно земле, — я думал, что перетрахаю здесь всех девок, так они на меня смотрели. Идешь, скажем, по улице, и, если даже случайно вглядишься ей в глаза, вы знаете, она отвечает взглядом самым нежным и самой лучистой улыбкой. В России такие взгляды, не говоря уже про улыбки, означали бы нижайшую, смиреннейшую просьбу: «Трахни меня, пожалуйста. Нет, не вечером, а прямо сейчас, не отходя». Как же должен был я, бывший студент архитектурного, бывший комсомолец, выбывший по возрасту, реагировать на этот наивный и трогательный призыв?

«Выбывший по возрасту» — это хорошо, это смешно, — подумала я.

— Я не мог не бросить спасательного фала своим американским землячкам. И подходил к ним, и заговаривал с ними в искреннем стремлении помочь. Я вообще всегда готов помочь, когда дело касается любви. Ну, о реакции я рассказывать не буду, вы сами понимаете. Она варьировалась: от долгих расспросов и желания одарить меня долларом, когда меня принимали за горемычного бездомного из России, до звонков в полицию тут же, по сотовому, когда баба все же продиралась через мою английскую белиберду или же по жестам догадывалась.

Я представила Мишу в качестве сексуального налетчика перед заскорузлыми, не склонными миндальничать полицейскими и засмеялась, засмеялась и Катька. Я осмотрела комнату: народ развлекал сам себя, сбившись в небольшие, но шумные кучки.

По количеству людей выделялась группа, где новая Катькина привязанность доминировала громким, поставленным голосом и азартным напором бывалого спорщика. Марк стоял у стены в неизменной своей расслабленной позе с бутылкой пива в руке и, улыбаясь, о чем-то беседовал со, скорее, Катькиной, чем моей, знакомой, которая взяла на себя благородное бремя развлекать этого симпатичного аборигена. Впрочем, подумала я, она наверняка и не считает это за бремя, скорее за возможность.

— Самое страшное, — продолжал Миша, ободренный нашим смехом, впрочем все так же меланхолично, — это то, что два-три таких приплытия, и все — прощай, здоровая уверенность, здрасте, нездоровые комплексы. Теперь, когда я иду в какой-нибудь студенческий бар и какая-нибудь налитая студентка подходит ко мне, и, пусть по пьяни, трется об меня своим плотным бюстом, и плавной рукой в балетном таком движении обвивает меня за шею, и приникает губами к моему уху, и шепчет что-то, что я все равно боюсь не понять, я твердой рукой бывшего, но опытного народного дружинника отстраняю ее и, от греха, перехожу в другой угол. Если же она меня преследует, я вообще ухожу — ну их, этих пьяных. И ухожу я не потому, что чужда мне человеческая суть, и не потому, что не снятся мне все еще эротические сны, а потому, что теперь я просто не уверен, что означают потирания ее бюста и нежный ее шепоток. Может, она таким причудливым образом интересуется, что я думаю о последнем заявлении сенатора из штата Айова. — Он отглотнул пива и, выдержав паузу, добавил: — Впрочем, не уверен, что она сильно подозревает о существовании данной административной единицы в союзе добровольно соединенных штатов.

Катька уже хохотала в полный голос, я тоже не особенно сдерживалась, уж очень красочно вырисовывалась сцена, да и вообще, всегда интересно узнать про мальчишечьи проблемы из самых что ни на есть первых рук.

— Вот так вот, девоньки, а вы говорите «образы», — как бы подвел черту Миша.

— Да, чувак, у тебя беда, — сказала я скорее тоном старого кореша — мне не хотелось, чтобы он заканчивал, мне хотелось, чтобы он продолжал.

— А то! — тут же отозвался Миша, принимая безоговорочно мою поддержку. — А вы знаете, бабоньки, что означает для мужика половой стресс?

Тут я догадалась, что Мишаня слегка опьянел, посасывая потихоньку из баночек, что, конечно, было даже хорошо. Мы с Катькой удивленно наморщили лбы: мол, понятия не имеем, что это такое — непонятный мальчишечий стресс.

— Да откуда вам, — не то с сочувствием к нашей недоразвитости, не то со сдерживаемым презрением отрубил Миша. — Откуда вам! Жизнь у вас простая, без сексуальных препон, в конечном итоге выбор всегда за вами остается. То есть не так. Выбираем, конечно, мы, но вы подтверждаете. То есть так как вы сторона пассивная, вы не рискуете быть отвергнутыми, вы рискуете быть невыбранными, но не отвергнутыми. Риск быть отвергнутыми берем на себя мы, парни, — благородный, конечно, как и любой риск, но очень стрессовый.

— Значит, задавило вас, мужиков, тяжелое ваше бремя? — спросила Катька, скорее с желанием опровергнуть свое же утверждение.

Но Миша ей не позволил.

— Почему бабы так цепляются за свою несчастную долю? Ну никому не позволят поднять на нее... это, — он запнулся. — Чего поднять? — спросил он сам себя и, не найдя ответа, махнул рукой: — Ну, не знаю, да ладно, не суть... — и продолжил: — Конечно, нам, ребятам, сложнее, мы в активе, нам не спускается.

Он усмехнулся, ему понравился каламбур, хотя мне он показался передержкой, но я простила — все же импровизация. Миша, видя, что Катька все еще пытается возразить, предостерегающе остановил ее выставленным вверх указательным пальцем:

— Катюш, смотри, давай возьмем тебя, хотя бы в качестве примера. Скажи, приходилось ли тебе когда-нибудь ложиться в постель с мужчиной, который рождал в твоем сердце противоречие? В смысле, чувак тебе не пришелся, а разделить спальное место все же пришлось. — Он не дал Катьке ответить. — Давай, скажем, да, — и, видя, что та все же готова возразить, тут же добавил: — Хорошо, просто предположим, ну, скажем по-научному, допустим.

— Ну, допустим, — сломалась Катька.

— Так вот, ты ему в принципе вполне могла не дать, правда ведь. И ни один человек, даже сам пострадавший, не осудил бы тебя, потому как это право твоей женской пассивности — не давать тем, кому давать неохота. Более того, ты могла и дать, так, из сострадания... Подожди, подожди, — поднял он руку, видя, что Катька пытается его перебить, — мы ведь, как это, мы теоретизируем, — с деланным трудом выдавил из себя Мишаня длинное слово, — мы вообще, кстати, не о тебе, а то, смотри, загордилась сразу. Мы об абстрактной Катьке рас-

130

суждаем. Так вот, если бы эта абстрактная Катька и дала бы не понравившемуся ей мужчине, то ей совершенно необязательно от этого акта получать какое-нибудь удовольствие, так как дала бы ты механически, по инерции. И опять повторяю — ни у кого бы не поднялась рука ее, то есть тебя, то есть не тебя, осудить.

Я уже понимала, к чему он клонит, но все равно слушала с интересом.

— А теперь представь, что все наоборот, и не Катька ты больше, и вообще не женского ты пола, а мужик с именем, скажем, Вася или Боря. И вот представь себе, что оказался ты, Вася, в аналогичной ситуации и попал ты в постель со случайной женщиной, несимпатичной тебе. И представь себе, хотя, конечно, это сложно, что ты, Вася, заявляешь, что, мол, не хочу я тебя трахать, а будем мы спать спокойно до утра, и таки на самом деле засыпаешь. Ты представляешь, какой назавтра, когда ты, Васька, проснешься, — он даже хлопнул Катьку по плечу, как бы сочувствуя своему Ваське, — шум поднимется, когда оскорбленная случайная твоя подружка, от нехватки выпитого не понравившаяся тебе, расскажет об этом твоем малодушии всем вокруг? Представляешь, как тебя будет топтать толпа? А как начнет рассказывать она про тебя, Васек, — ему, видимо, понравилось обращаться так к Катьке, — всем и каждому со всеми нелицеприятными для тебя подробностями, так и будет молва о тебе расти и шириться, гнусная, замечу, молва, и вскоре начнут ближние в тебя пальцем тыкать, в тебя — беспомощного сексуального негодяя. И не то чтобы женщина, которой ты подло пренебрег, особенно злой оказалась — нет, не злая она, а сильно оскорбленная, потому что не предоставляет общество тебе как мужчине такой поблажки — не удовлетворить женщину.

Миша попридержал свой монолог, протянул руку к столу и взял очередную банку пива.

— А теперь представь самое страшное. Ты, друг мой Васенька, — он теперь положил руку Катьке на плечо и, выделив из пучка прядь рыжих волос, стал перебирать ее в пальцах. Катька не возражала, во всяком случае, молчала, — представь себе, что, зная, какое наказание тебе грозит, если ты не выполнишь свой долг, ты решаешь, несмотря на лица, то есть на лицо, все же его выполнить. Но видишь ли, Васек, не знаю, поймешь ли ты меня полностью, не все всегда во власти твоей, даже в плане собственного твоего организма. Ты ведь, Васек, не знаешь, что мужчина хоть, конечно, и животное, и животное примитивное, с единственной своей мозговой извилиной и единственным своим половым рефлексом, но что, кроме члена, у него все же есть еще душа и чувства. И что член иногда с ними, бедолагами, в заговоре и может воспротивиться — он неподатливый — насилию над своей союзницей душой.

Миша вглядывался в Катьку, как будто видел ее первый раз, рука его все так же лежала у нее на плече, все так же теребя локон, и Катька взгляд свой тоже не отводила, а, наоборот, смотрела в самые глаза его неотрывно, и показалось мне, что начался у них какой-то свой сугубо личный разговор.

— Или даже все наоборот. — Миша махнул рукой, как бы зачеркивая свой прежний сценарий, так что пиво, которое он держал в ней, тонкой струйкой увлажнило мое злосчастное ковровое покрытие. Но он даже не заметил этого. — Все по-другому, представь, Василий, наоборот, что ты влюблен по уши, как в книжках, и в постели ты как раз со своей этой самой единственной избранницей, и душа твоя мечется, и смущен ты безмерно, и сердце твое скворчит от неописуемого волнения. Тебе бы отлежаться, Вась, прийти в себя, успокоиться, и, глядишь, все в порядке будет. Но нельзя, Василий, потому как та, единственная твоя, уже и дышит тяжело, и глазки от возбуждения закатывает, и не потому, может быть, что так уж хочется ей войти с тобой в любовную связь именно сиюминутно. А потому, что она в женском своем наитии полагает, что именно так она и должна себя вести, чтобы ты ее заценил по-настоящему. И понимаешь ты, Василий, что никак не можешь ты осрамиться, и мысль эта еще сильнее волнует и давит тебя, так как, когда боишься ошибиться, всегда как раз и ошибаешься. И не получается у тебя, так или этак, но не получается. Или получается, но плохо, и поди ты теперь рассказывай и объясняй, что случилось все так неудачно именно из-за безмерной твоей любви.

Тут я поняла, что мне лучше всего отойти, что они уже разбираются между собой и без меня разберутся лучше и что, наверное, не так уж не права была Катька в своих оценках, когда по секрету пересказывала мне Мишины странные истории.

Я подошла к Марку, который разговаривал все с той же девицей, и на правах собственницы, подтверждающей право на исконно свое, обняла его за талию.

— Так как, милый, не скучаешь? — спросила я нежно.

— Нет, нисколько, — ответил он и, положив мне руку на плечо, прижал к себе, как бы давая понять, что, мол, не волнуйся, я так, просто болтаю, пока ты занята.

— Хорошо, — сказала я, убирая свою руку и плавно освобождаясь от его, — я тогда пойду к гостям.

Я на самом деле не собиралась стоять на страже рядом с ним, мне достаточно было вот так, движением, жестом, взглядом, сказать ему: я помню о тебе, я здесь, близко, если я нужна тебе. Он посмотрел на меня и улыбнулся понимая.

Я присоединилась уже не к кучке, а, скорее, маленькой толпе, сбившейся вокруг Катькиного нового мальчика, в пылу спора или не замечавшего Катькиного интимного разговора, или замечавшего, но, будучи уверенным в себе куда более, чем, например, я в себе, не желающего вмешиваться в эти любовные ностальгунчики. Он говорил резко, почти грубо, но грань не переходил и, хотя был, казалось, возбужден, то ли выпитым, то ли азартом спора, то ли и тем и другим, говорил дельно, взвешивая слова и грамотно отражая выпады оппонентов.

Оппонентами были все остальные, и мужчины и женщины, раскрасневшиеся и тоже возбужденные, даже, скорее, возмущенные, и мне стало интересно, чем он их так завел.

Конечно, Матвей имел преимущество перед ними всеми — при всем своем запале, он-то и был единственным, кто сохранил хладнокровие, и я догадалась, что ему доставляет удовольствие быть одному против коллектива и потому он их всех и спровоцировал, наверняка вполне умышленно. Он обращался как бы к Мите — высокому и субтильному, лет под тридцать, но выглядевшему куда как старше, — а на самом деле ко всей шумной толпе, окружавшей его.

— Да нет, — говорил Матвей, — страна здесь ни при чем, страна чудесная, нечего на нее пенять, это просто экономическая система так устроена по принципу капкана с живой наживкой. Вот от нее-то все проблемы.

— У меня нет никаких проблем, — отозвался Митя гордо.

— Это тебе так кажется. У тебя дом есть? Купил уже?

— Ну да, у меня дети, — как бы оправдываясь, ответил Митя, не понимая, куда клонит его собеседник.

Значит, платишь по процентам?

Митя утвердительно кивнул головой.

— За машину тоже выплачиваешь, кредитные карточки имеются, как я понимаю, и у жены, и у тебя. Вот ты и попался.

— Куда это он попался? — почти обрадованно спросил кто-то из толпы.

— Я же говорю, в капкан с живой наживкой, который как раз для тебя, старик, и расставлен был. Ну, то что наживка живая — это я так, для образности. — Его никто не перебивал, и он продолжал: — Просто здешняя экономика определяется потреблением по очень простой схеме: купив что-то, залезаешь в долги, потому все эти заемы и кредиты. Попав в должники, ты вынужден работать еще больше, чтобы больше получать, дабы свой долг выплатить. Получая больше, ты психологически подготавливаешься к покупке чего-то нового, для чего тебе придется залезть в новые долги, отчего тебе придется еще больше работать, и так далее. То есть, таким образом, работая больше и потребляя больше, ты развиваешь экономику страны. Поэтому и культура, массовая и прочая, ориентирует средний класс на потребление и делает потребление единственной целью.

Матвей выдержал паузу, ожидая возражения, но дельного возражения не последовало.

— Вы посмотрите, — продолжил он, — все эти мыльные оперы, мюзиклы и прочая тутошняя культура — они как раз на средний класс и ориентированы. Не так чтобы они совсем на уровне наскального искусства находились, по крайней мере по сложности восприятия, но и до, скажем, драматического театра или серьезной литературы им тоже не подняться. Ну чего, растолкуйте мне, все на мюзиклах помешались? В опере поют — я еще могу понять, жанр такой. Но с какой стати, говоришь, говоришь, нормально так, все спокойно, не нервничаешь, а потом — бац, и в полный голос в песне растекаешься. Представляете, я вот в этом месте, прямо сейчас возьму верхнее «до» на полную катушку и так и буду продолжать мелодично. А ты, Митя, нам спляшешь от переизбытка чувств. Вот такая полная туфта это ваше искусство, а ведь на правду жизни претендует.

— При чем тут искусство? — не понял Митя, который, видимо, не был готов к танцу, вот прямо сию минуту.

— Да к тому, старик, что все здесь на вкус среднего класса ориентировано. Чтоб он, обильный, заглатывал и не морщился. Бедные, горемыки, никого не волнуют, да их и не много. Даже богатые — не волнуют, потому как, известно, у них свои причуды, да и они тоже ограничены в количестве. Остается — единый и нерушимый средний класс. Его-то все и имеют с нескрываемым удовольствием.

— А ты, значит, не средний класс? — спросил Митя, подозревая, очевидно, Матвея в высокомерии по отношению к представителям умеренного достатка.

— Я знаю, знаю, нехорошо звучит, но ведь правда, я не имею в виду материально, мы в средний класс не особенно попадаем.

— А в какой ты попадаешь, в высший что ли? — не отставал ехидный Митя.

Он был программистом, получал свою высокую программистскую зарплату и гордился этим.

— Да неважно, скажем, я вне класса, я прослойка, помнишь еще про такую. В данном же экономическом укладе проблема в том, что те ловушки, в которые мы попадаем, вроде бы не для нас расставлены, но мы в них все равно вляпываемся. Ну, смотри, ты, Митя, сколько уже в Америке?

— Четыре года, — настороженно ответил Митя, чувствуя подвох.

— А отдыхал сколько?

А вот и подвох, подумала я.

— Ну, в Канаду ездили, — Митя обвел толпу взглядом, ища жену и поддержку от нее.

— Нет, Мить, я имею в виду — отпуск, как раньше, на месяц.

— Послушайте, — сказал кто-то из толпы, голос звучал раздраженно, но мягко, интеллигентно, — что вы хотите сказать? Что начинать заново в зрелом возрасте — это тяжело? Так никто не спорит: не прогулка у моря. Нужно время и на дом, и на отпуск, и на все остальное.

— Не уверен, — ответил Матвей. — Засасывает. Вы посмотрите на местных, на средний класс, это ведь самые бедолаги,

136

самые пахари, продыху не знают. А почему? Потому что система как раз их и доит: налоги, копи на колледж для детей, страховки всякие и прочее. Вон спросите у местного, — он кивнул на Марка, — как ему, среднему классу, живется.

Я испугалась, что сейчас еще Марка подключат к этому дурацкому спору.

— Он не знает, он не средний, — поспешно отказала я Марку в социальном представительстве.

— Ну хорошо, хозяйке виднее. К тому же, — Матвей повернулся к последнему оппоненту, — сколько вы ждать предлагаете? Еще лет десять? Так жизнь-то, и та уже прожита наполовину.

— Так что же делать? Не покупать дом, не работать, деньги не зарабатывать? — не сдавался мягкий голос, обладателя которого я даже не знала, кто-то привел его, представил, но имени я не запомнила.

— Конечно, я этого не предлагаю. Каждый решает для себя сам, выходы крайне индивидуальны. Но я ведь даже не о том, я причины глубинные пытаюсь вскрыть. Выходы из образовавшейся ситуации для всех разные, но причины как раз одинаковые.

— Ну, и какие же причины? — спросил человек с мягким голосом.

Митя хотя и стоял тут же, но как бы оказался выключенным из игры, Матвей нашел себе лучшего соперника. Казалось, чем изощреннее и упорнее наскакивал оппонент, тем больше он стимулировал Матвея.

Причины, — как бы размышляя, произнес он, — видите ли, социальный статус здесь подменен статусом материальным. Да и не только здесь, похоже, во всем мире наблюдается аналогичная тенденция. То есть, если проще, в сознании людей и в нашем сознании деньги означают больше, чем, например, уровень образования, престижность работы или ее творческая составляющая. Понимаете, поменялись критерии ценностей. И мы со всего разбега втемяшились в новые ценности, забыв, что старые как раз и являются вечными. Кстати, те, кто стоит, как говорили, у горнила власти, они-то сами исповедуют старые ценности, там социальный статус по-прежнему крайне важен. Но не мы и не для нас. То есть мы на данном этапе оказались ярыми приверженцами лжеценностей. Хотите пример? — вдруг неожиданно спросил Матвей. — Вы, простите, в России кем были?

— Я химик.

— А где вы там работали? — набирал сведения Матвей.

— В академическом институте, в Москве.

— Кандидат, значит, — догадался Матвей.

— Да, — ответил мужчина, и я поняла, что и он ждет подвоха.

— А здесь где живете? Кстати, простите, как вас зовут?

— Анатолий, — представился тот. — Живу я в городе Ньютоне. А какое это имеет значение?

— А вот какое. Давайте проведем параллель, надуманную, искусственную, неважно. Предположим, что Нью-Йорк — аналог Москвы, — он выдержал паузу, с этим вроде никто не спорил. — Тогда Бостон, по расстоянию, по количеству населения, есть аналог какого-нибудь провинциального города, скажем Рязани. — Это уже было спорно, и люди зашумели, но Матвей продолжал сквозь шум: — Теперь ты, Анатолий, живешь в Ньютоне. Представьте себе, что под Рязанью, в сорока верстах, есть деревня Подсолнухи, это и есть ваш Ньютон.

Шум нарастал, кто-то начал говорить, возражая, пытаясь перебить Матвея, но тот не обращал внимания, просто повысил голос:

— Но будем справедливы, ты человек, похоже, интеллигентный, с высшим образованием, по крайней мере, этого у тебя не отнять, независимо от места жительства. Поэтому представь, что в деревне Подсолнухи есть торфоперерабатывающий завод, где служит инженер по торфопереработке, или автоматизации, или еще чего, а лучше всего химик-торфяник, так вот, это, Анатолий, и есть ты.

Это последнее утверждение завело всех, народ возбудился до крайности. А я подумала, как же ловко Матвей перешел на «ты», никто и не заметил.

— Тут вы передернули, — возразил за всех Анатолий, — просто в России, да и в Европе вообще, столица государства является его центром. Не только административным, но и экономическим, культурным, да и прочим. Не только Москва в России, но и Париж во Франции крайне отличается от провинции. Кстати, оттого и термин пошел — слово-то французское. Да и Лондон — центр Англии, да и вообще по всей Европе так. Потому что исторически цари там жили, герцоги и прочая аристократия. А в Америке по-другому, центр отсутствует. В смысле распределен. Нью-Йорк — финансовый центр, Вашингтон — административный, Лос-Анджелес, например, — кинематографический, ну, а Бостон, как известно, научный и образовательный центр. Вот откуда разница, о которой вы нам втолковываете.

— Ну вот, Толя, ты все в одну кучу свалил, — не прогнулся под вражеской атакой Матвей. — Я ведь не о геополитике, да и не в ней дело. И пример мой не о столицах и областях, а о нас с вами. А если о нас, то тебе, Анатолию теперешнему, химику-торфянику, так же далеко до американского аналога Анатолия московского, как химику-торфянику из деревни Подсолнухи было далеко до настоящего Анатолия, научного сотрудника академического института в Москве. То есть у тебя нет шансов дотянуться.

Народ снова активно загалдел, да так, что пробиться через общий шум одинокому голосу стало непросто. Вместо попытки перекричать Матвей поднял обе руки.

— Дайте докончу, немного осталось.

— Дайте ему закончить, — заступился за него Анатолий. Шум немного стих. Анатолия, основную жертву рассуждений, народ, как жертву, послушался.

— Так вот, —почувствовав возможность, продолжил Матвей, — сколько бы ни получал, в каком бы доме ни жил, на какой бы машине ни ездил, никогда инженеру из Подсолнухов до Анатолия — научного работника не дотянуться. До его круга, его интересов, его привычек, его знакомых, знакомств — нет, не дотянуться. Вот так и нам теперешним не дотянуться до аналогов нас прежних. Но беда наша в отличие от инженера из Подсолнухов в том, что он и не знал, что есть другая жизнь — жизнь Анатолия в Москве, а если и догадывался, то не стремился туда. Ему и в Подсолнухах хорошо было, ну, максимум, в Рязань можно махнуть на повышение. А мы-то знаем про другую жизнь, и хотим ее, пусть во сне, но хотим. Потому что мы на самом деле ведь из нее.

— Вы, Матвей, прям, как «три сестры» в одном лице, все о... — попытался было Анатолий.

Но его перебил другой, уже возмущенный женский, голос:

— Так у вас что, претензии к стране? Ну, уж не знаю...

— Да конечно, нет, при чем здесь страна. Я же говорил, дело не в геополитике, а в подмене шкалы ценностей. И везде, где такая подмена происходит, возникают одни и те же проблемы. И в России, и в Америке, везде. Но я про другое совсем, я про нас, про жизнь нашу.

Я смотрела на Матвея: выглядел он бодрячком, но почему-то я почувствовала за его словами не розыгрыш, не желание поспорить, а скрытую обиду, даже муку. Я вдруг поняла, что, собственно, все, о чем он говорил, является частным случаем того, что так недавно доказывал мне Марк. Только Марк говорил обобщенно, как бы с позиции глобальной идеи, которая мне сначала показалась пустой теоретизацией, и вот, пожалуйста, передо мной ее практическое применение. Этот Матвей пришел, по сути, к тому же выводу, но посредством анализа своей собственной жизни, своей так умело скрываемой боли. И все же он не сумел, хотя и пытался, обобщить свой частный опыт до общей теории, как это сделал Марк.

Я посмотрела на Марка. Он все так же стоял у стены, все так же улыбался, не подозревая, что взгляд мой, тут же перехваченный им, помимо прочего, обычного, хотел сказать, что только сейчас я смогла полностью оценить глубину его слов.

— Вы знаете, Матвей, — сказала я, неожиданно для себя. Собственно, я не собиралась вмешиваться в спор, а вот вмешалась. — Это ваша личная проблема, она очень индивидуальна и совсем необязательно касается всех остальных. Если вам плохо, то всем остальным в основном хорошо, их не мучает то, что вас мучает. Знаете, других, может быть, волнуют совсем другие, земные заботы, которые, в свою очередь, для вас не заботы.

Как-то я не очень политкорректно выступила, отделив возвышенные искания Катькиного дружка от бытовых потребностей его приземленных сограждан. Я тут же почувствовала, что волна негодования теперь готова обрушиться на меня, и поэтому опередила ее:

— Нет-нет, поймите меня правильно, я не обобщаю, — попыталась защититься я. — Просто хочу сказать, что проблемы вообще, наверное, и есть самое индивидуальное в человеке. Например, Мите, может быть, нравится выплачивать за дом и растить в нем своих детей, что на самом деле является достойной целью. Такая цель делает счастливым, уверенным в себе, наполняет жизнь, по сути, любого человека.

Митя, решив, что я пришла ему на помощь, благодарно посмотрел на меня. Вообще люди вокруг несколько притихли, молчаливо поддерживая меня в благородной борьбе против злопыхателя Матвея, и даже стали поддакивать.

— А вы, Матвей, пытаетесь распространить ваши частные ощущения на всех остальных и своей логикой заставить нас поверить, что это и наши ощущения тоже. Но это не так, у большинства они абсолютно другие. Ваша проблема, — и тут я взяла на себя смелость поставить диагноз, — если вы позволите, в том, что вы просто *не там.*

Мне легко было выявить его заболевание, так как совсем недавно точно такое же я определила у себя. Он вскинул глаза, и я поняла, что попала в точку.

— Но для тех, кто попал на определенный уровень, возврата нет, перейти уже нельзя, — добавила я, позаимствовав у Марка.

— Ну, и какой же выход? — вдруг спросил Матвей, скорее поддразнивая, чем интересуясь.

Я сделала вид, что не заметила очевидно напускной иронии, и сохранила взятый изначально серьезный тон.

— Вы сами правильно сказали: у каждого выход свой, если он ему вообще нужен. Но мне кажется, что сначала надо выйти из системы вообще, оказаться как бы вне ее, вне уровней. И лишь потом войти в нее снова и попасть уже на тот единственный комфортный для себя уровень, которому и принадлежишь.

Мне вдруг пришло в голову, что если бы я услышала свои теперешние слова месяц-полтора назад, то решила бы, что помутилась рассудком. Иначе отчего из меня прет абстрактная до неприличия чушь? Надо же, как все изменилось и как быстро, подумала я опять.

— Да нет, Матвей в чем-то прав, — не то чтобы не соглашаясь со мной, а как бы о чем-то своем сказал Анатолий.

И я поняла: еще один. Эти двое, кажется, нашли друг друга.

— Да и она права, — все так же весело, как ни в чем не бывало вдруг поддержал меня Матвей. Как будто не слышала я еще минуту назад в его голосе ни горечи, ни боли.

Я подошла к Катьке. Миша куда-то исчез, и она как ни в чем не бывало наводила порядок на столе.

— А где Мишуля? — спросила я, на что она только развела руками, видимо потому, что так ответить было проще. — А твой Матвей очень даже, — вполне искренне признала я.

— Оценила, значит.

Фраза прозвучала скорее как утверждение, чем вопрос.

— И где ты их раскапываешь таких: один приметнее другого?

Тут я уже немного польстила. А как же? За убранную-то посуду!

— Места надо знать, — стандартно отшутилась Катька, и я поняла, что она еще где-то витает, что окончательно она еще не возвратилась.

Потом подошел Матвей, кучка его слушателей распалась, по-видимому, обсуждать было больше нечего. Катька сразу встрепенулась и тут же вернулась сюда, к нам на землю.

— Ну, ты как? — спросила она с нескрываемой нежностью.

Она была чуть выше Матвея, наверное из-за каблуков.

— Я отлично. Только я зацепил всех этих, только поклевка пошла, — он кивнул в глубину комнаты, — как подвалила твоя подруга, — он улыбнулся мне, — и испортила мне все удовольствие.

Я поняла, что теперь, между нами, он хочет превратить все в шутку, и не хотела ему мешать. А впрочем, кто его знает, может быть, он действительно шутил, какая мне разница, в конце концов.

— А ты что тут делала? — спросил он.

— Да так, разговаривала, — уклончиво ответила Катька.

— Видел я, как ты разговаривала.

Я взглянула на Матвея, вернее, его голос заставил меня вскинуть на него глаза, и тут же поняла, что Катька имела в виду, говоря, что он злой. Потом я посмотрела на Катьку и, как ни странно, заметила в ее глазах испуг. Картина была действительно непривычной — за все время, что я ее знала, наблюдая в компаниях разных ребят, и посолиднее, и попредставительнее этого шустрого паренька, мне никогда не случалось заметить в ней не то что страх, но и признаки каких-либо других сильных волнений.

Функциональная часть вечера, которую художник Миша обозвал «раздачей слонов», вытащив формулировку по обыкновению из завала прошлого, прошла на удивление гладко. Вся процедура выглядела как хорошо отрепетированное представление, оставляя место для коллективного вздоха удивления, когда тот или иной предмет моего заканчивающегося затворничества выпадал одной из моих улыбающихся подружек. И, наоборот, вызывая возбужденный взрыв неожиданного хохота, когда какая-нибудь особенно феминная принадлежность попадала в руки, имеющие к нюансам девической жизни лишь косвенное отношение.

Еще какое-то время после этой раздаточной вечеринки известия о моих вещах иногда достигали меня, но постепенно они исчезли даже из телефонных разговоров, благодаря чему я поняла, что вещи прижились по новым адресам, как когда-то прижились у меня и как я сама постепенно прижилась у Марка.

ГЛАВА ПЯТНАДЦАТАЯ

Переезд к Марку по своей значимости сопоставим разве что с моим переездом в Америку, настолько решительно он поменял мою жизнь. И не потому, что язык, на котором я теперь говорила подавляющую часть дня и ночи, перестал быть русским. И не потому, что мой распорядок и мои привычки обречены были на перемену и действительно изменились, взаимно подстраиваясь под привычки другого человека, — про это написано в любой книжке по психологии супружеской жизни, которые я штудировала еще в мучительный период полового созревания. И не потому даже, что секс из нерегулярного и отрывочного и потому восторженного стал повседневным, частично потеряв, как и должно быть, прежнюю остроту, он при этом дополнился сладким предчувствием ежедневной, вошедшей в зависимую привычку однообразности.

Конечно, наслышавшись разных ужасов о невзгодах семейной жизни, я боялась, что наша любовь физиологически упростится до примитивного уровня повседневного удовлетворения. Но, как ни странно, она не стала хуже, она стала другой, войдя в новую, неизведанную мною до этого фазу. Будучи лишь частью человеческих отношений, секс, видимо, видоизменился вместе со всей структурой этих отношений, перейдя в другую плоскость, не соперничая с тем другим, из прежней жизни, как не соперничают сами жизненные отрезки.

От частых, почти ежедневных занятий любовью секс стал изощреннее, но сама изощренность была теперь однообразнее, что на самом деле любовь не принижало. Конечно, нас не преследовало мучительное желание, как это было раньше, когда мы встречались после двух-трех дней разлуки, и поэтому мы стали сдержаннее в наших прелюдийных ласках, разборчивее в выборе места и положения, вернее, наша разборчивость заключалась в умышленном отсутствии какой-либо разборчивости.

Конечно, мы экспериментировали. Скорее, непреднамеренно изменяя положение, либо наклон, либо поворот, мы добивались при этом пугающего изменения в физиологии ощущений, но не они в результате определили новую эпоху нашей любви. В конечном счете сколько этих самых положений или поворотов можно использовать, пока сам поиск их не станет целью секса и эта погоня за пустой механикой не подменит ту самую острейшую чувственность, которая исходит от нервной эмоциональности внутреннего возбуждения.

Настоящая изощренность появилась не в позах, не в движениях и даже не в дополнительной атрибутике в виде причудливого белья, зеркал, повязок для глаз, а в значительно более захватывающей, именно умственной фантазии, которая не знала ни предела в необузданной живости сцен и образности их описания, ни ограничений в их тематике.

Марк отличался уникальным умением вызывать во мне полуобморочные желания на психическом, подсознательном, а вернее, бессознательном уровне. Я не знаю, что так действовало на меня. Конечно, он обладал тем врожденным талантом, которому не научишь, но он не использовал его бесконтрольно, он накладывал его на умение, на знание, которыми владел. И они, талант и знание, усиливая друг друга, вели его, и я понимала, что он знает конечную цель.

Желание мое, впрочем, рождалось не сразу, а скорее поднималось нарастающими фазами, накатывающими волнами, когда одна большая волна, несущая больший заряд энергии, нагоняет и покрывает собой волну предыдущую, уже частично выдохшуюся и потерявшую свою изначальную силу. Часто случалось так, что лицо Марка оказывалось так близко к моему, что глаза его, всегда в такие минуты густо-синие, теперь от миллиметровой близости сливались в моем напрягшемся сознании в одно непрерывное синеющее пространство.

Он входил в меня, медленно раздвигая мои губы, и они, нехотя и потому особенно томительно, поддавались и пропускали, хоть и с некоторым, чуть заметным сопротивлением его настойчивый напор. Он пользовался этой поблажкой, и проходил внутрь, но всего на миллиметры, и, трогая какие-то самые чувствительные места где-то на входе, не позволял мне самой поглотить сразу всего его. А потом, каким-то чудом опережая мое жадное движение, высвобождал меня, впрочем только на секунду, только чтобы дать сойтись моей раздраженной плоти, только для того, чтобы в эту же секунду снова найти, и снова раздвинуть ее, и снова ощутить притворное, пронизывающее ее сопротивление, чтобы снова повторить все сначала.

Потом, стоило ему освоиться и утвердиться во мне, как движения его становились ровны и методичны, без ломаного ритма, без попыток достать какую-то особенно отдаленную и потому чувствительную внутреннюю стенку. Не было ни резких убыстрений, ни внезапных остановок, ни стремительных тяжелых ударов — просто ровное, методичное покачивание, качельное скольжение, где каждое отдельно взятое продвижение было почти неосязаемо, почти нечувствительно, но, связанные вместе бесконечно плетущейся паутиной размеренности, они рождали томительный фон пьянящего головокружения.

Руки его не блуждали по моему телу, они не перехватывали неожиданным движением мои ноги, не приподнимали их рывком, пальцы не стремились к месту нашего соединения, они не касались ласковыми всплесками моих сейчас так доверчиво раскрытых губ, они не пытались сползти чуть ниже и не вдавливались болезненно-сладко в податливую впадину. Нет, ладони его окружали только овал моего лица, сдавливали его с двух сторон, концентрируя мой и так неподвижный взгляд на обволакивающей голубизне.

Марк брал губами мои губы и, все так же монотонно входя в меня, шептал прямо внутрь: «Я люблю тебя», и, захватив на мгновение мое дыхание, снова повторял: «Я люблю тебя». Губы его, так и оставаясь на моих, цепляясь за каждый их мягкий, расслабленный изгиб, так же настойчиво, как и его движения во мне, продолжали едва уловимо скорее выдыхать, чем шептать, эту единственную фразу, порождая круговое ее вращение, так что начало одной переплеталось с концом предыдущей, и я уже скоро переставала различать смысл отдельных составляющих ее слов.

Все это вместе: и непрекращающаяся ритмичность внутри меня, и его открытые, завораживающие глаза, и безостановочный, ушедший внутрь, в мою глубину поцелуй, и нарастающее давление его тела, и мягкая властность рук, и, что самое сильное, эти слова, прорезающие мой мозг, — все вдруг завладевало мной, обволакивало, пеленало в летучее, воздушное покрывало, и отрывало от земли, и уносило вверх.

Постепенно его движения, и губы, и слова, и взгляд переставали быть взглядом, движениями, словами, их нельзя было ощутить в отдельности, они вдруг сливались в единую неразрушимую материю, создавая вокруг меня дурманный, мерцающий мир. Он ласкал и нежил, лелеял и баюкал меня и в то же время уносил, уносил вверх, туда, где не было ни пространства, ни времени, ни сознания, а только он, этот чудный мир, ставший моим последним прибежищем, растворившим меня в себе, но и сам ставший частью меня, вошедший в меня через поры моего тела, корни волос, глазные яблоки, позвоночник.

Сначала я еще пыталась пойти бедрами навстречу его ритму, поймать темп, а потом опередить, накрыть своим, более жадным, перехватить инициативу, но чувствовала только тяжелую придавленность на животе и ногах и глухой, почти угрожающий шепот: «Не двигайся, я сам». Потом я поняла: все дело в недвижимости, так как любое неосторожное движение, порой даже слово могут спугнуть и расстроить гармонию нашего так чудесно сотканного мира. Лишь мое ответное дыхание не нарушало его распластанной вздрагивающей мозаики. Слившись с дыханием Марка, оно вторило ему, сначала повторяя, потом догоняя и соперничая, а потом, набрав свою собственную монотонную силу, свободно выплескиваясь в слова:

«Я люблю тебя». А потом опять, все закручиваясь и закручиваясь в спираль: «Ты мой любимый», и опять, снова: «Люблю тебя», и снова, и опять, и опять.

Я действительно физически ощущала, что люблю его, но любовь эта, подобно всему, что окружало меня, была не резкой, а смягченной. Она тоже стала частью наркотического мира и поэтому была не только признанием, не только выражением моей бессильной неподвижности, но и видом божественной медитации. Я давно знала, что чувствую через мозг, через голову, но в какой-то момент именно мой мозг терял соединение с сознанием — сознание выходило за пределы его структуры, распадалось и растекалось по поверхности моего невесомого мира, создавая новую, почти материальную субстанцию.

Я не знала, как долго продолжалось наше кружение, вернее, мне казалось, что оно продолжалось бесконечность. И хотя я догадывалась последней все еще работающей во мне, отвечающей за реальность системой, что какая-то жизнь все-таки существовала до того момента, как Марк приблизил ко мне свои глаза, я не пыталась перевести напрямую неземную вечность в примитивное земное времяисчисление.

Останавливались мы скорее не оттого, что кончали, а оттого, что наш полет требовал больших затрат и чувственной, и, наверное, физической энергии, и поэтому мы останавливались, изнуренные, еще нездешние, тяжело дышащие в мокроте сбившейся под нами простыни. Я не знаю точно, кончала ли я в процессе, думаю, что да, хотя это было неважно, даже нежелательно, так как сбивало концентрацию, отвлекало сознание.

Вообще, мое отношение к оргазму, всегда сдержанное, стало почти враждебным, как к чему-то, что ломает, останавливает процесс любви, и я старалась не обращать на него, насколько могла, внимания, не отвлекаться от того огромного, что происходит во мне, ради этой суетной частности, когда он все же возникал сам по себе, как обыкновенная физиологическая потребность. Я никогда не понимала, почему к нему надо стремиться, а, наоборот, не сторониться, ведь именно он нивелирует и сводит на нет все острейшие чувства и тончайшие эмоции.

Общепринятое представление, что оргазм является сутью секса, как и возведенное в фетиш стремление к нему, казались мне примитивным упрощением самой сути физиологической любви. В конечном итоге это всего лишь сокращение определенных мышц, сокращение, которым можно научиться управлять искусственно, как можно научиться управлять любой мышцей. А разве сама любовь с ее нервной тончайшей изощренностью, с ее фантасмагориями, с гипнотизирующими запахами и звуками, с мутящей, заволакивающей чувственностью, подключающая все самые неразгаданные, божественно непостижимые системы организма и, не ограничиваясь ими, достигающая неземного достояния человека — души, — разве такая любовь сводится к сокращению какой-то мышцы?! Неужели суть секса, суть любви, которую я пытаюсь выразить словами и бессильна, как и не смог это сделать никто до меня, неужели эта суть находит свое вульгарное объяснение в простейшем физиологическом процессе, легко объясняемом на школьном уровне?!

Марк, конечно же, кончал, что являлось для его физиологии логическим завершением любви, хотя, как я в конце концов поняла, кончал он не для того, чтобы улететь еще дальше, а просто чтобы завершить процесс естественным образом, когда он чувствовал или считал, что его пора завершить.

Все это привело меня к парадоксальной мысли, что мужчины кончают тогда, когда им сознательно или подсознательно больше не хочется заниматься любовью, используя этот прием как извинительный выход из ситуации, из которой другого извинительного выхода для них нет. Мысль поразила меня, я-то раньше была уверена, как и все остальные, что чем круче кипение страсти, тем быстрее мужчина достигает, так сказать, любовного извержения. А все оказалось наоборот — чем приятнее для него непосредственный процесс, тем дольше он будет стремиться в нем находиться. Ну, и обратное, конечно, тоже верно — любое ощущение дискомфорта в постели будет вызывать у мужчины желание поскорее из нее выбраться, что естественно приводит к скорому завершению акта любви.

Я поделилась своим наблюдением с Катькой, но та только фыркнула в ответ, сказав что-то особенно язвительное, вроде: «Не зря тебя психологии учат», и я подумала, что мое понимание не может распространяться на всех, и вообще, наверное, общее правило отсутствует, так как у всех все происходит по-разному. Впрочем, подумала я, тот факт, что мое замечание, как и любое замечание о жизни, верно лишь частично, не делает его менее ценным.

Тогда же я поняла и то, что секс — это вообще не про половые органы и даже не про эрогенные зоны; они только дежурные форпосты, прикрывающие собой внутреннюю многопластовую сложность. Или их лучше сравнить со скупым выходом золотоносной породы наружу, на поверхность, выходом, только подсказывающим, что там внутри, под землей заложена сложно извивающаяся жила. Они — лишь скудная связка, соединяющая поверхностные признаки с глубинным богатством, лишь зыбкая гарантия его, никак, впрочем, его не подменяющая.

Именно глубинное и есть основа физической любви, и неподдельное искусство связано с умением трогать не поверхностные, пускай чувствительные, части тела, а удаленные, недоступные обычно участки души, сознания, нервной чувственности, умением всколыхнуть фантазию, создавая из них общее сверхпроводимое поле.

Этим талантом, талантом любви, безусловно, обладал Марк. Я помню, как однажды, уже поздно ночью, не то в пятницу, не то в субботу, вернувшись откуда-то, оба немного пьяные, и находясь весь вечер в возбужденном ожидании возвращения, мы сразу бросились в постель и осознали себя в нашей квартире, только когда начало светать. Именно тогда я сказала Марку о его любовном даровании. Он довольно улыбнулся — понятно, ему было приятно — и согласился, что, конечно, как и всем другим, заниматься любовью можно талантливо и, как и во всем другом, талант может быть врожденным, а может быть привнесенным.

— То есть, — сказал Марк, — как и всему другому, человека можно любви научить. Но, — продолжил он, как мне показалось, уже про что-то другое, — всегда приятно найти человека с природным талантом, который, если потом потребуется, несложно развить. — Он помолчал, а потом добавил: — Видишь, все в жизни подчиняется одинаковым законам, и любовь в том числе.

ГЛАВА ШЕСТНАДЦАТАЯ

Впрочем, секс не был основной составляющей моей новой жизни с Марком. Изменения касались всей ее сути и стали основой глобального слома общего стиля существования — во всех его устоях — и построения принципиально нового стиля с новым бытом, с новыми целями, с заново рождающимися привычками. Однажды я сказала Катьке, что изменилось *общее кружево жизни*, ответив таким туманным образом на ее провокационное: «Ну как оно, вообще-то?»

Надо сказать, что секс являлся скорее выпадением из общего напряженного ритма, чем частью его. Я училась как проклятая, изучая в полтора раза больше предметов, чем остальные студенты и чем позволялось (Марк связался с кем-то, и мне разрешили). Три ночи в неделю я работала в интернате, поглядывая своим, как правило, сонным оком, чтобы в целом тихие его обитатели ничего такого не натворили, прежде всего с собой.

Вообще это были милые, приятные люди, знающие о своих проблемах, давно принявшие их и смирившиеся с ними, живущие приспособленной к болезни жизнью. И лишь иногда, когда болезнь в ком-то из них поворачивалась неуязвимой для лекарств стороной, они могли совершить нечто неконтролируемое, иногда безумное, отчего я каждый раз приходила в ужас и к чему так и не смогла привыкнуть. Как правило, это было связано с попыткой самоубийства, но, так как попытка совершалась не в самом осознанном состоянии и, соответственно, не была ни хорошо продумана, ни исполнена, все заканчивалось безумным количеством крови, от которой я с непривычки каждый раз чуть не впадала в истерику, сдерживая себя лишь мыслью об экстремальности ситуации. Иногда все обходилось тяжелым обмороком от превышенной, но не смертельной дозы принятых лекарств. В любом случае каждый раз была «скорая», специальные врачи, и суицидного больного отправляли в больницу, впрочем иногда оставляя за ним его комнату. Через два или три дня — я уже знала, что раньше бесполезно, — я шла в больницу навестить своего подопечного и находила его пришедшим в себя, притихшим и растерянным, подавленным не столько своей страшной попыткой, сколько очередным осознанием своей тяжелой болезни, которая опять, вот так неожиданно, проявилась.

В целом такие происшествия случались не со всеми, да и нечасто — раз в несколько месяцев. Порой по полгода ничего плохого не происходило, и мы жили в спокойной повседневности: занятые рутинными обязанностями постояльцы принимали свои медикаменты, убирали за собой и следили за порядком в комнатах; я же следила за ними, помогала им и старалась внести равновесие и покой в их души, если сама идея покоя и равновесия в этом казенном доме не покажется кому-то злой иронией.

Я искренне если и не полюбила своих подопечных, то привязалась к ним, стараясь принимать их беды как беды близких людей. Мне это удавалось, может быть, потому, что у меня особенно близких людей, кроме Марка, не было. К тому же Марк, скорее, сам заботился обо мне, и ему не требовалась чужая забота, во всяком случае внешняя. А может быть, это просто зарождался профессионализм, как я его сейчас понимаю, впрочем, какая разница.

Мои милые пациенты, по-видимому, чувствовали исходящее от меня тепло и отвечали такой же искренней взаимностью.

Рядом с домом Марка находился магазин-пекарня, который специализировался на пирожных, тортах и прочих кремово-сладких вкусностях. Однажды я зашла к хозяину и, объяснив, где работаю, спросила, не могут ли они в качестве помощи раз в неделю бесплатно давать либо торт, либо чего у них там останется, все равно, нераспроданного, чтобы я тем же вечером могла отвезти сладкое моим, и без того ждущим меня, подопечным. Хозяин с радостью, казалось даже неподдельной, согласился.

Когда Марк увидел торт — я заскочила домой перед отъездом на работу — и, попытавшись отрезать кусок, нарвался на мой запрет и выслушал объяснения, он посмотрел на меня с детским искренним непониманием, которое всегда возникало у него, когда он встречался с чем-то, что не мог предвидеть и о чем не смог догадаться сам.

— Ты сама это придумала? — спросил он, и в голосе его присутствовало все то же нескрываемое удивление.

— Конечно, сама, — ответила я агрессивно, обидевшись и на форму вопроса и особенно на искренность его удивления. — Ты считаешь, что я ни на что не способна?

— Что ты, малыш, я совсем так не считаю. Но это... — он запнулся, — это совершенно гениально. Ты даже не знаешь, насколько гениально.

Мне опять не понравились его слова.

— Ты полагаешь, будто я не могу понять даже то, что сама придумала. А вот ты, конечно же, можешь понять все.

— Да нет, — вновь спохватился Марк, — не в том дело. Ты ведь идею с тортом нигде не заимствовала, а, значит, она не просто проявление твоего человеческого участия, а участия творческого, нестандартного, вот что важно. Мне бы ничего подобного даже в голову не пришло.

Я видела, что он не только удивлен, он просто в восторге от моего поступка, и поэтому скорее по инерции добавила напоследок:

— Почему все надо по полочкам разбирать?

— Ну вот, — сказал Марк, по-прежнему радостно улыбаясь, — еще назови меня занудой.

— Ну а кто же ты, как не зануда?

Я подошла к нему вплотную. На самом деле мне было очень даже приятно, что он оценил мое действительно искреннее движение души.

Особенно доверительными у меня сложились отношения с Мэри-Энн, одной из моих пациенток — худенькой девушкой, почти девочкой, лет восемнадцати-двадцати. Она как-то особенно прониклась ко мне, возможно оттого, что я не была похожа на других воспитательниц с многолетним стажем и не привыкла еще подходить к своим подопечным исключительно как к объектам для наблюдения и лечения. Впрочем, я не привыкла к этому до сих пор и, дай Бог, никогда не привыкну.

Я была почти ее ровесницей, старше на каких-нибудь четыре-пять лет, но в ее неразвившемся сознании я была умудренной обитательницей недоступного ей здорового мира, познавшей все его чудесные секреты и коварные хитрости. Каждый вечер, после того как я заканчивала проверять, правильно ли мои пациенты приняли лекарства, все ли убрано, приготовлено и сделано на завтра, и спускалась к себе в подвал, где был оборудован кабинет и где на диване можно было прикорнуть, Мэри-Энн спускалась ко мне и просиживала не меньше часу, пока я не проявляла жесткость и не отправляла ее спать.

Только после ее ухода я могла взяться за учебник, прихваченный с собой, или сесть за компьютер, стоящий там же в кабинете, если надо было писать очередной отчет для завтрашнего семинара. В те же часы, когда Мэри-Энн доверчиво рассказывала мне о своих нехитрых проблемах, переживаниях и сомнениях, я словно дотрагивалась до хрупкой наивности потревоженной нездоровьем души. Казалось, будто у меня на ладони лежит подрагивающее, лишенное кожи тельце, которое само доверило себя мне и которое полностью принадлежит моей либо доброй, либо злой, либо безразличной власти. Из истории болезни я знала, что Мэри-Энн страдает тяжелой депрессией, проявляющейся неожиданно, но регулярно, и что она в такие минуты склонна к суициду, однако правильно подобранные лекарства уже три года поддерживали в ней хрупкий баланс между здоровой реальностью и реальностью болезненной.

Прошло почти два года, как я начала здесь работать, когда Мэри-Энн сообщила мне, что влюблена, что она встречается с мужчиной, и хочет от него ребенка, и все другие слова, которые в таких случаях говорят молоденькие девушки. В устах Мэри-Энн ее признание звучало и трогательно, и радостно —

вот ведь, больной человек, а тоже живет полноценной жизнью. Но в то же время мне стало жутко, когда я подумала, что любовные отношения, тем более сложности первой любви, и для здорового человека чреватые стрессом и, как правило, драматичные, часто с печальной развязкой, легко могут вывести ее из и без того зыбкого равновесия.

Я не знала, что делать, сама я ничего предпринять не могла и даже не имела права, и поэтому, кроме наставлений доброй тети типа: «Будь осторожна, будь разумна», у меня в запасе ничего не имелось. Я также не была уверена, должна ли я сообщать об этой истории врачам, конечно, они, скорее всего, смогут что-нибудь сделать, думала я, например, изолируют Мэри-Энн от источника опасности, чтобы уменьшить риск. Но тогда она, конечно, догадается, откуда исходит информация, и моя бдительность наверняка подорвет ее представление о порядочности здорового мира и моей порядочности в частности.

К тому же юношеская закалка коммунистической моралью породила у меня отношение к передаче любой информации властям как к порочной идее в целом, независимо от ее целей и мотивов. В то же время я искренне боялась, как бы с девочкой чего не случилось, понимая, что, если случится, я ни себе самой, ни моим вывернутым принципам этого никогда не прощу.

Именно боязнь, прежде всего за себя, заставила меня все же посоветоваться с Марком, и он, не обремененный исторической борьбой большевистской и общечеловеческой моралей, а, скорее, задавленный привычкой делать дело профессионально, не задумываясь даже не посоветовал, а просто настоял, чтобы я сообщила по инстанции. Я привычно послушалась его и, облегчив свою совесть тем, что в этой стране именно так и полагается, в следующее дежурство натюкала на компьютере записку для дежурного врача.

Тем не менее, к моему удивлению, ничего не произошло. Вообще ничего. Лишь дня через четыре мне перезвонил врач, расспросил, в чем дело (впрочем, не так чтобы очень уж подробно), и, перебив под конец, сначала поблагодарил за бдительность, а потом сказал, что не видит, чем может помочь.

— То, что девочка столкнулась с жизнью, — проговорил он, — еще не повод ее от этой жизни изолировать, к тому же сама изоляция может негативно повлиять на ее психику. Будем надеяться, — добавил он, — что лекарства помогут, а больше я, по-видимому, ничем быть полезным не могу, — и, после паузы ободряюще заключив: — Ну, и вы там наблюдайте пристально, — еще раз поблагодарил меня за усердие.

Не дело это в Америке — спорить с врачами, они — боги олимпийские, восседающие в заоблачном недосягании и заведующие людским здоровьем. И заслужили они свои божественные седалища в лучшем случае двенадцатью годами зубрежки и бессонными ночами практикантских дежурств. И ты, ползающая там, внизу, со своим хилым, если не сейчас, то в будущем, здоровьем, не могущая отличить гистологии от глистологии, — кто ты такая, чтобы вдаваться перед ними в рассуждения?

Но я, опять же в связи со своим негативистским воспитанием, не очень-то приучена к субординации и до сих пор не могу выговорить словосочетание «слушаюсь, сэр», как раньше на военной кафедре с трудом выговаривала «слушаюсь, товарищ подполковник». Поэтому я не то чтобы заспорила, а, скорее, взмолилась: «Может быть, к ней какого-нибудь психотерапевта направить?»

На что доктор, задумавшись не то над предложением, не то над моей дерзостью, вдруг неожиданно легко согласился: мол, хорошо, мы пришлем психотерапевта, и, поинтересовавшись, когда у меня следующее дежурство, назначил время.

Однако любовные драмы развиваются независимо от записей в календарях врачей. На следующий день, уже после одиннадцати вечера, мне позвонила одна из моих сменщиц, дежурившая этой ночью, и дрожащим от волнения голосом сообщила, что Мэри-Энн только что привели в полуобморочном состоянии, что ее нашли сидящей где-то на лавочке, уже всю в крови, старательно режущей себе вены на сгибах рук грязным осколком от бутылки. Она так и сказала: «грязным осколком», как будто, если бы это был стерильный осколок, ситуация была бы другой. Тем не менее именно то, что осколок был грязный, придало всей картине в моем воображении особенно живой вид, и я представила мою Мэри-Энн сидящей на ночной пустынной скамейке и пилящей именно грязным, с кусками присохшей земли, но уже окровавленным бутылочным осколком свою руку на сгибе локтя.

Моя сменщица сказала, что она уже перевязала Мэри-Энн, и сообщила во все инстанции, и «скорая» уже едет, что Мэри-Энн не то в депрессивной прострации, не то просто ослабла от потери крови и что она извиняется за поздний звонок, просто она знала о наших особых с Мэри-Энн отношениях, ну, и поэтому позвонила. Я поблагодарила ее, попросила выяснить, в какой госпиталь Мэри-Энн отвезут, и повесила трубку.

Потом я рассказала все Марку, и он, умничка, не дожидаясь моей просьбы, стал одеваться. Мы сначала заехали на работу, но Мэри-Энн уже увезли, и мы поехали в больницу.

Когда я зашла в палату, Мэри-Энн, очень бледная, с открытыми глазами, казалось, устремленными сразу на все вокруг и на меня тоже, как глаза на старых портретах, даже не шевельнулась. Не знаю, то ли она не видела меня, то ли не узнала, то ли не хотела со мной говорить. Руки ее были привязаны к какому-то специальному поручню, привинченному к кровати, по-видимому, кровать тоже была специальная.

Я села у нее в ногах и сказала, скорее для себя, потому что надо же было что-то сказать: «Зачем ты это сделала, Мэри-Энн?» — и услышала собственный голос и собственные слова, только произнесены они были по-русски. И тут я поняла, что мне самой не мешало бы принять приличную дозу успокоительного. Я больше ничего не сказала, все равно здесь в палате некому было меня понимать, на каком бы языке я ни пыталась говорить. Вместо ненужных слов я сидела и смотрела на лицо Мэри-Энн, мертвое лицо живого человека. Я вышла из палаты и подошла к сестре, понимая, что к врачу меня не допустят, но и сестры будет достаточно. Та была профессионально вежлива и полна сочувствия.

— Мэри-Энн с точки зрения ее ран и потери крови ничто не угрожает, — сказала она. — Мы все, что надо, уже сделали, хорошо, что ее вовремя заметили и привезли, она не успела потерять много крови. Но у нее тяжелый приступ депрессии, и, пока она не выйдет из него, доктор ничего сказать не может. Ей ввели необходимые лекарства, так что позвоните завтра во второй половине дня, может быть, ситуация станет понятнее.

Она дала мне карточку с телефоном, я поблагодарила и пошла вниз, к Марку, который ждал меня в вестибюле.

— Ну что? — спросил он, когда мы сели в машину.

Я не ответила, а только покачала головой. Всю дорогу мы проехали молча. У меня перед глазами по-прежнему стояло застывшее лицо Мэри-Энн, и я вдруг поняла, что судьба моя теперь решена окончательно, выбор мой сделан. Я подумала, что, если бы у меня был хоть один шанс предотвратить, нет, хотя бы смягчить то, что произошло, хоть один раз в жизни, только это одно стоило бы всех моих бессонных ночей, всех лет, казалось бы, бессмысленной учебы, всего дьявольского напряга, который уже начался, но который в основном еще только предстоит. Я посмотрела на Марка, он сосредоточенно вел машину, но, почувствовав мой взгляд, глянул на меня и ободряюще улыбнулся.

— Ну, — сказал он, — что поделаешь. Мужайся.

Голос у него был сочувственный, но я вдруг, не слухом, чем-то другим, различила в нем неподходящую для данной минуты спокойную удовлетворенность. Я более внимательно вгляделась в его лицо. В нем тоже читалась хоть и скрываемая, но все же несдержанная странная двусмысленность, как у теннисиста, выигравшего первый счет и довольного этим, но в то же время старающегося не расслабиться, понимая, что игра еще не решена и впереди еще много борьбы.

— Ты это специально все сделал, — сказала я, скорее догадываясь, чем утверждая.

— Сделал что? — не понял Марк, снова смотря вперед на рвущуюся навстречу свету фар дорогу.

Я подумала, что действительно непонятно, в чем я его подозреваю или даже обвиняю. И все же я не могла справиться с внутренним дискомфортом, наоборот, по-прежнему смутный, он с каждой секундой разрастался во мне саднящим раздражением.

— Ты специально устроил меня в этот интернат, — начала я агрессивно.

— Конечно, специально, — согласился Марк.

Но я не слушала его.

— Ты хотел, чтобы я пережила именно то, что я пережила сегодня. Ты все рассчитал, все предвидел, ты хотел, чтобы я была потрясена, оказалась в шоке, и ты знал, что я в нем окажусь.

— Может быть, я еще разбил бутылку и вложил в руку Мэри-Энн осколок? — спросил Марк, казалось бы, спокойно.

Но для него такой ответ был слишком эмоциональным, слишком ироничным, и я подумала, что, наверное, я куда-то попала, хотя и сама не знала, куда.

— Странные вещи ты говоришь, — видимо, он взял себя в руки. — Я действительно хотел, чтобы ты поработала с больными, это ведь очевидно: для того, чтобы посвятить делу свою жизнь, особенно нелегкому делу, надо быть уверенным, что ты создана именно для него. Для того чтобы заниматься лечением больных, писать об этом статьи и создавать методики, надо чувствовать их болезни до мелочей, до самого бытового уровня.

Конечно, он был прав, конечно, это было очевидно, конечно, так написано в каждом учебнике по профориентации для юношества, конечно, я это все от расстройства. Может быть, просто дело в том, что мне плохо и я хочу выплеснуть свое раздражение на Марка как на самого близкого мне человека, подумала я. Может быть, я просто вредная, ворчливая баба, как и положено быть русским женщинам, да еще с примесью еврейской занудливой настойчивости, готовая биться до победного конца, до последней капли крови — пусть даже до последней капли крови самых дорогих тебе людей.

Я вспомнила, как пару месяцев назад мы были у Катьки и Матвея, они только что съехались и пригласили нас на что-то типа новоселья, хотя, кроме нас, никого больше не было — они, по-видимому, не хотели особенно афишировать радостный факт квартирного воссоединения.

Каждый раз, когда мы приезжали к ним, вечер проходил под диктовку Матвея, который навязывал нам очередной спор, и иногда мне, но чаще Марку приходилось отчаянно отбиваться, чтобы не быть раздавленными натиском хозяина дома. Несмотря на его очевидную агрессивность, именно споры и наполняли вечер живым разнообразием, создавая особую, хотя и забавную, но полную энергетики атмосферу. В тот раз, точно не помню, по какому поводу, Матвей «подкинул морковку», сказав, что характер человека, его манера поведения, даже стиль жизни определяются тем, от чего человек на самом деле получает удовольствие.

— Например, — пояснил он, — кто-то часто нервничает или волнуется. Происходит такое не из-за объективных причин, а именно потому, что человек получает от этого удовольствие, потому и нервничает. Он, может быть, даже сам ищет дополнительные стрессовые ситуации, чтобы начать волноваться и получить свою долю удовольствия. Или человек с плохим характером. Это только так называется — характер, а на самом деле он... или она, — вдруг поправился Матвей, — просто кайф ловит, когда впендюривает кому-то. Для нее, — теперь он полностью перешел на женский род, — это просто естественный способ удовлетворения, для нее поругаться с кем-нибудь, повыяснять отношения означает только одно — получить удовольствие.

— Это ты в связи со своей семейной жизнью к такой теории пришел? — язвительно вставила я.

Но Матвей, казалось, не обратил внимания ни на меня, ни на мою реплику. Чуть подавшись вперед, он с надеждой ожидал, что Марк с ним не согласится, ну хотя бы в чем-то. Но Марк не любил спора ради спора, он легко мог оценить чужую мысль и принять ее.

И хотя мы с Катькой ждали боя — нам хотелось насладиться геройством наших избранников, — но бой не начинался. Марк лениво отхлебывал пиво из бутылки, возникла пауза, потом она затянулась, и только тогда, видя, что от него все же ждут ответа, он сказал:

— То есть ты считаешь, что характер есть сочетание... — он задумался, подбирая слово, но, по-видимому так и не найдя, по его мнению, подходящего, продолжил: — вещей, от которых человек получает удовольствие. Если это набор позитивных... — он опять задумался, — удовольствий, то и характер у человека позитивный, так как, чтобы чаще получать удовольствие, он чаще совершает позитивные поступки. Если удовольствия, как ты сказал, негативные, — он обратился к Матвею, — ругань, истерики, слезы, обиды, плохое настроение, зависть, сплетни... чего еще такого я не перечислил?

Он улыбнулся нам с Катькой, словно прося помочь ему. Но мы держались стойко, не будучи, конечно же, экспертами по плохим характерам, и промолчали, а потому он подытожил:

— ...ну и всего прочего — в таком случае и характер становится негативным. Правильно?

Последнюю реплику он уже адресовал Матвею, как бы спрашивая, правильно ли я развил твою мысль? И хотя Матвей не привык так с ходу соглашаться, но не мог же он оспаривать собственное, пусть и обобщенное, утверждение, и потому ничего не ответил. Видя, что никто ему не возражает, Марк продолжил сам, хотя по-прежнему как-то вяло:

— Более того, если теорию Матвея развить, — я знала, что весомое слово «теория» Марк использовал специально, в соответствии с обычной его манерой ободрять людей для более легкого с ними взаимодействия, — то получается, что любой человек, по сути, живет той жизнью, которая ему нравится, даже если со стороны она представляется отнюдь не счастливой. Вернее, не о жизни самой надо говорить, а о стиле жизни, — поправился Марк, но понятно было, что он просто рассуждает вслух, в основном для самого себя. — Именно стиль жизни в конечном итоге должен удовлетворять человека, раз он выбран самим человеком. Ведь, по Матвею, — мы все усмехнулись от каламбура, ну, в смысле, я и Катька. Матвея шутка не достигла, а может, достигла, но не взволновала, — каждый делает именно то, от чего получает удовольствие. Например, кто-то может выбрать страдальческий стиль жизни только потому, что ему нравится страдать, или суетливый потому, что ему нравится суетиться, и так далее.

— Так, значит, страдающий человек не может вызывать жалости? — спросила я, подчеркивая голосом свое несогласие и потому немного агрессивно.

— Получается, что не может, если это не физическое страдание, — пожал плечами Марк. Но потом, решив переложить ответственность за черствость души на Матвея, добавил улыбаясь: — Во всяком случае, так получается по теории Матвея.

— Подожди, — не вытерпев, вклинился Матвей, и я подумала, что ради спора он готов пойти войной даже на свое выстраданное интеллектуальное детище, — но люди живут в разных обстоятельствах, порой от них самих не зависящих. Так что стиль жизни ими самими зачастую не выбирается, а навязывается извне.

— Например? — спросил Марк.

— Например, — задумался на секунду Матвей, — ну, возьмем крайний случай — тюрьма. Жизнь в тюрьме развивается по правилам, не зависящим от заключенных. Так что жизнь, которую они ведут, не зависит от их удовольствия или неудовольствия.

— Поэтому я и оговорился — не жизнь в целом, а стиль жизни. Наверное, и в тюрьме, как и в любой точке внешнего мира — тюрьма ведь тоже своего рода, пусть ограниченный, пусть специфический, но мир, — человек может создать определенный стиль жизни, который ему будет приятен. И базовой основой для такого стиля, может быть, и будет тот самый набор удовольствий, который человек стремится получать. Впрочем, я никогда в тюрьме не сидел, точно не знаю. Да и вообще, — Марк улыбнулся, — твоя ведь теория, чего я ее от тебя защищаю?

Я не знаю, заметил ли Матвей подвох, чуть заметный запашок деланного благородства: конечно, «теория» уже была не совсем его, скорее Марка — так далеко тот ее развил, повернул и, в результате, увел от первоначальной основы. Думаю, что Матвей все-таки заметил и потому осекся и посмотрел на меня.

— А что наука психология нам про все это сообщает? — спросил он, явно уходя от ставшего ему неудобным разговора.

— Про что конкретно? — поинтересовалась я.

165

— Ну, про всякие там удовольствия?

— А наука психология в основном, кстати, об удовольствиях и сообщает. О разных к тому же удовольствиях. Тебя какие именно особенно остро беспокоят? Может, полечить чего надо?

Ничего оригинальнее я придумать, конечно, не смогла. Впрочем, как это в народе говорится: «каков вопрос — таков ответ».

Когда мы уходили, я, прощаясь с Матвеем, сказала откровенно:

— Теперь-то я знаю, отчего ты так поспорить любишь. Он посмотрел на меня вопросительно, и я добавила:

— Удовольствие, значит, получаешь.

— Конечно, — он поднял брови от удивления, как я, мол, этого раньше не понимала. — Без какого-либо сомнения — получаю, — признался он с улыбкой.

Когда мы сели в машину и немного проехали, Марк сказал:

— А этот Матвей толковый парень, — он замолчал, как бы ожидая мою реакцию, но не дождавшись, добавил: — Взгляд у него острый. И еще свежий.

Мы проехали молча минут пять, я молчала, думая, что Марк еще что-нибудь скажет, но ошиблась.

И вот сейчас, сидя в машине, увозящей меня от больницы и от Мэри-Энн, и глупо сказав Марку: «Ты это специально все сделал», сама толком не зная, что имею в виду, я подумала, что, наверное, я как раз и есть тот человек, которому иногда необходим скандал, ну, хотя бы скандальчик, чтобы получить свою законную порцию извращенного удовольствия. «Все же, — подумала я оправдываясь, — наверное, у меня не самая склочная натура. Мне ведь до полного насыщения и требуется-то совсем ничего, подумаешь, пару несправедливых упреков».

— Извини, Марк, — сказала я, — просто я нервничаю. Если бы я настояла, чтобы психотерапевт посмотрел ее раньше, все могло обойтись. Так что частично вина лежит и на мне тоже.

— Не выдумывай, никакой твоей вины здесь нет, так работает система. Конечно, она несовершенна. К тому же ты должна привыкнуть, потери неизбежны, они тоже часть работы.

Я не стала спорить и промолчала. Дома я сразу, не дожидаясь Марка, легла спать, утром мне действительно надо было рано вставать.

Мэри-Энн я больше не видела, через два дня ее из госпиталя перевели в психиатрическую клинику, а еще через месяц вынесли ее вещи, освободив таким образом комнату для нового постояльца. Я уже тогда не работала в интернате, но, узнав об этом, позвонила в госпиталь, и мне сказали, что да, Мэри-Энн идет на поправку, но ей еще далеко до того, чтобы жить в интернате, в общем-то почти свободной жизнью, и сначала она должна побыть в клинике с более строгим режимом.

— Как долго? — спросила я сестру.

— Пару лет, — ответила она. — После таких тяжелых приступов, отягощенных попытками самоубийства, реабилитация занимает время.

Много времени, подумала я.

ГЛАВА СЕМНАДЦАТАЯ

К тому времени моя учеба на бакалавра подходила к концу, я уже отучилась два года, и мне остался последний, финишный рывок еще максимум на полгода, хотя я решила вбить его в четыре месяца последнего семестра.

Мой золотой Марк прошел всю дистанцию вместе со мной, даже, скорее, рядом со мной. Он читал те же книжки, что и я, мы вместе корпели над моими проектами, хотя Марк отдавал мне всю инициативу, только лишь подводя к тому, что я сама должна была потом определить, сформулировать и развить.

Он то ли обладал удивительной способностью, то ли был натренирован осваивать колоссальные объемы без натуги, легко, но знания оставались в нем, казалось, навсегда. Когда я с завистью говорила ему об этом его преимуществе, он улыбался и успокаивал, что навык в конце концов придет автоматически, что мой мозг сам выработает методику выделения и поглощения нужного материала, но этому нельзя научить, методика у каждого своя, и она приходит с привычкой постоянного изучения.

Я еще раньше поняла, что человеческая память избирательна, и ориентирована только на то, что ей важно, и только важное запоминает наиболее эффективно. И, наоборот, память безалаберна и разгильдяйски расслаблена по отношению к тому, что, по ее мнению, ей удерживать не обязательно. Странно и одновременно забавно наблюдать — а я наблюдала это и на себе, и на других людях, — как с изменением ее, памяти, оценки важности предмета, меняется ее избирательность. Тогда информация, которая еще вчера запоминалась с игривой легкостью, становится неожиданно недоступной, и, наоборот, что-то другое, что еще вчера находилось за пределами возможностей памяти, вдруг, приобретая особое важное значение, проникает в нее беспрепятственно.

Я поделилась этим своим немудреным открытием с Марком, и он засветился от радости, как он всегда радовался, когда ему нравилось что-то в моих рассуждениях или наблюдениях. А потом, похвалив меня, сказал, что я правильно разобралась: главное — это уметь ориентировать, настраивать память на необходимый для тебя сейчас срез информации.

Конечно, я не сравнивала себя с ним, хотя объективно у Марка оставалось больше времени заниматься, чем у меня.

Он просыпался вместе со мной, хотя для него мой утренний час был непривычно ранним, мы вместе пили кофе, и, несмотря на обычную спешку, для меня наступали самые приятные минуты. Моя голова еще не была забита будничной суетой, и мы болтали по сути ни о чем под свежий, ароматный как само утро, запах кофе. Я смотрела на Марка, и его расслабленный, немного сонный вид казался мне нежно трогательным, и почему-то я ощущала в себе особенное уверенное спокойствие.

У Марка была своя система занятий. Помимо всех тех книжек и учебников, по которым я занималась в институте и которые он буквально проглатывал в считанные часы, он составил для себя индивидуальный список литературы, только ему самому известно, из каких источников. Некоторых книг не было ни в одной библиотеке, и я догадывалась, что они не просто редкость, а редкая редкость, и непонятно было, где он их доставал, но тем не менее он все равно доставал. Он прочитывал их все, и те, которые заслуживали внимания, оставлял мне, и я пыталась выкроить время, что почти никогда не удавалось, но Марк настаивал, и в результате я все же ухитрялась, и к тому времени, когда я разделывалась с одной книгой, меня уже ждали две или три новые.

Несмотря на свое умение запоминать материал, Марк именно работал с книгами. Я никогда не видела его читающим лежа на диване или полуразвалившись в кресле, а всегда за столом, всегда с тетрадкой, делающим пометки быстрой, скользящей рукой. Он и меня заставлял вести тетрадки и записывать туда особенно, как мне казалось, примечательные мысли, утверждения, даже фразы. В конце концов во мне выработалась потребность фиксировать на бумаге особо ценное, и даже теперь, когда прошло столько времени, я не могу читать специальную литературу, не делая записей, порой странных, порой не по теме, но именно тех, которые являются важными для меня.

Впрочем, он так и не смог отучить меня от привычки работать, удобно устроившись на диване, положив под голову большую подушку, укрывшись скорее для уюта, чем для тепла, мягким пледом, выставив коленки вверх (где и примостились и книга, и тетрадь) и поставив рядом тарелку с парой яблок да еще какой-нибудь безобразной вкусностью, которую можно долго и смачно жевать. Только расположившись таким разлагающим образом, я становилась наиболее продуктивна, и, хотя Марк поначалу пытался бороться с моим горизонтальным подходом к обучению, я была непоколебима в святости моего немудреного комфорта, так что он, убедившись в тщетности своих уговоров, в конце концов перестал меня дергать.

Периодически, и довольно часто, по какому-то хитро им разработанному графику, искусно встроенному в мое и без того забитое расписание, Марк устраивал обсуждение той или иной заинтересовавшей его темы, которое мы проводили в основном на кухне за кофе или, если было уже поздно, за чаем. Втягивал он меня в такие домашние семинары ненавязчиво, почти незаметно, начиная с высказывания по поводу того или иного вопроса, с высказывания, как правило, настолько спорного, настолько изощренно противоречивого, что у меня не оставалось другого выхода, как возразить, как противопоставить ему свою, формирующуюся прямо здесь, сейчас, точку зрения.

Завязывался если не спор, то, скажем, дискуссия, которая могла легко затянуться на несколько часов. Марк неохотно сдавал свои позиции, защищался и переходил в атаку, но, как я скоро поняла, в его задачу не входило доказать мне свою правоту, наоборот — он хотел, чтобы я доказала свою.

Я очень скоро привыкла к этому, еще одному виду тренировки, к возможности не только оттачивать свои знания, но логически их обосновывать. К тому же прямо на дому, к тому же в уютной кухне за чашкой чая с любимым Марком. Да и где бы еще я смогла без опаски излагать и отстаивать самые кощунственные и неожиданные утверждения и самые, казалось бы, дикие мысли?

Через какое-то время я даже сама начала заводить Марка на подобные обсуждения, когда могла выкроить хоть пару свободных часов и когда чувствовала себя достаточно подготовленной к разговору, чтобы не сесть перед Марком в лужу: хоть и свой, родной, а все же неудобно. Я знала, что ему больше всего нравилось, когда я искала и находила самый нестандартный, самый неожиданный подход.

— Пусть тебя в университете научат тому, что правильно. Здесь давай учиться всему остальному, — однажды сказал он мне.

Я вскоре поняла, что на самом деле получала два образования: конвенционное — в университете и другое, уникальное, — дома.

Не могу сказать, что в университете мне все давалось играючи легко. Материала набиралась неимоверная куча, и часто мне приходилось просиживать ночи, разгребая ее, особенно часто — на дежурствах в интернате, когда все равно Марка не было рядом, и писать длиннющие проекты, отчеты и прочие курсовые. Тем не менее все шло без какого-то заметного напряжения, в целом ровно и плавно, без рывков и замедлений, и, смотря на других, в основном мучающихся, сокурсников, я понимала, что, по-видимому, мне все дается достаточно просто.

Профессора, догадываясь, что учусь я по специальному графику, и чувствуя во мне непонятно откуда взявшиеся дополнительные и часто неожиданные знания, которые я, впрочем, старалась не демонстрировать впустую, вели себя по-разному и, случалось, иногда пытались раздавить меня своим профессорским превосходством. Впрочем, убедившись, что знания мои реальные, непоказушные, они, как правило, начинали относиться ко мне с симпатий и даже иногда с уважением, пусть и немного покровительственным, против чего я совсем не возражала.

Лишь два раза у меня возникли неприятные столкновения с преподавателями. Оба молодых человека были чуть старше меня, один только что стал доктором, другой — еще не защитившийся аспирант, и с обоими у меня возникли серьезные проблемы, настолько активно пытались они самоутвердиться за мой счет. Я чувствовала, что завязавшаяся ненужная борьба забирает у меня время и силы, и однажды не выдержала, и нажаловалась Марку. Он улыбнулся, ему действительно было весело: мир больше не мог светить ему напрямую, только преломляясь через многогранник психологии, и потому Марк не мог не считать, что здесь не обошлось без изуродованного проявления подсознательной, заторможенной сексуальной симпатии.

Он сказал, что я просто вызываю у них фобию сексуальной недоступности, и, от недостатка воображения, не зная, как ее разрешить, они выбрали самый банальный путь обратить на себя внимание. При этом Марк поинтересовался именами моих обидчиков и сказал, чтобы я больше не беспокоилась, и я ему поверила, так как привыкла ему верить. И действительно, через пару дней мои ученые приставалы при встрече прошли мимо меня, опустив глаза, лишь едва заметно кивнув, давая понять, что больше цеплять меня не планируют.

Про себя я удивилась, неужели Марк имеет такие рычаги, что способен вот так легко, за день, нажать на человека, ему незнакомого и, в общем-то, обладающего определенной преподавательской властью, да нажать так, что тот мгновенно сменил свое поведение. В принципе я совсем не возражала против его роли «серого кардинала», но однажды, скорее подтрунивая, чем из любопытства, поинтересовалась, каким образом он выходит многократным победителем закулисных боев невидимого фронта. Марк хитро, но как бы и виновато заулыбался и признался в том, что я и так уже давно понимала, — что да, имеются у него кое-какие друзья в этом мире.

— А, научная мафия, — зловредно наседала я.

— Ага, — легко согласился он, и я отпустила его, видя, что не хочется ему вдаваться в детали подпольной академической мафиозной структуры.

Я привыкла уже к тому, что Марк, по сути, посвящал свою жизнь мне. Я привыкла, что он в основном сидит дома с книгами и своими записями, иногда, хотя редко, в библиотеках, и я перестала задаваться вопросом: «а чем же он вообще занимается в жизни?», так как поняла, что вообще-то он ничем не занимается, кроме меня, кроме моей повседневности, которая также стала и его повседневностью. И хотя цель посвятить себя другому человеку в принципе не совсем нормальная, мне уже давно стало ясно, что от Марка не следует ждать нормы, вся его жизнь являлась противоречием норме, и, я бы сказала, весьма успешным противоречием.

Конечно, было понятно, что он как-то связан с наукой — это было очевидно по его опыту, способностям и налаженным методикам обучения, по его друзьям и знакомым, и иногда, хотя и редко, я с удивлением слышала его имя из уст моих университетских профессоров. Конечно, он был до самой своей глубинной клеточки оттуда, из мира науки, но почему он сейчас не там, я не знала. Я догадывалась, что, наверное, что-то в свое время произошло, но не спрашивала, что именно, а он не рассказывал. Он казался мне ангелом, спустившимся то ли по своей собственной воле, то ли по божественному наказу ко мне на Землю и выполняющим здесь неведомое для меня, земной, предназначение.

Впрочем, со временем подобные вопросы стали волновать меня все меньше и меньше, и в конце концов я перестала задаваться ими вообще. Зачем искушать судьбу и пытаться найти ненужную разгадку, когда на самом деле все идет так изумительно хорошо? Точно так же я перестала думать, на какие средства существует Марк, — это уже точно было не мое дело.

Объяснение, которое он дал мне однажды, что живет на доходы от когда-то удачно сделанных инвестиций, меня вполне устраивало, к тому же в нем не было ничего таинственного. Где еще можно сделать удачные инвестиции, как не в стране максимально свободного бизнеса? Кстати, моя личная материальная жизнь тоже изменилась к лучшему, так как Марк брал на себя ежедневные расходы вроде продуктов, и все реже случающихся поздних обедов в ресторанчиках, и совсем уже редких выездов на природу.

Я вдруг заметила, что мне не на что тратить деньги, то ли потому, что не было времени на покупки, то ли мои внутренние потребности двинулись в сторону, противоположную магазинным просторам. Покупала я себе редко и в основном по необходимости, забегая в магазин на минуту, точно зная, что мне нужно, не тратя времени на поиски. Оплатив покупку, я тут же убегала, не давая магазинной атмосфере всколыхнуть во мне ностальгические удовольствия из далекого прошлого, когда я с подружками запросто могла провести в роскошном магазинном раю полдня, в основном даже не покупая, а просто кайфуя.

Поэтому однажды, заглянув в свой банковский счет, я не могла не изумиться: впервые за мою жизнь на нем собирались какие-то деньги, впрочем с точки зрения стандартного американского представления вполне мизерные.

В целом, если попытаться охарактеризовать мою тогдашнюю жизнь, она была хоть и напряженно-изнурительной, но вместе с тем размеренной, целенаправленной, или, как говорили русские классики, которых я, впрочем, читала все реже и реже, цельной.

ГЛАВА ВОСЕМНАДЦАТАЯ

Каждый год во время весеннего семестра в университете объявлялся конкурс на лучшую студенческую научную работу. Я ни разу в них не участвовала, как и в других подобных, — чего время попусту тратить, — но на этот раз Марк меня уговорил.

— Ты заканчиваешь учебу на бакалавра, — назидательно сказал он, — и хорошо бы тебе победить в конкурсе, какая-никакая, а добавка к аттестату.

Я и так не противилась — чего там, конкурс так конкурс. Времени, конечно, катастрофически не хватает, но ведь и так не хватает, ну, будет не хватать еще больше. К тому же мне уже хотелось хоть как-то реализовать свои накопившиеся знания, вылить их в конкретную форму, доказать всем, и прежде всего себе, что я не зря так отчаянно корпела все эти годы — к чему-то они должны были привести!

Я подала заявление об уходе с работы из интерната: Марк считал, что мне достаточно реальной жизни и теперь пора врастать в жизнь научную. Конечно, он порекомендовал меня своим друзьям в Гарварде, и меня обещали устроить на должность ничтожного ассистента какого-нибудь зануды профессора, что означало, что я буду подыскивать для него литературу, делать копии и заниматься другой скучнейшей работой. То, что имя профессора пока было неизвестно и только выяснялось, меня вполне устраивало, так как выйти на работу я решила через месяц, после того как закончится вся эта возня с конкурсом.

Марк отнесся к предстоящему научному конкурсу весьма серьезно, будто ожидалась не формальная студенческая разборка, а самый что ни на есть бой, последний и решительный. Он натащил кучу литературы по конкурсному вопросу, специальные рефераты и даже исследования с грифом «секретно», которые я в шутку читать отказывалась, но Марк успокоил меня, сказав, что секретность устарела и за давностью отменена, хотя я и не была абсолютно уверена, что это именно так.

В глубине души я не понимала, почему он так серьезно относится к какому-то более чем заурядному мероприятию, которое, скорее всего, было ниже его достоинства, и спросила его об этом, на что он ответил, что победа в конкурсе может на многое повлиять в дальнейшей моей жизни. Например, послужить путевкой в хороший университет, а для получения докторской степени имя университета имеет большое значение. А во-вторых, сказал он, это вопрос профессионализма, даже не вопрос престижности или непрестижности работы, а, скорее, привычки выполнять работу всегда одинаково хорошо. С этим я, конечно, согласилась, ответ опять же был до простоты, до школьного учебника очевидный, но куда от простоты денешься: сама ведь задала вопрос, вот и приходится выслушивать.

Однажды Марк сказал, что мы засиделись, что мы уже сто лет никуда не выходили, с чем я, конечно же, не стала спорить, и мы вышли на улицу.

Был поздний март, в вечернем воздухе уже носилась замысловатая смесь будоражащих весенних запахов, и то ли сам вечер, то ли запахи рождали во мне что-то очень личное, интимное, что невозможно было выразить и, уж во всяком случае, невозможно было ни с кем разделить. И именно поэтому и я, и Марк молчали и просто неторопливо брели, вдыхая свежий воздух и поддаваясь его чарующему обаянию.

Это была опасная прогулка, она могла отбить, увести меня от книг, рефератов, научных дебатов, надвигающихся конкурсов. Она вдруг предательски напоминала мне о том, кто я, она обнаружила где-то во мне, в моей запаховой памяти, похожие, а может быть, точно такие же освежающие колебания вечернего воздуха и подняла их из детства, из юности, казалось случившейся недавно, только что, но настолько сейчас недоступной и далекой, что становилось томительно от необратимости движения.

Томление перешло в обиду, мне вдруг показалось, что жизнь моя стала урезанно-неполноценной, потерявшей какую-то большую, важную свою часть, раз забыты мной вот такие вечера и забыты чувства, которые они рождают. Мне тут же стало горько и захотелось подчиниться мгновенному порыву и бросить все к чертовой матери, вот прямо сейчас, все, не оставляя ничего, потому что нельзя бросить опостылевшую жизнь частично.

Хотелось вновь быть там, где нет расчета и здравого смысла, где нет вымученной продолжительности работы с похвальным обещанием, что после тяжести и занудливости будней когда-нибудь потом тебе воздастся. Хотя непонятно, когда «потом» и «как» воздастся и нужно ли тебе тогда это будет. Хотелось быть там, где все случается прямо сейчас, сегодня, сию минуту, и случается полно, безрезервно, пронизывая оживлением. А если и не случается, то и Бог с ним, потому что сразу забывается, ведь наверняка произойдет что-нибудь другое, такое же полное и пронизывающее. И тебе неважно, что будет завтра, не имеет значения, потому что у тебя сейчас нет завтра, его вообще нет, есть одно растянутое во времени сегодня.

Назови это ощущение хоть безрассудством, хоть легкомыслием, хоть безумием, но так оно было, так оно летело, переплетаясь, запутавшись с весенним воздухом, весенним запахом, так оно будоражило, и освежало, и делало тебя легким, и от этой поразительной легкости ты становилась неуязвимой к проблемам и заботам, к неприятностям и даже бедам.

Только потом, много позже, а может быть, именно в это мгновение, точно не помню, выйдя из уютной квартиры Марка на пахнущий березовым соком, и ожившей землей, и спрятанными в ней ростками цветов, и бог знает чем еще пахнущий, вечерний бостонский воздух, я поняла, что легкость, чувство легкости, состояние легкости — есть состояние уникальное, и хотя врожденное, но, как все уникальное, преходящее. Именно она, легкость, ведет за собой, как на поводке, и удачу, и радость, и успех, но ее так просто потерять, упустить, достаточно лишь отяжелиться заботами, обремениться самой жизнью. А потеряв, размахивай тогда руками, переживай о пропаже — только отгонишь ее, удачу, еще дальше от себя.

Мы по-прежнему шли молча, и я чуть расстегнула невесомую куртку, чтобы воздух проникал ближе к телу, чтобы ему было проще вовлекать меня в свою воздушную круговерть. Я подумала об этом только сейчас, наверное впервые заметив, что за годы жизни с Марком я не только обзавелась, наростилась новым, очень существенным умением, но и также очень существенное умение растеряла. Может быть, еще не полностью, но частично — наверняка.

Вспоминая себя прежнюю, я вдруг представила веселую, непосредственную, живую и, как говорили, остроумную девочку, которая могла заставить смеяться или держать в напряжении, в зависимости от темы, отдельных людей или целые компании.

Да, я увидела сейчас себя прежнюю — смешную, безалаберную, открытую, быстро реагирующую и быстро, остроумно отвечающую, легкую, именно легкую и на слова, и на смех, и на поступки. Казалось, что я создаю вокруг себя некое эфирное поле, и люди попадали под его воздействие, и заряжались им, и тоже как бы становились легче. Рядом со мной всегда было много людей — задавленные бытом, люди тянутся к легкости, их привлекает чужая непрактичность, чужое разгильдяйство.

Но теперь, подумала я, многое изменилось, теперь я стала как бы тяжелее, я не отвечаю сразу, наоборот, только после паузы, дав себе время подумать, а если не нахожу хорошего решения, говорю, что дам ответ позже. И действительно, я почти всегда нахожу решение, и оно, выношенное, всегда лучше, чем было то, первое, сиюминутное, и, конечно, это хорошо. Но все же, не знаю, пропала какая-то искрометность, какая-то живость, и так во всем. И не то чтобы отвернулась удача, наоборот, но она теперь другого свойства, больше похожая на специальный, требующий тяжелой обработки сплав, чем на искристый, рожденный природой самородок.

Людей вокруг меня стало меньше, а вернее, их вообще не осталось, только верная Катька по-прежнему давала о себе знать... что ж, первая любовь! Да и меня никуда больше не тянуло, мне на самом деле нравился мой книжный, расцвеченный Марком мир. А может быть, он просто пристрастил меня к себе, ведь что-то подобное случилось со странствующим Одиссеем на острове, если не ошибаюсь, Лотос. Там тоже был требующий отречения мир. Впрочем, какая разница.

Важно то, что меня уже не привлекали люди, мне, если честно, стали скучны их бытовые разговоры, и поэтому, наверное, я им тоже стала скучна со своими занудными, длинно формулируемыми размышлениями. Что ж, подумала я, это, наверное, неизбежно, хоть и печально, — чтобы заполнить себя новым, надо высвободить место и для этого выплеснуть что-то старое. И как жалко, что легкость — антипод глубины и они не уживаются вместе, ведь как там сказано: «Знание рождает печаль». Вот мне и приходится выбирать, впрочем, похоже, выбор я уже сделала.

Единственная моя, может быть призрачная, надежда — что когда-нибудь по прошествии времени я стану настолько мудрой, что научусь сочетать свою к тому времени уже привычную глубину с пропавшей легкостью. И глядишь, глубина отвоюет у сознания последний незаполненный участок и сама нашпигует его нашедшейся наконец-то гуленой-легкостью. Но этого, конечно, мне сейчас знать не дано.

ГЛАВА ДЕВЯТНАДЦАТАЯ

Я не поделилась с Марком своими мыслями, не будучи уверенной, что он правильно поймет, хотя и ощутила себя немножко, совсем капельку, предательницей, не доверившись его чуткости.

Мы проходили мимо маленького кафе, скорее бара, в который раньше, когда было больше времени, часто заходили съесть бутерброд или выпить — я коктейль, Марк, как всегда, пива.

— Давай зайдем, — предложил Марк.

— Может быть, лучше погуляем, воздух уж очень хорош.

— Я чуть продрог, — мягко настаивал Марк. — Давай зайдем, на полчаса, а потом еще погуляем.

— Хорошо, — согласилась я.

Мы зашли внутрь, сели за столик, я заказала экзотический сорт чая — для спиртного требовалось другое настроение. Я уже догадывалась, что Марк хочет обсудить что-то со мной, я уже разгадала его манеру, казалось бы, неожиданно начинать на самом деле хорошо подготовленный разговор и привыкла к ней. Я знала, что важную, по его мнению, беседу он готовил тщательно и заранее и, так как по понятным причинам не хотел ее комкать, с такой же завидной тщательностью подготавливал для нее время и место. Как, например, сейчас он спланировал и эту вечернюю прогулку, и этот почти случайно попавшийся по дороге ресторанчик.

— Ну? — сказала я, отхлебнув из стакана жидкое, горячее, ароматное, и на чай-то не похожее ни по цвету, ни по вкусу.

— Да, — произнес Марк.

Я поняла, что он распознал мою едва прозвучавшую иронию, и мне стало неловко. И поэтому я помогла ему:

— Ты хотел со мной поговорить?

— Да, — подтвердил Марк.

Он тоже хотел смягчить непонятно откуда взявшееся напряжение, возникшее во время нашей задумчивой, молчаливой прогулки. Кстати, он ведь тоже был в себе, пока я оплакивала свою утерянную легкость, тоже о чем-то думал, размышлял, и я тоже не ведаю о чем.

— Я хотел не столько поговорить, сколько рассказать кое-что, — он замялся. — То, что я тебе сейчас скажу, важно, и я прошу тебя потом подумать над этим. Хорошо?

— Конечно, — согласилась я.

Вступление было многообещающим, и я попыталась настроиться.

— Я давно пришел к этой своего рода методике. Даже не методике, а, скорее, подходу к созданию нового, неважно чего. Каждое новое, вернее... нет, не так, — сбился он. — Каждый человек, который создал что-либо новое — явно или неявно, понимая или нет, — использовал этот принцип. Но, конечно же, лучше понимать принципы, на которых базируешься. Я начну с простого, — как бы извинился Марк. — Смотри, мысли не двигаются дискретно, они развиваются по непрерывному закону. Это не очень понятно, да? — сказал он, скорее самому себе, очевидно недовольный слишком абстрактным началом. — Давай конкретнее. Смотри. Каждая новая мысль строится на базе уже существующей, лишь немного от нее отличаясь, чтобы, в свою очередь, быть слегка видоизмененной последующей, и так далее. Таким образом, образуется цепочка, где после нескольких звеньев какая-то энная мысль будет настолько отличаться от изначальной, что трудно даже предположить, что одно, собственно, является продолжением другого. Так развивается цивилизация в целом и наука в частности, но, кроме того, и отдельные идеи тоже — на базе уже построенного. Ты скажешь, что это общие рассуждения, понятные и давно известные, и я с тобой соглашусь.

Конечно же, это было хорошо известно, даже банально, но я давно перестала иронизировать над тем, что говорил Марк.

Я уже привыкла, что Марк всегда начинает просто и легко — такая у него манера, — но потом будет сложнее, иногда очень сложно. Может быть, не так сложно в его интерпретации, но опять же лишь потому, что интерпретация такая.

— Тем не менее, — продолжал Марк, — если это известное всем знание применять на практике с неизменным постоянством, получаются весьма неожиданные результаты. Возьмем, например, нашу науку психологию. Ты сама говорила, что в целом она достаточно неопределенная, слишком словесная, сложно формализуемая. Тем не менее, если взять понравившуюся идею, очистить от шелухи, выделить суть, то она может стать исходной точкой для цепочки преобразований. Изменить-то, для начала, как мы уже говорили, надо немного, знаешь, как букву в слове, и, чтобы поменять ее, ты поворачиваешь идею разными сторонами, которыми она, может быть, никогда повернута не была. Крутишь, вертишь как-то неожиданно, так и этак, и, глядишь — под каким-нибудь неуклюжим углом блеснет новое, видоизмененное продолжение. Находка может удовлетворить сразу, а может оказаться недостаточной. Тогда дай ей, новой, измененной идее, отлежаться, постарайся забыть про нее на время, может быть на месяц, может на неделю, порой одного дня достаточно. Главное, чтобы, когда ты вернулась к ней, она не доминировала над тобой, а для этого нужен свежий взгляд, как бы взгляд с нуля. Как только он у тебя появился, все повторяется: ты снова вращаешь, крутишь, но уже видоизмененную, уже принадлежащую тебе идею, пока снова не найдешь новую грань, или, скажем по-другому, не поменяешь в слове еще одну букву. И так продолжается до тех пор, пока результат тебя не удовлетворит, пока созданное тобой слово не приобретет необходимый тебе смысл.

Я слушала не просто с предельным вниманием, но пораженная, зачарованная: сейчас передо мной Марк, по сути, раскрывал секрет творчества. Секрет создания нового. Я понимала: это у него все легко и плавно звучит, в жизни — совсем не так. Впрочем, какая разница? Важно было то, что я получила инструмент, рабочий механизм, который зависел только от рук, в которые он попал.

Сразу припомнились многочисленные споры, а скорее, дебаты — Марк не любил спорить — с Матвеем, да и с другими, когда Марк использовал своего оппонента, его аргументы, если они заслуживали того, как базу для построения своей, еще более неуязвимой аргументации. То есть он направлял силу своего соперника против него же самого, делая это изящно, незаметно преобразуя мысль и приводя ее к новой форме.

— Но не будет ли это в каком-то смысле плагиатом? — неуверенно спросила я.

— Если и будет, то все, что родилось в этом мире, есть такой же плагиат. Все в мире строится на базе накопленного прежде, но каждый, пусть даже маленький шаг имеет автора, — он замолчал, потом через несколько секунд продолжил: — Хотя, конечно, бывают исключения. Случаются в жизни прорывы, когда что-то рождается как бы независимо от существующего знания и иногда как бы в противоречии с ним. Но такое, знаешь, случается реже, чем редко, — раз в столетие, и, в любом случае, нам с тобой не грозит.

Марк опять выдержал паузу, как будто задумался над иной, посторонней мыслью.

— Это даже не зависит от способностей или таланта, это, скорее, теория вероятности. Но если вдруг нечаянно на нашу долю нечто подобное выпадет, что ж, тогда и будем ломать головы.

Марк потянулся к своему стакану, о котором, казалось, забыл. Он выглядел немного взволнованным, что, в принципе, ему было не свойственно.

— Значит, мы определили путь, назовем его «первый путь созидания». Как ты, конечно, понимаешь, он относится не только к психологии, а может быть использован для всего остального, каждый раз, когда речь идет о создании нового, независимо от области применения.

Марк опять отпил из стакана, и по паузе я поняла, что это еще не все, что следует ожидать продолжения. И не ошиблась.

— Но существует и другой путь. Суть у них одна, но детали разные.

Я тоже вспомнила, что у меня в руке стакан с жидкостью, которую можно отхлебывать, хоть она и поостыла.

— Другой путь — это компилирование существующих идей, нахождение нового, несуществующего сочетания. Он сложнее, чем первый, что, впрочем, не означает, что хуже. Правильно?

Я и не думала отвечать. Разве Марк нуждался в моем одобрении?

— То есть представь, что существуют несколько идей, каждая из которых — такой многогранный куб со множеством плоских поверхностей. И они, находящиеся перед тобой многогранники, не сочетаются, не стыкуются друг с другом своими плоскостями. Тем не менее у каждого куба существует единственная сторона, которая подходит для стыковки, и если такие стороны найти у всех кубов и правильно приложить друг к другу, то многогранники, естественно, притрутся. В результате получится совершенно новый конгломерат, который может заключить в себе абсолютно новую, оригинальную идею. Понятно? — он посмотрел на меня, я кивнула. — Конечно, этот подход, назовем его по аналогии «второй путь созидания», сложнее по той простой причине, что у тебя в руках несколько элементов, а жонглировать несколькими предметами, понятное дело, труднее, чем одним. Но и возможностей больше.

Он остановился, и посмотрел на меня, и встретил мой взгляд, полный восхищения, которое я и не скрывала.

— Теперь ты спросишь, зачем я тебе это рассказываю, если все открытия и так сделаны на основе этих двух принципов созидания. Ответ прост: если ты знаешь, где искать, то быстрее найдешь. Если сознательно использовать эти принципы, эту методику, если процеживать каждую понравившуюся идею, в которой, как тебе кажется, есть потенциал, если стыковать и сочетать, казалось бы, нестыкуемые гипотезы, то с большой вероятностью, а при определенном навыке почти наверняка, получишь положительный результат.

Марк выдержал паузу, а потом добавил, но уже изменившимся мягким голосом:

— Малыш, я повторяю: ты подумай, здесь есть над чем подумать.

Мне показалось, что последняя фраза потребовалась ему лишь для того, чтобы произнести слово «малыш».

— Нет, — сказала я не раздумывая, — я все поняла: ты, Марк, гений. Поверь мне, ты ведь знаешь, я как раз по умственной деятельности специализируюсь. Хочешь, я тебе справку дам, что ты гений?

— А чего, давай.

Он легко принял мой ироничный тон.

Через несколько дней, сидя на кухне за поздним чаем и обсуждая тему конкурса, Марк открыл свою тетрадку и посоветовал мне подумать над тремя вопросами, два из которых имели весьма отдаленное отношение к конкурсу. Я тут же вспомнила наш разговор в кафе, вернее, я его и не забывала, постоянно перебирая в уме детали. Я догадалась, конечно, что три темы, подкинутые сейчас Марком, являются продолжением того разговора, такой своеобразной наводкой. Действительно, подумала я, я получила те самые заветные «три карты», которые приносят выигрыш. Теперь дело за мной — пустить их в игру в правильном сочетании.

ГЛАВА ДВАДЦАТАЯ

На самом деле я не сомневалась, что выиграю конкурс, прежде всего потому, что действительно чувствовала себя сильнее своих соучеников. Любые жизненные затраты, а в моем случае это были горы книг, папки записей, несчетные часы обсуждений с Марком, которые можно было пересчитать на дни и недели, и его таким образом переданные мне опыт и знания шли в копилку и в результате должны были вылиться во что-то конкретное.

Тем не менее я немного волновалась, я никогда ни с кем не соревновалась вот так, в одном забеге, на одной прямой. Оценки, экзамены — это тоже своего рода соревнования, но как бы косвенные. А тут ты на одном повороте должна всех обогнать, а когда навыка и тренировки нет, боязно, как все и всегда бывает боязно без навыка и тренировки.

Конечно, я рассчитывала на Марка, на его если не прямую помощь, то на поправки, советы. В конце концов, думала я, он не позволит мне сделать работу, которой сам не был бы удовлетворен. И все-таки я корпела как проклятая весь месяц, садясь за книги сразу по возвращении из университета и заканчивая занятия к ночи. Потом мы с Марком часок-другой за чаем обсуждали, что я сделала за день, что прочла, что думаю по тому или иному вопросу.

Все же я продвигалась тяжело, и особенно тяжело мне давалась или, скорее, не давалась вообще та самая «наводка», те самые три вопроса, на которые обратил мое внимание Марк. Я понимала, что корень лежит где-то в их сочетании, как и объяснял Марк, но как сложить их в единое целое, чтобы оно, это целое, выглядело гармонично-естественным, я не представляла.

Однажды, достаточно давно, Марк подсунул мне статью из какого-то популярного научного журнала о неком профессоре математике, который серьезно увлекался музыкой, хотя и на любительском уровне, конечно. В результате он придумал методику перевода любой математической формулы и прочих формальных уравнений на ноты. Он утверждал, что красиво выстроенная научная идея должна также и звучать музыкально красиво, потому что хорошая идея гармонична сама по себе и находится в согласии с природой, а критерий гармонии природы, конечно же, музыка. В то же время идея, выжатая из пальца, если ее выразить в мелодии, звучит отвратительно, так как не является частью природы.

Я, конечно, восприняла эту историю как анекдот, но тем не менее запомнила и с тех пор проверяла свои, да и чужие идеи гармонией, не музыкальной естественно, в музыке я ничего не понимаю, а своей, внутренней. А почему бы и нет, я ведь тоже какая-никакая часть природы.

Так вот, как я ни тасовала свои, ставшие уже злосчастными, «три карты», они не рождали в моем мозгу ничего, кроме саднящих звуков бессильного раздражения, и уж точно — никакой гармонии. Все же я так пропиталась ими, что они даже стали мне сниться, я бубнила, как безумная, какие-то связанные с ними слова, стоя под душем или когда ехала в трамвае в университет, так что даже привыкшие ко всему местные пассажиры подозрительно косились на меня.

К чести своей, могу сказать, что я ни разу не попросила Марка мне помочь, я даже ни разу не упомянула о своих творческих муках, которые, кстати, не очень отличались от мук физических. Впрочем, какая разница — упоминала я или не упоминала, все равно ничего не получалось.

Как-то, чтобы отвлечься, я позвонила Катьке, я не разговаривала с ней уже недели три и соскучилась и по ней, и по нашей незатейливой болтовне. Катька за то время, что они с Матвеем стали жить вместе, изменилась и в характере, и в манерах, она стала как бы домашней, никуда особенно не выходила, научилась, как я поняла, готовить — Матвей того требовал, в ней исчезла или почти исчезла такая симпатичная для меня ироничность, а вместо нее появились спокойствие и размеренность. Разговор со мной она, как правило, заканчивала словами: «Ладно, мать, давай, а то сейчас Матвей придет, а у меня еще жаркое не готово», — на что я не обижалась, хотя могла, а воспринимала философски.

— Катька, — сказала я, услышав голос, — приветик, как дела?

— Нормуль, — ответила Катька голосом, который по умиротворенности и спокойствию мог сравниться только с голосом познавшего нирвану Будды. — Как у самой-то?

Мы так всегда начинали, а потом по заведенному регламенту Катька должна была рассказать мне о всех последних новостях, поразивших русскую часть населения славного города Бостона, во всяком случае ту ее возрастную группу, которая нам была близка. В основном новости вертелись вокруг животрепещущих скандальных историй, типа: кто от кого и к кому ушел, кто с кем спит, а если сенсаций было мало — кто куда едет отдыхать. Но сейчас Катька изменила регламент и сказала скорее извиняющимся тоном:

— Знаешь, мать, ты только не падай наотмашь и не завидуй люто, но мы с Матвеем решили пожениться.

Я действительно чуть не упала, хотя не от зависти, а, скорее, от пронзившей меня мысли, что ничего себе, люди еще женятся, не все, значит, научным конкурсам жизнь свою молодую посвящают. Но вида я не подала, а раз уж мне, по правилам, полагается завидовать, то что ж, буду, а потому спросила зловредно:

— Прижала, значит, парнишку?

— Ага, — невинно отозвалась Катька, — сама знаешь: вода камень точит.

— Вода-то, конечно, точит, медленно только. А вот какой-нибудь резец алмазный...

Катька не стала спорить, только засомневалась в выбранном мною материале.

— Да ладно, на алмазный не потяну, скажем, стальной. Слушай, — оставила она тему, — если тебе не очень неприятно будет, я тебя свидетельницей назначу. Если ты не слишком злобствовать собираешься.

— Ладно, — сжалилась я. — не буду злобствовать, поздравляю, небось первый раз женишься.

— Замуж выхожу, — поправила меня Катька.

— Ну да, конечно, замуж. Ты гляди, все смешалось в этой Америке, и первым делом — половые различия, — оправдалась я.

— Это в твоей головке смешалось, у других нормально, — сказала Катька, и я не поняла, на что она намекает.

— Ладно, чего там меня обсуждать, как сам-то?

— Свыкся, а сейчас, похоже, самому идея нравится. Женой меня звать стал.

— С гордостью звать-то стал? — не смогла не съехидничать я.

— Ага, с ней самой.

До Катькиного тела мои шпильки не доходили.

Оказалось, что свадьбу они планируют на конец лета, и я, на секунду став серьезной, пообещала, что отменю все планы, которых у меня и так не было, и как штык буду стоять рядом с хупой, в синагоге, верной свидетельницей.

Повесив трубку, я подумала, что мне никогда в голову не приходила мысль выйти замуж за Марка, хотя мы уже жили вместе долгое время. Я спросила себя: «почему?» — и не нашла ответа. Может быть, все же предположила я, потому что никогда не видела в Марке мужа. Впрочем, он тоже никогда не поднимал тему замужества, вообще никогда. Что ж, подумала я, скорее с мстительной усмешкой, как-нибудь возьмем да и поднимем тему, не сейчас, но поднимем.

Никогда не понимала, да и до сих пор не могу понять, откуда что берется, как работает мысль, что катализирует ее, что поджигает? Порой ты уже сжилась с задачей, а все равно решением и не пахнет, нет выхода, как ни бьешься — ведь существуют же безвыходные положения. И ты, обессиленная, откладываешь тогда проблемную задачку в сторону, расписавшись в собственной неспособности, и даже почти забываешь о ней. Но, видимо, сидит она где-то внутри тебя и вынашивается, как будто организм без твоего согласия принял ее в себя и питает живительными своими соками. И затихла она там затаившейся мыслью, не напоминая о своем существовании, даже ножкой не бьет, даже не переворачивается с бочка на бочок, видно, и так удобно — как сразу улеглась, так и удобно ей.

И вот в какое-нибудь обыденное утро или такой же вечер вдруг поднимается она со своего насиженного места — тесно ей там стало — и появляется снова на свет, которому и принадлежит. А ты, удивленная и зачарованная, смотришь на нее, оформившуюся и вроде бы очевидную, и не понимаешь, и задаешься вечным вопросом: откуда что берется?

Видимо, мне надо было отвлечься, видимо, я зациклилась в своем постоянном варении в упрямой задачке, видимо, мне надо было отойти в сторону, чтобы приобрести, как говорил Марк, свежий взгляд. А может быть, Катькина новость, кто знает, как-то извращенно подзадорила и завела меня, теперь не разобраться.

Весь оставшийся день я пребывала в меланхолии, и даже отказалась от столь любимых мной и привычных ночных бдений, сославшись на спасительную усталость и головную боль, и легла спать.

Впрочем, я не спала, а лежала с закрытыми глазами в полудреме, в полуфантазии, думая о себе, о Катьке, о других разных знакомых мне людях, пытаясь представить себя в их жизни, пытаясь понять, как бы я чувствовала на их месте, и тем самым косвенно задаваясь вечным женским вопросом: а счастлива ли я? А что, если бы я не встретила тогда Марка? Жизнь наверняка была бы другой, но, кто знает, может быть, лучше, может быть, более подходящей для меня. Куда я в конечном счете полезла? Какие-то непонятно кому нужные завиральные идеи, и вообще — выйдет ли что-нибудь из меня? Уже потратила больше двух лет, и еще четыре года надо будет потратить, а что в результате получится, это ведь вопрос. Может быть, ничего и не получится, может быть, все впустую и из меня ничего не выйдет. Да и вообще, существует ли этот сказочный мир, населенный чрезвычайно умными дядями и тетями с благородными идеалами, мир, в который я так упорно стремлюсь? Или он живет лишь в моем воображении, может быть, его и в природе-то нет.

Если бы я не перешла на психологический, я бы уже сейчас заканчивала со своей экономикой, пошла бы на работу, получала бы нормальную зарплату, отсиживала там свои восемь или сколько там полагается часов, и голова бы не болела — пришла по звонку, ушла по звонку. Нашла бы себе хорошего русского мальчика, вон как Катька, говорила бы с ним по-русски о том о сем, об общих заботах, об общих знакомых, и все было бы просто, и спокойно, и понятно.

Я услышала, как Марк стал укладываться спать, он осторожно ступал по ковру и осторожно лег, чтобы не разбудить меня, не шумя и не дотрагиваясь. Это он правильно сделал, мне было, мягко говоря, не до прикосновений.

Моя мысль перенеслась на Марка. Вот ведь делаю, на самом деле, все, что хочет он и как хочет он, своего мнения ни в чем нет. А если и бывает, то он все равно подавляет, и как-то незаметно, тихой сапой, навязывая свои желания. Демагог, лиса…

И тут, именно в этот миг, что-то случилось, что-то вспыхнуло, разорвалось у меня внутри, я даже почти вскрикнула, боясь потерять мелькнувшее, не ухватиться обеими руками за догадку, не подтащить к себе поближе, вплотную.

Марк перевернулся на другой бок, потревоженный во сне моим зажатым криком. «Дура, — вслух прошептала я, — полная дура, столько времени копаюсь, а самого очевидного не поняла. Они же и не должны стыковаться сами по себе, эти три проклятые темы, они не стыкуются по определению. Их же изменить сначала надо, каждую в отдельности, как он говорил, "поменять букву в слове". И только тогда они притрутся, только тогда совпадут. Он же рассказывал о двух подходах, но есть третий, о котором он не сказал, специально не сказал, чтобы такая дура, как я, проваландалась две недели впустую. Комбинационный подход — вот что надо, сначала изменить каждую идею в отдельности, а потом уже, измененные, состыковать. Вот тогда они лягут естественно и гармонично».

Я вскочила с постели, стараясь, впрочем, не шуметь, чтобы не разбудить Марка, — я не хотела вдаваться в объяснения, чего это я по ночам не сплю и прочее, — и, едва успев на ходу накинуть халат, бросилась на кухню, где все еще лежали тетради с моими записями и заметками. Я была как в угаре, как бы слегка помутненная, то, о чем я думала еще пять минут назад, — вся эта чушь о моей несчастной судьбе, все эти никчемные рассуждения о том, что могло бы быть, если бы да кабы... — испарились, враз перестали существовать. Больше не было ни сомнения, ни внутренней нервозности, все внутри меня заполнилось тем единственно важным, что только и имело значение.

Тут, на кухне, среди моих тетрадок и чайничка с по-московски заваренным чаем, и было мое естественное место этой ночью. Я была в неистовстве, наконец-то оно наступило — мое мгновение, и я не могла его упустить. Я писала, зачеркивала, писала снова, боялась потерять мысль, обгонявшую мою руку, и поэтому пропускала слова, не доканчивала их, записывала мысль какими-то лишь мне понятными значками, как первобытный человек на скале.

Это была моя ночь. Сейчас я знаю — такое случается иногда, редко, но случается, когда мозг так чувствителен и так в ладу с твоими чувствами и интуицией, что все-все тебе под силу, все в твоей власти, только успей, только не пропусти. Я писала часа три-четыре, время отошло, дискриминируемое, оно отступило и не имело больше значения, была только минута, нет, не минута — мгновение. Мгновение, вобравшее в себя все мои занятия, весь мой труд, надежды, мучительные попытки.

Лишь иногда я на секунду откидывалась на стуле, устремив взгляд куда-то в бесконечность, где, наверное, и находилась сейчас моя мысль, и, обнаружив ее там, снова рывком устремлялась к столу, снова отыскивая нужные аргументы и правильные формулировки.

К концу ночи я едва сползла со стула, не читая ни слова, не пытаясь пока разобраться в написанном, лишь только зная каким-то чутьем своим, что оно, единственно возможное мое решение, здесь, в этой тетрадке — обнаруженное, пойманное и пристегнутое, и никуда ему уже не деться. Я не сомневалась сейчас, что она — моя мысль, идея, теория, назови как угодно, — она полна гармонии, и красоты, и легкости, и грации, и, положи ее на музыку, она зазвучит Шопеном.

Только сейчас, когда я, наконец, вернулась в реальный мир темноты и света, часов и минут, я поняла, что по-настоящему обессилена. Не из-за бессонной ночи, подумаешь — бессонная ночь, а просто я была полностью выжата, как будто из моего выкрученного тела добирали последние капли еще оставшейся жизни. Но это предельное изможение, входившее в меня с каждой секундой все глубже, формировалось на фоне такого же сильного и такого же глубинного удовлетворения, соединяющего в себе и безмерное спокойствие, и умиротворенность, и какую-то растекающуюся внутри меня сладость, так что даже закружилась голова.

Мне было хорошо, именно физически хорошо, и, несмотря на усталость, мне не хотелось спать. Я подошла к окну, внизу виднелся изгиб реки, светать еще не начало, была именно та минута, когда темнота, еще владеющая всем, лишь слегка припудрилась едва заметными пылинками наступающего рассвета, который — и это знали и углы домов, и стены, и крыши, и фонари у подъездов, и даже вот этот изгиб реки — вот-вот придет, но, впрочем, еще не сейчас.

С реки поднимался не то прохладный туман, не то пар, и вдруг, в таинственном очаровании ночного города, я поняла, что то, что произошло со мной сейчас, полностью совпадает с той единственной силой, которая до последней секунды сильнее всего владела мной в жизни — силой любви.

Все, что я чувствую сейчас, — и бессильная усталость, физическая и душевная, сочетающаяся с удовлетворенным спокойствием, и сладкая опустошенность, как будто все внутри меня вымыли, и выскребли, и очистили от лишней отработанной тяжести, — все это не просто напоминало, а именно совпадало с тем, что я испытывала во время и после любви.

Я сделала странное для себя открытие, я всегда считала, что одна лишь любовь способна раскрыть во мне и поднять самые сильные чувства, что ничто и соперничать с ней не может. А вот оказалось, что не только любовь. Я почему-то вспомнила забытого мною Пушкина:

Одной любви музыка уступает,
Но и любовь мелодия...

Странно, что и он думал о том же, и странно, что альтернативу любви, по силе и разнообразию смешанных чувств, я на-

194

шла в творчестве. Вот откуда берется увлеченность, подумала я. Я никогда не понимала: понятие «преданность делу» для меня всегда оставалось пустым, показушным звуком. Более того, мне казалось кощунственным сравнивать преданность человеку с преданностью делу. Но сейчас мне стало понятно: все исходит из одного источника, все оттуда, из того единого, что ведет и побуждает.

Природа наделила человека способностью испытывать удовлетворение и от человека, которого любишь, и от дела, которым живешь. И именно предчувствие неизбежного, доходящего до конвульсий удовольствия ведет человека через муки творчества, и разочарования, и неудачи, и потери, и если они, неудачи и потери, перевешивают, так, что их нельзя больше выдержать, то может случиться трагедия, хотя, кажется, ни из-за чего, из-за ерунды. Но не точно ли так же происходит и в любви— и те же муки, и те же разочарования, и те же трагедии, когда невозможно больше терпеть, и все из-за призрачно манящего предвкушения мгновенного счастья.

Мысль, что от творчества можно так же балдеть, как от секса, была, конечно, кроме всего, веселая и сразу породила в моей голове множество резвых шуток, но я решила попридержать их до утра.

ГЛАВА ДВАДЦАТЬ ПЕРВАЯ

Следующий день я посвятила расшифровке того, что написала ночью. То, что в результате получилось, на свежую голову, вернее после почти бессонной ночи на полусвежую, показалось мне даже еще более красивым, чем казалось вчера. Я привела все в порядок, более или менее систематизировала, аккуратно, хотя по-прежнему конспективно, записала и дождалась вечера, когда можно было поделиться с Марком результатами моего полуночного победного бодрствования.

Я начала сразу в лоб, чтобы ошеломить, но ошеломить мне его не удалось. Он слушал минут десять, не перебивая, не задавая вопросов, будто я рассказывала ему главу из школьного учебника, я даже забеспокоилась: вдруг прошедшая ночь мне померещилась и все, что я сейчас говорю, — банально и очевидно. Но я зря беспокоилась, в какой-то момент Марк грубо перебил меня, и я бы обиделась, если бы не его искренне счастливая, такая любимая, снимающая все вопросы улыбка, и сказал то, чего я прежде не слышала, хотя я слышала от него всякие разные, иногда даже очень приятные слова.

— Малыш, — сказал он, — ты умница, ты обалденная, — это слово он своровал у меня, просто выкрал из моего лексикона. — Я всегда знал, что ты умница, но не знал, что ты... — он замялся, подбирая эпитеты, но, видимо, так и не смог подобрать. — Твой подход так глубок и в то же время так неожидан... Это, малыш, тянет побольше, чем на студенческий конкурс, это... Я даже не знаю...

— Да ладно, — теперь я уже перебила его. Я разом опьянела от его слов, непредвиденная, восторженная его реакция ошеломила меня. Я надеялась, почти была уверена, что он одобрит, но чтобы настолько... — Да ладно, — повторила я, пытаясь не дать счастью прорваться за пределы голоса, — ты, Марк, преувеличиваешь. Конечно, ты преувеличиваешь, ничего такого особенного. И потом, это ты навел меня, ты ведь все придумал значительно раньше, без твоей подсказки я бы ничего такого не сделала.

Только после этих слов мне самой почему-то впервые пришла в голову мысль, что, действительно, без подачи Марка я ничего подобного не сотворила бы и что он наверняка придумал все то же самое, только раньше. Не то чтобы я забыла об этом, но я так долго билась над задачей, так мучительно, что

196

мысль о том, что изначальный толчок дал мне Марк и что моя цель была прийти к результату, который он от меня ожидал, как-то потерялась по дороге.

— Ну, мы-то с тобой не соревнуемся.

Он почти что смеялся, ему, видно, показалась забавной идея, что я как-то, хоть и не желая того, приравняла себя к нему. И действительно, подумала я, это, наверное, смешно.

— Ну ладно, — продолжал Марк, положив мне руку на плечо и проведя пальцами нежно, как только он умел, по щеке и вниз, по шее, — мы потом сочтемся, да? Ну, а если серьезно, я был рядом, но не совсем, наши подходы чуть-чуть не совпали. Но твой даже изящнее и, в любом случае, не хуже, а, наверное, лучше моего. Если честно, задача была очень непростая. Я, если честно, не думал, что ты найдешь, все подходы были так хитро запрятаны. Очень непросто, — повторил он, даже чуть покачивая головой, чтобы подчеркнуть, насколько непросто. — Но мне хотелось, чтобы ты поработала над чем-нибудь действительно крупным, и ты все блестяще сделала, так красиво, легко и быстро.

Ничего себе «легко и быстро», подумала я.

— То есть нормально такая работа должна занимать месяца три-четыре, я имею в виду, если она вообще увенчалась бы успехом. А ты за сколько? — Я не поняла, спрашивает ли он, но он не спрашивал. — За три недели. Да как! Нет, ты сделала выдающуюся работу, ты можешь гордиться собой.

— А ты мной, — только вставила я, и, все такая же счастливая, перегнулась через стол, и быстро чмокнула его в губы.

— Я тобой и так горжусь, — так же быстро ответил он, потянувшись ко мне, но я уже давно была на своем месте, и мы оба рассмеялись. — Знаешь что, давай махнем куда-нибудь, еще ведь не поздно, я знаю на Гарвардской площади чудесный ресторанчик, поехали отметим.

— В разгуляево, это мы завсегда, — вдруг пришло мне в голову старое словечко, и, так как Марк не понял, я повторила по-другому. — Конечно, поехали, что я, ненормальная, — отказываться от чудесных ресторанчиков?

Когда мы ехали в машине, Марк сказал:

— Ты даже не представляешь, какой фурор твоя работа вызовет в университете. Поверь мне, у них профессора раз в десять лет делают нечто подобного калибра, а тут студентка, которая еще бакалавра не получила, — он засмеялся. — Это будет как разорвавшаяся бомба, мне даже трудно предположить последствия.

Он радовался как ребенок, и хотя я про себя искала менее избитое сравнение, но найти не смогла, он именно был как ребенок — такой непосредственный, даже до трогательности наивный в своей радости.

Ресторан был полупустой — все-таки будний день и достаточно поздно.

— Теперь, — сказал Марк, когда мы сели за столик и к нему вернулась его обычная неспешная рассудительность, — главное, правильно подать работу, элегантно, в красивом оформлении. Тоже тонкое дело, требует своего умения, но у тебя еще впереди две недели, и их достаточно, чтобы все сделать не спеша и грамотно.

Ну, это я и сама знала, что теперь главное — хорошо преподнести, можно было и не говорить, сами понимаем. К тому же я уже начала, не очень активно, но все же подумывать о том, как бы все получше оформить.

Как и ожидалось, следующие две недели прошли в немного нудной, но милой для меня работе написания реферата и создания приятного обрамления для моей идеи, с разными красивостями и завитушками. Мне даже нравилось: так тихо, ровно, спокойно, и все вокруг моего бэбика, с которым я, как с настоящим бэбиком, могла возиться часами.

Когда я закончила, и распечатала текст, и дала его Марку, он, прочитав за один день, развел руками и сказал, что сам бы лучше не сделал, а сделал бы хуже, и что давай неси, завоевывай небесное пространство. И я пошла в университет и сдала работу.

Дальше все разворачивалось с быстротой кинематографа начала века. Система — недаром капиталистическая, недаром отлаженная за столетия — закрутилась сама по себе и, как и обещал Марк, с результатами, которых я даже не могла предположить.

Сначала ко мне подошла одна профессорша, весьма экзальтированная, высокомерная бабища, которую я знала, конечно, но не думала, что она в курсе моего существования, и сказала, что она как член конкурсной комиссии прочитала мой реферат и поздравляет меня. Она сказала, что работа представляет несомненную научную ценность, и так считает не только она, но и все члены жюри, и что она за меня очень рада, в чем я усомнилась — чего это ей-то за меня радоваться? Но, в любом случае, мне было, конечно, приятно.

Потом, еще до того, как меня публично объявили победителем конкурса, напечатав статью с моим жизнерадостным портретом на обложке в большом и престижном университетском журнале, меня вызвал к себе декан факультета, и, когда я сказала об этом Марку, он, как ритуальная бабка, замотал головой и прошептал обреченно:

— Начинается.

Декан принял меня в своем кабинете как родную, как свою любимую ученицу, которой посвятил лучшие годы своей старости, и завел тихий, любезный разговор, расспрашивая в основном о том, как протекает моя не так давно начавшаяся, но многообещающая жизнь, где находится моя семья, и прочие милые формальности.

— Мой дедушка приехал из России, откуда-то с Украины, но я не помню, как город называется, — поделился он своей наследственной тайной.

«Я и не сомневалась», — подумала я, еще раз внимательно посмотрев на него, и улыбнулась приветливо, мол, рада встретить земляка.

Далее он спросил, в какой момент я почувствовала интерес к психологии, что меня в ней особенно привлекает, много ли приходится заниматься и прочую туфту, которую должны, наверное, спрашивать маститые деканы, беседуя с желторотыми, писающими под себя студентами. На все его вопросы я отвечала тихо и скромно, но зато дельно и основательно, большей частью глядя ему прямо в глаза, только иногда потупляя их — декан все же. Он слушал внимательно, со старательным интересом, в общем — идиллия: пожилой ученый передает эстафетную палочку поколений своей любимой воспитаннице. Так продолжалось минут десять-пятнадцать, и я уже начала подозревать, что все так и закончится ничем, что он просто так, познакомиться решил. Но постепенно круг вопросов стал сужаться, и лицо декана стало серьезным, даже лоб нахмурился.

— Марина, — сказал он своим красивым, поставленным голосом, приученным читать лекции и, наверное, морали.

Он вообще был представительный, осанистый, красиво седой, и я подумала, почему на больших административных должностях всегда находятся высокие, заметные мужчины, иногда женщины, но тоже заметные. То ли их специально такими подбирают, то ли должность меняет осанку и вид, а может, даже рост и черты лица. Тем не менее декан продолжал:

— Профессоров кафедры давно приятно поражали ваши стремления, интересы и, главное, ваши знания. О вас всегда были только самые хорошие отзывы, и мы ждали от вас успехов.

Он выдержал паузу, давая мне возможность оценить похвалу в полной мере. Я еще милее улыбнулась, мол, спасибо за добрые слова, и чуть, от неложной скромности, потупила глаза.

— Но буду с вами откровенен, Марина, то, что вы сделали в своей конкурсной работе, превзошло все ожидания, настолько ваша работа зрелая и выдержанная, с таким неожиданным подходом. Я сам не специалист в этой области...

Вот это честно, подумала я.

— ...но мои коллеги с кафедры, мнение которых я уважаю, дали вашей работе очень высокую оценку.

Я опустила глаза еще ниже.

— Я хочу сказать вам, Марина, собственно, для этого я вас и позвал, что мы испытываем гордость за то, что вы — наша студентка.

Он именно так и сказал про гордость, и только в этот момент, только сейчас, я впервые поняла, что дело, возможно, действительно принимает серьезный оборот. Я поняла, что начинается разговор о чем-то важном, важном для меня, для моей последующей судьбы, и изначальный мой иронический настрой сразу улетучился.

Я подняла глаза и посмотрела пристально прямо в самые зрачки сидящего напротив красивого и приятного человека с серьезным взглядом.

— Это, конечно, дело комиссии решать, кто победит в конкурсе, хотя я лично не сомневаюсь, что это будете вы. Но мы решили, независимо от результатов, опубликовать вашу работу и включить ее в университетский годовой сборник. Кроме того, если вы подготовите статью и решите послать ее в журнал, я лично рекомендую вам, — тут он назвал один из крупнейших психологических журналов, — то наши профессора — я уже обсудил с ними этот вопрос — с удовольствием дадут рецензии, а от университета мы приложим рекомендательное письмо. Решение, конечно, остается за журналом — печатать или нет, но у вас объективно сильная работа, так что, — он пожал плечами, — почему бы и нет? И еще одно, — он выдержал театральную паузу, но я не поддалась и не отвела своего взгляда от его глаз, — я предполагаю, что вы захотите продолжить образование и будете поступать в этом году на докторскую программу. Так вот, мы не только дадим вам рекомендательные письма, но и по нашим университетским каналам будем ходатайствовать, чтобы вас приняли. Дело теперь за вами, Марина, вам надо выбрать школу, в которой бы вы хотели продолжить обучение.

Это прозвучало мощно, теперь декан в моем воображении предстал как сказочный богатырь, или, еще лучше, как золотая рыбка: давай, мол, говори, чего пожелаешь, а я, вильнув своим волшебным хвостиком, все осуществлю. Я почувствовала, что начинаю нервничать, и тут же серьезно задалась вопросом, означает ли это, что Гарвард в кармане, и, не будучи уверенной в этом, решила не томиться неизвестностью, а спросить.

— Сэр, — сказала я, стараясь даже в обращении быть как можно более формальной, — значит ли это, что я могу подавать документы в Гарвард?

— Опять же, конечно, это право университета, Гарварда в данном случае, — принять вас или нет, у них могут быть, конечно, свои критерии, но я не думаю, что они нам откажут. У нас близкие, дружеские отношения, все же в одном городе, многие их профессора также читают лекции и у нас, и вообще они считаются с нашим мнением. То есть, если коротко, ответ: да, хотя, конечно, обещать я не могу.

Теперь я уже нервничала по-настоящему, мне даже пришлось напрячь мышцы, чтобы сдержать подступающую дрожь. Гарвардский университет в моем сознании был не просто олицетворением безоговорочного успеха, а чем-то недосягаемым, доступным только для избранных, о чем любой другой человек и мечтать не может. Сколько раз от разных людей я слышала, что достаточно только закончить Гарвард и карьера обеспечена, что люди из Гарварда и Йеля правят страной и так далее. И вот теперь, похоже, этот тайно желаемый, но запретный для всех плод раскрыт передо мной, перед в общем-то глупой девчонкой, которой только-то и повезло в том, что она встретила Марка, моего любимого Марка.

— Но и это еще не все. У нас есть специальный фонд для студентов, добившихся определенных успехов, но не имеющих собственных финансовых ресурсов. Этот фонд рассчитан на то, чтобы помогать им продолжить обучение, в смысле — материально помогать. Так что вы, Марина, можете подавать заявление на стипендию из этого фонда. Я думаю, ее вам будет достаточно, чтобы проучиться пару лет, скажем, в Гарварде и не быть обремененной финансовыми вопросами. Ну, а дальше все зависит, конечно, от вас, — он поднялся, я тоже встала. — Хотя я лично в вас не сомневаюсь.

Он проводил меня до дверей, задал какой-то, снова нейтральный, вопрос и, уже у выхода, пожал мне руку, пожелав успеха, и я искренне, действительно искренне, поблагодарила.

ГЛАВА ДВАДЦАТЬ ВТОРАЯ

Я вышла, как в тумане, ошеломленная и даже испуганная всем происшедшим, не понимая, что со мной, собственно, произошло, не зная, что мне теперь делать, чтобы нечаянно все не испортить, не вспугнуть, не сглазить. В университете у меня на сегодня больше дел не было, и я поехала домой. Марк, видимо, поджидал меня, потому что, когда я открыла дверь, он стоял в прихожей и смотрел на меня с улыбкой, и только глаза у него были слишком голубые для такого еще раннего времени дня.

— Меня вызывал к себе декан, — сказала я более настороженно и испуганно, чем радостно, и тут же обессиленно плюхнулась на стоящий у стенки стул.

— Я знаю, — признался Марк.

И хотя его ответ должен был меня удивить, но не удивил, у меня уже не хватало сил на эмоции, по крайней мере, на сегодня резерв эмоций был исчерпан. Максимум, что мне удалось, — это поднять брови.

— Я уже два дня как знаю, но не хотел тебе говорить. Хотел, чтобы они сами объявили, так более торжественно. Значит, сам декан.

— Ага, — меланхолично подтвердила я.

— Ну что ж, малыш, поздравляю, лучшего сценария нельзя было даже вообразить, хотя я нечто подобное предполагал. Они для тебя целый пакет приготовили: деньги, докторантура, статьи — весь набор. Это абсолютно грандиозно.

Он залез в буфет и вытащил бутылку коньяка. Во-первых, я никогда не видела Марка, пьющего днем что-либо более крепкое, чем пиво, во-вторых, даже мне было рано для коньяка. А в-третьих, у меня не было сил встать со стула: руки, брошенные вниз, к полу, застряли между вяло расставленных колен, шея подламывалась под тяжестью головы — во мне не было ни жизни, ни желания. Мне казалось, что мое опустошение перешло на стул и он сейчас, трухлявый, рассыплется под моей безжизненной тяжестью.

— Марк, рано для коньяка, — выдавила я из себя и, чтобы он понял, что такое рано, пояснила: — Еще двенадцать часов только.

— Для коньяка рано не бывает, — сказал Марк.

Даже для аморфно-невосприимчивой меня его наглое утверждение, да и не менее наглый голос, прозвучали неожиданно, так что я даже приподнялась со стула. Видимо, лицо мое выразило столько неподдельного изумления, что Марк сразу добавил, как бы извиняясь:

— Что ж ты думаешь, я молодым не был? Был, и молодым, и лихим был, и могу тебе сказать, что если выпивать, то лучше всего вообще с утра.

Нет, это не Марк, это переодетый чувак, работающий под Марка. Но странно, от этой почти комической ситуации силы вдруг стали возвращаться ко мне, впрочем, кто их знает, откуда.

На меня вдруг пахнуло забытым чувством свободы от всяких «надо», от давящего, но не раздавливающего враз, а неумолимо сжимающего расписания дел — будь то книга, которая уже лежит месяц и ждет своей очереди; или отчет, который пора начинать писать, может быть не сегодня, но уже сегодня надо думать о нем. Думать, думать... И в конце концов это постоянное, по всем плоскостям, давление становится патологическим состоянием ума, закабаляющей, извращенной привычкой. Как будто вечно кому-то чего-то должна.

А сейчас от неожиданной дурашливости Марка давление вдруг исчезло, будто разжались тиски, как на кадрах кинохроники механически разжимаются обручи, только что сдерживавшие и направлявшие ракету. Вдруг пришло понимание, не умственное, а, скорее, физическое, что все, этап закончился, что всем, кому задолжала, — отдала и можно расслабиться. Не то чтоб навсегда, но пока — можно.

— Ну что ж, Марк, ты сам меня подбил, — в моем голосе должна была звучать угроза. — Пить так пить.

— Не пугай, — сказал Марк с неожиданным испугом, значит, угроза действительно прозвучала.

Все же уважают нас, русских, хотя бы за это, подумала я.

— Все, уходим в запой до завтрашнего утра.

— Ну вот, до утра, — заныла я. — А я думала, на неделю.

205

— А хоть и на неделю, — с отчаянием согласился Марк, и я догадалась, что он решительно настроился не отставать.

На неделю мы, конечно, в запой не ушли, но на четыре дня загуляли, надоев всем знакомым, которые, услышав по домофону наши дрожащие от смеха голоса, не могли не открыть дверь.

Неожиданно оказалось, что друзья Марка присоединялись к нам легче, чем мои сильно пьющие совыходцы из не менее сильно пьющей страны. Мои пребывали в суетливых делах, в заботах, с дурацкими отговорками, типа «завтра на работу» или «как же мы уйдем, ведь ребенок проснется».

Американцы, то ли из приличия, то ли из-за хорошего отношения, то ли от непривычки к неподготовленным развлечениям, на все покорно соглашались и ехали безобразничать с нами. Только потом я поняла, что они, люди, в целом, более наивные и непосредственные, по-детски легче заряжались нашими импровизированными выходками.

По-настоящему пьяными мы с Марком все же не были, а пребывали в постоянном, двадцать четыре часа в сутки, подпитии, просыпаясь даже ночью каждые два-три часа, каждый раз одновременно, удивляясь и смеясь этой странной взаимной чуткости и отхлебывая несколько раз из бутылки, чтобы поддержать нужную концентрацию начинавшего рассасываться опьянения. А потом, плотно сжавшись телами, сильно проникали друг в друга губами до тех пор, пока Марк не подминал меня, сразу расслабившуюся, под себя и не входил сильно, жадно, какими-то дикими, давящими толчками, что было так не похоже на всегда скорее тягучего и всегда ласкового Марка…

Эти четыре дня мы занимались любовью, ломая все наши прежние формы и привычки, а с ними — все зарегистрированные и незарегистрированные рекорды.

206

Казалось, что непрекращающееся опьянение вовлекло в себя и непрекращающийся секс, и казалось, секс, как и опьянение, пронизывает наше колеблющееся существование, делая и то и другое единственной нашей заботой. Конечно, мы не проводили в постели круглые сутки, но Марк неожиданно придумал, как можно быть в постоянном любовном подпитии, в постоянной, никогда не утоляемой страсти, подобно тому, как мы ни разу не утолили до конца нашу, так сказать, страсть алкогольную.

Мы занимались любовью минут пять-десять, и Марк выходил из меня, не пресыщенный, еще более желавший и оставляющий непресыщенную и еще более желавшую меня, и мы заставляли себя одеться или запахнуться, как было удобнее, и продолжать делать что-то постороннее, серьезное, что мы делали до этого, то есть ничего. И только через час, или два, или через сколько нам удавалось, в зависимости от места, иногда даже не раздеваясь, если не было времени, снова вдруг ощутить себя друг в друге, и умереть от накопившейся животности, и снова через несколько минут заставить себя разняться, и отодвинуться друг от друга на расстояние больше, чем сантиметры, и вернуться либо к заждавшимся приятелям, либо за ресторанный столик, либо еще куда-нибудь, где мы должны были находиться, с еще более разросшимся, сдерживаемым только лишь остатками воли желанием, и продержаться так еще часы. Нам нужен был этот перерыв, но только для того, чтобы потом опять, не нарушая приличий, попросить: «Марк, можно тебя на минутку, мне надо поговорить с тобой» — и снова использовать эту растянувшуюся минутку, чтобы еще сильнее, до помутнения сознания, взвести и без того взведенную до предела пружину, чтобы опять не дать ей распрямиться, и так до стремящейся вслед за ними бесконечности.

Эта введенная в жизнь игра извращенного мозга создавала физическое, на уровне тела, и эмоциональное, на уровне сознания, ощущение непрекращаемости секса. Возникало чувство, что секс, даже когда он явно отсутствует, все равно тем не менее присутствует косвенно, растворенный в накапливающемся, требующем незамедлительного удовлетворения желании.

Странно было то, что сама с трудом сдерживаемая раздраженность желания, которая, казалось бы, должна бесить своей невозможностью реализоваться, на самом деле придавала новый, причудливо острый смысл и всему сиюминутному существованию, и нервному ожиданию следующей, заранее предвкушаемой попытки, и самой попытке, обреченной кончиться таким же бесславным незавершением.

Единственный раз мы чуть не выдали себя у знакомых Марка, приличной стареющей профессорской четы, которые не могли нам отказать, хотя не очень понимали, что мы тут делаем. Они все говорили о чем-то умно-отвлеченном, и я вышла в ванную, больше похожую на вертолетную площадку, если бы не холодящий мрамор вокруг, якобы поправить волосы, и даже не услышала, как тихо Марк подошел ко мне сзади, и, испугав меня, нажал требовательно на шею, и нагнул вперед. И тут же, взметнув, опустил мое длинное платье мне на плечи, и, рукой убедившись, что на мне нет белья, которое мне еще вчера надоело каждый раз снимать и надевать, в очередной раз переступая через обруч распластанных на полу трусиков, он, как всегда в эти дни, без жалости ко мне и к себе, боясь потерять и без того лишь призрачно существующую секунду, вошел в меня таким разрывающим рывком, что то ли от неожиданности, то ли от накопившейся животной истомы, то ли от чувствительной резкости движения, то ли от всего этого вместе я вскрикнула, наверное слишком громко, так что хозяйка спросила обеспокоенно из-за двери, не решаясь, впрочем, войти, что случилось. На это я, стараясь ответить как можно более трезвым голосом, сказала, что ничего, я просто порезала палец, и, не отпуская всеми напрягшимися мышцами пытавшегося отстраниться от трезвости моего голоса Марка, а, наоборот, схватив рукой его запястье, смотря под углом в зеркало и видя в нем только узкую полоску движений непривычных глазу форм, я умышленно неловко толкнула стаканчик с ванной полки и, поймав взгляд Марка в зеркале и остановив его на своих, сейчас расширенных, зрачках, я медленно надавила пальцем на разлетевшиеся в раковине стекляшки.

Я подняла палец с сочившейся кровью к своим глазам и то ли от вида медленно ползущей по ладони капли, или от безумия убийственных по своей силе, разрывающей меня насквозь, непрекращающихся движений Марка, или от его взгляда, странного взгляда, сконцентрированного теперь на капающей крови, или от нового, так желаемого прежде, а сейчас случившегося на самом деле подтверждения хрупкости живой человеческой плоти я почувствовала, что ноги мои подгибаются, как будто став помятыми подставками, вырезанными из старой пожухлой газеты. Я не знаю, через сколько мгновений я нашла себя в руках Марка, уже повернутая к нему, и его рот проникал в мои легкие, заряжая меня и воздухом и вернувшимся сознанием.

— Это все кровь, — прошептала я.

— Да, кровь, — оторвался от меня Марк.

Когда через минуту, все еще бледная, я вышла из ванной, извинившись за разбитый стакан и причиненное беспокойство, искренне взволнованная и жалеющая меня хозяйка побежала на кухню за пластырем. Кровь остановили, я выпила по настоянию хозяина рюмку коньяка и чашку крепкого кофе, бледность исчезла, и инцидент был исчерпан, и только так и не прошедшая, отягощенная небритостью звериная синева в глазах Марка все еще напоминала о нем.

Потом, в какое-то утро, когда мы проснулись в нашей кровати, Марк посмотрел на меня не отдохнувшим от сна взглядом и, подтверждая правду изнуренного лица, сказал:

— Все, больше не могу. Иначе, чувствую, все это до добра не доведет.

Я не спросила: «До какого добра», у меня у самой было неясное, смутное ощущение, что мы на грани, которую нельзя, не следует переходить, что надо вернуться назад, к тому спокойному, ласковому быту, по которому я на самом деле соскучилась и которого, я вдруг поняла, я вновь страстно желала, больше, значительно больше, чем того, что могло меня встретить, если продолжать искушать судьбу.

— Да, — сказала я, и слегка придвинулась телом, и дотронулась губами до его губ, но лишь на мгновение, не провоцируя, а как бы говоря: «Эта ласка — это все, что есть, больше ничего не будет», и, положив сладко голову на его плечо, сказала:

— Я соскучилась по тебе привычному.

— Все, — сказал Марк, выдыхая из груди набранный воздух, как бы удаляя вместе с ним шальное безрассудство последних дней. — Возвращаемся к нормальному существованию, да? — попросил он моего подтверждения.

— Да, — ответила я.

ГЛАВА ДВАДЦАТЬ ТРЕТЬЯ

Впрочем, возвращение к нормальному существованию само потребовало пару дней, так как, по-видимому, дни загула выбили из колеи не только здоровое состояние тела, но и здоровое состояние ума, нарушив тем самым наши привычки и распорядок. В первый же день я отправила всем потревоженным друзьям извинительные открытки, что умоляем, мол, простить за наше безрассудное поведение, что, мол, признаем, виноваты, но, сами понимаете — загул вполне оправдательная причина для мелкого дебоширства.

Марк такой текст для своих соплеменников забраковал, и я позволила ему придумать свое, куда как более формальное оправдание, которое в его лицемерной интерпретации стало благодарностью за приятно проведенный вечер.

Своим обеспокоенным приятелям я подобрала самые что ни на есть белоснежные открыточки с ангелочками, вот, мол, смотрите на небесную невинность и постарайтесь так же философски отнестись к нашим беспечным шалостям.

Потом мы отправились завтракать, и вид Марка, безукоризненно выбритого, в белоснежной рубашке, заставил меня как бы по-новому посмотреть на него и с гордостью оценить то, что обычно со временем перестаешь ценить. При этом я все пыталась разобраться, откуда еще вчера проглядывала его пугающая звериность, я пыталась найти ее недавний источник, но не могла. Мы пили кофе и ели полезные овощные салатики, пытаясь настроиться на привычный лад, пытаясь припомнить, какие именно заботы должны вновь завладеть нашими полегчавшими за последние дни головами.

— Надо решить вопрос, кто будет твоим шефом на новой работе. Мне уже посоветовали, но надо еще сделать несколько звонков, — сказал Марк. — А тебе надо готовить статью в журнал и документы в Гарвард и на стипендию, так что дел хватает.

Я хотела по инерции ответить ему: «Да, сэр», со звучным ударением на слове «сэр», и козырнуть удало, как это делают в элитных войсках и как я привыкла делать во время нашей пьяной вольности, но вовремя спохватилась — все, игра закончилась. А поэтому ответила сдержанно и пристойно:

— Конечно.

Назавтра Марк объявил имя моего нового шефа.

— Профессор Зильбер, — сказал Марк. — Я слышал о профессоре раньше, и слышал разное, хотя никогда не встречал, и хочу рассказать о нем то, что знаю, хотя, конечно, то, что я знаю, в основном слухи.

Имя профессора как-то знакомо срезонировало в моем сознании.

— Марк, — спросила я, — могла я раньше слышать это имя? Как ты говоришь? Профессор Зильбер?

— Вполне, — ответил Марк. — Он мировая знаменитость, в тысяча не помню каком году был номинирован на Нобелевскую премию, хотя так и не получил ее, чего никогда не простил мировому научному сообществу. А, да, конечно, год тому назад я приносил его монографию по психоанализу, вот, наверное, откуда ты помнишь его имя.

Разве это называется «помню», с самоуничижительным сомнением подумала я. Вот он помнит. Я с завистливым восхищением посмотрела на Марка. Вот у него память! Попроси его, и он список литературы, приведенный в этой монографии, наизусть, как стихи, продекламирует.

— Вообще, он знаменитая и в достаточной степени одиозная личность, — продолжал Марк. — Начнем с того, что он старый, и я имею в виду — действительно старый, ему хорошо за семьдесят, но не дряхлый, наоборот, еще вполне боевой, хотя, конечно, поутих немного. За ним закреплено звание патриарха, знаешь, знаменитого ученого старой закалки, смотрящего свысока на мельтешащие и конкурирующие поколения. Он, наверное, последний оставшийся ученик Фрейда — не поддельный, а настоящий ученик. Вроде бы Фрейд даже ссылается на него, вернее, не ссылается, а приводит его имя, хотя сам я этой работы не видел, но я и не прочитал всего Фрейда, так что не знаю. Уехал он из Вены, конечно же, вовремя, как раз перед приходом нацистов, и перебрался сначала в Англию, а потом, после войны, сюда, в Штаты, но говорит он со смешным европейским, таким немецко-идиш акцентом, знаешь, как говорят ученые-злоумышленники в старых голливудских фильмах.

Я была поражена подробностью информации и поэтому перебила Марка с не особенно замаскированной иронией:

— Послушай, где ты берешь все эти сведения? У тебя, видимо, целый штат осведомителей.

Марк, кажется, иронии не заметил.

— Видишь ли, малыш, в научном мире раздобыть информацию о человеке совсем несложно. Ты это сама скоро почувствуешь. Впрочем, я рассказываю для того, чтобы тебе было проще общаться с профессором.

— Да, Марк, я понимаю, извини, я глупость сказала, — созналась я и подумала, как же я все-таки люблю свои ошибки признавать, а еще больше — извиняться за них. — Продолжай, пожалуйста.

Марк примирительно улыбнулся.

— Профессор Зильбер, при всей своей известности, не считается приятным человеком, более того, еще в молодости, когда, видимо, энергии было побольше, он зарекомендовал себя трудным в общении, заносчивым, короче, тяжелым субъектом. Он высокомерно относился к коллегам, а иногда даже пренебрежительно, гонял своих учеников в хвост и в гриву — такая, знаешь, старая школа, так что немногие выдержали полный курс его подготовки. И потом, тебе это будет особенно интересно, он был преуспевающим вумэнайзером, — и, хотя я вполне поняла, Марк пояснил, — за женщинами приударял очень активно, вплоть до скандалов. Видишь ли, на чем же ему, ученику Фрейда, принявшему, можно сказать, из самых его рук палочку психоанализа, было еще оттачивать свои психоаналитические способности, как не на запутанных межполовых отношениях?

— Так почему ты меня устраиваешь к нему, если он такой тяжелый человек. Мало ли других? — спросила я, искренне не понимая.

— Видишь ли, тем не менее он — величина. Он признан в мире как один из лучших, если не лучший, в своем психоанализе, и действительно, если объективно, — он отличная школа. Те из его прошлых учеников, кто все же выдержал его придирки, сейчас отлично сто*я*т и, как ни странно, благодарны ему за трудную молодость. К тому же он уже старенький, и прыти небось поубавилось, во всяком случае в отношении женщин.

— Марк, — сказала я, успокоенная, — но психоанализ — это ведь совсем не то, что я хочу.

— Ничего, ты же не навеки у него останешься. А годик или два для тебя будут полезны, он, как я понимаю, забавный старик. Тебе в этот четверг надо с ним встретиться, ожидается нечто вроде собеседования. Хотя, как я понимаю, вопрос уже практически решен.

Через два дня я убедилась, что профессор Зильбер именно такой, каким мне описал его Марк, во всяком случае внешне он выглядел именно так, как я его представляла. Несмотря на годы, он был статный, большой, и старческая сутулость только добавляла ему массивности. Он был широк в кости, но поджарый, то ли от возраста, то ли от природы, с широкой, размашистой походкой. Крупные черты лица сразу привлекали внимание, но даже на их фоне выделялись глаза. Хоть и суженные морщинами век, они, казалось, выпирали из-под линз очков, казалось, что линзы — эти увеличительные стекла — имели лишь единственное назначение: увеличивать то, что сохранено за ними, и только, когда он снимал очки, было видно, что глаза живут отдельной от остального лица жизнью, как бы автономно. Возможно, от их выпуклой величины создавалось впечатление, что перемещаются они не в двух, как им положено, а как бы в трех измерениях, и не имеют никакого отношения ни к мимике остального лица, ни к жестикуляции рук.

Только увидев его глаза, немного, совсем чуть-чуть навыкат, я поняла, что у этого человека не могло быть другого занятия, кроме психоанализа, они сами по себе были связаны и с психо, и с анализом. Впрочем, подумала я, неизвестно с чем больше. Крупный, неправильной формы нос являлся придатком к глазам, он как бы пытался связать их со всем остальным лицом, не давая им уж совсем оторваться, и придавал всему лицу дополнительную гармоничную выразительность.

Странно, подумала я, именно крупный нос придает лицу, особенно лицу мужскому, чувственность и характер, именно он является базой для харизмы, для обаяния. Маленький, пусть даже правильный нос, невыразителен, он не притягивает взгляда, и это, наверное, правда — именно с носа формируется конструкция всего остального лица.

Вообще красота шаблонна, она невыразительна, человечество создало эталон, шаблон красоты, как создало эталон измерения веса или длины. Но аналогично тому, как ни килограмм, ни метр не привлекают, так как они есть стандарт, так и приближение к красоте — есть приближение к стандарту, а стандарт не может быть красив. Красив отход от стандарта, он неожидан, он волнует новизной, он притягивает. Конечно, он должен быть эстетичен, но эстетика — это уже относительное понятие.

Я все же отогнала посторонние мысли, собралась и подошла к профессору.

— Я Марина, — представилась я, стараясь мило улыбнуться.

Профессор Зильбер посмотрел на меня сверху вниз, так, что глаза его округлились от нескрываемого, до изумления откровенного любопытства, и произнес громко, отчетливо, но с явным недовольством в голосе:

— Ага, — и, повернувшись ко мне спиной и уже отойдя на приличное расстояние, так что я едва расслышала, добавил на ходу, — Следуйте за мной.

Мы вошли в небольшую комнату, по-видимому его кабинет, где посередине стоял огромный письменный стол, старый, массивный, с поверхностью, обитой тонкой зеленой кожей, и от его размеров, наверное, комната и казалась маленькой. Зильбер уселся, указав мне взглядом на стул по другую сторону стола, мол, устраивайтесь, девушка, что я и сделала со смиренным, даже более того, покорным видом. Воцарилась тишина, типа театральной, он высверливал на моем лице две маленькие дырочки своими слишком уж живыми глазами, я же, чтобы не соперничать с ними, просто разглядывала обстановку необычного кабинета.

Левая боковая стена была вся увешана грамотами, сертификатами, свидетельствами о наградах, вставленными в недешевые рамки, и от множества этих застекленных бумаг сама стена выглядела как экспонат окружного музея боевой и спортивной славы. Прямо передо мной, над столом, висела гравюра, и, посмотрев на нее, я сразу заподозрила недоброе, а напрягши глаза, получила подтверждение своим самым страшным подозрениям: в правом нижнем углу я различила мелкие буковки — «Пикассо». Неужели подлинник, подумала я. Здесь, в офисе?

— Подлинник, девочка, самый что ни на есть, — как бы читая мои мысли, снисходительно сказал Зильбер, прервав таким образом затянувшуюся паузу, и глаза его от радости психоаналитического трюка сделали поворот против часовой стрелки.

Это было не просто пижонство, а дурной вкус. Тоже мне — старая школа, подумала я, его этому Фрейд, что ли, научил? Как будто сложно было догадаться по моему прищуру, что я что-то читаю у него за спиной, а читать там, кроме подписи, было нечего. Тоже мне доктор Ватсон! Шерлок Холмс был твой учитель, а не Фрейд.

И тут я поняла, что если прикинусь чайником (хорошее слово «чайник», подумала я, как раз для гарвардской атмосферы), то все потом пойдет с этим выпендрежным профессором вкривь и вкось, и мне надо именно сейчас дать ему понять, что я не клиент для его незамысловатых тестов. А потому я сказала с милейшей, невинной улыбкой, подыгрывая ей смеющимися глазами:

— Доктор, сознайтесь, за последние три года вы произносили эту фразу больше ста раз. Не правда ли?

Я вставила это «не правда ли» для пущей формальности, чтобы не походило на фамильярность, меня еще в пионерах приучили уважительно относиться к старичкам и старушкам. А милая улыбка и веселые глаза потребовались мне для того, чтобы, если он меня сейчас выставит, я смогла бы оправдаться перед Марком, что, мол, всего-навсего глупо пошутила.

Глаза доктора Зильбера прыгнули назад под веки, под прикрытие бастиона носа, а толстые губы разом еще больше набухли и потяжелели. Я приготовилась к худшему, но доктор молчал. Через некоторое время, а молчал он уже секунд пятнадцать, до меня дошло, что чувак, наверное, не врубился и нуждается в пояснении, которое я с радостью дала, так и не снимая с лица ни улыбки, ни застывшего в глазах смеха.

— Ну, я имела в виду, что картина у вас за спиной сразу приковывает взгляд человека, сидящего перед вами. Ведь сразу видно, что гравюра не простая, и хочется прочитать имя автора, что отсюда, где я сижу, сделать вполне возможно. А после прочтения, конечно, сразу возникает вопрос, подлинник это или копия, и поэтому ваше замечание всегда попадает в цель, и его можно отрабатывать на каждом, что, как я догадываюсь, вы и делаете.

Ах, как мне хотелось закончить реплику словами «Элементарно, Ватсон», теперь уже я чувствовала себя вполне законным не только Шерлоком, но и Холмсом. Но я сдержалась, потому что знала, что тогда это точно будут мои последние слова, сказанные профессору. Зильбер сидел не шевелясь, глаза его, став на мгновение частью лица, сфокусировались на мне, и, после длинной психоаналитической паузы (а что в этом кабинете было не психоаналитическое?), доктор вымолвил:

— Я беру вас на работу, Марина.

Я представила себе сцену, как я вскакиваю, высвеченная, как сказал когда-то поэт, радостью, и клянусь, приложив, как в старых американских вестернах, по-индейски руку к сердцу, что оправдаю, что буду добросовестно размножать и множить все бумаги и вытирать до последнего священную пыль с мемориальных стекол на стене. Но вдруг мое ехидство отогнала другая подозрительная мысль, что, возможно, этот комедийный старик и не так комедиен, и не так прост. Может быть, как раз я проста, может быть, это я попалась на его уловку и стала подопытным кроликом для его теста. Не было ли так задумано с самого начала, не являлась ли его якобы пижонская догадка сама частью теста, чтобы посмотреть, проверить, как я отреагирую на его провокационную фразу.

Неожиданно эта мысль, которая родилась как догадка, как остросюжетный поворот в нашей не очень остросюжетной борьбе характеров и готова уже была отступить как красивая игра ума, вдруг оказалась одной, лишь единственно возможной. И тут же все стало на свои места, и я сама себе со своей нелепой иронией показалась нелепой.

Я еще раз, уже более внимательно, посмотрела на доктора. Наверное, он небезуспешно приставал к женщинам, с такого станет, подумала я о нем с непонятно откуда взявшимся уважением.

— Тем не менее, — продолжал Зильбер, — передайте тому, кто там за вас ходатайствует, что в науке на работу не назначают.

Я удивленно подняла брови, мол, о чем вы, профессор? — а сама подумала: неужели Марк так сильно может нажать? Хотя вряд ли он о Марке, в любом случае, Марк не стал бы действовать напрямую.

— Я бы не пригласил вас на эту встречу, несмотря ни на какое давление, — голос его звучал недовольно, но громко и отчетливо, с хорошо поставленной дикцией, — но я навел о вас справки.

Ну вот, дождалась, прав был Марк, как всегда прав, здрасьте, новая ученая семья, уже и обо мне справки наводят. Может, мне тоже пора о ком-нибудь справочку навести, хотя бы одну, а то как-то выбиваюсь из массы.

— И о вас хорошо отзываются, говорят, — глаза его сделали акробатическое сальто-мортале и поймали мой ускользающий взгляд, — что вы подаете надежды.

Я потупилась от ложной скромности, так что взгляд мой ретировался еще дальше, как Кутузов по Тульской, если не изменяет память, дороге, завлекая Наполеона в замерзшую Москву. И профессорский взгляд, если продолжить совсем не подходящее к месту сравнение, как конница Мюрата, разбился о мои непроницаемые веки. Я на мгновение задумалась: зачем на память порой приходят ненужные, давно захороненные знания, и тут же мой хулиганский ум, воспользовавшись тем, что я отвлеклась, выкинул из ряда вон выходящее, радуясь, что я не успела вовремя зажать его в тиски приличий.

— Надежду, — сказала я, проклиная себя за то, что не удержалась, — всего одну надежду, доктор.

Я, конечно, свое желание поболтать тут же нагнала и попридержала, пока оно еще чего-нибудь не отчебучило, но вообще-то мне даже понравилось — очень загадочно получилось. Хотя, какую такую надежду я имела в виду, я сама не поняла, но главное, что и доктор не понял. Пусть, как все нормальные люди, чего-то не понимает.

— Ну вот и посмотрим, выходите на работу со следующего понедельника и сначала зайдите в отдел кадров, — сказал профессор скорее злорадно.

И я поняла, что норовистость моя как раз и попала в точку, и подумала, что, может быть, надо почаще выпускать лихой порыв импровизации на свободу.

ГЛАВА ДВАДЦАТЬ ЧЕТВЕРТАЯ

Как ни странно, мне не пришлось делать бумажные копии и вытирать пыль с мемориальных стекол. Вообще никаких таких страшных проверок моих способностей, как выяснилось, не предполагалось, профессор Зильбер держал меня исключительно при себе и особенно никуда, так сказать, на сторону не отпускал.

Я была скорее компаньонка, чем сотрудница, как бывают, я знала из литературы, компаньонки при стареющих барынях. Он брал меня с собой в библиотеку, и, пока работал, я читала книги, которые продолжал мне регулярно подбрасывать Марк, и Зильбер лишь иногда бросал беглый взгляд на обложку моего очередного фолианта и удовлетворенно качал головой.

Он любил перевести разговор на свою любимую тему психоанализа, рассказывая мне подробно, чем занимается, но часто отвлекался и переходил на воспоминания. Рассказывал он, впрочем, образно, ярко, его сочные губы отчетливо вычерчивали слова, звучавшие с приятным для слуха европейским акцентом, размытым годами преподавания, и мне казалось, что профессор умышленно усиливает его.

Я, конечно, что-то читала о психоанализе и в рамках обязательной в университете программы, и по своей специальной, составленной Марком. Но теперь мне хотелось лучше понимать то, о чем говорит Зильбер, сделаться если не равным участником разговора, то хотя бы его небольшой частью. Я сказала Марку, что, наверное, стоит посвятить лето изучению психоанализа, с чем Марк согласился и подобрал обширную литературу, решив, видимо, прикрыть пробел также и в собственном образовании.

Через три-четыре недели Зильбер заметил прогресс и, наверное, принял его на свой счет, отчего проникся ко мне еще больше и стал таскать меня не только в библиотеку, но вообще повсюду — на заседания, местные конференции и прочие научные праздности, вплоть до совместных ланчей.

Моя роль компаньонки потихоньку изменилась, я становилась чем-то вроде референта, подготавливая для него материалы, разрабатывая иногда даже тезисы для его докладов. Марк говорил, когда я рапортовала ему о проделанном, что это рутинная работа и привычка к ней полезна, в ней тоже следует набить руку, поднатореть, так как она есть еще одна составляющая комплексной тренировки.

На многолюдных сборищах к Зильберу относились с подчеркнутым уважением, как к стареющему патриарху, но все же без традиционного тепла, с которым обычно относятся к стареющим патриархам, а даже, как мне казалось, с некоторым предубеждением и опаской.

Тем не менее я встречала много людей, и очень известных, и просто известных, Зильбер всем представлял меня как своего ассистента и часто рассказывал о моих успехах: впервые за последние десять лет статья студента опубликована в крупном журнале, и прочее, и прочее. От такой рекламы я действительно начала нервничать, в ней чувствовалось отсутствие вкуса, что-то показушное, как будто мы специально договорились и отрепетировали заранее. Дал бы мне хотя бы возможность отойти, что ли, перед тем как говорить. Но, с другой стороны, я знала, что он искренен, и потому старалась своего неудовольствия не показывать.

Несмотря на неловкость моего положения, я часто видела, как глаза собеседников начинали подсвечиваться не то интересом, не то любопытством. Ко мне обращались, со мной говорили как с равной, а иногда, чувствуя за спиной внимательный взгляд Зильбера, даже с подчеркнутым уважением, что, конечно, льстило моему самолюбию.

Потихоньку я обросла знакомствами, вернее контактами и вытекающими из них связями, и подумала, что теперь, наверное, действительно могла бы легко собрать секретные сведения о любом из своих собратьев по науке. Сам Зильбер, общаясь обычно с людьми не только покровительственно, но и с долей высокомерия, а иногда, когда чувствовал, что позволительно, с раздражением, со мной себя контролировал и старался говорить мягко, ласково, даже с заботой. Я понимала, что ему незачем утверждаться за мой счет, когда вокруг не сосчитать более подходящих клиентов, но все же была ему благодарна, глядя, как он, бедняга, изо всех сил старается быть со мной корректным.

Вообще, по тому, как он обо мне рассказывал, как представлял, по-старомодному официально, как в старых фильмах, как обращался ко мне в присутствии посторонних, я чувствовала элемент искусственности, позу, будто он хвастается мной: вот, мол, какая при мне молоденькая, умненькая и живая девочка. Впрочем, иногда в его словах действительно проскальзывало нечто, напоминающее искреннюю гордость. Я как-то подумала, что так, наверное, любящий дедушка гордится своей юной внучкой, ее молодостью, изяществом, милыми манерами.

Несколько раз он деликатно пытался поднять вопросы, связанные с моей жизнью за пределами университета, но я так же деликатно переводила разговор на другую тему — пусть, если хочет, потрудится и соберет информацию со стороны, если таковая существует.

Помимо меня, на Зильбера работали еще два человека — доктор Далримпл, молчаливый человек лет сорока-сорока пяти, из выживших учеников профессора, уже сам давно профессор, он считался как бы научным ассистентом при шефе. И еще молоденький Джефри, который проходил интернатуру после только что защищенной диссертации. С ними Зильбер как раз был необычайно строг, демонстративно поддерживал формальную дистанцию, называя только по фамилиям и говоря только о делах, причем с неприятной, даже со стороны, резкостью и высокомерием.

Но Далримпл, видимо, уже давно привык к такому обращению и не только не возражал, но, как мне казалось, получал свою порцию извращенного удовольствия. Возможно, мне уже самой все начинало видеться через причудливую призму психоанализа, но похоже было, что немолодой ассистент скорее бы обиделся с непривычки, если любимейший шеф вдруг стал бы с ним общаться на равных, как обыкновенно общаются коллеги.

Джефри же, глядевший на Зильбера, как на кумира, и в мыслях своих не допускал поставить под сомнение манеру поведения сошедшего на землю божества. Возможно, подумала я однажды, к старику так и следует относиться, и, видимо, многие так и относятся, особенно молодые, еще не достигшие, — именно как к полубогу, новому Прометею, спустившемуся к нам ненадолго, чтобы озарить и научить.

Но мое природное, подкрепленное московским воспитанием, скептическое неверие в авторитеты лишало меня участия в этой мифологии и заставляло смотреть на Прометея психоанализа вполне земными незамутненными глазами. А если смотреть именно так, то можно было и посочувствовать, ведь крайне обременительно быть вечно недоступной вершиной, венцом природы, без устали холодно-наставительным и поучающим. Ведь наверняка порой хочется расслабиться, и оказаться просто усталым, состарившимся человеком, и вести себя, и говорить, как усталый, состарившийся человек. Вот, проницательно догадалась я, он меня и выбрал в качестве такой отдушины, хотя и непонятно, за какие такие заслуги.

Каждую неделю Зильбер собирал нас всех у себя дома, на этакий домашний семинар, приглашая, как правило, какого-нибудь научного гостя, каждый раз нового, но всегда маститого. Обсуждали ту или иную тему, как правило ту, в которой специализировался гость, и пили чай с вареньем, тортом и другими сладостями, и было очень мило, во всяком случае для меня, потому что действительно напоминало что-то очень забытое из детства.

Эти застольные семинары да еще акцент, вот то единственное, что осталось у профессора от его европейской молодости, и я думала, что, наверное, своих учеников вот так же собирал Фрейд и сейчас Зильбер, наверное, чувствовал себя истинным продолжателем Фрейда в кругу подрастающих и мужающих учеников, ну, и ученицы конечно. Дома Зильбер становился менее официальным, чем в университете, хотя он по-прежнему близко к себе никого не подпускал, даже уважаемых гостей. А гости, кстати, попадались действительно весьма уважаемые, и, как я поняла, быть приглашенным на Зильберовское домашнее чаепитие было делом весьма непростым и престижным.

Марк, когда я рассказывала ему об очередном собрании единомышленников, всегда улыбался, может быть, еще и потому, что я смешно, в лицах, разыгрывала перед ним семинарные сценки. А может быть, ему, привыкшему работать в одиночестве, лишь вечерами сходясь со мной на кухне, такая показная демонстрация коллективной научной мысли казалась юмористичной. Впрочем, меня он, наоборот, поощрял: мол, давай трудись, с полной, нерастраченной покамест отдачей, все идет в копилку, даже то, что сейчас кажется пустым. Глядишь, оно когда-нибудь потом неожиданно слепится, склеится с чем-то другим, тоже казавшимся лишним и ненужным, и

224

выстрелит не холостым, а вполне цельным и увесистым. Или иными словами, если проще: кто знает, где найдешь, где потеряешь?

Однажды я поймала себя на мысли, что действительно в глубине души не отношусь так чтоб очень уж уважительно ни к профессору, ни к кому-то другому из окружающего меня мира, хотя он кишит вполне заслуженными людьми, до уровня которых мне еще тянуться и тянуться и до многих из которых я вряд ли дотянусь. Я начала размышлять над этим, подозревая себя в подсознательном натужном самомнении, лишающем способности признавать очевидные достоинства других. Я даже обвинила себя в цинизме: мол, нет у тебя ничего святого, пока, как всегда, вдруг не поняла, что всех их, этих достойных, уважаемых и уважающих себя людей, я невольно сравниваю с Марком и они, каждый в отдельности, не выдерживают сравнения, отступают и откатываются, не желая продолжения неравной борьбы.

Вот поэтому, наверное, смотрю я с неким скепсисом на все их вполне законные достижения, зная, что там, у меня дома, в своем тихом одиночестве, странно им удовлетворенный, Марк вдали от суеты и честолюбивой потребности сейчас что-то читает, записывает, а главное, выдумывает и творит. Мне неизвестно, что у него с ними со всеми произошло, — хотя что-то наверняка произошло, — я, конечно, могла бы сейчас легко узнать, что именно, но не хотела. В моем представлении заниматься сыскной деятельностью у него за спиной, вынюхивать и разведывать было бы своего рода предательством: захочет — расскажет сам.

Маленькие домашние семинары доктора Зильбера проходили в гостиной его дома, построенного в европейском стиле и снаружи больше похожего на маленькую крепость, разве что без бойниц. Тем не менее в доме присутствовало ощущение теплоты и хоть и формального, но уюта, может быть, благодаря тому, что все комнаты, во всяком случае те, в которые я заходила, были украшены аккуратно подобранными породами дерева — и встроенные шкафы, и стены, и даже потолки, что придавало всему, и семинару в том числе, немного мрачную, немного праздничную, но смягченную, располагающую атмосферу.

Постепенно, по собственной инициативе, профессор начал задавать вопросы и мне, как бы подключая к общему разговору. И вскоре я если и не стала полноправной участницей семинара, то, во всяком случае, получила право голоса, а некоторые особо демократичные гости обращались ко мне со старомодным и потому смешным словом «коллега».

После семинара, который заканчивался около девяти, я оставалась еще на час помочь Зильберу убрать со стола, в чем он, кстати, тоже участвовал, и мы болтали о том о сем. Как правило, он рассказывал что-то из своего прошлого, то, что я называла «охотничьими рассказами». В такие минуты он становился совсем домашним, самым настоящим дедушкой, и даже начинал, видимо расслабившись, ходить чуть шаркающей походкой. Марк шутил, чтобы я была осторожна, а то, глядишь, старому ловеласу еще померещится какая-нибудь шестая, или какая там шла по счету, молодость. Не знаю, может быть, к Зильберу и пришла очередная молодость, а может быть, и не уходила вовсе, но ко мне он относился трогательно, почти по-родственному. Однажды, взволнованная его воспоминаниями и не желая больше следить за своими словами, я задала вопрос, который давно хотела задать, просто не решалась:

— Профессор, — сказала я, — вы ведь сами знаете, что вы довольно строго придерживаетесь рабочей этики и держите дистанцию и с доктором Далримплом, и с Джефри, и с другими со всеми тоже.

Я все же не до конца потеряла контроль над словами и смогла сформулировать свой вопрос предельно корректно, даже деликатно. Правда ведь: «сначала было слово» — даже и не понимаешь порой, насколько все зависит от того, как выразишь ту или иную мысль.

— И в то же самое время, профессор, — продолжила я, — у нас с вами складываются или уже сложились другие отношения, менее формальные, более, что ли, теплые. Почему так?

Я полагала, что он устал, притомился, но нет, глаза выпрыгнули на самую поверхность лица и застыли на мне отточенными стрелками. Ну все, подумала я, теплые отношения как раз и не сложились. Впрочем, ничего драматического не происходило, он просто встал в свою обычную «психоаналитическую» стойку, встал и молчал. Но я тоже молчала, и ему пришлось отвечать. Голос его показался мне усталым, а может быть, просто расслабленным, и от этой расслабленности его акцент усилился, временами мне даже чудилось, что он перешел на немецкий.

— Видите ли, Марина... — Зильбер снова замолчал и снова надолго, но я не удовлетворилась таким ответом и решила держать паузу до конца. — Я сам пытаюсь ответить на этот же вопрос все эти, сколько там, три месяца, что мы работаем вместе...

Это «мы работаем вместе» было очень мило.

— Я, знаете ли, на работе никогда не имел таких отношений, как с вами, мои учителя всегда держали дистанцию, такой своего рода стиль, привычка, закалка старой школы. А потом я обнаружил к тому же, что это лучший способ поддерживать добрые отношения в такой запутанной и нервозной среде, как научный мир. И вот я пытался и не мог понять, почему я, если можно так сказать, сблизился с вами, и единственное объяснение, которое как-то меня удовлетворило, было то, что я просто старею.

Он улыбнулся, и хотя вид у него был печальный, и, понятное дело, что-то трогательное шевельнулось во мне, но я опять почувствовала позу, своего рода игру: вот сейчас я должна его прервать и заверить, что, мол, как вам, доктор, не стыдно на себя поклеп возводить, вы еще мужчина самый что ни на есть. Хотя, если честно, для своего возраста он действительно был «что ни на есть».

Я уже открыла рот, но он остановил меня взглядом. Таким взглядом не то что остановить, а слова назад в глотку затолкать нетрудно.

— Знаю, знаю, не надо. Слова утешения ни к чему, — сказал он, как будто я уже успокаивала его полчаса. — И лишь совсем недавно я понял, в чем дело, почему, Марина, мое отношение к вам в своем роде уникально. Ответ оказался прост: потому что вы из моего детства. И не только из моего, — он сделал ударение на слове «моего», — вы из детства моего отца, моего деда, может быть, прадеда.

Я подняла брови: если это и не было обидно, то, во всяком случае, весьма мудрено. Он понял мое замешательство.

— Сейчас поясню. Видите ли, мой отец был немецкий еврей из обеспеченной семьи, врач с хорошим образованием, с хорошей практикой и достаточно, я бы сказал, влиятельный в том маленьком городке под Берлином, где мы жили. Мать же была польской еврейкой, приехавшей в Германию, когда ей еще не было двадцати, одна, вот как вы из России в Америку, впрочем, тогда Польша тоже являлась частью России. Как мои родители познакомились и поженились, подробностей я не знаю, хотя догадываюсь, но жили они хорошо, мать отца ценила, и уважала, и любила, по-моему. Тогда, знаете, уважение и любовь были совпадающие чувства, хотя, может быть, это сейчас так кажется.

Похоже, меня ожидала история его семьи, что, в принципе, не страшило, послушать про старый мир было даже интересно, но подобные рассказы, как правило, затягиваются, а меня дома ждал Марк. Но, судя по всему, он разгадал и это мое опасение, и я подумала: «Все же есть в нем чутье, или тренировка, или знание, или все вместе».

— В общем, не в том дело, не буду вас утомлять подробностями своего происхождения. Просто я к тому, что меня, когда я немного подрос, отправляли на лето к родителям матери в деревню, как, должно быть, вас в детстве отправляли в деревню, да?

— Да, на дачу, — согласилась я.

— Ну вот, и меня на дачу. Мои дед с бабкой с материнской стороны были не то что бедные и простые люди, скорее обычные. Но, конечно, они отличались от родителей моего отца и стилем жизни, и привычками, и тем, что могли себе позволить материально, в общем, жизнь там была незамысловатая, как и полагается в деревне. Вот эта местечковая жизнь и стала моим главным воспоминанием детства, а может быть, и всей моей юности, воспоминанием, одним из немногих, которое я так и несу в себе. Было что-то в ней живое, пронизывающее насквозь, бесшабашное. Там я в первый раз подрался, и в первый раз прочитал Тору, и поцеловался в первый раз, в общем, весь комплекс, который ассоциируется с детством и ранней юностью и который мы связываем с конкретным местом из нашего детства. То есть, по большому счету, я, Марина, местечковый ребенок. Так вот, вы, — он сделал ударение на «вы», — как раз из того местечка, вы оттуда, из моего детства, из моей молодости, мы только разошлись на какие-нибудь шестьдесят лет. Вы единственная, кто остался из того окружения, я имею в виду не только людей, но и все остальное, что когда-то, собственно, и составляло мою жизнь.

Ну вот, приехали, подумала я. Надо же вот так запросто получить прямо в глаза то, что в Москве считалось чуть ли не оскорблением: «местечковая», само слово-то какое гнусное.

Не знаю, проник ли он в мои мысли, или просто догадался, во всяком случае тут же оговорился:

— Нет, Марина, я понимаю, вы из большого города, из интеллигентной семьи, но я не это имею в виду. Я говорю, что ваш типаж оттуда, вернее, опять не так, ваш типаж, преломленный моим сознанием и моей памятью. Вы такая же живая, такая же непосредственная, быстрая, такая же необремененная.

Теперь я постаралась остановить его взглядом, но взглядом у меня не получилось, и я подняла руку, но он не обратил внимания, и рука повисла.

— Необремененная и потому не испорченная, как все остальные, проблемами, заботами, а вместе с ними неизбежно мелочностью, склоками, завистью. А такие, как вы, именно необремененные, бывают только из детства, из памяти. Даже не вы сами, ваша бабушка могла быть оттуда, и я ее мог там встретить, может быть, именно ее я и поцеловал тогда в первый раз. А может быть, это была одна из ваших прабабок, и в нее был влюблен мой дед, а может быть, и еще дальше.

Я всматривалась в него, напряженно, до рези, пытаясь разобраться, что же там таится за крупными, сглаженными возрастом чертами лица, за все еще живыми, удивленно глядящими глазами с тяжелыми, наваливающимися на них веками. И тут я внезапно почувствовала, что через этого старого, умудренного человека действительно проходит какая-то связь с моим прошлым. Которого я, к стыду своему, и не знаю совсем.

— Видите ли, Марина, я понимаю, что это не совсем научно, хотя кто знает, науку делают люди, но я верю в генетическую память. Я не имею в виду наследственные гены и прочую химию, я имею в виду генетическую память, это совсем другое, некий опыт, впечатления, даже чувства. — Он задумался, сейчас в нем не было ни позерства, ни игры. — Да-да, именно чувства и, может быть, даже воспоминания конкретных, очень

230

сильных событий тоже есть часть генетической памяти. Знаете, иногда бывает смутное ощущение, что уже происходило, что где-то видел, хотя знаешь точно, что впервые.

Я кивнула, но промолчала.

— Так вот, такой набор я и называю генетической памятью, и передается он не через сочетание хромосом, а, скажем литературно, с молоком матери. Моя бабка однажды рассказала мне, как в молодости, почти еще девочкой, пережила погром, ее спрятал у себя в спальне под периной кто-то из соседей-неевреев. Она рассказывала, как погромщики вошли в дом и спросили у хозяина, не видел ли он евреев из соседнего дома. Тот ответил, что если бы видел, то их не надо было бы искать, и добавил: «Если найдете молоденьких девок, волоките сюда», — они все засмеялись, и погромщики ушли, а бабка моя выжила. И, когда она рассказывала это мне, совсем ребенку, я почувствовал, что не она лежала калачиком под периной, а я сам, и даже более того, что те, кто не успел спрятаться и был убит, изнасилован, растоптан, унижен, — все они и есть я. Видите, Марина, я, мальчик из более чем благополучной семьи, не зная тогда, что такое насилие вообще, и не понимая слова «изнасилование», вдруг не то что понял, не прочувствовал даже, а пережил все это на себе, даже не осознавая, что именно, как не осознают дети, которые реально переживают насилие. Я называю такое ощущение генетической памятью, которая передается из других поколений, но не на химическом, а на каком-то другом, более высоком и неизвестном пока уровне. Эта память и связывает человека и с его предками, и с его народом, но она определяет не только принадлежность, но и чувства тоже.

Зильбер и до этого говорил медленно, а сейчас почти остановился. Это обязательно надо рассказать Марку, подумала я, эту странную мысль про генетическую память.

— Так вот, Марина, чувства, связанные с генетической памятью, есть самые сильные, потому что в отличие от привнесенных и оттого поверхностных и неукрепившихся они заложены от рождения и сформированы поколениями и веками. И если такое чувство находит свое выражение в конкретном индивидууме, то есть если человек связан с вами общей генетической памятью или, что еще сильнее, когда он вообще из нее, то такое чувство — можете называть его любовью — и есть самое сильное и самое неразрывное.

Я подумала: Марк, он из моей генетической памяти или нет? Наверное, нет. Он не из моей, я не из его. Исходя из позиции профессора, он привнесен в меня, и потому нестоек, и не имеет права на существование. Но существует. А значит, профессор скорее не прав, чем прав.

— Так вот, я чувствую, что вы связаны со мной одной генетической памятью, и потому я не могу относиться к вам, как отношусь к остальным.

Зильбер опять замолчал. В принципе тема была исчерпана, пусть длинно и замысловато, но он ответил на мой вопрос. И мне понравился ответ, хотя в нем сквозило что-то грустное, томительное, как бывает каждый раз, когда мы, пусть только вскользь, касаемся ушедшего, неведомого прошлого.

Вот и сейчас он, этот философствующий старик, приблизился вплотную к щемящему, он, пусть другими словами, пусть в контексте, но предположил, что я и моя прабабка, которую я никогда не видела даже на фотографии (и ничего, к стыду моему, не знала про ее жизнь), есть, по сути, одно и то же. Что ж, спорно, конечно, но в то же время именно это предположение вдруг заставило меня подумать о ней как о реальном человеке, имеющем реальные, может быть, действительно, кто теперь знает, сходные с моими черты. А значит, мне нетрудно теперь представить ее, прожившую жизнь в своих радостях и печалях, которых, впрочем, мне не узнать. А узнала бы, так они показались бы мне наверняка нестоящими и даже смешными, как наверняка покажутся смешными мои радости

232

и печали следующим за мной поколениям. Но не потому ли именно получается, что и моя прабабка, и я сама, и моя правнучка на самом деле соединены некой невидимой нитью, тем, что доктор называет генетической памятью? И как ни банально говорить о связи поколений, но что-то недосказанное и недопонятое вдруг шевельнулось во мне и принесло легкую грусть и меланхолический осадок, как всегда бывает, когда задеваешь самую главную загадку, загадку бытия.

Я уже почти поднялась, чтобы попрощаться перед уходом, но Зильбер неожиданно продолжил:

— Если теоретизировать дальше, то можно прийти к выводу, что не только люди, но и народы наделены генетической памятью. То, что у каждого народа есть определенный характер, хорошо известно. Например, педантичность англичан, жизнерадостность итальянцев, бесшабашная духовность русских и так далее. Но у народа, как и у человека, еще также присутствует и генетическая память, не то, что определяет характер народа, а то, что определяет отдельные пути его развития. Например, если говорить о самом очевидном, то антисемитизм или, скажем шире, ксенофобия вообще — это генетическая память, которая передается через поколения конкретного народа. Поэтому народу начать, скажем, погромы или любой формы геноцид будет психологически проще, если геноцид заложен в его генетической памяти. Именно подсознательное ее движение через поколения народа и является причиной вечности всех форм коллективных фобий и вечности антисемитизма в том числе. Когда я вернулся с фронта...

Я подняла брови, и, конечно, он заметил мое удивление и сказал с заметной гордостью, как обычно пожилые люди говорят о своих прошлых заслугах, будто те могут служить противовесом постылой старости:

— Конечно, я воевал в британских войсках и в Африке, и в Европе. Так вот, когда я вернулся...

Я поняла, что это еще на час. Все, что он говорил, было очень даже интересно, но я должна была идти, я знала, что задержалась и Марк уже нервничает. Я встала.

— Доктор, — сказала я, лицо мое было серьезно, — вы очень интересно рассказываете, и я бы сидела всю ночь и слушала. Но уже действительно поздно, и для вас поздно, и меня ждут и волнуются...

Я замолчала, не зная, как продолжить. Зильбер тоже поднялся.

— Да-да, конечно, как-нибудь в другой раз, — произнес он.

— К тому же не нагружайте меня сразу слишком большим объемом информации, дозируйте ее. Дайте мне переварить сначала уже высказанные вами мысли.

Это я сказала, конечно, немного льстиво, впрочем, искренне. Он засмеялся, то ли моей очевидной лести, то ли ему все же были приятны мои слова.

— Конечно, Марина, у нас еще будет время, мы еще к этому вернемся, — сказал он, и глаза его, которые притихли за время его рассказа, вновь вспорхнули.

ГЛАВА ДВАДЦАТЬ ПЯТАЯ

Всю дорогу домой в автобусе и потом дома меня не покидал все тот же грустный осадок, я даже с Марком была как-то по-особенному печально-нежна. И когда моя голова приютилась у него на плече, и рука, переброшенная через грудь, трогала пальцами его кожу, я вдруг вспомнила:

— Знаешь, Марк, прошло ведь три года, как мы вот так же лежали на этой кровати и ты мне рассказывал историю про птицу, которая училась быстро летать. Помнишь?

— Помню, — согласился Марк, ему, казалось, тоже передался мой меланхолический настрой, и он был задумчив.

— Три года, это ведь немало, — предположила я.

Марк молчал, и я повторила в форме вопроса:

— Немало ведь, да, Марк?

— Немало, — опять согласился он.

— Да, немало, и, конечно, столько всего случилось: и жизнь другая, и люди вокруг, и я совсем другая, — мне очень хотелось, чтобы он отвечал, мне просто был необходим его голос. — Я изменилась, Марк?

— Да, ты очень изменилась, — поддержал он меня.

— Так лучше? — снова спросила я. — Так лучше, чем было раньше?

— Так лучше, — снова поддержал меня Марк. — Так просто хорошо.

Мы замолчали, спать не хотелось, и мы лежали и думали каждый о своем, хотя я ни о чем вообще не думала, я была в эмоциональной прострации — просто лежала у него на груди с открытыми глазами и ни о чем не думала. Просто было хорошо, тихо и спокойно, и еще печально.

— Ты о чем думаешь? — спросил в конце концов Марк.

— Три года, — ответила я скорее по инерции, — это действительно много и действительно многое изменилось. Но на самом деле ничего не изменилось, по сути все то же самое. Да, люди вокруг другие, работа, но не это ведь важно. А важно то, что, как и три года назад, я лежу на твоем плече, и та же ночь, и тот же воздух, и все то же, и получается — ничего не изменилось.

— Это хорошо или плохо? — спросил Марк.

— Не знаю, — ответила я. — Наверное, не хорошо, не плохо, а просто это так.

— Ты сказала, что запомнила историю, которую я тебе рассказывал три года назад, да?

«Да», хотела сказать я, но промолчала.

— Так вот, если ты помнишь, та птица, научившись качественно быстрее летать, попала в другое измерение.

— Да, — снова согласилась я, но на этот раз вслух.

— Так вот, ты теперь в таком измерении, — он выдержал паузу, — где все качественно быстрее летают. Другие туда просто не попадают, в твое измерение.

— Ты имеешь в виду Гарвард? — спросила я.

— И Гарвард, и все остальное, но главное, конечно, Гарвард. Но не забывай, что помимо этого измерения существуют и другие, куда попадают те, кто умеет летать еще быстрее.

— Ага, — сонно ответила я, давая понять, что на его обычное занудство у меня нет сейчас ни сил, ни желания. Но он не понял. «А Зильбер бы понял» — шевельнулась вялая, тоже усталая мысль.

— Единственная разница, — продолжал непонятливый Марк, — что теперь тебе конкурировать не с кем.

Вот тебе и раз, подумала я, и сонная прострация, еще секунду назад безоговорочно владевшая мной, неожиданно разжала свою мягкую, но властную хватку.

— На том уровне, на котором сейчас ты, находится так мало людей, что для всех найдется место в будущем. Места разные, конечно, но все достойные, так как хороших мест больше, чем вас, — так устроена система. Это для того, чтобы люди, не достигшие еще вашего уровня, тоже имели шанс, если они пропустили его раньше, так сказать, двойная фильтровка, вторая попытка. Но вы уже отфильтрованы, вам места гарантированы, и, что важно, вы друг другу не мешаете, вы не конкурируете друг с другом.

— Марк, — перебила его я, — я ничего не понимаю, ты ведь сказал, что над нами следующее измерение. Там ведь мест меньше, чем нас в этом измерении.

— Нет, не так, — ответил он. — Там мест ровно столько, сколько тех, кто туда дотянет, там нет ограничений на места. Поэтому единственное, с кем тебе предстоит конкурировать, это с самой собой. И так отныне всегда, тебе не надо больше побеждать других на конкурсах, вообще нигде — спортивная жизнь кончилась, теперь тебе предстоит бороться только с собой. Всю оставшуюся жизнь.

— Но это ведь страшно, Марк, всю жизнь бороться с собой? — испугалась я.

— Ты можешь иногда делать передышку, но вообще, конечно, нелегко, это правда, — согласился он со мной. — Но ты ведь сама выбрала этот путь.

Ну, это как сказать, подумала я, но сказала другое:

— Марк, а ты в каком измерении?

Конечно, я немного подтрунивала над ним и над его моделью с этими бесконечными уровнями, измерениями. Но, кроме того, мне действительно хотелось узнать, как он себя оценивает. Он молчал.

— Черт его знает, — сказал он в результате совершенно серьезно, — никогда не задумывался. Я как-то так, скорее в альтернативных плоскостях, потому что, — мне показалось, он улыбнулся, — в традиционные не вписался. — Он замолчал на секунду, а потом добавил более уверенно. — Нет, скорее, я в свободном полете, а там, как ты знаешь, безуровневая система.

— Ну вот, Марк, — заканючила я, — опять мистика, опять таинственность, нет чтоб хоть раз в простоте ответить. Я ведь про тебя ничего так и не знаю и, заметь, за эти три года ни разу не спросила — ты цени мою тактичность. Хотя на самом деле ничего не ведаю — ни кто ты, ни откуда, ни зачем. Может, ты банк ограбил, я ж не знаю, а вот, видишь, доверяю, живу с тобой, сплю в одной постели, и не только.

Смешливое настроение вернулось ко мне. Действительно, эта его загадочность по прошествии трех лет совместной, как говорится, жизни стала немного комичной. Марк повернул ко мне голову, но в темноте я не разглядела его глаз, их цвета.

— Подожди, узнаешь, — сказал он, как мне показалось, равнодушно. — Не захочешь — расскажут. Подожди, скоро уже. А зачем я здесь, ты так ведь спросила, зачем? Ну, ответь сама, зачем, как тебе кажется? — принял он мой тон.

— Для меня? — неуверенно спросила я.

— Конечно.

— Конечно, для меня, — я вытянула шею и чмокнула его наугад, куда попадет. И добавила то, что чувствовала: — Родной мой.

ГЛАВА ДВАДЦАТЬ ШЕСТАЯ

Лето заканчивалось, и в уже коротком недалеке маячила Катькина свадьба. Неожиданно Катька отнеслась к мероприятию более чем серьезно, назвали кучу гостей, непонятно откуда взявшихся родственников с обеих сторон, друзей, близких и далеких, и всяких других, которых не пригласить казалось просто неудобным.

Сама Катька пребывала в бесчисленных заботах, стремясь все делать по правилам, как полагается, не отступая ни на шаг от доставшейся в наследство традиции. Даже голос ее изменился: обычно красивый, глубокий, но в то же время как бы безучастный и потому вдвойне привлекающий слух, он вдруг заметно окрасился, приобрел интонации — иногда деловые, спешащие, иногда раздраженные, а порой, наоборот, удовлетворенные, но в целом демонстрирующие несомненную заинтересованность тем, что происходит вокруг.

Я видела, что в последние дни перед свадьбой она запарывалась, не успевая ничего, — видимо, в традициях насчитывалось немало занудливых мелочей, которые, взявшись за гуж, требовалось исполнять, — и я предложила ей свою помощь, на что она, ясное дело, отреагировала как на нечто должное, и я, кляня себя, вовлеклась в полоумную круговерть дотошных приготовлений.

Как можно получить удовольствие после такой выматывающей гонки на нервах? Это было выше моего понимания. Пару дней я, конечно, продержалась, но потом поделилась соображением с Катькой: мол, ты чего, мать, свадьба-то для удовольствия, она ж не повинность трудовая, остановись, оглянись вокруг, жизнь прекрасна! Ну, не купишь ты себе именно те туфли, которые надо именно к этой вот заколке в волосах, ну и что, я тебе свои босоножки одолжу или, ладно уж, подарю. Не Золушка в конце концов, принц-то твой и так тебя отыщет без туфельки специальной, разберется по другим признакам. Хотела добавить «вторичным», но не стала, сама не знаю почему.

Катька посмотрела на меня свысока, как она всегда на меня в такие минуты смотрела, но голос все же ее подвел.

— Дура ты, Маринка.

Я приподняла брови — не перебор ли? Но усилием воли сдержала себя. Ну, не рвать же клок из ее величественной головы: не полагается невесте светить из-под хупы кусочком голого черепа.

— Дура, хоть и умная, — все же вторая часть этого словесного парадокса смягчала картину. — Не доросла еще до понимания, задержалась в предзамужнем своем развитии.

А вот это точно было сказано, чтоб обидеть меня, ну, не обидеть, а так, подзадеть, но я и это проглотила. Меня даже восхитила ее эмоциональность: надо же, может, когда хочет!

— Свадьба, она ведь не для кайфа, как тебе кажется, она для памяти, на всю жизнь. Чтоб в старости воспоминанием утешиться, фотографии разглядывая, она ведь для детишек и прочих неведомых поколений. Ты уже, глядишь, померла давно, а правнучки твои сопливые своим ровесникам противополым, коленки голые выставляя, семейный альбом будут показывать и говорить: «Смотри, вот моя прабабка замуж выходит, смотри, красивая какая». А тот будет глядеть то на коленки, то на фотографии и скажет в результате: «Смотри, как давно планета наша населена». И тебе, смотрящей на это все сверху, приятно станет. Поняла? Усталость, суета забудутся скоро, а свадьба, она навсегда. Как ты не понимаешь, а еще свидетельница! Позоришь гордое звание.

Это был рекорд Катькиного красноречия, очевидно, тема ее волновала и потому выражена была вполне поэтически, я аж растрогалась. «А ведь она, наверное, права», — согласилась я про себя, а потом так же про себя добавила: «Но не для меня это. Может, и верно все, но не для меня».

И все-таки я прониклась идеей, и даже отпросилась на пару дней у Зильбера, чего никогда себе не позволяла, и выполняла все Катькины поручения не просто добросовестно, но с душой, или, как говорил Матвей, с оттяжкой. А чтобы совсем загладить свой промах, даже прикупила себе платье специальное, свидетельское, скромное, чтобы теперь на моем фоне разом можно было оценить и роскошные одежды молодой, и собственное ее роскошество.

Если не брать во внимание измученных лиц молодых, свадебная церемония прошла, как и планировалось: было и торжественно, и трогательно. Трогательность и торжественность распространились и на ресторан, но там к нам еще добавились сытость и пьяность.

Я, выполнив свою судьбоносную свидетельскую миссию и освободившись от нервного ответственного напряжения, наконец могла позволить себе расслабиться. Я бы и платье свое, путающееся в ступнях, сменила бы, но, не подумав об этом заранее, не захватила, во что переодеться. Чтобы сбалансировать свои энергетические затраты, я не ограничивалась соком, и даже Марк, который уже привык к обильной в еде и питие специфике русских застолий, не позволил мне сильно от него оторваться. Хоть и отставая, он почти дышал мне в затылок, что для него уже было неплохо.

К нам подошли Катька с Матвеем, жених собственнически обвивал невесту за талию, она послушно поддавалась его властной руке — впрочем, к такой диспозиции я уже стала привыкать, — оба они были возбуждены, он немного, не больше других, в подпитии. Катька хоть и не позволила себе такую роскошь, как туфли на высоких каблуках, все равно была повыше жениха, на что я, конечно, тонко намекнула, ехидно предложив невесте немного подгибать ноги в коленках, впрочем не подразумевая под сказанным никакой двусмысленности.

— Зато я в плечах шире, — лихо отреагировал Матвей, нисколько не смущаясь.

Видя, что избранница полностью на стороне своего суженого, я вернулась на заранее подготовленные позиции и предложила выпить, в чем была полностью поддержана женихом.

— Я не пью, — сказала Катька, видя, что Марк наливает и ей.

— Ага, — догадалась я, собираясь вновь вылезать из траншеи со штыком наперевес, — и не куришь?

— И не курю, — подтвердила она мои опасения своим царственным низким голосом, в котором я вдруг расслышала непривычные покорные нотки. Впрочем, тоже царственные.

— Ага, — повторила я многозначительно, мол, все с тобой понятно, с беременными не воюем.

— Ну а вы, ребята, когда? — спросил Матвей, больше обращаясь к Марку, чем ко мне.

Вот именно этого, самого любимого вопроса новобрачных, обращаемого ко всем не расписанным, живущим во грехе парам, именно этого волнующего вопроса я и ждала весь вечер, правда, скорее от понимающей Катьки, чем от Матвея. Но, видимо, он взял дополнительное бремя на себя, раз жена несла тяготы физического обременения. Я посмотрела на Марка вопросительно, как и все остальные, мол: «А мы когда?» Но Марк, хоть и приучился к русскому застолью, расплывчатую неконкретность возникающих за этим столом вопросов допускать не хотел и потому поднял удивленные глаза.

— Что «когда»?

И хотя вопрос прозвучал невинно-искренне, Матвей не разжал хватки.

— Когда у вас-то свадьба? Нам тоже погулять хочется.

Марк беспомощно посмотрел на меня, ища поддержки, но не нашел, а нашел вместо нее в моем очень даже вопросительном взгляде живой интерес к происходящему. Тут он догадался, что окружен и надо пробиваться в одиночку. Он откинулся на спинку стула и сказал, так и не отрывая от меня глаз:

— Года через три, если Марина к тому времени захочет за меня замуж.

— Два вопроса, — сказал Матвей, который полагал, что на правах счастливого новобрачного может доставать гостей сколько пожелает. — Во-первых, почему через три года, а во-вторых, что значит «если захочет»?

И хотя его вопрос означал, что моего мнения как бы и спрашивать не обязательно, но я промолчала: ответ Марка был важнее, чем отстаивание перед Матвеем моей принципиальной феминистической позиции.

— Почему? — повторил за Матвеем Марк, выигрывая время, чтобы сформулировать лучше ответ, который, я это поняла по выражению его лица, у него уже имеется, и это испугало меня.

Мне вдруг стало страшно, вся пьяность и пустая бравадная веселость разом слетели с меня. Я с ужасом поняла, что вопрос, который решает мою судьбу, вопрос, от одной мысли о котором я покрываюсь дрожью, не только обсуждается, но и решается в этой идиотской обстановке на глазах у полупьяных соседей по столу. Мне захотелось остановить Марка, вдруг он впопыхах скажет что-то не то, захотелось прервать Матвея любой первой, пришедшей в голову глупостью, типа «не успел сам закабалиться, как уже переживаешь, что другие любят на незакрепощенных началах». И все, и он бы отстал, и не надо было бы Марку отвечать. Но я не успела, Марк не дал мне вклиниться.

— У меня один ответ на оба твои вопроса, — сказал Марк. — Я думаю, Марина не захочет выйти за меня замуж через три года.

Я вздрогнула от неожиданности.

— Почему?

И голос мой сорвался на взвизг вырвавшегося из рук стекла, разлетевшегося от твердости безжалостного пола на нелепые осколки, так что даже до Матвея дошло, что тема перескочила на слишком уж узкие рельсы, и он повернулся к своему приятелю, сидящему за соседним столиком.

— Потому что я буду тебе неинтересен через три года, — ответил Марк уже только мне.

— Ты о чем?

Я была в растерянности, в недоумении.

— Я тебе буду неинтересен, — повторил Марк. — Ты вырастешь из меня, как школьник из прошлогодних штанишек.

— Милое сравнение, оригинальное тоже, мог бы что-нибудь получше придумать. Значит, я тебя ношу, как штаны, а любовь, она тоже может стать «неинтересной», из нее тоже можно вырасти.

Странно, подумала я, мы никогда особенно не говорили о любви, она всегда подразумевалась, но мы редко говорили о ней явно, вслух. Марк молчал, он думал, как ответить.

— Сложно это, малыш, — сказал он, — не для ресторана. Единственное, что я хочу сказать, что люди меняются со временем, как и меняется их видение мира, а вместе с ним и вся шкала ценностей.

Я удивилась, как легко он вышел из застольного настроения и застольного лексикона.

— Понимаешь, то, что казалось единственно важным, скажем, пять лет назад, сейчас отступило в сторону, освободив место чему-то другому. Точно так же ты не знаешь, что произойдет в течение следующих пяти лет, что будет для тебя важно тогда. Ты не знаешь.

Я слушала его, и мне становилось не просто страшно, жутко. Я никогда не задавалась вопросом долговечности наших с Марком отношений, как и не пыталась определить их статус. Но мне и в голову не приходило, что они могут закончиться, мне казалось, что я неотрывна от него, как и он от меня, что мы одно целое, что мы не сможем существовать друг без друга. Я, конечно, ни вслух, ни про себя никогда не произносила именно таких слов, но они выражали единственное глубинное понимание. И вот сейчас не то чтобы оно оказалось под угрозой, но я впервые вписала свои ощущения в реальный мир непредусмотренных обстоятельств, невыполненных обещаний и неисполненных надежд, разлук, расставаний и разрывов. Но что особенно поразило меня, что Марк как раз задумывался, он размышлял о возможности нашего разрыва, пусть потенциального, но разрыва.

— Ты ведь не знаешь, — продолжал Марк, не замечая моих расширенных зрачков, — может быть, через три года у тебя изменится шкала ценностей, и я уже не буду находиться в верхней ее части. Может быть, твое отношение ко мне в целом станет другим.

— Почему ты думаешь, что шкала ценностей изменится у меня, а не у тебя?

У меня начала кружиться голова, я взялась рукой за край стола. Боже мой, опять подумала я, неужели мы вот так просто говорим о том, что когда-нибудь расстанемся, как об обыкновенном событии? И он даже не волнуется, более того, похоже, он, как всегда, подготовлен к разговору. Может быть, он действительно к нему готовился, может быть, он его как раз предвидел и подготовился, в отличие от меня, которая предвидела, но только чтоб подурачиться да повеселиться.

— Потому что, — сказал Марк, — ты в динамике, ты в развитии, ты растешь. Тебе есть из чего вырастать, мне не из чего, я статичен, я уже вырос, поэтому маловероятно, чтобы моя шкала ценностей изменилась, а если она и изменится, то несущественно. А с тобой за ближайшие годы произойдут перемены, о которых ты не предполагаешь, но они произойдут — и вокруг тебя, но прежде всего в тебе самой. Ты на поворотном этапе. Откуда ты знаешь, что они не коснутся меня?

— Это цинично, Марк. Ты высчитываешь меня, как очередную задачку, но ты не можешь просчитать жизнь по формуле, — сердце мое еще бомбило грудную клетку, но хотя бы голова успокоилась, и я могла говорить. — Ты знаешь, почему ученые не становятся большими писателями или политиками, то есть теми, кто именно и понимает многосложность реальной жизни? Я думала об этом — они ведь лучше других владеют логикой, и школа у них лучше, и люди они творческие, и излагают, как правило, грамотно, но ведь не становились никогда и не становятся. Ты когда-нибудь думал, почему?

Марк молчал, я знала, это был тот редкий случай, когда я все же опередила его, но первенство меня сейчас не волновало, растерянность прошла, она перешла, скорее, в возмущение, в желание доказать ему, что так нельзя, так нельзя думать, так нельзя рассуждать. Что это порочно, противно человеческой сути.

— Так вот, — я усилила нажим в голосе, — это потому, что законы жизни, движение человека по ней, его отношение с другими людьми, с остальным миром не подчиняются основам точных наук, математической логике. Жизнь нельзя описать ни с помощью теории графов, ни теории множеств, нельзя построить модель, ее отображающую, — жизнь не формализуется. Наука даже не то чтобы бессильна ее охватить, она не ориентирована вообще на эту задачу — охватить жизнь.

Я остановилась. Марк молчал, слушая, я отрегулировала дыхание — теперь я успокоилась совсем. Я знала, что права, я понимала это даже не разумом, а интуитивно, чутьем, но у меня к тому же имелись аргументы, и я продолжила:

— Я тут как-то разговаривала с твоим другом Роном. Он ведь математик, да?

Марк выглядел удивленным. Я действительно не так давно встретила Рона в Гарварде, он узнал меня, обрадовался, и мы пошли пить кофе в кафетерий на первом этаже, где и проболтали с полчаса.

— Так вот он сказал, что каждый раз, когда пытается предугадать ход событий, он ошибается. Он сказал, что ему фатально не везет, он постоянно совершает ошибки, что он никудышный жизненный практик. Я не стала ему объяснять, почему так происходит, я сама тогда не знала, но теперь знаю: это так, потому что он неправильно выучен. Он выучен как математик и пытается анализировать жизненные процессы с помощью тех инструментов, которыми владеет как математик, думая при этом, что у него преимущество. Но именно поэтому он и ошибается. Потому что для анализа жизненных процессов нужно еще обладать интуицией, предчувствием, как это называется — шестым чувством. А может быть, еще чем-то, чего мы не знаем.

Я выдержала паузу, но Марк не перебивал меня, и я продолжала:

— Это, наверное, совершенно отдельное умение, которое можно назвать «пониманием жизни», что ли, и оно не про расчет, не про формализацию, оно требует совсем другого подхода. А ему твоего друга Рона как раз и не учили, не говоря о том, что этому и научить нельзя, это врожденное, от Бога, как любой другой талант. Его же учили, наоборот, не обращать внимание, игнорировать ощущения, чувства, потому что они ненаучны, и он научился, и привык их игнорировать. Именно поэтому из ученых не получается ни писателей, ни политиков, ни вообще тех, кто мог бы вести людей, потому что они ошибаются в самой сути жизни.

Я вдруг заметила, что Марк побледнел, я даже не поняла из-за чего.

— Я не ошибаюсь, — сказал он, и я вздрогнула от непривычно сухих, пугающе сухих интонаций.

Никогда раньше он не произносил что-либо подобное, никогда я не замечала за ним не то что хвастовства, а вообще желания поговорить о себе. Я посмотрела в его глаза, они были стальные. Я задела его, подумала я, вынудила на неловкое откровение.

— Я не ошибаюсь, — повторил Марк, он выдавливал каждое слово. — Ты права, ты все поняла правильно. Но у меня как раз есть этот талант, я как раз чувствую жизнь, я понимаю ее законы. — Он замолчал, как бы сам сконфуженный несвойственным ему признанием, но все же после длинной паузы добавил не менее твердо, даже резко, как бы настаивая: — Я редко ошибаюсь.

Мы замолчали и молчали долго. Я не хотела больше говорить, настроение было испорчено. Я сидела так минут пять, а потом кто-то из Матвеевых друзей пригласил меня танцевать, свадьба все ж, и я пошла отплясывать, улыбаясь и кокетничая, отвечая на кокетство хорошо двигающегося партнера. Когда я вернулась, Марк по-прежнему сидел за нашим столом. Он положил руку мне на колено и, сильно сжав вместе с платьем до терпимой, но все же боли, сказал примирительно:

— Послушай, малыш, все это ерунда, глупость. Я только пытался сказать, что ты единственная женщина, с которой я хочу быть вместе, — Он все-таки не сказал «на которой я хочу жениться». — И если я не прав, если через три года ты по-прежнему выберешь меня, я буду самым счастливым человеком. Так что дело за тобой.

Я опять взглянула в его глаза, они очищались от серой накипи, он не хотел ссориться, я тоже не хотела. Я улыбнулась и сказала, что не подведу, но ловлю его на слове: через три года мы вернемся к этому разговору, и я исхитрюсь и все же сделаю его самым счастливым человеком. Он засмеялся и пообещал, что будет ждать.

ГЛАВА ДВАДЦАТЬ СЕДЬМАЯ

С началом занятий потянулись будни, от напряженности которых я уже отвыкла и даже соскучилась по ним. Когда я сказала об этом Марку, он предположил, что я стала извращенкой, с чем я радостно согласилась.

Постепенно все снова вошло в привычную колею: ранняя чашка кофе с сонным Марком, утренние лекции и семинары в университете, ланч и потом еще четыре часа у Зильбера, где мне, как правило, удавалось заниматься своими уроками. Потом уютные вечера с Марком — я на родном диване, высоко прислонившись к спинке, укрыв согнутые в коленях ноги пледом, с новой подобранной Марком книгой и наливным яблочком рядом. Сам Марк где-то недалеко — либо рядом в кресле, либо чуть дальше, на кухне, — тоже с книгой и тетрадкой для записей, с неизменной высокой кружкой наполовину выпитого кофе, и его присутствие придавало тепло и наполненность и самой квартире, и обстановке вокруг, и моему мироощущению. К десяти вечера мы, как всегда, сходились на кухне, и свежезаваренный чай снова ошпаривал чашки, и снова текли разговоры, прерываемые разве что моим счастливым смехом.

Зильбер за последнее время, особенно после той беседы у него дома, привязался ко мне еще больше. Я, по сути, сама могла выбирать, чем мне заниматься в рабочие часы, он совсем не загружал меня. Видимо, ему просто хотелось, чтобы я находилась поблизости, чтобы он с постоянной периодичностью мог отрывать меня, зачитывая что-то, если читал, или спрашивая, как мне та или иная фраза, если писал, или та или иная шутка, если собирался вставить шутку в текст очередного выступления.

Он сказал мне однажды, что юмор — это основной показатель культуры народа, что-то вроде лакмусовой бумажки, и если у народов похожие шутки, то и культуры близки. Ну, и обратное, конечно, верно. «Так же, кстати, и с людьми, — продолжил он. — Если хочешь узнать, насколько тебе близок человек, расскажи ему свой любимый анекдот и посмотри на реакцию». Он считал, что я со своим опытом европейской культуры, попав в эту страну в достаточно раннем возрасте и приняв ее без ограничений, буду идеальным камертоном для настройки его шуток на местный колорит. Конечно, он лукавил, он жил здесь около сорока лет, и кому, как не ему, было разбираться во всех ее тончайших нюансах.

Зильбер блестяще читал лекции, что было признано всеми, и я ради интереса прослушала несколько из них, когда в моем расписании образовывались окна, и сама убедилась в этом. Читал он легко, накатанно и непосредственно, часто и остроумно разбавляя свою речь шутками, что, безусловно, улучшало атмосферу. И хотя на подиуме он выглядел вдвойне высокомерно и в голосе его звучали нотки вещающего пророка, это даже каким-то образом шло к его доминирующей фигуре и было скорее естественным, чем вызывающим.

В какой-то момент я подумала, что, может быть, слишком критична к нему, может быть, те его качества, которые кажутся мне вычурными и смешными, как раз не портят, а, наоборот, гармонируют с его личностью. Посмотри, сказала я себе, студенты от него без ума, коллеги уважают, одна я ехидничаю втихомолку. А что, если моя пристрастность возникла от той изначальной вводной, которую мне дал Марк, и с тех пор я смотрю на Зильбера именно через ее призму? Я не знала, как ответить на свой вопрос.

Конечно, я пользовалась доверительным отношением Зильбера ко мне, что выражалось не только в том, что я могла задержаться в кафетерии на полчаса дольше, но и в основном в том, что имела право болтать с ним на такие темы, которые никто другой поднимать не отважился бы. Более того, я знала, что любой мой вопрос будет поощрен, даже встречен с благодарностью, а часто и ожидаем, как повод к последующему разговору. Я заметила, что от слишком длительного моего молчания профессор начинает нервничать, отрывается от стола глазами, как бы ища поддержки в пространстве, как бы пытаясь зацепиться взглядом за каждый по очереди предмет.

Однажды именно ради того, чтобы вернуть его в сбалансированное состояние, я спросила нечто дежурное, на что сама знала приблизительный ответ, так как аналогичный вопрос в той или иной форме задается в каждом интервью, если интервьюируемый немолод и знаменит.

— Доктор, — сказала я, — вот вы всего добились. Вы известны, вас уважают, попасть к вам на сеанс психоанализа — очередь на полгода. — Я чуть не сказала: «Вы получаете кучу денег», но, слава Богу, сдержалась. — Вы, по сути, достигли всего, к чему стремятся люди в науке, и тем не менее вы не останавливаетесь. Вы работаете по двенадцать часов в день, ваша жизнь по-прежнему проходит в основном здесь, в университете, вы даже отпуск не берете.

Он был рад, что я отвлекла его, откинулся на спинку кресла, снял очки, заложив ими страницу в книге, и потер ладонью глаза, которые, впрочем, успели до этого запрыгнуть на место.

— Вы могли бы, — продолжала я, — сбросить обороты, заниматься делами — я имею в виду и вашу практику тоже, —

как бы это сказать, более лениво, что ли. Больше отдыхать, проводить часть года во Флориде или в Европе, за женщинами ухаживать.

Он усмехнулся. Я знала, что он усмехнется, потому и сказала.

— Ну а на самом деле, что вам мешает? — закончила я монолог вопросом.

Он ответил почти сразу, без задержки:

— Марина, вы сказали, что я перетруждаюсь, — он опять усмехнулся. — Если бы вы знали, как я работал раньше. Теперь что? Я давно уже делаю все, как вы выражаетесь, лениво. Вы бы видели меня прежним, у меня все горело, и вокруг меня все горело, и у людей рядом со мной тоже все горело, потому что я не только генерировал энергию, у меня был избыток ее, я ею подзаряжал других. Вы говорите — достиг. Разве это «достиг»? Это все тень, — он широко провел рукой, как бы включая в «тень» и сам кабинет, и людей за его пределами, впрочем, я понадеялась, что не меня, — жалкая тень того, что было.

Ну вот, сама нарвалась, подумала я с испугом. Сейчас начнет мне про былые победы рассказывать, про свои блистательные Аустерлицы, про то, как женщины его любили и что, как это и полагается, каждая следующая была лучше предыдущей.

Но я ошиблась, он замолчал, глаза его, вместо того чтобы выпрыгнуть, как всегда, наружу с очередным гимнастическим номером, наоборот, впали, как бы всосались внутрь лица, так что даже исчезла их выпуклость — такого трюка даже я ни разу не наблюдала, и лишь потом, подавшись вперед всем своим большим телом, он продолжил:

— Видите ли, Марина, это, возможно, банально, то, что я скажу сейчас, но человеку всегда кажется, что жизни впереди больше, чем жизни позади, независимо от того, сколько позади и сколько осталось. На каждом этапе, пусть осталось-то всего несколько дней, человек планирует сделать больше, или, вернее, не сделать, а прожить больше — может быть, не по времени, но по объему, по качеству — чем он прожил до того. И это иллюзия, конечно, но иллюзия живая, явственная.

Я облегченно выдохнула: похоже, про женщин не будет.

— Это лишь высокомерная ошибка молодости, даже не молодости, а, скажем, предыдущего возраста, который в последующем все равно кажется молодостью. Так вот, это ошибка — предполагать, что наступает момент, когда человек смиряется с мыслью о старости и теряет интерес к своей жизни, к ее мелочным успехам, не желая больше счастья в полном объеме, не желая самой жизни в полном объеме. Так не бывает, я уже прошел почти все возрастные этапы и убедился, что желание счастья одинаково сильно что в двадцать, что в семьдесят лет. Да и само представление о счастье не так уж меняется с возрастом. Не верите? Поверьте, я по-прежнему хочу всего того, что хотел много лет назад. Ну, возможно, чего-то чуть меньше.

Я улыбнулась. Зильбер заметил мою улыбку и тоже усмехнулся, впрочем коротко, едва заметно.

— Вдумайтесь, — продолжил он, — ведь желание быть счастливым и есть тот вечный двигатель жизни, который так и не смогли открыть. Именно желание счастья, невзирая на возраст, на силы, на то, сколько еще осталось. То есть бывает по-другому, но, как вы знаете, это называется депрессией, является болезнью и случается в любом возрасте. Поэтому я, как любой человек, тешу себя мыслью, что мне доступна жизнь в полном объеме, и обманываю себя надеждой, что самое главное — это то, что я еще не сделал. Ну и, как полагается, утешаю себя классическим примером Гете.

Я слушала его не прерывая. Его ответ на мой пустой вопрос не походил на привычные отговорки газетных знаменитостей.

— Знаете, что важно, Марина? Важно уметь распределять успех по всей длине жизни, желательно равномерно. Или, скажем по-другому, распределять жизнь по всей длине жизни. Опять банальность, но сравните жизнь с марафоном, где неважно, как ты пробежал тот или иной отрезок, важно, каким пришел к финишу. Никого в результате не волнует тот факт, что, может быть, где-то в середине ты пробежал несколько километров быстрее других. Если к финишу плетешься в хвосте, то рассказывай потом, что когда-то раньше был впереди, — никого это не интересует. Более того, чем ближе ты находился к первой позиции в начале или в середине дистанции, тем больше раздражения будешь вызывать у зрителей, если к финишу не выдержишь и отстанешь. И их можно понять: они разочарованы — ты не оправдал их надежд, выдохся, сдал. Парадокс, однако, в том, что если с самого начала бежать сзади, то никто не удивится неудачному финишу. Более того, никто и не заметит его.

— Что же делать? — спросила я.

Он пожал плечами.

— Стараться рассчитать всю дистанцию, если возможно, хотя это трудно — в марафоне трудно, а в жизни и подавно. У меня есть товарищ, вернее, был товарищ, я его знаю очень давно. Мы с ним похожи и по судьбе, и внешне, нас даже путали в молодости. Основная разница между нами заключалась в том, что он был счастливчик, знаете, бывают такие блестящие люди, которых как бы кто-то ведет, все им дается легко, без натуги. Вот он и был таким, и если вы считаете, что я добился многого, то что бы вы сказали о нем! Он был сам успех, само процветание, эталон реализованного таланта, не таланта, витающего вне земли, а, наоборот, вполне земного. Ему все завидовали, и я в том числе. Но даже завидовать ему было сложно, зависть к нему могла быть только белой, настолько он был счастливый везунок.

Я не верила своим ушам: Зильбер завидовал кому-то, он признавал за кем-то право первенства. Я взглянула на него по-новому, открывая в нем недоступные для глаза залежи симпатичной человеческой простоты.

— Но что-то с ним случилось лет восемь назад, сразу после семидесяти. Не буду пересказывать, об этом даже говорить печально, но он стал терять себя, не сразу, как после инсульта, а медленно, отступая едва заметными шагами. Не знаю, осознавал ли он это отступление сам, но так как терял он себя по частям, то люди со стороны не замечали резких изменений, как не замечаешь, как растет ребенок, если видишь его каждый день. Тем не менее лет через пять-шесть он не то что перестал напоминать себя прежнего — он утратил то, чем обладает заурядный человек его возраста: память, логику, возможность мыслить, общаться с людьми, даже за собой он уже не в состоянии сам ухаживать. Природа сыграла с ним страшную шутку: он здоров физически, но она ударила его по памяти, по способности мыслить, то есть по тем качествам, в которых он доминировал, в которых с ним невозможно было соперничать. И вот он уже несколько лет живет в доме для престарелых, правда очень хорошем и удобном доме, и его соседи-ровесники, не зная, кто он и кем был, не здороваются с ним и не хотят разговаривать, так как с ним сложно — он вечно все путает. А когда он пытается им рассказать про себя, и рассказать правду, хотя бы ту, которую еще помнит, они даже из приличия не слушают эту бессмыслицу: мол, чего еще от него ждать, взбалмошного, бестолкового старика. И поверьте мне, Марина, никто, даже те, кто знали его прежним, — его ученики, его дети, даже бывшие жены, — не видят его через прошлое, все видят в нем лишь выжившего из ума, но все еще почему-то цепляющегося за жизнь никчемного, беспомощного, почти что безумца. Конечно, они не сразу переменили свое мнение о нем, скорее, это происходило исподволь, постепенно, но восемь лет — большой срок, он подавляет прежние впечатления, меняет, казалось бы, налаженные, устоявшиеся отношения. Мне иногда кажется, что только я один помню его, своего старого товарища, таким, каким он был раньше. И знаете почему, Марина?

— Почему? — спросила я.

— Потому что я не навещал его все эти восемь лет. Потому что я сразу понял, что с ним происходит и что произойдет в дальнейшем — и с ним самим, и с ним в нашем сознании, в сознании окружающих, — и я не захотел быть свидетелем, а значит, хоть пассивным, но участником его деградации. Я задумал законсервировать его в себе таким, каким он был прежде: самым легким и самым счастливо талантливым человеком, которого я когда-либо знал. А не тем, кем его все считают теперь, — ничтожеством.

— Страшно, — сказала я.

Я представила картину: вот один застывший кадр, что-то типа фотографии — блестящий, умница, красивый, полон сил, да хотя бы Марк; и тут же другой заслоняющий снимок — полубезумный плоховыбритый старик с тянущейся изо рта дрожащей ниткой слюны. Я представила, и мне действительно стало страшно. Но Зильбер не отреагировал, даже не согласился, он был как бы в самом себе.

— Когда я все понял, еще до того, как он догадался сам, что с ним происходит, я перестал с ним встречаться и отвечать на его звонки и открытки. Хотя мы были достаточно близки. Тогда ни он, ни все остальные, конечно, не могли понять, в чем дело и почему я себя так веду. Он даже предположил, что я обиделся на него за что-то, он, знаете, был хороший парень, открытый и не любил портить отношения. Однажды даже прислал письмо с просьбой извинить его заочно, если я обижен, хотя он и не знает, чем мог меня задеть. Я расчувствовался и хотел было встретиться с ним, но, славу Богу, удержался. Потом, когда его здоровье ухудшилось, а я по-прежнему избегал его, он расценил мое поведение как предательство, а его родственники, ученики и прочие на меня обиделись, кто-то даже перестал здороваться, что усилило мою репутацию высокомерного и нечуткого человека.

Я уже ничему не удивлялась — ни самой истории, ни тому, как он ее рассказывает, ни тому, как он оценивает себя. Это просто исповедь, подумала я, он ее проговорил самому себе десятки раз, наверняка проговорил, а сейчас ему необходимо поделиться с кем-то, вернее не просто с кем-то, а со мной.

— Никто так и не догадался, в чем причина такого моего поведения. — Он пожал плечами, как бы говоря, что ему в принципе безразлично и то, что никто не понял, и то, что его осудили. — Но, видите ли, Марина, они все видят только финиш, который бесит их разочарованием, а я умышленно финиш пропустил. Я наблюдал только середину, и помню только середину, и только я смогу оставить потомкам, — он так и сказал: «потомкам», — объективную картину, отдать ему, моему старому другу, единственную дань, которую он заслуживает. И он единственный, не теперешний, а прежний, которого я только и знаю, лишь он смог бы оценить и принять ее от меня.

— Вы что имеете в виду? — спросила я.

Зильбер, который еще мгновение назад выглядел торжественно, вдруг успокоился, и тон его стал повествовательным.

— Я написал книгу о нем, как вы понимаете, о том, которого я знал прежде. Написал давно, несколько лет назад, она уже принята издательством и будет напечатана сразу после его смерти.

— Почему? — не поняла я. — Почему не сейчас, когда он сам или его дети еще смогут оценить то, что вы сделали.

— Потому что он оценить не сможет, а остальные, глядя на этого никчемного старика, мне не поверят. Они все поверят мне после его смерти, когда у моего рассказа не будет живого опровержения. А что касается его самого, то для меня остался лишь мой прежний товарищ, который только и может осудить меня, но который давно, восемь лет назад, умер. Впрочем, я уверен, он меня как раз бы одобрил.

Он замолчал, я тоже молчала. Я знала, что мне надо что-то сказать.

— Страшная история, — повторила я.

Но Зильбер опять не ответил, будто не слышал, и я поняла, что он со мной не согласен. Не знаю, с чем, может быть, с моей упрощенной реакцией на жизнь. Страх — ведь это слишком просто, это всего лишь одно прямолинейное чувство, которому, как и любому другому однородному чувству, не дано передать многообразие сложных жизненных процессов. Я снова замолчала, и вдруг неожиданная ледяная волна прорезала сознание.

— Доктор, — сказала я, — но вы противоречите сами себе.

Он вскинулся, глаза бросились в бой первыми, он даже распрямил плечи. Я знала — я неудачно выразилась, такого ему, видно, давно никто не говорил, но слишком быстро мелькнула у меня в голове мысль, слишком боялась я ее упустить, слишком мало оставалось у меня времени, чтобы найти правильные слова. Извиняться было глупо, и я продолжила.

— Противоречите вашей книгой. Вы утверждаете, что жизнь— марафон и важно лишь то, что на финише. А книгой своей, наоборот, доказали, что не только концовка важна, а важно еще то, что в середине. Что финиш — это только частичный результат, в зачет идут еще и промежуточные финиши, которых много в жизни, и которые имеют значение, и из которых и суммируется общий результат.

Я говорила сбивчиво, так как мысль еще не улеглась и не обрела правильную словесную форму, слишком стремительно она возникла.

— Я не знаток в спорте, — сказала я, как бы извиняясь, — я не знаю, какому виду спорта соответствует моя аналогия, но это именно так: все идет в зачет, все промежуточные финиши, и последний этап, даже неудачный, их не отменяет. Наоборот, скорее они его отменяют. Вы доказали это в данном случае тем, что написали книгу о своем друге.

Мне именно так и следовало закончить свой недлинный, но взбудораженный монолог, чтобы хоть как-то загладить первоначальную дерзость. Зильбер пристально вглядывался в меня, так и не успев сбросить напряжение, но видно было, что в бой он уже не рвется.

— Я подумаю, — только и сказал он, помолчав, и я восприняла это как высшую похвалу.

ГЛАВА ДВАДЦАТЬ ВОСЬМАЯ

Со временем я сошлась ближе и с доктором Далримплом, и с интерном Джефри — в конце концов, мы проводили совместно столько времени, что хочешь не хочешь, а приходится принять человека. Впрочем, мне было нетрудно принять их в мой мир: они оба оказались милые, более чем корректные и вели себя со мной подчеркнуто уважительно, всячески пытаясь поощрить и подбодрить меня, особенно поначалу, когда я чувствовала себя вдвойне неуверенной в новой обстановке.

По понятным причинам мне самой было значительно проще с Джефри: и по возрасту — он был старше меня всего-то на каких-нибудь четыре-пять лет, — и в смысле иерархии он стоял недалеко от меня. Еще не совсем доктор, хотя уже почти, он находился на самой низкой ступеньке научной лесенки и потому не успел набраться ни тщеславия, ни гонора. А может быть, ни то, ни другое вообще не было свойственно его природе.

Он был очень забавный — и фигурой, и манерой говорить и вести себя, высокий, почти одного роста с Зильбером, но в отличие от того не статно-гармоничный, а, наоборот, несуразно-худой, что наделяло его той долговязой неуклюжестью, которая свойственна людям с неправильной координацией, когда ноги и руки не поспевают за сигналами мозга и потому всегда немного отстают и действуют немного не в лад друг с другом. От всего этого — от вида длинных рук и ног, не вписывающихся в общую конструкцию тела, а существующих если не независимо, то на весьма автономных началах, — сама конструкция тела, если прибавить к ней координационную дисфункцию, выглядела очень комичной и оттого приковывала взгляд.

Сам Джефри, впрочем, никоим образом по поводу своей выразительной фигуры не комплексовал, даже более того, похоже, и не замечал ее оригинальных особенностей. Так могут не комплексовать над физическими отличиями от массы только выросшие в Америке индивидуумы, кажется с радостью принявшие тезис: «Все, что создано для жизни, — красиво».

Голос его, как бы являясь продолжением конечностей, тоже не поспевал ни за телом, ни за мыслью, поэтому всегда торопился и, боясь не догнать, постоянно варьировал — и интонации, и тембр. Если Джефри говорил на ходу, казалось, что за ним стелется шлейф его голоса, почему-то не растворяющийся в воздухе, как остается белесый шлейф за самолетом, и чудилось, что можно, внедрившись в этот голосовой след, расслышать рассыпающиеся его звуки, даже когда сам Джефри находился уже далеко впереди.

К Зильберу Джефри относился с благоговением, впрочем не подобострастно демонстрируемым, а внутренним, не выражающимся ни в словах, ни в дополнительных признаках внимания, ни в беспрекословном согласии. Как раз наоборот, я не раз видела, как, нелепо жестикулируя и руками, и голосом, Джефри пытается отстоять что-то драгоценное — свое, отбиваясь от агрессивно наседающего профессора, который в конце концов все же раздавливал его своей массой.

Восхищенное отношение к Зильберу скорее определялось тем, как Джефри слушал профессора, определялось выражением его глаз, благодарной внимательностью ко всему, что тот говорил, боязнью пропустить мельчайшую частицу его мысли. Я не раз слышала от Джефри, что мы с ним редкие счастливцы, что нам повезло, потому что проводить столько времени с профессором и иметь возможность не только наблюдать за работой этого титана, но и принимать в ней участие — есть настоящее везение. В ответ я молчала, не соглашаясь явно, но и не пытаясь возражать, так как с детства не имела привычки обижать людей в их лучших чувствах.

Впрочем, искреннее уважение не мешало Джефри относиться к профессору с налетом легкой иронии, иронией совсем другой природы, нежели моя, больше походившей на скрытую гордость за любимого человека. Говоря со мной о Зильбере, Джеф звал его «дед», и трогательные нотки звучали в его голосе, как будто отношения учитель — ученик создали новую, чуть ли не родственную, связку.

Мои же отношения с Джефри были легкими и непринужденными, какие бывают между разнополыми товарищами, вполне осознающими неприкосновенность их товарищества из-за невозможности его перехода в другое качество. Именно это сознание растворяло запреты, и мы болтали и обсуждали любые темы, не стесняясь их возможной игривости и двусмысленности.

Я давно заметила, что есть такой тип мужчин, которые тяготеют к женщинам не на правах соискателей, а, скорее, на правах подружек, деля с ними любые, самые интимные секреты, самые клубничные сплетни и создавая тем самым волнующую для женщины двусмысленность. В результате появляется возможность обсуждения с мужчиной перехватывающих дыхание тем, что позволяет входить с ним в подозрительно щекочущую близость, но в то же время сохранить полную невинность намерений и поступков. Конечно, мы ни разу даже не приблизились ни к моей, ни к его личной жизни, но зато потрошили всех, кто попадался либо на глаза, либо на язык, используя при этом широкий набор сплетен, поступающих по первому запросу из многих проверенных источников.

Однажды мы с Марком поехали в гости к Катьке с Матвеем. Катька уже была на восьмом месяце, и супруги проводили вечера дома, вместе прислушиваясь к движениям ребенка. А когда эта требующая чуткости деятельность немного надоедала обоим, они звали в гости нас, чтобы убедиться, что ничего такого во внешнем мире не пропускают и можно снова приступить к единственному важному занятию: прослушиванию Катькиного живота.

Так вот, в одно из таких «однажды» на Катькин вопрос о моей работе — мол, с кем общаешься, кто о чем говорит, — я рассказала о Джефри, о наших доверительных отношениях, на что молчавший до этого Марк спросил, рассказывал ли Джефри о какой-нибудь из своих подруг, настоящей или прошлой.

— А вообще, ты видела его с девушками, может, он тебе хотя бы фотографии показывал? — продолжил он вопрос.

— Нет, ни с кем, кроме себя, не видела, и ни о ком, по-моему, он не рассказывал, — попыталась вспомнить я, но так и не вспомнила.

— Возможно, он гомосексуалист, — спокойно заметил Марк.

— Почему сразу гомосексуалист?

Мне стало неприятно, хотя я сама не поняла почему. Мне никогда прежде не приходила в голову подобная мысль. И, хотя я вполне нормально относилась к сексуальным причудам других, я вдруг неожиданно ощутила, неожиданно прежде всего для себя самой, что не хотела бы, чтобы именно Джефри оказался гомосексуалистом. «Почему?» — спросила я себя, не зная мгновенного ответа. Конечно, у меня и в мыслях, и, я надеюсь, в самом глубоком подсознании не было — продвигать наши с Джефри отношения на какой-либо другой уровень. Но если это так, опять подумала я, то почему я занервничала от одной только мысли, что он гомосексуалист?

Но ответ все же нашелся, не абсолютный, не гарантированный, лишь предполагаемый, но тем не менее успокоивший мои подозрения. Конечно, если бы он не был ориентирован на женщин, то вся обоюдоострая прелесть наших разговоров, весь их запретный шарм перестали бы существовать, это было бы все равно как болтать с Катькой, пусть и на самые остросюжетные темы — интересно, но обыденно.

А с другой стороны, ну почему, если возникают нормальные товарищеские отношения, не стремящиеся к разрешению в сексе, почему они противоестественны и почему в качестве единственного объяснения сразу возникает подозрение, что парень не может? А потом, кто знает, что у Джефри на душе, в мыслях? Если даже я ему и нравлюсь, но он не показывает этого, почему все сразу объясняется только одной причиной — отсутствием нормы? Может быть, он просто застенчивый, и вообще, почему любые отношения между разнополыми существами должны обязательно развиваться и обязательно только в одном направлении?

Все это я высказала Марку по дороге назад, в машине, но он почти не отреагировал, видимо, тема не интересовала его.

— Я не знаю, — сказал он, — я лишь высказал предположение. Ты рассказала о человеке, о его поведении, и я на базе твоего рассказа сделал предположение. Но, может быть, ты неправильно рассказала, а может быть, я неправильно предположил. Какое это имеет значение? Ты ведь в любом случае не будешь к нему относиться хуже?

Я посмотрела на Марка внимательно, и вопрос, и как он был задан — все неприятно кольнуло меня.

— Нет, не буду, — ответила я.

— Ну вот, видишь, я ведь говорю — пустой разговор.

И опять какая-то неестественность, так не свойственная Марку, проскользнула в его интонации.

Вот оно, чертово предубеждение! Из какого такого гена оно вылезло? Ну какая мне разница, с кем этот Джефри спит или не спит? Абсолютно никакой, он ведь все так же мил, прост, так же естествен со мной, и почему я должна о нем думать по-другому только лишь оттого, что не читаю в его глазах похотливого движения навстречу.

Но тем не менее что-то действительно изменилось в моем отношении к нему, изменилось неконтролируемо, даже более того, против моего желания. Я стала разглядывать Джефри, что ли, более внимательно, более подозрительно, выискивать то, чего не замечала раньше, о чем даже не думала, чего, в конце концов, может быть, не существовало вовсе.

Во всей этой истории меня беспокоил даже не сам Джефри, а мой изменившийся взгляд на него. Я вдруг испугалась за себя, оказалось, и сейчас я это обнаружила впервые, что во мне сидит подленькая червоточинка, не подчиняющаяся ни моему разуму, ни моему сердцу, ни моему пониманию справедливости, ни вообще какому-либо нормальному пониманию.

Я вспомнила слова Зильбера о генетической памяти, о том, что предубеждения, в массе своей, берутся именно оттуда. Смотри, говорила я себе, никто меня не воспитал в такой примитивной нетерпимости. Тема вообще находилась настолько вдалеке от моей жизни, что даже не поднималась, даже анекдотов, по-моему, не было. Да и сама я никогда не задумывалась о плюсах и минусах однополой любви, среди моих друзей и знакомых людей с данной ориентацией не наблюдалось, так что жизнь ничему — ни плохому, ни хорошему — научить не могла. Откуда, спрашивается, взяться такому гнусному взгляду? Но ведь нет, взялся же откуда-то!

Может быть, в конце концов попыталась успокоить я себя, все просто объясняется тем, что никогда раньше мне не приходилось дружить ни с девочками, любящими девочек, ни с мальчиками, любящими мальчиков, и оттого не выработалась у меня еще привычка. А из-за ее отсутствия странно и диковинно мне это первое, пусть только предполагаемое, общение и потому немного дискомфортно, как будто надела новые туфли, не разношенные еще. Хотя знаю, и потому разнашиваю, что со временем они перестанут натирать.

Впрочем, все мои подозрения и попытки подловить засекреченного Джефри не продолжались слишком долго. Однажды он пригласил меня на баскетбол: оказывается, он играл, не то за факультет, не то за команду интернов, не то еще за какую-то команду.

— Ты — в баскетбол? — не удержавшись, почти воскликнула я, но тут же и оборвала себя, поняв, что сморозила что-то не очень приличное!

Он, действительно, почти обиделся.

— А почему ты удивляешься? — спросил он и, как бы оправдываясь, заверил меня: — Я хорошо играю, раньше даже за сборную играл, возможно, мог бы и дальше пойти, если бы хотел.

— А действительно, почему? Кто здесь вообще удивляется, а? — поддержала я, с сомнением разглядывая его руки и ноги, не любящие отчитываться перед головой и с презрением относящиеся к субординации.

— Конечно, пойду, — сказала я, — и с удовольствием пойду. Я вообще никогда баскетбол живьем не видела и, хотя правил не знаю, обещаю, что болеть буду энергично и, кстати, только за тебя.

Я всегда любила наблюдать метаморфозы, но так как встретить настоящую метаморфозу в занудливо-практичной жизни удается нечасто, то я любила хотя бы читать про них. Больше всего мне нравилось в Золушке совсем не то, что она вышла замуж за принца — это и так было понятно сразу, — я вообще с детства являлась противницей заведомо счастливых концовок, предпочитая им неожиданные развязки. Больше всего в Золушке мне нравилось превращение огурцов в лошадей, мышей в ливрейных слуг и тыквы во что-то там большое, если я сейчас не путаю и если все не было наоборот.

Но здесь, на гарвардской баскетбольной площадке, я наблюдала не сказочное, а реальное превращение, живую метаморфозу. Куда делось растрепанное изобилие движений? Откуда взялась стройная, гармоничная отточенность? Как получилось, что ноги вдруг научились сознательно отвечать на движения рук, почему все тело стало так динамично и красиво? Изгибаясь в прыжке, оно наливалось мускулами прямо на глазах, в борьбе с другими, такими же большими телами, безжалостно высвобождаясь от чужих захватов, увертываясь от рук, пробиваясь корпусом. Джефри был не просто хорош, он был фантастичен, он был лучшим, и все на площадке и в зале понимали и принимали это — он был сам атлетизм, сама гармония, само искусство.

Я смотрела на него, не узнавая, и ловя себя на безотчетном восхищении, и не боясь его, этого восхищения. Все недавние сомнения, за которые я себя уже начинала ненавидеть, вдруг испарились, они просто перестали существовать: не могло быть никакого отхода от нормы в этом ставшем атлетически идеальном теле, и чушь все, все эти мои дурацкие мысли, думала я. И хотя я понимала, что моя радость так же подозрительно небезупречна, как и мои недавние сомнения, но сейчас я наслаждалась своим освобождением от них.

После матча он подошел ко мне, еще потный, еще не потерявший своей слаженности.

— Ну как? — спросил он, зная ответ.

Даже голос его звучал по-другому, сдержанно, будто сам сознавал, что является лишь незначительной частью большого целого.

Я только пожала плечами, мол, что тут скажешь.

— Я их разорвал, правда? — скорее утвердил, чем спросил Джефри.

— Ты их точно разорвал, Джеф, — вполне серьезно согласилась я, — от них осталась лишь труха.

Дома я спросила у Марка, играет ли он в баскетбол. Он, странно, не удивился вопросу.

— Так, не очень. А что, должен играть? — спросил он и, не дожидаясь моего успокаивающего «нет, не должен», закончил конспираторским тоном: — Зато я играю во многие другие, более сложные игры. И вполне успешно.

Он подошел ко мне ближе, и наклонился, и провел щекотливо губами по шее. Этому он научился у меня, подумала я.

ГЛАВА ДВАДЦАТЬ ДЕВЯТАЯ

Закончилась зимняя сессия моего второго курса. Марк и Зильбер, оба, независимо друг от друга, сказали, что мне следует принять участие в конференции, которая проводилась каждый год для студентов докторантуры.

— Тебе это ничего особенно не даст, кроме практики выступлений, но потихоньку всему надо учиться. Красиво держать себя на подиуме, владеть голосом, быстро и правильно отвечать на вопросы, — это тоже требует практики, — убеждал Марк.

То же самое, почти слово в слово, повторил и Зильбер, и я стала готовиться. Никакой заранее намеченной темы у меня не было, но Зильбер посоветовал переложить мою знаменитую работу на уровень доклада. Он сказал, что в ней еще много неподнятых пластов и я вполне могу раскрыть один из едва обозначенных аспектов, что будет достаточно для доклада и интересно, даже полезно для слушателей. Когда я рассказала об этом Марку, он поморщился: идея ему не понравилась.

— Это Зильбер тебе насоветовал? — спросил он.

Я почти сказала: «Нет, я сама», — постановка вопроса опять была обидной, как будто я ничего не могла решить самостоятельно. Но не то чтобы природная честность, а, скорее, нежелание говорить Марку неправду даже в такой мелочи, остановило едва не вылетевшее слово.

— Да, — сказала я почти с вызовом, — а что?

— Да нет, — сказал Марк, — ничего особенного.

— Но я вижу, что ты недоволен, — настаивала я.

— Не то чтобы я недоволен, в данном случае это не имеет значения, но идея нехороша в принципе, сам подход порочен. Тем более странно, что его предлагает Зильбер, мог бы понимать, вещь-то простая.

Я растерялась, даже немного напряглась: во-первых, зря он полез на Зильбера, старик сам непрост, чтобы говорить о нем вот так, свысока. А во-вторых, опять этот тон: мол, ну ладно, ты не понимаешь, но старик-то должен бы.

— В чем, Марк, порочность подхода, объясни, пожалуйста.

В моем голосе было, пожалуй, чуть больше раздражения, чем следовало, но Марк не стал сглаживать ситуацию, как он обычно делал, когда чувствовал, что я злюсь. Наоборот, голос его звучал твердо, просто непримиримо.

— Цепляться за старую идею нехорошо в принципе. Каждая мысль имеет свою, как бы это сказать, историческую нишу, что ли. Сначала ты двигаешь идею вперед, потом, если все удачно, идея двигает тебя, происходит как бы обратная связь. Но после того, как ты выполнила свою функцию по отношению к ней, а она — по отношению к тебе, оставьте друг друга. Потому что ничего полезного вы друг для друга больше не сделаете. Наоборот, высасывая использованную идею, ты только сузишь свое виденье в целом. Да и к чему долбить ради остатка, ради крох, когда рядом столько нераскопанных жил?

— Но, Марк, это же поверхностный подход — не доводить до конца, бросить по дороге.

Как всегда бывало, когда Марк начинал говорить, моя еще секунду назад непоколебимая уверенность улетучилась, перестала существовать, и, хотя такая перемена и смущала меня, я тем не менее успокаивалась, чувствуя рядом с собой надежность его беспрекословной правоты. Я даже злиться на него не могу по-настоящему, подумала я.

— При чем тут поверхностность? Я же не призываю тебя не копать вглубь. Наоборот, если копать, то до упора, до тех пор, пока не откопаешь, но это мы с тобой уже прошли. Если же продолжить затасканную, но вполне адекватную аналогию с жилой, то понятно, что после того, как она раскопана и в основном вынута, почему бы не оставить ее в покое и не начать искать следующую? К чему тратить время на труднодоступные крохи, оставь это другим, тем, кто не наделен способностью находить жилы сам, — он замолчал, а потом добавил, улыбнувшись: — Им ведь тоже надо жить.

— Значит, не надо держаться за наработанное? Так?

Я уже пошла на попятную, в принципе мне нравился такой подход, он соответствовал моему мироощущению, что ли.

— Именно так. И вообще, малыш, кто из нас апологет легкости, я или ты?

— Я апологет, — на редкость легко согласилась я. Да и нельзя было по-другому, раз речь зашла о легкости.

— Вот и нагнетай легкость в помещение, лучшего места не сыскать.

Я хотела спросить про помещение, откуда оно подозрительное взялось, но не спросила.

— Будь проще со своими идеями, не жалей их, научись легко их рождать, но и легко с ними расставаться. Именно так и создается та самая легкость, когда все удается по той простой причине, что не тяжело терять.

Он замолчал, и мне показалось, что он закончил, но я ошиблась.

— В любом случае, тебе пора начинать работать над чемто новым, ты не можешь постоянно жить тем, что создала когда-то. То есть можешь, конечно, но зачем? Это и непрактично к тому же: ты тогда сделала действительно непростую вещь, и, поверь, несколько человек уже работают, и наверняка серьезно работают, над твоим подходом, развивают его. И делают это уже давно, со времени опубликования твоей статьи, и дай им Бог.

— А почему тогда мы не развивали?

Теперь я была полностью растеряна: еще десять минут назад я казалась самой себе вполне серьезным ученым, уже сделавшим что-то, заявившим о себе и имеющим все права на свою точку зрения. Но вот оказалось, что никакой я не ученый, а так, обыкновенная пыжащаяся студентка, которая только и может, что идти за знающим и великодушным поводырем.

— Поэтому и не развивали, — расплывчато ответил Марк, но я поняла.

— Чтобы не цепляться? — уточнила я.

— Чтобы не цепляться, — подтвердил он. Мы замолчали.

— Но как бы там ни было, все и так хорошо, — продолжил Марк. — Через полтора года, если идти такими темпами, как мы наметили и как ты движешься, ты подойдешь к докторской диссертации. Не то чтобы задача была какая-то сверхсложная, но ведь дело-то не в этом. Дело в том, чтобы сделать следующий рывок, вроде того, что ты уже сделала, но в десять раз мощнее, дальше. Дело в том, чтобы сделать что-то такое…

Он выделил и голосом, и интонацией это «что-то такое», и я поняла, что он имеет в виду нечто грандиозное.

— И ты вполне в силах, вспомни, какой прорыв ты совершила тогда. А сейчас ты и старше, и мудрее, и больше знаешь, намного больше, и опыта больше, да и времени — тогда был месяц, а сейчас полтора года. Но и цели разные, не сравнивай ту — поступить в Гарвард — с новой целью.

— Какая новая цель? — почти испуганно спросила я.

— Какая новая цель? — повторил Марк за мной. — Ну, подумай и не бойся предположить самое невозможное.

Я развела руками, показывая, что не знаю, чего он от меня хочет. Потом бухнула, чтобы отвязался:

— Нобелевскую премию получить.

Неожиданно Марк вскинул руку с выставленным прямо мне в лицо указательным пальцем, что выглядело прямо-таки угрожающе.

— Не то, — сказал он так же быстро, как вскинул руку, — но близко. Бог с ней, с премией, она не критерий.

Я поняла, что он сейчас начнет разглагольствовать насчет премии и повторила настойчиво:

— Так что за цель?

— Взорвать эту науку, — мгновенно выпалил Марк, и само слово «взорвать» прозвучало, как самый настоящий взрыв.

Я посмотрела на него недоуменно — серьезно ли он, но он выглядел вполне серьезно, даже решительно.

Что-то неведомое, что кольнуло меня, еще когда он говорил про легкость, но тогда почти неощутимо, лишь смутным, неразгаданным предчувствием, сейчас снова, уже резко, даже болезненно резануло внутри.

Я никогда не считала Марка ни педантом, ни формалистом и, конечно же, не считала его сухарем. Он был живым и остроумным, артистичным по стилю общения и выражения себя, иногда трогательным, иногда смешным. Но при этом он всегда оставался сдержан в оценках, рассудителен, трезв и, как бы это лучше сказать, основателен, что ли. Правильно ли я подобрала слово, или нет, но можно твердо сказать, что он никогда не был поверхностным, чурался бравады и хвастовства, а главное, авантюр. Но именно авантюристом он показался мне сейчас.

Уже тогда, когда он заговорил о легкости, я различила в нем что-то не от Марка, во всяком случае, не от того Марка, которого я знала и с которым прожила уже немало лет. В нем проступило другое — лихое, спонтанное, что-то от кавалерийской атаки, во всяком случае, как я ее себе представляю.

Все это не соответствовало моему представлению о Марке, который всегда докапывался до самой сути, не оставляя ничего недопонятым, даже самую мелочь, ничего — не разобранным, ничего — случайным. А этот его экстремистский призыв был, скорее, от Матвея, он, скорее, походил на эмоциональный сиюминутный порыв.

Но я ничего ему не сказала, и если глаза не выдали меня, то услышал он нечто значительно более мягкое:

— Марк, — произнесла я, — это новые слова. Я таких слов от тебя никогда не слышала.

— У нас и цели новые, — тут же отозвался он, — которых мы раньше не ставили. А новые цели требуют нового подхода, к тому же если цель необычна, то и подход должен быть соответствующим. Конечно, твоя студенческая работа была замечательная, но в ней не было ничего сверхъестественного. При всей своей новизне она все же была стандартна, сама идея базировалась пусть на высоком, но стандартном уровне. А мы теперь будем стремиться к нестандарту, к тому, что не нормально, мы будем стремиться к отходу от нормы. А когда мы говорим об отходе от нормы, есть одно важное правило, которое тебе следует запомнить, как ты, умничка, запомнила все предыдущие, — он замолчал, как, я знала, он всегда замолкал, прежде чем сказать то, что считал важным. — Нестандартные задачи требуют нестандартных подходов! Запомни, это важно и не так просто, как звучит, — и повторил, сформулировав уже по-другому: — Нестандартные цели не достигаются стандартными путями. Подумай над этим и разберись сама.

Понятно было, что он что-то недосказал, что мне требовалось самой найти дополнительный смысл, скрытый в его словах. Хорошо, решила я, я запомню и потом, позже, вернусь к ним.

— Ну, а с чего надо всегда начинать? — продолжил Марк, как бы подзадоривая меня беспечным своим голосом и беспечным вопросом. — Ну конечно, необходимо определить цель. Это всегда помогает, а в нашем с тобой деле особенно.

— Ну да, я понимаю, — сказала я с заметной иронией. — Цель — взорвать науку.

— Именно, — ответил Марк, улыбаясь. Но улыбался он не своим словам, а, скорее, моей иронии.

— А если не взорвем? — полюбопытствовала я.

— Ну что ж, — пожал он плечами, — может, и не взорвем, не все всегда получается. Но начинать и думать об отрицательном результате, — он еще раз пожал плечами, — зачем? В любом случае, процесс оправдывает результат, так ведь?

— Не понимаю.

Я, конечно, понимала, но пусть объясняет, раз уж так любит объяснять.

Марк поднял брови.

— Мы ведь раньше уже говорили о подобном, только сейчас как бы подошли с другой стороны. Смотри, малыш, есть люди, ориентированные на результат, а есть — на процесс. Мы с тобой из тех, кто ориентирован на процесс. Не то что нас результат не интересует, результат важен, конечно, но он вторичен. Для нас на первом месте процесс по той простой причине, что он нам удовольствие доставляет.

— Но если мы концентрируемся на процессе, если процесс — самоцель, то не уменьшает ли это шансы прийти к результату? Если процесс доставляет удовольствие, то зачем его останавливать ради какого-то там результата?

Я не была уверена, что хочу продолжать этот спор, но должна же я была возразить ему.

— Нет, — упрямо не согласился Марк. — Хороший процесс не может не родить результат, — и повторил чуть другими словами, — Хороший процесс всегда приводит к результату. Не всегда, конечно, к положительному, но это и не так важно, потому как мы уже договорились: удовольствие мы черпаем из процесса.

— Почему же... — начала было я, но Марк перебил меня.

— К тому же мы с тобой грамотные люди, так ведь? — как бы спросил он моего согласия. — С развитым внутренним механизмом самоконтроля. Неужели мы не сможем вовремя различить результат, если он замаячит перед нами? Не то чтоб он нам совсем безразличен, качественный результат тоже вполне приятен, мы это с тобой знаем.

Марк остановился, я тоже молчала. До меня вдруг дошло, что спорю я, как всегда, скорее не ради идеи — идея уже очень абстрактная и не требует спора, да к тому же, наверное, Марк прав. Спорю я, просто чтобы ему противоречить, чтобы он все же прислушался к моему мнению, как слушают его другие, не менее, а, может быть, более серьезные, чем он, люди.

Но одновременно мне стала очевидна обреченность моего эмоционального наскока. Я была втянута в заведомо неравный и предрешенный спор. Ведь Марк, понятное дело, продумал все заранее, его позиция наработана, обкатана на других, а я так, с разбега — бух, со всеми своими заторможенными желаниями. И зачем? У меня нет шансов, я с самого начала обречена на поражение, а потому сама идея спора была порочной. Если уж спорить, чтобы утвердить себя, надо выбирать тему, где у тебя позиция сильная, даже неважно — сильная ли, важно, чтобы — подготовленная, отработанная.

Марк внимательно посмотрел на меня и, видимо, решил, что пора ставить точку.

— Малыш, я хотел только сказать, что порой следует ориентироваться на процессе, он первостепенен, — сказал он, и я услышала примирительные нотки. А потом после паузы добавил:- Есть у тебя это умение заводить меня.

Он улыбнулся.

— Ну и что теперь делать?

Я хотела наконец услышать что-то конкретное.

— Теперь надо потихоньку готовить себя к старту. Надо освободить время, наверное, проще всего уйти от Зильбера, тем более что я был о нем лучшего мнения, — я сдержалась и промолчала. — И выбирать место, где копать, ну, и приготовить кирку, лопату... — сравнение, конечно, было необычайно образным. — Но это твоя забота. Подумай, что тебя больше всего интересует на данный момент.

— А как с конференцией, может быть, вообще не нужен никакой доклад?

— Нет, почему, пусть будет доклад. Мы же говорили — для тренировки все полезно. Возьми старую тему, если больше нечего.

И опять в этом «больше нечего» прозвучала не очень замаскированная снисходительность.

Зильберу я решила пока ничего не говорить — ни о поиске новой темы, ни о моем возможном уходе от него. Во всяком случае, я решила подождать до конференции, чего преждевременно расстраивать человека.

Поэтому все по-прежнему двигалось по накатанному маршруту: беседы с профессором, забавные пересуды с Джефри, ланчи с другими симпатичными мне людьми, хоть и напряженная, но привычная и потому не отягощающая учеба.

Вроде бы все как-то устоялось, эта новая, поначалу пугавшая гарвардская жизнь постепенно вошла в колею, стала приносить удовольствие не только от тяжелого труда, как прежде, но и от жизни вообще. К тому же появилась новая приятная социальная среда, которая если раньше как начиналась, так и заканчивалась Марком, то теперь активно разнообразила повседневность. Казалось, я добилась того, к чему стремилась и для чего все когда-то начинала, и можно остановиться, потому что и так все хорошо.

Конечно, в душе я понимала, что нужен следующий шаг, но мне не хотелось ломать все заново — весь непросто мне давшийся душевный и физический уют. Ну почему опять надо ввязываться в борьбу, почему нельзя расслабиться и перестать уже кому-то что-то доказывать, почему, наконец, нельзя хотя бы немного пожить в спокойствии и в гармонии с собой и с окружающим миром?

Но я понимала, что Марк не даст мне успокоиться, у него появились новая идея, новая цель, и я знала, что теперь он будет провоцировать во мне душевный дискомфорт, вживлять в меня вечно преследующее «надо», вечную, неутомляемую неуспокоенность, ощущение, что я постоянно должна, хотя непонятно — кому и что. Да никому, ничего конкретно, просто глобально должна, днем и ночью, и каждая минута обязана вылиться во что-то различимое, а если не вылилась, то в том моя вина, хотя опять-таки непонятно, перед кем.

И все это называется самосовершенствованием, хотя нужно ли оно мне? Нужна ли эта постоянная жертва, жертва себя, приносимая себе самой? Хочу ли я приносить ее и хочу ли принимать? Безусловно, Марк хочет, но хочу ли я?

Я стала прислушиваться к себе, пытаясь понять, и, как ни удивительно, услышала едва различимый внутренний голос, нашептывающий однозначный, хотя, исходя из жизненного опыта, печальный ответ: «Да, хочу». Более того, одновременно пришло томительное нетерпение, возбуждающий зуд —поскорее бы начать, нечего откладывать, ну ее, и конференцию, и прочую ерунду. Если уж действительно браться за большое, то какое все это имеет значение — не застояться бы, не перегореть, не растратиться бы на мелочи. Начинать так начинать!

Но при этом я понимала, что все имеет значение: и конференция, и прочая ерунда. А главное, я готовлю себя не к стометровке, а к марафону, где важно — умение сдерживать себя, не дать энергии и эмоциям преждевременно выплеснуться и, прежде всего, двигаться в соответствии с заранее намеченным выверенным графиком. Ну, может быть, чуть быстрее.

ГЛАВА ТРИДЦАТАЯ

Я обкатывала свой доклад и на Зильбере, и на Джефри. Зильбер даже посвятил моей подготовке свой домашний семинар, что было очень мило с его стороны, и они все втроем, включая Далримпла, сначала выслушали мое пятнадцатиминутное выступление, а потом забросали меня бесчисленными запутывающими вопросами, на которые у меня, впрочем, находились вполне подготовленные ответы. Я выделила одно направление из моей работы, несколько расширила его и, не добавляя ничего принципиально нового, тем не менее нашла дополнительную, достаточно оригинальную аргументацию, выстроенную на базе появившегося за последние два года материала.

В целом мои теперь уже многочисленные тренеры оценили мой доклад и мою общую подготовленность как отличную. Когда все ушли, а я, как всегда, помогала Зильберу убирать со стола остатки чаепития, он сказал, что переживает мое первое выступление, как когда-то переживал свой первый доклад.

— Знаете, Марина, — сказал он, — в моей жизни было столько докладов, и важных, и очень важных, и совсем не важных, но если я помню из них три-четыре, то это много. Странно. — Он вздохнул и замолчал, ожидая, видимо, что я отвечу. Но у меня не было ответа, я не помнила ни одного своего доклада, так как не делала ни одного.

— Это как с женщинами, — продолжил профессор, и я радостно насторожилась, подумав: ага, ну вот, наконец, долгожданная тема, как долго он, впрочем, крепился. — Точно так же: сколько у меня было романов, увлечений, сколько привязанностей, и в результате я помню лишь о трех женщинах. Я даже не знаю, почему именно о них, и только потому, что они остались в памяти, я понимаю, что как раз они и имели значение в моей жизни. Знаете, Марина, это вообще универсально: единственный показатель, единственный критерий ценности того или иного события в жизни — это то, насколько хорошо память сохраняет его. Я измеряю, как ни смешно это звучит, свою жизнь — памятью.

— Это не смешно звучит, — вставила я.

— Знаете, что странно? Целые пласты, годы просто выпали, как будто их и не было, как будто я и не прожил их вовсе, а тогда они мне казались важными, может быть, даже критическими, поворотными, а вот — не помню. И не потому, что память стала плохой, память как раз еще ничего, хотя не как прежде, конечно, но дело в том, что я их вообще никогда не помнил. Я их забыл почти сразу, ну, под выражением «сразу» я понимаю лет десять.

Он усмехнулся, я тоже. Очевидно было, что мы по-разному относимся к понятию «сразу» и ко времени вообще.

— А другие события, казалось ненужные, несущественные, не имеющие никакого значения ни для меня, ни для моей судьбы, почему-то остались, запечатлелись в памяти, и вот я живу с ними. И получается, что именно они и имеют значение, что именно они меня сформировали. Удивительно, да? Вот и получается, что памятью можно оценить истинную ценность того, что произошло в жизни человека.

— Странно это слышать от мэтра психоанализа, — сказала я.

Он махнул рукой.

— Марина, в моем возрасте уже ничего не странно.

Я взглянула на него — столько вдруг прозвучало тяжелой усталости в его словах, что мне захотелось поймать его взгляд, потому что как еще можно проникнуть в человека? — только через его глаза. А через что еще, что еще есть на лице такого, что связано с внутренним миром человека? Только глаза. Тем более что в данном случае это было нетрудно, потому что они, выпрыгнувшие, как всегда, наружу, вдруг там и застыли и остались снаружи, одновременно и живые, и застывшие, и потому не защищенные от моего взгляда.

— И каким вы помните себя в жизни? — спросила я отчасти для того, чтобы переменить тему.

— Это тоже странно, Марина. Я часто вспоминаю, знаете ли, какие-то эпизоды, события, людей, себя самого, у меня ностальгия по прошлому, по детству, молодости — вообще, по прошлому. Это ведь на самом деле единственная существующая ностальгия — по прошлому. Все остальное — суррогат, подделка. Люди, которые, как мы с вами, чего-то лишились в жизни, часто подменяют ностальгию по прошлому ностальгией по стране, городу, дому, природе. Но это от непонимания, от неумения выделять и систематизировать. Ведь можно вернуться в город и убедиться, что он и сейчас душный и грязный, можно встретить старых друзей и убедиться, что они совсем не такие, какими ты их помнил, и, возможно, они изменились, а возможно, всегда были такими, просто ты не замечал. Можно войти в парк, где ты гулял когда-то с девушкой, и признаться себе, что есть парки и не хуже, а может быть, и лучше, сочнее и цветистее. Да и девушку лучше не встречать, потому что она, нынешняя, вероятно, увы, только испортит впечатление. Но если хочется, можно и встретить, можно вернуться во все места, из которых когда-то ушел. Не сегодня вернуться, так завтра, не завтра, так когда-нибудь потом, потому что почти всегда жизнь дает второй шанс, почти все обратимо во времени. Поэтому то, что, как тебе кажется, уйдет сейчас навсегда и больше никогда не случится, на самом деле когда-нибудь почти наверняка вернется, встретится и одарит новой возможностью. Необратимо только одно, — он остановился. — Только смерть не дает второго шанса.

Он снова замолчал, и казалось, больше не продолжит, казалось, он закончил, потому что глаза его стали немыми и не выражали больше ничего. Но они все же ожили, вздрогнули, легонько вспорхнули, и Зильбер вздохнул:

— Возраст. Сложно стало концентрироваться и контролировать мысль, отвлекаюсь. Так о чем я говорил?

— О ностальгии, о возможности возвращения, — напомнила я.

— А, да. Так вот, всегда можно вернуться, но, когда возвращаешься, ностальгия по всему, что, казалось, томило тебя еще недавно, рассыпается, исчезает. Только в прошлое нельзя вернуться. Нельзя вернуть ту девушку, с которой гулял, она только на фотографии да в твоей памяти. Нельзя вернуть ночные споры с друзьями, и прежних тем уже нет, да и спорить незачем, и так все понятно. Можно вернуться в город, в парк, но нельзя вернуть своего тогдашнего восприятия, ощущения этого парка, а ведь именно в ощущении и заключалась вся прелесть, не в парке же самом. Единственное, куда нельзя вернуться, Марина, это в прошлое, и потому только по нему и возможна ностальгия. Потому что ностальгия может быть только по невозвратному.

— Так каким вы себя видите в прошлом? — напомнила я. я.

Мне действительно хотелось услышать ответ, хотелось сравнить его с тем, как я ощущаю себя в моем прошлом.

Он задумался, но ненадолго, видимо, ответ уже существовал и его требовалось только извлечь на поверхность.

— Это интересный вопрос. Потому что в прошлом я вижу не себя, а человека, похожего на меня, который, я знаю, и есть я, хотя твердой уверенности в этом все же нет. Знаете, Марина, это как если смотришь видеозапись: ты глядишь на себя со стороны и понимаешь, что видишь себя, но не чувствуешь себя тем человеком на пленке. Так и в памяти.

— Значит, вы видите себя, как в кинематографе? — уточнила я, потому что его сравнение не сходилось с моими собственными впечатлениями.

Он задумался.

— Никогда не думал. Ха, интересно: пожалуй что нет, не совсем так. Пожалуй, я вижу себя, свое прошлое, как на фотографии: знаете, если у вас много фотографий и вы их перебираете, то медленно, то быстрее, то, может быть, остановитесь на одной какой-нибудь. Движение от смены картинок существует, но оно не непрерывное, как в кинематографе, а скорее дискретное, прерывистое. Он задержался на секунду. — Да, именно так, рывками. Получается, что память не кинематографична, она фотографична.

— А не кажется ли вам, профессор, что частота смены снимков зависит от удаленности вспоминаемых событий? — Я решила все же высказать свое. — Не думаете ли вы, что если событие находится в близкой памяти, то оно в движении, почти как на кинопленке, и ты видишь себя в нем двигающейся, размахивающей руками. Но по мере того как событие отодвигается во времени, движения как бы урезаются, становятся суше, скупее и в конце концов отмирают вообще. И вот тогда память становится, как вы очень правильно сказали, фотографичной.

— То есть вы хотите сказать, Марина, что со временем память теряет динамику движения? — ограничил Зильбер мои рассуждения.

— Да, — подтвердила я.

— Это хорошее наблюдение. Вы построили более сложную модель, чем я, и, наверное, так и есть. Наверное, вы правы, — повторил он. — Впрочем, мне сложно судить. Знаете, я плохо помню то, что со мной произошло недавно, например, что со мной приключилось год или два назад. Вернее, если вспоминать, я вспомню, но в голове не фиксируется, не остается в активном запасе памяти. То, что я помню хорошо, все почему-то из далекого прошлого, иногда из очень далекого. Странно, да? — Этот вопрос не был обращен ко мне. — И главное, я не понимаю, почему так происходит. — Он покачал головой. — Так что мне сложно судить.

Зильбер замолчал. Но потом как будто спохватился, как будто вспомнил что-то.

— Например, я не помню отчетливо своих детей в возрасте шестнадцати, двадцати, тридцати лет, но я помню их, когда им год, как я купаю их в ванночке. Или когда им пять, и я читаю сказку перед тем, как они уснут, хотя что происходило после, наверное в более важные для них периоды жизни, не помню.

Он в первый раз упомянул о своих детях, я и не знала даже, что у него есть дети, хотя, конечно, почему бы и нет. Я слушала внимательно, я уже привыкла его слушать и научилась получать удовольствие от его рассказов, замечаний, наблюдений.

— Вообще, Марина, время — странная, неоднозначная штука, и весьма, простите за банальность, относительная. Время меряется не секундами, минутами, часами, а восприятием. Впрочем, это скорее философский вопрос о субъективности времени, и я не хочу в него вдаваться, так как недостаточно сведущ. Опять я отвлекся. Говоря, что время неоднозначно, я хотел сказать о другом. Смотрите, мы проживаем день и ругаем его, что он так быстро прошел. Перед нами мелькают недели: понедельник-пятница, и опять мы не замечаем пролетевшего месяца, и пугаемся, когда убеждаемся, что прошли годы, и время нам кажется стремительным, мгновенным, и эта скоротечность пугает нас. И тем не менее в какой-то момент мы осознаем, что жизнь длинна, подчас очень длинна, и именно поэтому из памяти выпадают целые пласты, но если их вдруг оживить хотя бы частично, то удивишься, как долго и много прожито. Более того, все эти мелькающие дни, недели, месяцы, годы не просто проходят мимо, а оседают, наслаиваются друг на друга и скапливаются в массу, которая начинает давить. С возрастом жизнь начинает казаться не только длинной, Марина, она становится утомительной. У меня были пациенты, в основном, конечно, старые люди, которые, будучи и психически, и, в целом, физически здоровыми, не хотели жить по одной причине: потому что они устали. У них все шло хорошо, и материально, и в семье любящие дети и внуки, и депрессия отсутствовала — они просто устали жить.

— И что, они пытались покончить с собой? — спросила я, вздрогнув от знакомого слова «депрессия», сразу вернувшего в мое сознание невидящие глаза Мэри-Энн.

— Нет. В этом-то и отличие их состояния от болезни. Они не были больны и поэтому не желали смерти, они просто устали от жизни, потому что ее было слишком много. Это даже с временной продолжительностью напрямую не связано, это сложнее, больше — с плотностью жизни, а не с ее длиной. Но в любом случае, если бы в тот момент им пришлось умирать, они бы не испугались, а приняли смерть как естественное освобождение от утомления жизнью. По-моему, кстати, так как раз у Толстого, впрочем, про Толстого вы лучше знаете.

— Но это, в принципе, идеальная ситуация, — не возразила, а, скорее, дополнила я, — когда человек, подходя к концу жизни, понимает, что был достаточен, что исчерпал жизнь до дна и что смерть — ее естественное продолжение. Не было ли так изначально задумано природой?

— Не знаю, сложно это. — Зильбер был по-прежнему задумчив. — Может быть, вы и правы, но и жить до последнего, со всей полнотой впитывая ее, жизнь, именно до последней капли, тоже хочется. Знаете, это абсолютная правда, что надежда умирает последней. Обреченный, умирающий больной еще за десять минут до смерти не верит, что умрет. Впрочем, — профессор встрепенулся, — хватит об этом, что нам с вами о смерти говорить, у нас еще столько тем про жизнь, — и глаза его с помощью акробатического кульбита объявили, что они обращены только к жизни. — Но ваше наблюдение, что воспоминания во времени постепенно вырождаются и переходят из области кинематографии в область фотографии, оно очень точно. Вы вообще, Марина, приятный собеседник — тонкий, думающий и, главное, проницательный. — Он слегка усмехнулся, и я так и не поняла, что означает эта усмешка.

Я поблагодарила за похвалу и, посмотрев на часы, вздрогнула: было так поздно, что, скорее всего, автобусы уже не ходили, а может, и ходили, но все равно я не хотела возвращаться одна.

— Простите, доктор, можно я от вас позвоню? — попросила я, решив, что Марк подъедет и заберет меня. В любом случае он уже с ума сходит, так что лучше позвонить.

— Конечно. Я бы вас сам отвез, но не те годы, знаете, чтобы вот так, в ночь.

— Что вы, что вы, профессор, — забеспокоилась я.

— Знаете, Марина, что проще всего сделать? Наш Джефри живет через два квартала и наверняка не спит — стихи пишет.

Я ему позвоню, если вам самой неловко, и попрошу, чтобы он вас отвез.

— А это удобно? — для приличия спросила я, хотя идея мне понравилась: не надо ждать Марка, пока он приедет.

К тому же мне почему-то вдруг захотелось, чтобы меня по этому ночному, во влажных огнях городу повез именно Джефри — была в этом какая-то романтика, что ли, какая-то случайная непредвиденность. И не то что я хотела, чтобы что-нибудь произошло, наоборот, я твердо знала, что не хочу ничего. Но сознание, что вот именно такие ситуации рождают основу для непредсказуемости, волновало: так давно у меня не было случая попасть в подобную двусмысленную случайность.

— Конечно, удобно. Это придаст ему дополнительный романтический заряд, он будет только рад, — сказал Зильбер, направляясь к телефону.

ГЛАВА ТРИДЦАТЬ ПЕРВАЯ

Джефри просигналил фарами с улицы, и я попрощалась с Зильбером и вышла. Немного моросило, после тепла дома было холодно, и я с благодарностью отдалась комфорту машины. Джефри не поздоровался — виделись лишь пару часов назад. Мы молча тронулись.

— Красиво ночью, — сказала я, чтобы разрядить тишину и еще потому, что ночью действительно красиво. — Дождь, и огни, и пустые улицы. Спокойно и как будто в ожидании чего-то.

Он молчал, машина ехала медленно, как бы смакуя сам процесс движения.

— Днем не так, днем суетливо, — продолжала я. — А ночью все тонко, паутинно, хрупко, как сама темнота. В такую ночь лучше всего стихи писать. — Я подобралась к нужной теме и, выдержав паузу, добавила: — Ты, я слышала, стихи пишешь?

— Да, — сказал он. — Тебе дед сказал?

— Дед, — призналась я.

Джефри ничего не ответил. Мы встали у светофора.

— У меня, кстати, есть стихотворение про ночь, вот про такую ночь, правда очень короткое, всего одно четверостишие, — сказал он.

Это было мило с его стороны, сказать об этом вот так прямо, не кокетничая. Мне осталось только попросить прочитать.

Он кивнул и выдержал паузу.

О, ночь, тебя одну люблю,
С тобой одною молодею,
И если все-таки сумею,
Я в ночь когда-нибудь уйду.

То ли от самого стихотворения, то ли от того, как эмоционально он его прочитал, но я почувствовала себя странно: одна с молодым мужчиной, ночью, в машине, да еще светофор настойчиво продолжал светить красным.

— Мне очень понравилось, — сказала я.

Я сказала бы так в любом случае, но мне действительно понравилось. Как ни странно, было что-то в этих несложных четырех строчках из прошлого, из моего прошлого, была в них энергия, скорее страстность, да, именно ностальгическая страстность. Почему-то я представила Москву, она по-прежнему ассоциировалась со страстностью. «Ностальгия бывает только по прошлому», — вспомнила я предостережение Зильбера.

Я посмотрела на Джефа. Откуда взялись такие слова у этого, насквозь американского, мальчика? Откуда этот благополучный, нескладный, длиннорукий, смущенный интерн, кроме книжек и занятий небось в своей жизни ничего не видевший, знает вот такое про ночь?

— Мне правда понравилось, — снова сказала я и повторила по не успевшей остыть памяти: — Я в ночь когда-нибудь уйду. Хорошо. Правда, хорошо.

Зажегся зеленый. Джефри положил ладонь на переключатель скоростей, снял с нейтралки и поставил первую. Рука его в неровном своем движении коснулась моей ноги, чуть выше колена. Я вздрогнула, то ли от неожиданности, то ли от пробежавшей дрожи.

Он заметил.

— Извини, — сказал он.

Я молчала. Мы проехали минут пять.

— Я отвыкла от стихов, — произнесла я, видя, что он сам ничего не скажет.

И тут другая мысль догнала меня непрошеным признанием: и не только от стихов, от всего отвыкла.

— Знаешь, — вдруг сказал Джефри, — прекрасное требует тренировки. Умение чувствовать может атрофироваться, как мышца, если им долго не пользоваться.

Он замолчал.

Да, подумала я, он прав, он очень прав: и прекрасное, и любовь, и вообще умение чувствовать требуют тренировки.

Умение получать удовольствие и от этого ночного города, и от книги, и от человека, и от стихотворения — все требует тренировки, а без тренировки умение исчезает, как он сказал, атрофируется. А я тренируюсь в другом — в умении писать статьи, искать нужную литературу, сопоставлять данные и делать выводы. Я учусь выхватывать из страницы нужные фразы и составлять их с другими фразами, тренируюсь в умении планировать и проводить эксперименты, раскладывать все по полочкам, и анализировать, и докапываться до сути.

И все это вроде бы хорошо, но, увлекшись своими тренировками, я забыла о том, что мир не ограничивается ими, что еще есть чувства и эмоции, есть прекрасное и красота, на которых и оттачивается чувственность, и они так же важны, как и умение анализировать и докапываться до сути, потому что без них мир безжалостно препарирован. И мой мир препарирован, потому что я как раз и потеряла умение чувствовать красоту, и страсть, и порыв.

Когда я последний раз читала стихи, когда я вообще читала что-нибудь стоящее — не помню. Кажется, что никогда.

Мне стало грустно, я ощутила себя инвалидом, калекой, я очень явно вдруг это почувствовала, будто у меня обнаружилась потеря какого-то очень важного органа, без которого жить еще можно, но уже неполноценно.

— Ты прав, Джефри. Ты очень прав, и это печально, — сказала я.

Он посмотрел на меня, и по наступившему молчанию, и по его взгляду я поняла, что он хочет положить руку мне на ногу, но не положит. И еще я поняла, что сама могу взять его руку, и она будет послушна мне, и ляжет там, где я пожелаю, и сделает то, что я пожелаю. Теперь я точно знала, что он хотел этого всегда — когда мы болтали, или шли рядом, или сидели и пили кофе. Я вдруг как-то сразу вспомнила украдкие взгляды, неловкие замечания, на которые никогда не обращала внимания, но которые сейчас стали такими очевидными.

Но я, конечно, не взяла его руку, я вообще замерла на сидении, потому что ничего не хотела и ничего не могла. Безусловно, мне было приятно, что я нравлюсь ему, возможно, он даже влюблен в меня, но сознания этого мне было достаточно. В любом случае, подумала я, ничего не может произойти просто потому, что в моей жизни есть Марк. И еще потому, что я умею контролировать свои желания, потому что именно этим взрослый человек отличается от ребенка — умением контролировать желания.

Мы подъехали к моему дому, Джефри выключил мотор, и мы посидели минуту в темноте под уютный звук накатывающего дождя. Я не понимала, почему я даю ему эту минуту, может быть, потому что знала: он не воспользуется ею.

— Спасибо, — сказала я в конце концов, — и пожалуйста, принеси мне свои стихи почитать. Я хочу начать заново тренировать мышцу и восстанавливать в себе чувство прекрасного.

Он улыбнулся, кивнул головой, и я вышла и махнула ему рукой, как полагается, перед тем как открыть дверь подъезда.

Марк не сказал ни слова, и именно поэтому — но не только, а вообще по всему его виду — я поняла, что он, конечно же, раздражен.

— Я задержалась у Зильбера, — сказала я первая, чтобы предупредить возможные вопросы.

Марк поднял брови в поддельном изумлении, показывая всем видом, что вопросов не ожидается. Это его ребячество тронуло меня больше, чем все возможные расспросы и претензии, я почувствовала себя настоящей свиньей: позвонить-то хотя бы я могла.

А действительно, вдруг мелькнуло во мне, почему я не позвонила? Не потому ли, что не хотела вмешивать его, даже косвенно, в происходящее? В рассказы Зильбера, в поездку с Джефри? Не казалось ли мне, что его присутствие, пусть неявное, что-то испортит?

— Марк, — сказала я чуть протяжно, чтобы задержать его внимание на моем голосе, — я заговорилась у Зильбера, даже времени не заметила. Знаешь, он забавный, с ним интересно, а потом Джефри меня отвез. Извини, что я не позвонила, я знаю — я должна была позвонить, извини, — я подошла, и положила ему руку на грудь, и провела ладонью вниз к животу. — Ладно?

— Конечно, — ответил он и отстранился от меня.

Он все еще сердился.

— Что старик рассказывал? — все же спросил он через несколько минут, когда я уже разделась и прошла в комнату.

Я была рада вопросу: может быть, он снимет напряжение, которое неожиданно быстро сгустилось в воздухе и продолжало сгущаться. Казалось, раздраженность Марка создала вокруг него поле, которое распространялось, и вбирало в себя все вокруг, и подавляло все вокруг, в том числе и меня.

— Так, — сказала я миролюбиво, — в основном о своем прошлом. Как он себя в нем видит.

— Ну и как же он себя там видит?

Голос Марка был пропитан иронией, просто захлебывался ею. Мне стало неприятно — зачем обиду на меня переносить на других людей, они-то здесь при чем?

— Марк, — сказала я спокойно, — я знаю, ты раздражен, и я извинилась, но не надо выплескивать свои эмоции на других, это нечестно.

— Кто же просвещал тебя сегодня в вопросах чести, Зильбер или мальчик Джеф?

Это была явная провокация, и я поддалась на нее — столько пренебрежения, столько высокомерия было в его фразе по отношению к людям, которых я уважала, а значит, и ко мне. И откуда, с чего, где он взял это право — смотреть на людей сверху вниз, даже на тех, кого он никогда не встречал?

— Это зло, Марк, — взорвалась я. — И почему? Только лишь оттого, что я задержалась на полтора часа? Но я не девочка, в конце концов! И, в конце концов, ты знаешь: я была на семинаре. И вообще, Марк, откуда это пренебрежительное отношение к людям, абсолютно ко всем, даже к тем, кого ты не видел ни разу? Я понимаю, ты человек способный и, наверное, высокого мнения о себе, вероятно вполне заслуженно. Но почему ты думаешь, что один такой? Ты сидишь, не вылезая, в этой квартире, никого не видишь, ни с кем не общаешься, у тебя нет друзей, ты замкнулся на книгах. Откуда ты знаешь, что там, за пределом твоего мира, нет таланта, нет других людей, которые не уступают тебе?

Я хотела добавить: «А может быть, превосходят», — но удержалась.

— Ты выйди, посмотри, может быть, удивишься.

Как ни странно, это был первый в моей жизни с Марком бунт — скорее не бунт, а так, бунтик, — когда я впервые, более умышленно, чем искренне, поставила под вопрос его исключительность, скорее всего, чтобы ответить злостью на злость. Но мой выпад почему-то положительно подействовал на него. Он улыбнулся своей самой милой улыбкой и сказал уже совсем другим, спокойным, мягким и, главное, добродушным голосом:

— Я был там. Впрочем, ты права: я был давно, может, все изменилось. — Он снова улыбнулся, и опять так же мило. — Ладно, не злись, пошли спать.

И мы пошли спать, и это был тот редкий случай, когда мы заснули сразу, во всяком случае я.

Утром мы проснулись, как всегда, одновременно, и пошли на кухню пить кофе. Марк выглядел на удивление свежим, гораздо свежее, чем обычно по утрам. Он был очень хорошенький этим утром, глаза его ярко светились, и весь он казался как-то особенно молодым, веселым, даже озорным.

— Ты была права вчера, — сказал он безмятежно. — Я чего-то засиделся, мы вообще давно никуда не ходили. У тебя когда выступление, через два дня? — спросил он. Я кивнула. — Давай так: сегодня вечером и завтра мы к нему готовимся, потом я приду послушаю твой доклад, а после мы завалимся куда-нибудь, отметим. Заодно я и на людей посмотрю.

Он еще радостнее улыбнулся, как бы говоря: «Помнишь, о какой чепухе мы вчера спорили. Смешно, правда?»

— Конечно, — согласилась я.

Странно, правда, что он только сейчас вспомнил о конференции. Я уже думала об этом: последнее время он ни разу не упоминал о ней, не интересовался ни моим докладом, ни как я к нему готовлюсь. И вот только сегодня наконец вспомнил. Я ощутила неясный смутный осадок, который медленно заполнял и утро, и меня в нем. Я не смогла сразу разгадать его природу, просто чувствовала что-то неудобное, как будто надела сдавливающую, натирающую одежду.

Только лишь по дороге в университет я поняла, откуда взялось утреннее неприятное ощущение. Я поняла, что не хочу, чтобы Марк приходил на мой доклад, не хочу по разным причинам, но особенно не хочу, чтобы он встретился там с Зильбером и Джефри. Я не знала точно почему, возможно, я опасалась возникновения некого непредвиденного напряжения между ними.

Конечно, я не боялась, что они начнут ругаться друг с другом, но я предчувствовала, что конфликтная ситуация может возникнуть в душе каждого из них, как она существует сейчас только в моей душе. Я не знала, что именно случится: начнет ли Зильбер по-стариковски ревновать меня к Марку, ведь он о нем ничего не знает, во всяком случае от меня. Или у Марка усилится раздражение по отношению к Зильберу, когда он увидит, как нежно, по-родственному тот относится ко мне. Или возникнет какая-нибудь нелепая напряженка с Джефри, которому я и о Марке тоже ничего не говорила.

И не то что я умышленно скрывала подробности своей личной жизни, но я всегда догадывалась, скорее интуитивно, что присутствие Марка — такого несхожего, отличного от всех остальных — невольно нарушит созданную за это время душевную связку между мной и Зильбером, да и Джефри тоже.

Но, с другой стороны, получалось, что я как бы стесняюсь Марка, стесняюсь своих с ним отношений и поэтому избегаю демонстрировать их, предпочитая сохранять их на нелепом — я сама понимала это — конспиративном уровне. И, когда я поняла это, — мне стало стыдно за себя.

Вечером Марк выслушал мое выступление и похвалил, сказав, что я удачно выбрала направление, и написала хороший текст, и хорошо говорю, и что мой акцент только добавляет шарма и еще больше располагает ко мне. Но про акцент я сама давно поняла.

В общем, он благословил меня на подвиги и посоветовал не нервничать, а если все же буду, то относиться к этому нормально — все нервничают поначалу. Я пообещала, что постараюсь, хотя уже сейчас, за целых два дня до выступления, чувствовала, как у меня каждый раз перехватывает горло, когда я только начинаю думать о том, как выйду на подиум.

С приближением дня и часа распятия признаки волнения наслаивались, становясь разнообразнее, подключая все новые, до этого не ощущаемые участки организма. В конце концов утром в день выступления я даже кофе не смогла выпить, так у меня завихрилось все в желудке, как будто в животе закручивалась упругая пружина и она своими широкими кольцами сдавливала дыхание, сжимала грудную клетку и тяжело задевала что-то под сердцем. Поощрения Марка типа «не волнуйся, малыш, все будет в порядке» не только не успокаивали, но, наоборот, заводили еще больше, вызывая злобную нервозность, которую, впрочем, не было ни желания, ни сил выплескивать.

В университет я поехала раньше Марка, мы договорились, что он приедет прямо к моему выступлению. С Зильбером мне тоже не хотелось встречаться — и он небось начнет успокаивать, — и поэтому я, воспользовавшись оставшимся до начала временем, пошла в кафетерий. Но поскольку на еду я и смотреть не могла, то взяла только кофе, который все ж надеялась выпить.

Чтобы отвлечься, я пыталась читать прихваченную с собой книгу, но, перечитав одну и ту же страницу четыре раза и так и не сообразив, в чем там, собственно, дело, я перестала сопротивляться и полностью отдалась волнению, помня, что, по Матвею, человек получает удовольствие от состояния, в котором находится. Лучше не становилось, я смотрела на часы и опять смотрела, пока меня, увлеченную своей нервозностью, не испугал Джефри, неслышно севший за мой столик.

— Так и знал, что ты здесь, — сказал Джефри. — Волнуешься, — догадался он, наблюдая, как меня бьет колотун.

— Немного, — поскромничала я.

— Слушай, я тебе не говорил раньше, у меня в Нью-Гэмпшире маленькая-маленькая ферма, то есть, скорее, яблочный сад, и я там яблочный сироп изготовляю.

Он выставил на стол жестяную баночку. Я взяла ее в руки. Баночка была фирменно сделана, с красивой наклейкой, на которой было нарисовано что-то вроде цветущей яблони и тележки под ней. Внизу было написано: «Яблочная ферма Джефри». Я ничего не поняла. Все это: и Гарвард, и мой доклад, и шумный кафетерий, и этот длиннорукий интерн, выращивающий яблоки на своей ферме и делающий из них сироп, и вот вполне заводская баночка с фирменной наклейкой яблочной фермы Джефри — все это в моем воспаленном мозгу отозвалось бессмысленным сюром.

— Подожди, — сказала я, обалдело мотая головой, — какая ферма, какие яблоки, какой сироп? Ты чего меня разыгрываешь? Я ведь тебя знаю: ты — Джефри, работаешь интерном у Зильбера, я тебя вчера видела, никакой ты не фермер.

— Неправда, — упрямо заявил Джефри, — честное слово, я выращиваю яблоки и делаю яблочный сироп. Вот, можешь попробовать.

— Сам выращиваешь? — засомневалась я.

— Сам, — настаивал он.

— И сироп изготавливаешь сам? Наемный труд не используешь?

Это было очень важно для меня, особенно сейчас.

— Все сам. Честно. Попробуй, он вкусный, открыть банку?

— Нет. — сказала я. — Я еще не во всем разобралась. Зачем ты это делаешь? В чем, отвечай, твоя корысть?

— Просто так. — Он чуть подался вперед. — Когда-то в детстве я оказался случайно на яблочной ферме и видел, как там делают сироп. Знаешь, сначала срываешь яблоки, потом кладешь их в плетеную корзину — они пахнут свежестью, жизнью, и сама корзина с яблоками жизнерадостна, и...

— В общем, пейзанская идиллия, — резюмировала я. — Прекрасный юноша с плодами щедрой природы. Кстати, рядом юной пастушки с отарой таких же юных овечек не наблюдалось для полноты сюжета?

Джеф засмеялся, ему понравилось мое предположение.

— Нет, пастушек, увы, нет, — сказал он.

— И чего ты с этим сиропом делаешь? — спросила я, так как было действительно непонятно: неужели продает?

— Ничего не делаю. Дарю разным людям, вот тебе, например.

Я посмотрела на Джефри и засмеялась. Это действительно было ужасно смешно, особенно если представить его длинные руки непосредственно внутри процесса изготовления.

— Ты милый, — вырвалось у меня непроизвольно. — А он сладкий или очень сладкий? — спросила я уже о сиропе.

— Сладкий — не очень сладкий, просто сладкий, попробуешь после доклада.

«Доклада», —шевельнулось во мне. И вдруг я поняла, что забыла о докладе, о волнении, о нервах, о пружине в животе, и потому ничего больше пугающего и нервозного во мне не осталось. Было легко, и свободно, и немного сладко, как от яблочного сиропа.

— Ты все это специально, Джеф, чтобы отвлечь меня, — засмеялась я.

— Разве это плохо? — в ответ улыбнулся он.

Все оказалось значительно проще, чем я предполагала: я контролировала и слова, и интонации, вовремя выдерживала паузы, пару раз выдала заготовленные шутки. Аудитория была доброжелательна, вопросы тоже были несложные, какой-то дядечка из комиссии попытался было задать мне пару вопросов позаковыристее, но я легко находила неочевидные ответы, и он, успокоенный, отстал.

Зильбер и Джефри — даже миляга Далримпл пришел — сидели в первом ряду, как бы давая понять, что, если кто обидит меня, будет иметь дело с ними. Зильбер, изображая беспристрастность, тоже задал мне вопрос, на который у меня, ясное дело, нашелся очень даже удачный ответ, да и вообще, то, что вопрос задал мне своим красивым глубоким голосом сам Зильбер, говорило непосвященным о живом интересе мэтра к происходящему и даже весьма повысило мои акции.

Марк же, наоборот, сидел в самом уголке, чуть ли не в конце зала, и вопроса не задал. Хотя мне в какой-то момент показалось, что он хочет поднять руку, и я вздрогнула, подумав, что если он спросит, то обязательно что-то неожиданное, наверняка с подвохом, так как в его представлении непредвиденные, неудобные вопросы должны тоже являться частью моей комплексной тренировки. Но руки он не поднял, просто сел поудобнее, и я так и не поняла, почему вдруг заподозрила его. Я вообще старалась не смотреть на него, чтобы не отвлекаться, но иногда, вопреки собственной воле, бросала взгляд, пытаясь разглядеть лицо, но не могла.

Когда все закончилось и я вышла из зала, Марк уже ждал меня в коридоре. Я давно не видела его так красиво и аккуратно одетым — в костюме с галстуком он выглядел элегантным и свежим. Я опять ощутила постыдное беспокойство: что, если сейчас покажется Зильбер с командой?

— Ты отлично выступила, очень хорошо. И Зильбер тебе помог, он молодец. Интересный, кстати, старик.

Я не поняла, что имеет Марк в виду — внешне интересный или еще как? В этот момент я заметила краем глаза, что из зала выходит Зильбер, и вздрогнула.

— Ладно, — сказал Марк, — я побегу, у меня встреча с приятелями. Видишь, как я выполняю твои наказы. Ну что, поужинаем вместе? Ты когда заканчиваешь?

— В пять, — ответила я.

И тут подошли Зильбер с Далримплом и Джефри.

Мне ничего не оставалось, как представить их всех Марку. Он пожал им руки и сказал, обращаясь к Зильберу, смотревшему на него не просто высокомерно, а почти с презрением:

— Профессор, вы великолепно подготовили Марину к конференции. Она, вне сомнения, займет первое место. Отличная работа, отличное выступление. Поздравляю.

Я удивилась, откуда он знает, что Зильбер готовил меня, я ведь ему подробностей не рассказывала, да он и не спрашивал. Впрочем, это было неважно.

Зильбер ничего не ответил, только мотнул неопределенно головой.

— Значит, в пять, — сказал Марк, обращаясь ко мне. — Я жду тебя у выхода. — И на правах собственника он пригнулся ко мне и поцеловал в щеку. — Умница, чудесно выступила, — повторил он и, попрощавшись со всеми и улыбнувшись всем, пошел быстрой, красивой походкой по коридору.

Я почувствовала, как вокруг меня возникло поле нервозной неловкости. Оно исходило ото всех разом: и от меня, и от

Зильбера, и от Джефри, только Далримплу ни до чего, видимо, не было дела.

— Ну что ж, — наконец произнес Зильбер, похоже, чтобы разрядить обстановку, — вы, Марина, действительно молодец, очень хорошо выступили.

Я сказала, что, мол, только благодаря вашей помощи и, что очень вам всем благодарна, и спросила, как они отнесутся, если я сбегаю, принесу тортик. Но Джефри заявил, что спешит, да и Далримпл сослался на дела.

Когда они ушли, Зильбер отвел меня к окну:

— Этого молодого человека, с которым вы нас познакомили, вы хорошо знаете? — спросил он.

Вопрос поразил меня: слишком откровенный, в лоб, я вообще могла не отвечать — в конце концов, я ведь не спрашиваю, чем он там занимается по ночам в своих деревянных комнатах. Но в то же время я почувствовала, что если сейчас уйду от ответа, то покривлю и перед Марком, и, главное, перед собой. В конце концов, почему я должна скрывать то, что более чем нормально? Да и какое мне дело, что этот старый моралист подумает, пусть себя лучше вспомнит в молодости.

— Да, — сказала я твердо. — Мы живем вместе.

— Ага, — сказал Зильбер, — вот в чем дело. Теперь все понятно, впрочем, я нечто подобное предполагал.

Что-то вдруг замкнулось во мне, и в голове почему-то отпечаталось и застыло слово «столбенеть». Как он мог позволить себе такое?! Я ему ничем таким не обязана, чтобы вот так вмешиваться в мою жизнь и так комментировать ее.

— Что вы имеете в виду, профессор? — спросила я достаточно агрессивно.

Зильбер не выглядел растерянным, видимо, ему и в голову не приходило, что его вопрос некорректен, он, очевидно, полагал, что имеет право на любые вопросы, не говоря уже про замечания.

— Теперь мне понятно, откуда шло это давление, почему у меня все время было ощущение... этот привкус чужеродности, — сказал он, и в голосе его появилась привычная для него, но не для меня надменность. А глаза выпрыгнули из-под линз и уставились на меня, как будто никогда не видывали прежде такого вот забавного существа.

— Почему вы так говорите?

Я собирала силы для контратаки, и мне надо было выиграть время. Но он опередил меня:

— Потому что, — голос его звучал все более отдаленно, почти недосягаемо, он выделял каждый слог, каждую букву так, что даже акцент пропал, — я настороженно отношусь к несостоявшимся гениям. Они опасны.

И он повернулся и зашагал от меня по коридору своей размашистой походкой, возвышаясь над суетящейся под ним толпой.

Я сразу бессильно обмякла, как будто какое-то неведомое мне, но почему-то обязательно глубоководное животное высосало из меня все живительные соки и оставило лишь беспомощное и бесполезное сочетание костей и плоти. Я почти рухнула на подоконник, и он оправдал мою тайную надежду, поделившись своей надежной твердостью. Но даже этой опоры оказалось недостаточно, и я чуть наклонилась вперед и уперлась лбом, носом и другими неровностями лица в спасительно холодящее стекло. Конечно, это была паника — не паника отчаяния во время пожара, когда хочется бежать непонятно куда, кричать и выбрасываться из окна, а паника бессилия, когда понимаешь, что от тебя ничего не зависит, когда тело и воля перестают сопротивляться, потому что не знают, чему и зачем.

Впрочем, такое состояние не было мне в новинку, и я не испугалась, как пугалась прежде, — все же жизнь хоть чему-то, но учит. Со мной случались неудачи и раньше, незначительные и значительные, разные неудачи. Впрочем, со временем их значение тускнело, они переставали казаться существенными, скорее наоборот — вообще никакими, но это ж со временем. В момент же, когда неудача постигает тебя, она представляется последней, потому что сейчас ты просто умрешь.

С возрастом я не то чтобы научилась не обращать на них внимания, эта йога мне была еще не под силу, скорее, я изучила ответную реакцию организма, и привыкла к ней, и старалась, если уж не умею управлять ею, хотя бы не пугаться ее и, если удается, относиться к ней, как к леденящему детективу, совсем не страшную концовку которого уже знаешь, так как раньше уже читала.

Я уже знала, что сначала должен пройти период паники, отчаяния и бессилия, когда не только тело и воля, но и мозг заблокированы кажущейся безысходностью, и именно в таком состоянии я пребывала сейчас.

Но этап этот длится недолго и сменяется, как ни странно, другой крайностью — периодом усиленного оптимизма и революционной энергии. В такие моменты я явно слышала голоса, которые, возможно, нашептывали нечто аналогичное и Жанне д'Арк, только ей со значительно большим успехом — достаточно вспомнить результат. В моем же мозгу поднаторевшие за пару веков в историческом материализме голоса бросались избитыми, но бодрящими лозунгами типа: «Вставай, заклейменный, на бой, последний и решительный. А как подлый мир разрушишь, так сразу станешь всем и двинешь дальше по жизни счастливым победителем людей и животных». Орлиный этот клекот бросает ум, инстинкты и тело в стремительный вихрь, и хочется бежать, и бороться, и ругаться, и выяснять отношения.

А поэтому позыв этот отчаянный лучше всего пропустить, охладив его остатками воли и разума, хоть опасливо, но настойчиво бубнящего, что вообще-то лучше всего сесть и подумать. И так как именно этот подсказываемый разумом подход и оказался подтвержденным жизнью, то сейчас, сидя, а скорее, полулежа на подоконнике и плавя своим лбом леденящую толщу стекла, я прокручивала в уме спасительное: «Надо бы пойти кофе попить».

Уже идя по коридору и чувствуя, что первый период бессилия сменяется вторым периодом угрожающей решимости, я сказала самой себе и, по-моему, даже вслух и даже громко:

— Ничего себе профессора гарвардские отмачивают! Прям как детки малые.

И все же я сдержала себя и не пошла в штыковую, а залила свою решимость горячим кофе, и эта запоздалая порция кофеина освежила мой оплывший разум, и все вдруг встало на свои места.

Все вдруг оказалось совсем даже неплохо, и, конечно, прав Марк — занежилась я в этих своих служебных личностных связях, потеряв главное, нить, забыв, для чего все изначально было задумано. А задумано было не для кокетства с длинноруким интерном и не для душеспасительных бесед с престарелым самодуром, а для большой и красивой цели, которая лишь сейчас полностью прояснилась в непонятных мною и даже казавшихся еще недавно бессмысленными словах Марка: «взорвать науку».

Так я и отсиделась, избавляясь от своих эмоций и ускоренными темпами проходя оба безнадежных периода, и через час вышла из кафетерия с чувством, что вновь нашла себя, что я, как блудный сын, возвращаюсь в свою заждавшуюся семью, где ждет меня непаханая целина науки, по которой я истосковалась, и любимый Марк, которого я почему-то обижала в последнее время. И все вновь наполнилось целью, и стало однозначно и понятно, и наградило меня решимостью.

Впрочем, оставалось два вопроса: надо ли сообщать Зильберу о том, что я увольняюсь, или лучше просто оповестить его по почте, и второй, менее практический, но более таинственный, — откуда Зильбер знает Марка.

С первым вопросом все было ясно: по-хорошему, конечно, надо бы зайти завтра к Зильберу, но мне не очень-то хотелось снова создавать стрессовую ситуацию ни для себя, ни для него, и поэтому я решила послать свое заявление письмом. В конце концов, не я ему гадостей наговорила, почему же у меня должны быть угрызения совести?

Со вторым вопросом было сложнее, загадочнее. Зильбер, без сомнения, знал Марка либо по имени, либо даже в лицо, и это опять же было странно, потому что непонятно, когда они могли пересечься — Марк никогда, во всяком случае насколько я знала, не был до меня связан с психологией, Зильбер никогда не занимался ничем другим. К тому же Зильбер не любил *знать кого-то*, он вполне искренне считал, что *знать должны его*. Все это наводило на уже знакомую мысль, что Марк был хорошо известен в гарвардских кругах либо как ученый, либо каким-то другим, возможно скандальным, образом.

Но затем я вспомнила, что Зильбер говорил о Марке как о несостоявшемся гении, и хотя формулировка включала в себя отчетливый привкус презрения, но в устах мэтра слово «гений», даже с определением «несостоявшийся», звучало сильно. При этом, мстительно улыбалась я своим мыслям, судить о том, состоялся гений или нет, может только тот, кто сам включен в сонм гениев состоявшихся, впрочем, мэтр, безусловно, себя к таковому причисляет. Ну да Бог с ним, великодушно простила я Зильберу.

Тем не менее вся эта таинственность вокруг Марка, человека, с которым я живу вместе уже не один год, стала меня утомлять. И хотя я подозревала, что детективная интрига скорее всего отсутствует, мне все же было неловко и перед собой, и перед другими — вроде бы я первая должна знать про Марка все, а не последняя. Но расспрашивать всяких потенциальных недоброжелателей вроде Зильбера мне не хотелось, это было бы и нечестно по отношению к Марку, и вообще глупо подставляться под злобствование недругов, завистников или кем они ему там приходятся. Но и Марк, я знала, мне ничего не скажет, он уже не раз отшучивался и увертывался от ответов, а прижимать его к стенке мне не хотелось.

Я, конечно, сразу подумала о Роне — они друзья и относятся друг к другу с уважением и симпатией, кто еще сможет рассказать мне о Марке, о всех его таинственных похождениях более объективно, чем душка Рон? Вообще, это смешно, подумала я, другая бы на моем месте пыталась бы узнать побольше о бабах, с которыми раньше перекрещивались пути ее неразгаданного друга, — и такое любопытство жизненно, а потому понятно. Я же стремлюсь выяснить, что у моего избранника было не с бабами, а с разными науками и что такого срамного получилось из их интимных связей.

Конечно, мое желание было и извращенно, и смехотворно одновременно, и я утешала себя лишь тем, что Марк и сам не лыком шит, и потому проблемы, связанные с ним, также непросты.

У меня еще оставалось с полчаса до встречи с Марком, и я успела забежать на кафедру к Рону, но, как и ожидала, его там не застала. Более того, я с разочарованием узнала, что его вообще нет, что он уехал на два месяца в Европу читать лекции в каком-то ихнем университете и что, может быть, кроме того, задержится там еще на несколько недель.

Ну что ж, подумала я, пожила с зашоренными глазами и еще чуток поживешь. И хотя я твердо решила, что, когда Рон приедет, я у него непременно все разузнаю, все же я испытала облегчение, которое обычно испытываешь, когда дело, которое делать не хочется, можно отодвинуть во времени, и не твоя в этом вина, а имеется на то объективная причина.

Мы сели с Марком за маленький столик в уголке, мое настроение совершенно изменилось, и я с нежностью смотрела на его довольное и жизнерадостное сейчас лицо. Он заметил мой совсем непохожий на вчерашний взгляд, и протянул руку, и накрыл мою ладонь своей. Я решила ему не рассказывать про Зильбера: все равно он хотел, чтобы я уволилась, и какая разница, как результат достигнут, главное — достигнут.

— Ну что, Марк, когда начнем? — спросила я, зная, что он понимает, о чем я.

— Когда скажешь. Я давно готов и жду тебя, — ответил он, и я расслышала в его голосе нетерпение и поняла, что он тоже застоялся, что ему тоже надоело топтание на месте и он, как и я, в напряженном предвкушении начала.

— Хоть завтра, — сказала я, вторя ему.

— Нет. — Он погладил мою ладонь, внимательно следя за своими движениями, а может быть, глядя на сплетение наших пальцев. — Завтра не получится. Мы еще не выбрали направление удара.

— Выбрали, — удивила я его. — Мы его давно выбрали. Помнишь Мэри-Энн?

Он не поднял голову, лишь сдвинул вверх брови, отчего лоб его наморщился и открыл светло-голубые глаза.

— У тебя сейчас именно такой взгляд, который называется взглядом исподлобья, он очень хорошо описан в книжках, — сказала я. — Так смотрят, как правило, разные злодеи, пираты и прочие разбойники. — Не знаю, почему мой список злодеев начался с пиратов и ими же, по сути, закончился. — Он должен придавать человеку коварный и проницательный вид.

— Придает? — спросил Марк, не меняя позы, лишь слегка улыбаясь.

— Очень даже, — согласилась я.

— Я никогда не думал, что ты такая постоянная, — сказал Марк, как бы оправдываясь за взгляд.

Я пригнулась к столу и, чуть вытянув шею, легла подбородком на его ладонь, по-прежнему накрывавшую мою. Теперь его глаза были надо мной, и теперь уже мне пришлось наморщить лоб и изобразить взгляд исподлобья, впрочем совсем не зловещий, а, наоборот, открытый и доверчивый.

— Я постоянная, Марк.

И голос мой прозвучал добавлением к взгляду.

ГЛАВА ТРИДЦАТЬ ВТОРАЯ

Приближалось лето, заканчивались экзамены, я сдавала их, как всегда, хорошо. Ни работы, ни других обязательных планов у нас с Марком не было, и мы решили уехать месяца на полтора куда-нибудь подальше, куда-нибудь в Европу, на север Италии, в Тоскану. Но поехать мы решили не к морю, не на курорт, где большие отели, девочки с голыми грудями и мальчики в узеньких оттопыривающихся плавках и где теряется ощущение места, страны, народа. Там везде все одинаково — везде одни и те же отели, девичьи груди везде одинаково загорелые, и у мальчиков тоже все везде выпирает приблизительно одинаково.

Это я, правда, поняла позже, когда наездилась и назагоралась, — все едино: острова, полуострова, омываемые побережья — все одно, только что названия разные. Но тогда я еще не была избалована красивостями жизни и, поскольку неиспробованные наслаждения издали кажутся самыми желанными, в душе я надеялась на какую-нибудь Ниццу, если уж Европа. Но Марк сказал: «нет», и, как любое редко произносимое «нет», оно было окончательным.

Я не очень спорила, а чего спорить, когда я на самом деле не знала, может, оно действительно так лучше — чего же сопротивляться? К тому же Марк сказал, что в любом случае я не пожалею, а ощущений и памяти у меня останется куда как больше, чем от пресловутого курорта. С деньгами вроде все было в порядке, у меня накопилась небольшая, но честно заработанная сумма, но главным, конечно, были слова Марка, что, мол, полтора месяца мы вполне можем себе позволить, и у меня не было причин ему не верить.

Общий план выглядел так: мы впитываем в себя колорит итальянской деревни, едим виноград утром, а по вечерам обязательно сыр в местной таверне вместе с заскорузлыми крестьянами, запивая его кьянти, а также пытаемся заниматься спортом, взбивая кроссовками проселочную пыль (по поводу последнего у меня, правда, возникли вполне самокритичные сомнения). Но главное, конечно, — занимаемся, готовимся к последующему прорыву, для чего Марк, пока я сдавала экзамены, проделал уже привычную работу и накопал несколько солидных стопочек, состоящих из книг, журналов, монографий и прочих вместилищ научных знаний.

Мы рассчитывали, что занятия на свежем воздухе, не обремененные суетой окружающей среды, увеличат наши умственные возможности и мы запихаем в себя больше информации за меньший срок, что даст нам возможность подготовить базу и начать непосредственный штурм прямо по возвращении. Конечно, если бы к тому же нам удалось еще и отдохнуть, то это, несомненно, весьма пригодилось бы в предстоящей зимней кампании. Рассуждая так, мы и отправились в аэропорт через день после моего последнего экзамена с двумя чемоданами — один, который побольше, с книгами, а другой, который поменьше, с одеждой и прочими вещами.

Все сложилось приблизительно так, как мы предполагали: дом в деревне, крыльцо со спускающейся виноградной лозой, сыр и кьянти в деревенской таверне, братание с подпитыми крестьянами, которое привело к развитию техники жестикуляции, так как для крестьян знание иностранных языков необязательно.

Марк, хотя и не специализировался в землепашестве, тоже был своего рода пахарем и, наверное, поэтому был обременен лишь испанским, да и то не сильно. Мне же для общего развития хватало двух языков, и максимум, что я могла запомнить, это незамысловатые имена наших доброжелательных друзей.

Деревня, в которой мы жили, вернее маленький городок, сразу подкупила меня своей непосредственной искренностью, чистотой правдивости в каждом своем жесте, в замедленном движении каменных пустынных мостовых, открытых и потому торжественно безлюдных площадей, общим немногословным течением жизни. Так может подкупать с первого взгляда человек с открытым бесхитростным взглядом и скупыми, без суетливости, движениями.

Я вообще давно, с самого детства, относилась к деревне особенно, с какой-то даже завистью: понимая, видимо, свою неизменную участь горожанки, я, идеализируя деревню, как это делают все жители города, видела в ней утерянную в суете цельность и осмысленность существования.

Сознание, что именно здесь производится то, что я ем и пью, а значит, что-то физически осязаемое, реальное, для меня, живущей с интеллектуальным комплексом создания продукта неосязаемого, который нельзя потрогать руками, съесть или положить в карман, рождало искренний, хоть и банальный, порыв преклонения перед жизнью, зависящей больше от умения человеческих рук, чем от изощренности человеческого интеллекта. Как будто одно обязательно должно противопоставляться другому и как будто одно требует больше усилий и умения, чем другое.

Поначалу, не имея возможности сравнивать, я именно так относилась к русской деревне, видя в ее покосившихся домиках и равнинном беспределье уникальную, только ей присущую истинность. Но с возрастом или, скорее, с появившейся возможностью наблюдать деревни многих других, отличных от среднерусского, ландшафтов, я поняла, что деревня везде и всюду имеет один и тот же неповторимый вкус простой и доступной истины, независимо ни от страны, ни даже от континента.

Так же и природа в целом — будучи в разных местах разной, она везде несет один и тот же непреходящий смысл, везде завораживает, и это не определяется ни холмистостью, ни наличием или отсутствием горообразований, ни породами деревьев, ни другими речными или озерными особенностями. Конечно, можно привыкнуть к определенному стилю природы и прирасти к ней душой, как мужчина может прирасти к любимой женщине, но было бы глупо, если бы он при этом отрицал умение других женщин рожать детей.

Знание жизни меня не подвело, и единственное, чего мы не делали, — это не бегали по сонным, нерасторопным улицам. Вернее, мы было начали, но безумство продолжалось дня три, после чего нашлись весьма убедительные причины это дело немедленно прекратить и не пугать шумным сбившимся дыханием местных непуганых ребятишек.

Впрочем, нельзя сказать, что мы не занимались физическими упражнениями вообще. Наоборот, освобожденное от забот и повседневности существование очень располагало к физическим упражнениям, и наши занятия любовью, и в обычной жизни не утратившие силу, здесь не ограниченные ни нехваткой времени, ни дневной усталостью, обрели еще большую неутомимость и разнообразие форм и движений.

Однажды я заметила Марку, что мы достигли и даже перешли рубеж времени, отведенный сожительствующим парам, после которого эти пары должны, в соответствии с усредненной народной мудростью, перестать вызывать друг у друга взаимное физическое влечение.

С приятным удивлением я обнаружила, что моя тяга к нему не только не сгладилась, а, наоборот, стала с годами более отчетливой, превратилась в прямую потребность, так что я стала даже зависима от регулярности его ласк, ощущения его тела, сладости взаимных движений. Все это вошло в меня рефлексом, и, когда по каким-то непонятным причинам мы пропускали ночь, на следующий день я чувствовала внутреннее физическое неудобство, и мне приходилось бороться с нарастающей тягой быстрее попасть домой, где вчерашний упущенный шанс вознаграждался двойной остротой и двойной расслабленной удовлетворенностью.

Конечно же, бывали случаи, когда чувствительность моя была притуплена и желание отпугивалось либо усталостью, либо заботами дня, мешающими сконцентрироваться, и тогда я внутренне вздрагивала, испуганно ставя под сомнение и физические свойства своего тела, и даже саму любовь. Каждый раз, когда такое происходило, Марк чувствовал мою неуверенность, он вообще особенно чутко воспринимал в такие минуты мое настроение и даже, казалось, физические ощущения.

Однажды, прочитав в моих глазах испуг, он спросил:

— Боишься?

— Боишься чего? — спросила я, не веря, что он мог разгадать природу моего страха.

— Боишься, что прошло?

Он улыбался и глазами, и губами, и они находились так близко от меня, что разом поглотили страх.

— Да, —облегченно созналась я. — А что, не надо?

— Нет, не надо, — ответил Марк. — Хотеть все время так же ненормально, как все время не хотеть. И наоборот, это очень нормально — иногда не хотеть, только так в результате и понимаешь прелесть желания. Так что не бойся.

Его слова, когда я вспоминала их, успокаивали меня, и я засыпала, чтобы — редко в середине ночи, но всегда утром — в очередной раз утвердиться в их справедливости. И желание, и чувствительность возвращались и будоражили — все вновь было направлено только на него, на Марка и все это в который раз позволяло мне убедиться в неизменности правила: не выводить общего из частного.

Мы физически не могли читать целый день, когда-то надо было делать перерывы, и, так как заниматься в этом забытом богом и говорящем на непонятном языке деревенском блаженстве было нечем, мы примитивнейшим образом просто ложились в постель. Пристально следить за часовой стрелкой было ни к чему, времени было навалом и днем и ночью, и это снимало давление вынужденной спешки. Мы расслабленно валялись, болтая о чем-то отвлеченном, почти автоматически находя губами особенно полюбившиеся места, прижимаясь давно привыкшими и узнающими друг друга по своим особенным, только им известным признакам, частями тела.

Постепенно от прикосновений, ласк голова начинала туманиться, я видела, как глаза Марка покрывались дымчатой, с легким оттенком голубизны, пеленой, и они становились от этого дикими, сумасшедшими, и это нравилось мне, и я говорила ему об этом, и спрашивала, как там мои глаза, не отстают ли, и он улыбался и убеждал меня тем или иным, особенно приятным, движением, что нет, не отстают.

Время отступало, оно переставало беспокоить своим обычно навязчивым напоминанием, и в какой-то момент мы почти одновременно понимали, что можем точно так же обниматься, разговаривать и трогать друг друга, но при всем при этом еще и чувствовать друг друга изнутри.

Не то чтобы по-животному хотелось заниматься сексом, нет, просто без физического поглощения друг друга ощущение взаимного растворения было неполным. Чего-то совсем малого, но решающего не хватало для того, чтобы без остатка проникнуть друг в друга порами и клетками, и единичное самосознание переставало удовлетворять и требовало создания нового, отдельного существа, состоящего из слияния меня и Марка, и чувствующего, и радующегося не так, как отдельно чувствовала я или Марк, а как-то по-новому, как и полагается вновь народившемуся организму. Тогда я, либо по собственному побуждению, либо по невысказанному призыву Марка, которые, впрочем, и возникали-то одновременно, ложилась на спину и раздвигала ноги, чуть подогнув их в коленках, чуждая любой другой позе, пусть более изощренной, но теряющей естественную простоту от недосягаемости губ и рук, от невозможности такого полного, комплексного переплетения наложенных тел.

Когда Марк входил в меня и застывал, почти не двигаясь, лишь покачиваясь слегка, делая все поверхности и внутри, и снаружи обостренно чуткими, так как им приходилось прислушиваться к мельчайшим изменениям, ничего, собственно, не менялось в нашем общем поведении, разве что прибавлялось это, ранее потерянное, ощущение дополненности.

Мы так же обнимались, так же целовались и так же говорили о чем-то, как правило никак с сексом не связанном, так, о пустяках, притворяясь, что, собственно, ничего не происходит, а просто мы нашли более комфортный способ общения. И только глаза, которые заплывали все больше и больше, хоть и блестящей, но мутящейся пеленой, в которой начинала отсвечивать рождавшаяся из наших движений ярость, — только наши глаза выдавали необычность происходящего.

— Марк, у тебя глаза бешеные, — смеялась я.

— Ты на свои посмотри, — отвечал он мне, тоже смеясь.

Я соглашалась и протягивала руку к близко стоящему прикроватному столику, чуть выскальзывая телом из-под тяжести Марка, но лишь на секунду, чтобы лишь дотянуться и взять лежащее там маленькое зеркальце, а потом мы вдвоем разглядывали по очереди сначала мои глаза, а потом его.

Кроме глаз, выдавала еще и предательница-голова, которая начинала слегка отрываться от земли и совершать первые несмелые полеты, недалеко, как первые авиаторы начала двадцатого века, чтобы в случае чего можно было сразу приземлиться. И я, стараясь не закрывать глаза, чтобы не уволокло, говорила:

— Марк, у меня голова кружится.

— Подожди еще, — почти испуганно уговаривал он меня. — Еще рано, мы еще ни о чем не поговорили, у нас куча времени, не спеши.

И он менял тему разговора, чтобы отвлечь ею от захватывающего меня возбуждения.

Мы по-прежнему почти не двигались и продолжали разговаривать, а иногда даже заниматься вещами, с сексом никак не связанными.

Иногда, скорее для смеха, я или Марк читали какой-нибудь отрывок из очередной книги, чтобы потом, когда все закончится, вспомнить его смысл, хотя мы не были уверены, что наше погружение вообще когда-нибудь закончится. Мы дурачились так или иным образом, оставляя секс как бы фоном, не доминирующим, но постоянным, перманентно давящим, не дающим, впрочем, задавить, а лишь пытающимся.

Так проходило много десятков минут, пару раз мы даже засекали время и потом поражались, что прошло так много. Марк предположил, смеясь, что мы открыли новый вид существования, вполне приемлемый альтернативный способ функционирования, не очень, может быть, эффективный, но, во всяком случае, очень приятный.

Я предложила постепенно увеличивать время, чтобы как-нибудь, вскорости, продержаться так несколько часов, и мы пытались, но каждый раз у нас не получалось. Природа все же оказывалась сильнее, и в конце концов я сама или Марк

311

начинали незаметно раскачивать амплитуду движений, чуть увеличивая радиус поворота бедер. И хотя само по себе наращивание не было быстрым и тоже занимало немало времени, так как мы задерживались на каждом завоеванном рубеже, все же через какое-то время мы вдруг осознавали, что нет больше сил ни думать, ни смеяться, ни говорить, а все, что осталось в тебе, отдается стремительности, глубине и силе движений и тому уже не позволяющему сдерживать себя полету, который захватывал и уносил, но теперь уже нас обоих одновременно.

Потом мы смеялись, пытаясь вспомнить и о чем говорили, и о чем были прочитанные нами куски книг, и, смеясь, расстраивались, что так и не получилось, что так и не удалось удержаться и растянуть процесс в бесконечность, успокаивая себя, впрочем, что будет еще и следующая попытка, в то же время зная наверняка, что и она будет ограничена, может быть, очень растянутым, но все же конечным промежутком времени.

Конечно, большую часть дня у нас отнимали занятия. Сидя в небольшом саду при доме в удобных летних креслах, за неимением стола разбросав по земле тетрадки, прочитанные и еще не прочитанные книги, мы пытались охватить одну конкретную тему сразу, одновременно, параллельно выхватывая из разных источников те или иные аспекты изучаемого вопроса.

В основном читали мы молча, каждый углубившись в свои книжные рассуждения, в свои логические построения, лишь изредка отвлекая другого, если попадалась очень уж занимательная фраза или мысль. Несмотря на то, что этот процесс занимал ежедневно часов десять, что, с учетом необходимости постоянной концентрации, было много, эти часы, может быть из-за легкой, непринужденной атмосферы итальянского дня, может быть из-за отсутствия временного или какого другого давления, не утомляли, а были естественным и приятным времяпрепровождением, укорачивающим день.

Налаженная таким образом череда неразнообразных событий катила один день за другим, создавая общий строй нашей устоявшейся итальянской жизни, в результате чего мы с удивлением обнаружили, что семь недель совсем небольшой срок. Мы подумали даже, не задержаться ли нам с отъездом, но странным препятствием оказалось отсутствие непрочитанных книг. Набор, подготовленный Марком, был рассчитан как раз на отведенный срок, и, сознавшись друг другу, что жалко тратить время на полное ничегонеделание, мы все же решили возвращаться.

В самолете мне стало грустно, что лето для нас прошло, что чудесная наша вольная жизнь в деревне закончилась и неизвестно, когда случится вновь. Марк тоже выглядел посерьезневшим, более строгим, что ему даже шло. Когда мы уже подлетали, он посмотрел на меня и сказал почти угрожающе:

— Ну, вот и все, теперь, малыш, жизнь меняется. Теперь она будет другая, какой раньше еще не была.

— Не пугай, — все еще смеясь, ответила я.

Но он не изменил тон:

— Теперь все станет по-другому. Все, что было прежде — твоя учеба, занятия, этот Зильбер, все остальное, — все это была на самом деле игра.

— Ничего себе, хорошенькая игра! — Я тоже перестала смеяться. — А напечатанная статья? А первое место на конференции, что, тоже игра?

— Да, — сказал Марк, — игра. Вернее — подготовка, тренировка, всего лишь детская забава по сравнению с тем, за что мы взялись, и по сравнению с тем, что мы сделаем. — Он чуть улыбнулся, что, впрочем, не изменило его серьезного выражения лица. — Поэтому, малыш, готовься: все изменится на время, и мы с тобой изменимся тоже.

Мне стало немного не по себе, я привыкла ему верить, я привыкла, что то, о чем он говорил, всегда происходило, и сейчас я не до конца понимала, что он имеет в виду под словом «изменимся». Сейчас, после нашего чудесного отдыха, назовем его так, мне ничего не хотелось менять ни в себе, ни в нем, ни в нас.

— Как готовиться? — все же постаралась сгладить я.

Марк развел руками и улыбнулся, теперь более открыто.

— Как говорится, точно не знаю, — сдался он, и обнял меня за плечи, и притянул к себе. — Ты прелесть, — шепнул он, и его дыхание щекотнуло мне ухо.

Видимо, это было свидетельством того, что он сам еще не вполне отошел от Италии.

ГЛАВА ТРИДЦАТЬ ТРЕТЬЯ

Все же он знал, что говорил: все изменилось, и достаточно быстро, почти сразу после нашего приезда. Да и как он мог ошибиться, если он заранее задумал все изменить?

Первое, что исчезло, это наши обсуждения по вечерам. Марк сказал, что день — слишком короткая дистанция, недостаточная, чтобы накопить серьезный материал, а я уже вполне образованна и умею работать сама, и ему совершенно незачем каждый день проверять мои дневные достижения.

И хотя в глубине я всегда понимала, что наши вечерние беседы рассчитаны главным образом на то, чтобы корректировать мое образование, я надеялась, что хотя бы в последнее время они стали в большей степени двусторонними, и то, как Марк поставил сейчас вопрос, резануло и мой слух, и мое самолюбие. Кроме того, я просто-напросто к ним привыкла, и мне было жаль их терять, ведь они являлись еще и дополнительно связывающим элементом нашей общей жизни.

Вместо ежевечерних обсуждений Марк назначил обсуждения еженедельные, и не вечерние, а дневные, сказав, что нам потребуется часов пять или шесть и что главной целью будет сопоставление проделанной за неделю работы, так как мы должны идти параллельным курсом. Более того, если мои занятия в университете пересекутся каким-то образом со временем нашего обсуждения, то именно университетские занятия должны быть отменены.

— Вообще, — сказал Марк, — меня твоя учеба в университете больше не интересует, как, впрочем, и все остальное в Гарварде и за его пределами. Как ты там с ними разберешься — это твое дело. Для меня важно, чтобы они не мешали нашей работе, потому что приоритет за ней, и только за ней. Если твои занятия будут нам мешать, мы их отодвинем.

Это были более чем странные слова, особенно непривычно было слышать их от Марка, для которого моя учеба, оценки и прочие показатели моего успеха всегда много значили, даже больше, чем для меня. По тому, как он говорил, я поняла, что дело, видимо, куда как серьезнее, чем я ожидала. Не то чтобы я ориентировала себя на легкую разминку, нет, но я никак не ожидала такой неподдельной жесткости.

Первое обсуждение было не столько обсуждение, сколько уничтожение меня самой.

Марк накинулся на меня, на то, как я подготовилась и что сделала за неделю, повторяя все те же слова о новом отношении ко всему, о том, что детские забавы закончились, и то, что было достаточно и хорошо прежде, недостаточно и нехорошо теперь. Потом он напомнил мне, и не один раз, что год — это ничтожно мало для задуманного нами, что моя плохая работа есть, по сути неуважение к нему, потому что мы сейчас команда, мы в связке, и если я где-то не доработала, то это тянет вниз и его самого, и всю работу. Он говорил еще много других слов, которые, видимо, должны были, по его мнению, пристыдить меня, но я вскорости перестала их слушать, хотя он еще распинался около часа.

Я догадывалась, что, наверное, он прав: моей недельной работы ни по напряжению, ни по объему было недостаточно даже для просверливания маленькой дырочки, не то что для прорыва. Наверное, я действительно не смогла сразу набрать максимальную скорость.

Но, с другой стороны, почему не отвести время на раскачку, впереди еще целый год? К тому же нынешняя моя подготовка была бы идеальной для наших прежних чаепитий, и если я не сумела сразу достичь необходимого уровня, то, значит, мне требуется больше времени.

Что меня поразило больше, чем его слова, это то, как он их произносил. Я никогда прежде не видела Марка таким нервным и возбужденным, казалось, он не только не хотел контролировать, но, наоборот, искусственно распалял себя. Не помогали даже мои обычные шутливые реплики, они еще больше раздражали его, так как демонстрировали якобы мое «общее несерьезное отношение».

В результате я не выдержала и спросила вполне серьезно:

— Ты чего злой-то такой?

Марк остановился на мгновение и, скользнув по мне бесцветным взглядом серых глаз, сказал вдруг спокойно:

— Потому что злые — эффективнее и потому что я злой — эффективнее. — Он сделал паузу и добавил: — Чем дальше, тем будет злее, и не только между нами, между нами и миром будет злее.

Я пожала плечами.

— Если тебе необходимо — пожалуйста, но я быть злой не собираюсь. Не думаю, во-первых, что злость повысит мою эффективность, а во-вторых, сомневаюсь, что она сделает нашу, как ты называешь, «связку» прочнее. И вообще, я не хочу быть злой.

Его лицо ничего не выражало.

— Если не хочешь — пожалуйста, — не стал спорить он. — Только думаю, что ты ошибаешься: злость, в разумных пределах и правильно примененная, — хорошее качество, как змеиный яд в разумной дозировке.

— В разумных пределах и правильно примененная, — согласилась я с ним, послушно кивая головой.

— У каждого свои нормы, — сказал он.

И чтобы закончить это бессмысленное обсуждение, я опять согласилась, опять кивнув:

— У каждого свои.

Вскоре смертью храбрых также пали наши утренние кофепития, которые я любила даже больше, чем вечерние посиделки, может быть, потому, что Марк вставал достаточно рано только ради меня, только ради этого получаса, проведенного вместе на кухне, и эта хоть маленькая, но чувствительная для него жертва придавала всему процессу радостную окраску.

Впрочем, традиция не скончалась в одночасье, а умирала мучительно, медленно, с трудом уступая новым реалиям жизни. Марк тоже держался за нее, и я видела его искренние попытки удержаться на плаву. Он через силу еще пытался подниматься вместе со мной и не выглядеть при этом ни сонным, ни разбитым, но у него не получалось. Он был разбитым и сонным, и сам понимал это, и со временем перестал бороться с собственной природой, и мне только и оставалось, что поцеловать его перед уходом. Но Марк даже во сне каким-то странным образом чувствовал меня, и, когда я подходила к нему, он, как большой кот, сонно вытягивал шею, подставляя ее под мой спешащий поцелуй.

Так произошло не из-за чьей-то злой воли, а потому, что у Марка началась бессонница, из-за которой он сначала нервничал и пытался ее переспать, а потом, свыкнувшись, подстроилcя под новый режим, предпочитая бессмысленному лежанию с открытыми глазами в кровати работу на кухне. И я, просыпаясь на секунду в два, в три, а иногда и в четыре часа утра, видела свет на кухне и, едва успев взглянуть на часы и подумать про Марка с жалостью: «сумасшедший», снова забывалась в нежном утреннем сновидении.

Все это, но и не только это, изменило и сам режим его работы: некогда стройный и упорядоченный, теперь он стал рваным и хаотичным. При этом Марк, насколько я могла оценить, не стал трудиться меньше, но сам стиль его работы выглядел более отвлеченным, более расслабленным и как бы вибрирующим. Он почти не читал учебников и другой научной литературы, а, в основном, лежал на диване и листал, как это ни странно, детские книжки, фантастику, что-то про Дикий Запад и прочую приключенческую ерунду. Порой он отрывался от страницы и смотрел несфокусированным взглядом на случайно попавшийся на глаза предмет или вдруг засыпал, но ненадолго — минут на пятнадцать, самое большее на полчаса.

Очень смешно было наблюдать, как он вдруг неожиданно вскакивал, и, как будто в нем проснулся прежний Марк, подлетал к столу, и начинал с неистовой энергией что-то записывать в тетрадь, чертить графики, иногда, вдруг схватив лежащую неподалеку книгу, почти судорожно листал ее и снова писал.

Так могло продолжаться с полчаса, иногда час, редко два, и это было одновременно и похоже, и не похоже на Марка. Не похоже прежде всего по почти болезненной судорожности в движениях — даже полет руки по тетрадке был не плавным, как раньше, а импульсивным и сбивчивым. После того как порыв заканчивался, Марк как бы вдруг сразу обмякал и снова брел на диван к своей зачитанной детской книжке и своему растворенному в ней взгляду.

От постоянного лежания, или от бессонных ночей, или от того, что он почти перестал выходить на улицу, лишь иногда уступая, когда я очень уж настаивала, изменился и внешний его вид. Лицо стало непривычно одутловатым и потеряло существовавшую прежде стройность, под глазами, которые он часто тер тоже совершенно новым движением, появились мешки, весь его вид был настолько болезненным, что я даже начала волноваться. Одежда его — и рубашка, и брюки, то, в чем он ходил по дому, — потеряла прежнюю аккуратность и добавляла неопрятности к его общему внешнему виду.

Я пыталась вытащить его из дому, говорила, что понимаю, что он работает в соответствии со своим внутренним циклом, но нельзя же полностью замыкаться, ломать устоявшуюся структуру жизни, нельзя подчинять себя идее до такой степени, нельзя за идеей потерять мир.

На все это он отвечал, что чувствует себя отлично, что ему нравится новый стиль жизни, что он для него очень комфортен, что он как раз живет в согласии с собой и нынешняя его жизнь не является никакой жертвой, а просто удобным способом существования.

— Почему же ты раньше, Марк, все делал по-другому, не так, как сейчас? — не отставала я.

Он смотрел на меня своим новым, шальным взглядом, вдруг на несколько мгновений становившимся веселым, даже задорным, как будто предлагая мне сыграть в какую-то новую, им выдуманную игру, но я вовсе не была уверена, что он на самом деле видит меня.

— Видишь ли, малыш, — говорил он с неподдельной искренностью в голосе, — раньше мы, извини за неловкое выражение, занимались формированием тебя, твоим воспитанием. Но воспитание требует дисциплины, к сожалению, и от воспитателя тоже. А сейчас мы этот этап прошли, сейчас у нас с тобой другая задача, очень непростая, к которой мы даже не знаем, как и подойти. И мои функции воспитателя на этом закончились, как и закончились и твои функции ученицы. Чего тебя учить — ты вон уже сколько учишься, уже должна бы все знать, а если не знаешь, значит, плохо училась. И у тебя, и у меня теперь другие функции, тут дисциплина несущественна, она даже может мешать, потому что теперь очередь за чем-то... — Он сбился, подбирая, видимо, подходящие слова, но потом сдался: — Не знаю даже, как назвать. Нужен какой-то артистизм, отход от норм, потому что, — он опять начал про свое, — мы хотим сделать что-то ненормальное, что не соответствует существующему пониманию вещей, существующей практике. И для этого нам нужен путь, отличный от нормы.

— Ты, значит, создаешь себе артистический образ жизни, — это было смешно, прямо до колик, то, что он говорил. — Во всяком случае, как ты его понимаешь.

— Во-первых, я не пытаюсь ничего создать, просто раньше мы жили вместе с тобой одни, а теперь — втроем, — я подняла глаза в деланном изумлении, неужто кто-то прячется за портьерой? — я, ты и девушка по имени Мечта или, скорее, Цель, Идея. Неужели ты еще ее не заметила? И, конечно же, новая квартирантка требует для себя определенных условий жизни, так что я как минимум должен потесниться. А потом пора отчалить от привычного порядка, надоело, сколько можно, да и ненормальные вещи совершаются только веселыми ребятами.

Я пожала плечами, я так и не поняла, кто они, эти наши веселые ребята? Может быть, те, кто предпочитает легкий групповичок с неодушевленными бестелыми барышнями из поздних, вечерних фантазий?

И действительно, через пару месяцев я заметила в Марке что-то новое, в его поведении и особенно в глазах. В них появилось выражение постоянно шалящего ребенка, какая-то искорка веселья, этакий причудливый блеск. Он и смотрел теперь по-другому, как будто его летучий взгляд проходил сквозь конкретные вещи или предметы.

Я не понимала, как может измениться взгляд. Ну хорошо, можно научиться новой мимике или походке, например, но как можно изменить взгляд? Может быть, предположила я, это от чтения детских книг, может быть, от по-детски безразличной ему мятой одежды или вообще от новорожденного глобального безразличия, пофигистского подхода, называемого им теперь легкостью.

Впрочем, детскими книжками и мятой одеждой «отход от нормы» не ограничился. Однажды я застала Марка, стоящим перед зеркалом и корчащим самому себе рожи. Я вышла из ванной, он стоял перед зеркалом в гостиной и корчил рожи, впрочем, как потом выяснилось, лишь одну какую-то очень важную рожу, пытаясь найти в ней оптимальное сочетание носа, рта, глаз и морщин лба.

Это могло быть весьма занимательным зрелищем, если бы не было таким странным. Марк простоял перед зеркалом минут двадцать, то ли не замечая меня, то ли просто не обращая внимания, при этом он разговаривал сам с собой смешным, ломаным голосом, бубня что-то вроде: «Нет, нос должен быть вот тут, на этой стороне. И верхняя губка вот так поджата, вот так, а ты, глаз, давай, подергивайся». И, бормоча все это, он кривил нос, поджимал губу и несуразно перекашивал свое лицо, что, с учетом его недельной, с намечающейся проседью небритости, было не просто странно, но, наверное, и страшно.

Я стояла и думала, может, он на самом деле шизанулся за эти месяцы, может быть, он и был скрытым шизоидом, может быть, именно это и является причиной его загадочной судьбы и причиной странных, неясных реплик других людей о нем.

Тут я вспомнила о Роне, о том, что давно хотела поговорить с ним о Марке, но все как-то не случалось. Может быть, подумала я, и моя догадка вдруг показалась мне вполне реальной, может быть, все эти годы Марк сдерживался, контролировал себя, а сейчас под давлением искусственного, им же созданного стресса сломался, развалился. И может быть, его пора собирать, а не давать ему разваливаться дальше под напором выдуманной, на самом деле безумной идеи.

Но тут Марк то ли увидел меня, то ли просто решил наконец обратить внимание, он повернулся ко мне и засмеялся.

— Подойди сюда, посмотри, какую я рожу придумал.

— Сам придумал? — спросила я издевательски, даже зло, но все же послушалась и подошла.

— Сам, все сам, — сказал он удовлетворенно, не замечая моего тона.

И, когда я приблизилась, он сосредоточился и движением лица, которого я так и не успела разглядеть, смастерил свою только что изобретенную рожицу. Я невольно, даже не желая того, рассмеялась — рожица действительно была презабавная.

Собственно, на его лице ничего не изменилось, он не вылупливал глаза, не кривил и не морщил нос, не надувал щеки. Лишь слегка приподнялась верхняя губа, глаза лишь слегка округлились, и их выражение стало горестно-несчастным, несколько незапланированных морщинок легло на лоб и на переносицу — и произошло что-то неуловимое со всем лицом, но что именно, определить было невозможно. Как будто движение воздуха вдруг сдвинуло слегка каждую клеточку, каждую черточку, что само по себе было незаметно глазу, но сочетание всех мельчайших изменений породило новую, замечательно забавную форму.

Марку понравилось, что я засмеялась, он воспринял смех как одобрение своей кропотливой работы и, наверное, поэтому спросил:

322

— На кого похоже?

— На... — я задумалась, на кого-то он действительно был очень-очень похож сейчас, на кого-то из детства. — На гнома, нет, нет, на тролля, — предположила я.

— На очень несчастного троллика, — поправил он меня таким же несчастным, ломаным голосом. — Я придумал систему корченья рож. Идея в том, что ты ничего...

Но я прервала его, я не хотела слушать эту белиберду, да еще произносимую с таким авторитетным и серьезным видом.

— Ты сумасшедший, Марк, — сказала я, чтобы пресечь раскрытие секрета построения рож.

— И это правда, — с готовностью согласился он.

«Только, пожалуйста, не говори, что мы занимаемся сумасшедшим делом, и поэтому...» — с тоской подумала я.

И он, слава богу, не сказал.

— Такие слова даже можно принять за похвалу. Знаешь, какая самая знаменитая фраза Дали? — спросил он.

— Какая? — Мне не удавалось закончить разговор.

— Дали сказал: «Единственная разница между мной и сумасшедшим, — Марк выдержал паузу так, как, наверное, он предполагал, выдерживал паузу сам Дали, — это то, что я... не сумасшедший».

— То есть ты претендуешь на место Дали? Дали был гений.

Я чувствовала, что он все же втягивает меня в спор.

Марк пожал плечами, давая понять, что не понимает, о чем я говорю.

— Дали был художник, ты ведь знаешь, — это было неожиданное по силе аргументации возражение. — Впрочем, какое это имеет значение?

Неожиданно выяснилось, что именно Марк не хочет продолжать разговор. Может быть, его огорчило, что я усомнилась в его гениальности, хотя не мог же он всерьез обижаться на это?

— Как бы там ни было, — сказал он, — возьми фотоаппарат и сфотографируй меня. Эта замечательная рожица не должна кануть в безвестность, это было бы нечестно по отношению ко всем несчастным троллям.

Я взяла фотоаппарат, не понимая, как всегда в последнее время, серьезно он говорит или шутит.

После этого случая корченье рож перед зеркалом стало его постоянным занятием. Он мог простоять перед зеркалом целый час, но, так и не достигнув удовлетворявшего его результата, откладывал «поиск смешнючей гармонии», как он называл свое занятие, до следующего сеанса, укладываясь пока, обессиленный, на диван со своей очередной приключенческой книжкой.

Занимался он корченьем рож с исключительной серьезностью и искренне расстраивался, когда рожа, по его мнению, не получалась, и так же искренне радовался, когда наконец приходил к удовлетворявшему его варианту. Каждая рожица кого-то изображала, например любопытную крысу или рассерженную курицу, и к каждому образу Марк подбирал голос, что тоже давалось не сразу, и требовал от меня, чтобы я отгадывала, какой именно персонаж создан на сей раз, что я и делала достаточно успешно. Потом рожа должна была быть обязательно сфотографирована, что являлось, конечно, моей задачей, и вскоре везде, по всей квартире — и на кухне, и в туалете — появились приколотые к стенам укрупненные портреты перекошенных физиономий Марка.

Объективно говоря, они были в самом деле жутко смешные, и, если бы я не попадала домой каждый вечер до предела измотанной, я бы, возможно, даже получала удовольствие от его бездумного дурачества.

Увы, следует учитывать мои ранние пробуждения, лекции в университете, когда только часам к трем появлялась возможность что-то перехватить в кафетерии, а потом бежать в библиотеку, чтобы подготовиться к занятиям на завтра, которые становились все более напряженными и требовали все больше времени. Меня преследовало постоянно давящее чувство, что я ничего не успеваю, задыхаюсь, так как меня ждала еще наша с Марком работа, для чего следовало отбросить мысли обо всем постороннем, сконцентрироваться на главном и углубиться в него, что дополнительно занимало еще часов пять одинокой библиотечной отсидки.

В конце концов я попадала домой, к одиннадцати, а то и позже, и здесь меня заставал похудевший, заросший, странно веселый Марк со своими еще более странно веселыми рожами, и мне от такой картины становилось больно, а не смешно.

Моя проблема, помимо прочего, заключалась в том, что я потеряла способность заниматься дома. Если раньше наши с Марком одновременные занятия только дополняли друг друга, во всяком случае не противоречили, то сейчас общая обстановка дома никак не располагала к занятиям.

Во-первых, рваный режим вечно слоняющегося Марка постоянно отвлекал, он пытался заговаривать со мной на совершенно отвлеченные темы или, например, зачитывал особенно остросюжетный отрывок из «Гекльберри Финна», или рвался поделиться только что рожденной им и, по его мнению, просто необходимой для меня выдумкой.

К тому же заниматься, по сути, было негде, так как Марк как-то незаметно оккупировал все пространство квартиры — и диван, и письменный стол. Даже кухонный стол был теперь постоянно заставлен либо чашками с недопитым кофе, которые, как подразумевалось, я должна была мыть, либо, что стало еще одним правилом, также немытыми, но допитыми бокалами красного вина.

Поэтому мои занятия потихоньку переместились в библиотеку, на что Марк, как стало обычным в последнее время, не обратил внимания. Он, правда, пару раз поинтересовался, почему я так поздно прихожу, но, узнав, что я занималась в библиотеке, вполне удовлетворился объяснением и больше вопроса не поднимал. Его все меньше и меньше интересовало, что у меня происходит в университете и вообще в жизни, да и когда было интересоваться: я уходила — он еще спал, а когда возвращалась домой, была настолько уставшей, что и говорить не хотелось. Мысль, что завтра с утра снова вставать чуть свет, так как впереди столько всего навалено, и я наверняка чего-то не успею, и надо будет снова извиняться и оправдываться, не стимулировала моего стремления к общению. Как не стимулировал его ни сам вид Марка, ни его отношение ко мне.

Единственное, что беспокоило его, это чтобы я была подготовлена к еженедельному обсуждению, и подготовлена так, как я и близко не готовилась ни к одному из своих занятий, ни к одному из своих экзаменов и вообще ни к чему в жизни.

Это был единственный день в неделе, даже, скорее, не день, а полудень, когда Марк менялся и на свет являлась копия прежнего Марка, впрочем далеко не дотягивающая до оригинала. Чтобы показать, как важно данное событие, он даже сбривал свою недельную щетину, которая больше походила на разрозненные клочья неудавшейся бороды, и, я подозреваю, менял рубашку, даже не исключено, что и нижнее белье тоже. В этот день он был злым, несдержанно злым абсолютно на всех — и на себя, и на людей, и на нашу работу, ну и, конечно, на меня.

Однажды, на следующий день после очередного обсуждения, находясь в своем обычном придурковатом настроении и, по-моему, немного в подпитии, он сознался, что вчера злость настолько распирала его грудную клетку, что чуть не выплеснулась оттуда, уже даже клокотала в горле, и он боялся задохнуться от нее. На это я вспомнила, что аналогичный случай описан, кажется в «Айвенго», которого Марк как раз заканчивал читать, но симптом, ввиду его серьезности, не проигнорировала, а поинтересовалась, не именуется ли он «злостью к работе». Своим вопросом я явно поставила Марка в тупик, и он, видимо, не слышавший прежде такой классификации злости, пообещал подумать над подходящей формулировкой.

Это подозрительное сочетание шальной детскости и неконтролируемой злости, ребячливой дурашливости, игры (правда, очень натуральной) в детскость и агрессивное, распирающее дыхание стремление к цели, невзирая на потери, да и невзирая на цель, это угрожающее, прежде всего для меня самой, сочетание, стало последней каплей, и я пересилила себя и все же позвонила Рону.

ГЛАВА ТРИДЦАТЬ ЧЕТВЕРТАЯ

Я так долго собиралась позвонить и так долго не звонила, ища и каждый раз находя разные убедительные оправдания своему бездействию, что стала подозревать себя в откровенном саботаже. Я давно уже догадывалась, что мое малодушие соответствует очевидной, но редко признаваемой формуле: люди обычно не делают то, что делать не хотят.

На свой испытующий вопрос «почему?» я созналась себе, что по-мещански предпочитаю лучше не знать про Марка вообще ничего, чем знать плохое. Но теперь я все же решилась и все же договорилась с ничего не подозревающим Роном о встрече в моем привычном университетском кафетерии.

Когда он вошел, вернее влетел, мне показалось, что до этого полупустой кафетерий вдруг сразу заполнился, настолько Рона было много — и в росте, и в объеме, и в надвигающемся шуме. Он пообещал вернуться через секунду и действительно вернулся через секунду с горой бутербродов, булочек, пирожных и прочей снеди и, разложив свой провиант на столе, так что для моей чашки кофе почти не осталось места, извинился:

— Ничего, если я перекушу, пока мы будем разговаривать, а то у меня следующий перерыв через четыре часа? — он посмотрел на мое измученное лицо и ввалившиеся глаза и пожалел: — Может быть, тебе тоже чего-нибудь съесть?

— Спасибо, — отказалась я; мне на еду, находившуюся на столе, даже смотреть было тошно, не то что потреблять. — А ты ешь, конечно, — подбодрила я его, хотя он в моем подбадривании не нуждался. — Рон, я хотела с тобой о Марке поговорить, — сказала я и увидела, как большой Рон мелко вздрогнул.

— Да, давай поговорим, — согласился он, как мне показалось, неохотно.

— Видишь ли, здесь два вопроса, — я задержалась, не зная, с чего начать, но потом решилась: — Конечно, я понимаю, это звучит почти комично, но тем не менее, — я вдохнула побольше воздуха, — мне ничего не известно о прошлом Марка, ну, о его жизни до меня, никогда не спрашивала, а он не говорил. Понятно, что он был связан с наукой, его многие знают, он многих знает, но мне неизвестно, что произошло. Хотя понятно, что что-то произошло, иначе почему он на обочине, вне системы, так сказать.

Я понимала, что говорю сбивчиво, а все потому, что тема была нелепая, ну и конечно, я, как всегда, волновалась.

— Но я и этого не знаю. Понимаешь, я слышу разные намеки от разных людей, иногда недружелюбные по отношению к Марку, и ничего не могу возразить, потому что не знаю. И это глупо, мы уже живем столько лет вместе...

— Понятно, — наконец проговорил Рон и отложил недоеденный бутерброд. — Не оправдывайся, все правильно, естественно, ты все должна знать. — Он задумался и, казалось, забыл про свои продукты, разложенные на столе. — С чего начать? — Он опять выдержал паузу. — Хорошо, начнем с самого главного и самого простого, чего ты, живя с ним вместе, из-за очень близкого расстояния, возможно, не разглядела: Марк гений. Простой, обыкновенный, среднестатистический гений, которые встречаются на этой планете один на миллиард людей раз в пятьдесят лет.

Я откинулась на спинку стула в изнеможении, подумав, что вот, опять наткнулась.

Рон заметил мою улыбку и сказал наставительно, как бы подтверждая вескость своих слов:

— Ты зря улыбаешься, это именно так, я не преувеличиваю. Странно, что ты не поняла этого сама за все то время, что вы вместе. Ты ведь все же психолог, могла бы и разглядеть.

— Нет, не разглядела, — сказала я оправдываясь. — Я, Рон, улыбнулась потому, что мы как раз с Марком на днях говорили о гениальности. А что не разглядела, — теперь я выдержала паузу, пытаясь выйти из глупой ситуации, — может быть, я и разглядела бы, да определить сложно — других гениев ведь не встречала.

— А ты и не встретишь, — пообещал мне Рон, — потому что их в округе нет, во всяком случае такого калибра, как Марк. Ты должна понять, — он произнес почти по слогам: — Марк — единственный, таких, как он, нет, во всяком случае, я не знаю. — Он вспомнил про свой бутерброд и, разом сжевав его, продолжал: — Ты не сравнивай его с другими. У кого ты работала, у Зильбера, да? Так вот, ты не сравнивай его ни с Зильбером, ни с... — Он назвал несколько известных фамилий. — Эти ребята сделали кое-что в этой жизни, каждый в своем, но они — не Марк, даже близко не Марк. Понимаешь, такие, как они, конечно, на каждом шагу не встречаются, но все же они не заповедная редкость; в каждой области существуют свои лидеры, свои чемпионы, иногда по нескольку. Но Марк вне области, вне чемпионства, он вне сравнений, потому что он уникальный. И это отнюдь не мое частное мнение, это мнение общее, все так считают.

Я сидела ссутулившись, дневная тяжесть, которая обычно приглушалась постоянным напряжением, вдруг навалилась с новой угрожающей силой, получив подкрепление в виде смешанного переплетения чувств: разочарования от простоты объяснения («просто гений» — и ничего необычного), страха, оттого что я, может быть, действительно не поняла чего-то, возможно, упустила. А еще задача, которую мы взялись с ним решать, — она вдруг тоже, может быть неуклюже, но вышла за рамки абстрактной мечты и начала обретать контуры возможной будущей реальности — и от всего этого стало страшно.

— А почему он тогда не работает? — спросила я неуверенно и еще неуверенней, зная, что наверняка говорю глупость, добавила: — Как все, как ты.

— Потому что он — не как все, он — не как я. К тому же, насколько я знаю, он работает с тобой. Он, кстати, как-то поделился со мной одной идеей, по-моему, совершенно прекрасная идея, совершенно уникальная, хотя я, конечно, ничего в этом не понимаю.

«Какая идея?» — пронеслось у меня в голове, но я не стала перебивать.

— Вообще, это старая история, я знаю Марка давно, мы учились вместе, он не был лучшим... как бы это сказать... в традиционном смысле, для традиционной системы, что ли. Но он был самым блестящим, что признавали абсолютно все, — он посмотрел на меня. — Ты понимаешь, что я имею в виду?

Я пожала плечами и слегка улыбнулась, что должно было означать: конечно, понимаю. Но Рон все равно решил пояснить.

— Я сам до конца не знаю, что означает это маловразумительное определение «блестящий», — он усмехнулся. — Тут, скорее, не термин определяет человека, а человек определяет термин. Так вот, смотря на Марка, ты как раз и понимаешь, что значит «блестящий».

Рон скосил глаза на часы, стараясь, чтобы я не заметила, но я заметила.

— Ты спешишь?

— Нет, все нормально, у меня еще есть двадцать минут. Видишь ли, — он вернулся к теме без перехода, — в науке, да и вообще, наверное, в жизни, впрочем, про жизнь я точно не знаю, это у тебя надо спросить, — я оценила реверанс и ответила учтивой улыбкой, — все люди делятся на генераторов, трансформаторов и реализаторов. Дурацкие, конечно, определения, но суть отражают. Генераторы — это те, кто генерируют идеи, трансформаторы доводят их до ума, а реализаторы — те, кто их реализуют. То есть, это как...

— Я понимаю, — перебила я, боясь, что его двадцать минут целиком утекут в пустоту.

— Да, — согласился он со мной. — И не то чтобы одна категория была хуже, чем другая, можно быть успешным в каждой из них, редко — в двух и почти никогда — во всех, но именно генераторы обладают признаками того, что мы определили словом «блестящий». Именно они владеют даром всеобщего проникновения, которого лишены представители других категорий. Так вот, Марк и есть генератор, причем генератор, редкий по своей мощности и разноплановости.

Казалось, что произошло то, чего произойти не могло: Рон забыл про свои бутерброды.

— Более того, Марк не просто генератор, он — генератор генераторов.

Я молчала, мне нечего было сказать, да и сидела я здесь для того, чтобы слушать.

— Понимаешь, Марина, — продолжил Рон, — с самого начала Марку прочили большое будущее. Ни у кого не вызывало сомнений, что он уникален и далеко пойдет, и так и произошло на самом деле. Но стандартные люди мыслят стандартными понятиями, которые часто не подходят для людей нестандартных, и это порой вызывает проблемы. Проблема Марка, вернее проблема тех, кто находился рядом с ним, заключалась в том, что ему становилось тесно в пределах одного конкретного предмета, одной конкретной науки и он постоянно выходил за отведенные рамки. Просто его интересовало множество вопросов, и он не мог отказать себе в том, чтобы заниматься ими. Понимаешь, он не мог заставить себя заниматься долго чем-то одним.

— Нет, не понимаю, — возразила я.

Мне почему-то показались обидными слова Рона. Он создавал из Марка образ какого-то легковесного летуна, но Марк не был ни легковесным, ни летуном, и никто не мог доказать мне обратного по той простой причине, что никто не знал его лучше, чем я. Не мог знать.

— Я, Рон, с Марком тоже немного знакома. Он совсем не похож на порхающего в атмосфере... — я замялась, пытаясь подобрать слово, но не подобрала и потому оборвала фразу — и так понятно. — Я не встречала никогда человека, который так много, упорно и увлеченно... — мне опять не хватило слов или, наоборот, не хотелось произносить слишком много. — Так работает, так целеустремленно и глубоко, — все же добавила я еще пару эпитетов.

— Конечно, Марк трудяга, — легко согласился Рон. — Дело не в том, что он не мог довести работу до конца, потому что не способен долго и тяжело работать. Работал он всегда лучше других. Дело в том, что у него исчезало желание доводить работу до конца в тот момент, когда она становилась ему неинтересной. То есть он мог месяцами тяжко работать, но только до тех пор, пока проблематика увлекала его. А увлекала она его, пока он не создавал что-то невероятно сильное, пока не пробивал поле в выбранном направлении. Именно это и было его целью и, когда он ее достигал, — Рон развел руками, — ему становилось скучно. К тому же появлялась новая цель, и он начинал двигаться к ней.

— Но ведь никакую науку нельзя исчерпать, — опять не согласилась я, хотя было совершенно непонятно, зачем я затеваю спор с Роном — он-то всю жизнь черпал из одного своего неисчерпаемого.

— Ну, этого я не знаю, — он улыбнулся. — Самое смешное, что, наверное, лет десять назад я ему сказал нечто аналогичное. Марк тогда сделал одну серьезную вещь, в которой я тоже слегка разбирался и понимал, насколько она серьезна, а он хотел ее бросить. Ну, и я уговаривал его не бросать, говорил, что познание бесконечно, и постоянно рождает новый вызов, и какую-то еще ерунду типа этого. И знаешь, что он мне сказал в ответ?

Я подняла брови в знак любопытства.

— Он сказал, — повторил Рон, — что жизнь слишком сложна, объемна, чтобы ее можно было выразить математической формулой, или физическим явлением, или компьютерной программой, или вообще какой-либо одной теорией, одним знанием, одной наукой и даже наукой вообще. Он сказал, что если пытаться понять жизнь глубже, то нельзя тратить много времени на что-то одно, потому что тебя всегда ожидает другое. Что лично он может отдать чему-то конкретному только ограниченный отрезок времени и, добившись результата, двинуться вперед. В жизни, сказал он тогда, слишком много захватывающего, и все хочется попробовать, а на все жизни мало, и потому нельзя задерживаться на чем-то одном. Так что, видишь, — это уже Рон обращался ко мне, — у Марка имелся ответ и на твой вопрос.

— И поэтому он ушел из науки вообще? — спросила я.

— Да, ему стало скучно. Он попробовал себя в нескольких совершенно различных областях, в основном в естественных

333

науках, но и не только. И везде с легкостью, относительной конечно, но с легкостью, за невозможный для других короткий срок совершал прорыв, а потом переходил в другую область и там тоже прорывал, и так далее. Но потом, когда он повторил это раз десять, ему надоел сам процесс, ему захотелось реализоваться как-то принципиально по-другому, и он ушел.

«Как это — по-другому?» — подозрительно мелькнуло у меня в голове, но я промолчала.

— К тому же у него начались проблемы с административной системой. Она оказалась не настолько гибкой, чтобы принять его неординарность, его скользящий подход, — меня опять кольнуло слово «скользящий». — У Марка постоянно возникали проблемы с переходом из одного отдела в другой, его статус всегда был под вопросом, от него требовали того, чего он не хотел делать. Так что тем, что его интересовало, ему часто приходилось заниматься подпольно. Были проблемы и с финансированием его работ, да к тому же ему всюду и всегда примитивно завидовали, что тоже усложняло жизнь. В результате он решил, что в автономном режиме, за рамками официальной структуры, он будет эффективнее и для других, и для себя, — Рон на секунду прервался, опять улыбнулся как-то очень по-доброму, как улыбаются приятному воспоминанию, и добавил: — В конечном счете, почему нет? К тому же, я сейчас вспоминаю, Марк однажды, как бы невзначай, по какому-то совсем другому поводу, сказал, что ему не только необходимы нестандартные условия, но более того — помести его в стандартные рамки и подержи там подольше, и он задохнется.

Вернувшись из прошлого, Рон окинул взглядом глубину кафетерия, но ни на чем не задержался.

— То есть он, конечно, не совсем такими словами сказал, — как бы извиняясь за искаженное цитирование, Рон слегка пожал плечами. — Дело давно было, но мысль я передаю верно. В любом случае, не нам судить: тот факт, что мы что-то не понимаем, не означает, что это «что-то» неправильно. Если Марк так чувствовал, значит, он прав.

— А что случилось с его идеями, с прорывами, как ты их называешь? — спросила я больше из любопытства, потому что это был последний штрих, в котором оставалась хоть какая-то загадка. — Я никогда не встречала ни его работ, ни статей.

— Он написал несколько статей, впрочем давно, в самом начале, а потом и это перестал делать, сказал, что не хочет времени тратить на пустое.

— Ну и куда они, все остальные, ненапечатанные идеи подевались? — не отставала я.

— А никуда не подевались, — невозмутимо сказал Рон. — Он их раздал.

— Как это раздал? — моя голова от изумления качнулась назад, увлекая за собой и шею, и плечи, и все тело. — Разве свои работы раздают?

— Нет, как правило, собственные идеи не раздают, но ты опять впадаешь в ту же ошибку — не оценивай Марка шаблонно. Он раздавал, и для него это было настолько естественно, насколько неестественным кажется для нас.

— И кому он их раздавал?

Я все еще не могла очухаться от услышанного.

— Разным людям, — так же беззаботно ответил Рон, как будто он сам каждый день дарит идеи кому попало. — Тем, кто был поближе, тем и раздал. К тому же его идеи хоть и были хорошо наработаны, все-таки требовали большей доводки для печати или публичного представления.

Я сидела оглушенная, всякие странные мысли, в бессвязности своей, в своей лихорадочной суете толкающие меня на сопоставления, мешали сложиться чему-то общему.

Рон тоже не стал делать секрета из того факта, что он, как и я, видит некоторые пугающие параллели, хотя тут же постарался их сгладить:

— Но, должно быть, все изменилось, — сказал он. — Смотри, как вы долго работаете вместе, уже столько лет! — Он понимающе, добродушно улыбнулся и, подбадривая, похлопал меня по руке. — Я пошел, уже опаздываю.

На этот раз он не посмотрел на часы.

— Спасибо, что нашел время, Рон, — только и успела сказать я, оставшись сидеть, пораженная и раздавленная, не знающая еще, как начать складывать себя по кусочкам.

— Послушай, — раздалось надо мной.

Рон, оказывается, вернулся. Выражение его лица, его рука, неуверенно оттягивающая вниз подбородок, — все выдавало несколько застенчивое колебание.

— Слушай, — повторил он, — ты ведь все равно всего этого есть не будешь? — кивнул он в сторону своих продовольственных закупок. — А я по дороге все же перекушу. Ты не против? — спросил он для проформы, уже сгребая кулечки.

Я ничего не ответила, так как ответа от меня и не требовалось.

— Да, и последнее, — его голос слегка изменился, — разреши, я повторю: не относись к Марку шаблонно, это будет ошибкой и для тебя, и для него, потому что он нешаблонен. Если тебе покажутся странными его поведение, или поступки, или мысли, постарайся понять, что он действует в соответствии со своим, очень отличным от нашего, внутренним пониманием, которое иногда нам просто недоступно, и поэтому мы не можем его ни оценить, ни осудить. Хорошо?

Он, правда нерешительно, но все же дотронулся до моего плеча, как бы ободряя меня, как будто мы с ним только что о чем-то договорились.

Я осталась сидеть и, взяв чашку кофе со сливками, стала пробираться по нерасчищенной дороге обманчивых чувств, ускользающих мыслей, впечатлений и прочих ассоциаций, которые в своем хитром, хаотичном переплетении и составляют пресловутое «шестое чувство», часто принимаемое за интуицию.

Во-первых, сразу сказала я себе, стараясь по возможности заглушить предательски подкрадывающиеся порывы, ты не должна верить всему, что наговорил тут этот обжора. Даже если он ничего не придумал, ничего не преувеличил — это только его частное, субъективное мнение, и оно вполне может быть ошибочным, уж мы-то знаем, что так бывает. К тому же, продолжала я уговаривать себя, обрати внимание: говорил он с тобой как бы отечески заботливо и потому свысока. А эта роль всегда приятна, ее играют при каждом удобном случае. И не в том дело, что Рон так уж хотел самоутвердиться за твой счет, просто ты сама подставилась — мол, расскажите мне, дядечка, о человеке, с которым я живу вот уже шесть лет. А то я сама чего-то никак не разберусь.

Конечно, кто не откликнется и не предложит: дай-ка я, детка, глазки твои неразумные приоткрою. И хотя говорил он, конечно, из хороших побуждений, но в этом-то и хитрость — почему бы не понарассказывать всякого разного, в том числе и слегка неприятного, впрочем, едва заметного, — ведь все делается исключительно из лучших побуждений.

Но бог с ним, думала я, пусть даже Рон ничего не преувеличил, ничего не выпятил и даже нигде не расставил своих собственных личных акцентов — во что, конечно, не верится, — пусть так, ну и что? Что он такого сказал, чтобы мне вот так сидеть здесь раздавленной?

Ну хорошо, сказал, что Марк гений: ну ладно, гений, не гений — это вопрос терминов, но что он страшно способный и талантливый, это я и сама знала и ценила. Может быть, конечно, недостаточно ценила, но ведь известно: нет пророков в отечестве своем, да и как оценить по-настоящему, как разглядеть, когда спишь вместе? Ладно, что там дальше? Марк придумывал чего-то, и бросал, и переходил к другой задаче. Ну и что?

Конечно, странно, хотя тоже понятно — ему так больше нравилось: идей куча, и если самое главное для него — это реализоваться через них, а остальное — признание, слава, звания — все ерунда (а все это действительно ерунда), то почему бы так не поступать, особенно, если именно такой подход приносит удовольствие?! Ничего в этом нет ни странного, ни неординарного — нормальный, здоровый подход, альтернативный стандарту, куча людей так живет.

Но я тут же прервала свои предательские рассуждения: кончай, перестань обманывать себя! Понятно, что тебе не хочется замечать, но ты же заметила, так и не делай вид, что не поняла главного. Дело ведь не в том, что он много чего придумывал, а потом брался за новое — в этом-то ничего плохого нет, дело в том, что уж очень эта практика напоминает то, что происходит с тобой.

Я вздрогнула от расчетливой, холодной очевидности мысли. Подожди, тут же воспротивилась я, в чем же напоминает? В том, что он навел меня на ту идею для студенческого конкурса? Конечно, он помог мне, но, в конце концов, я же сама пришла к результату, он сам признался, что мое решение было другим и лучше, чем его. Да и какое это имеет значение?

А что действительно имеет значение, это то, что мы сейчас работаем над новой задачей со странной целью: «взорвать науку», сделать что-то немыслимо большое. И еще важно то, что Марк считает, будто нам это по силам, и даже смог как-то незаметно убедить меня.

Ну хорошо, что же в этом плохого, или подозрительного, или тревожного — что тебя гложет? Работаем мы вместе, я, как мне кажется, не хуже его, мои аргументы принимаются не реже, чем аргументы Марка, — это по-честному совместная работа. В любом случае ситуация никак не напоминает ту, когда Марк создает, а потом дарит мне. Да к тому же еще и не создано-то ничего. Да и вообще, я не просто та, кто рядом, я люблю его...

Меня вдруг поразило, как давно я не вспоминала о своих чувствах к Марку. И он, Марк, — я всегда была уверена — любит меня, и мы вместе уже столько времени, целый кусок жизни. Мы уже так свыклись, притерлись и сроднились, что на самом деле создали новый, необычный организм, который нельзя оценить привычными мерками стандартных человеческих отношений. Поэтому ерунда все это — все эти сравнения, ассоциации, подозрения, которые посеял во мне Рон. Полная ерунда!

Мне сразу стало легко. Вот, сказала я себе, сколько раз убеждалась, что нельзя поддаваться порывам: вот и сейчас разложила все по полочкам, и все сразу заняло свои места, и ничего уже нет страшного, пугающего. Все нормально, даже отлично и не вызывает опасений.

Это все Рон — незаметно, как это говорится, тихой сапой, якобы из лучших побуждений, якобы и плохого ничего не сказал, а вот так хитро зародил во мне червоточинку. Как же ему удалось так повернуть разговор, чтобы оставить во мне неприятный, зудящий осадок?

И о Марке-то как говорил, образ-то какой создал! Странный он, видишь ли, и подходи к его странностям с пониманием.

Это Марк странный?!

Да на себя-то посмотри! К зеркалу-то хоть раз в жизни подходил? На весы когда последний раз становился, да и где их такие нашел, чтобы выдержали?

Подумаешь, Марк рожи корчит, кстати на самом деле очень смешные и правдоподобные! Подумаешь, перестал бриться каждый день! Разве это странность — не бриться? Это полнейшая нормальность.

Я вдруг подумала о Роне с неприязнью. У меня исчезло всякое сомнение в том, что он специально, вот так, под видом дружеской откровенности, прикрываясь несомненно притворным желанием помочь, ничего, собственно, и не говоря плохого, даже наоборот, — только хорошее, сумел вселить в меня подленькое подозрение. Я предположила, что это и есть самый хитрый и самый традиционный путь зарождения сомнения, вот так — недосказанными дружескими полунамеками, и вспомнила классического Яго, хотя сравнивать его с неклассическим Роном было, конечно, смешно.

Откуда я знаю, думала я, что там в душе у этого Рона? Откуда я знаю все нюансы их отношений с Марком, они так давно знакомы, а когда люди долго общаются, всегда появляются нюансы. Кстати, чего это он там говорил о зависти?

Вот так, добравшись до сути, я успокоилась и уже в совершенно другом настроении, настроении героя, распознавшего и победившего в невидимой борьбе подлючество, допила остывший и потому особенно пахнущий жирными сливками кофе и заставила себя вернуться к своим поджимающим со всех сторон земным надобностям.

ГЛАВА ТРИДЦАТЬ ПЯТАЯ

Когда я вернулась домой, шальной Марк с ходу доложил мне, что изобрел улыбку Моны Лизы, и стал мне ее демонстрировать. Весь оставшийся вечер он, складывая губы и загадочно улыбаясь своим шершавым от небритости подбородком, доставал меня вопросами, соответствует ли тот или иной голос моему представлению о Моне Лизе. При этом он издавал женоподобные звуки то низким грудным голосом, то чарующим шепотом, которым, по его мнению, Джоконда пыталась поведать миру свою тайну, но каждый раз получал от меня неверящий, по Станиславскому, наклон головы. Он искренне расстраивался и к ночи сник вообще, так что я растрогалась и, пожалев его, нежно поцеловала, что в последнее время стало редкостью, думая при этом: а так ли уж не прав был Рон на самом деле?

Я посоветовала Марку продолжать работать над улыбкой, добавить ей пущей загадочности и, не сдержавшись, добавила:

— Да и всему остальному добавь, почему только улыбке?

На мои подначки, совсем мною немаскируемые, он не обратил внимания и, подумав, сказал, что лучше отпустит эйнштейновские усы и волосы и вообще позаимствует весь его облик.

Он сказал «облик», видимо не решившись говорить про Эйнштейна «рожа», на что я, расслышав нешуточные нотки в его голосе, заподозрила, что он так и сделает.

Но что касается обсуждений, то проходили они очень серьезно, и, хотя я на каждом из них получала кучу обидных замечаний типа: «ты, малыш, еще на самом деле малыш», мы потихоньку двигались вперед, впрочем, скорее, методически-поступательно, без каких-либо рывков, прыжков и прочих всплесков, говорящих о готовящемся взрыве. Мы скорее расчищали пока дорожку и выкапывали ямку, в которую собирались заложить взрывчатку, но где ее взять и чем поджигать фитиль, да и что такое фитиль, мы не имели понятия.

Обычное обсуждение продолжалось часов пять и состояло из трех частей с двумя перерывами. В первой части мы по очереди — сначала я, потом Марк (почему-то всегда начинали с меня) — рассказывали о том, что сделали за неделю, но делали это не в форме отчета, а исключительно развивая и продвигая тему. Во второй части мы согласовывали наши автономные поиски, которые, как правило, не совпадали. Это была самая болезненная часть, так как принятие, например, достижений Марка означало похороны моего выстраданного недельного труда, и наоборот. Сдавать собственные позиции, пропуская партнера вперед, было, конечно, обидно, но мы (а я видела, что не только я, но и Марк тоже) старались быть объективными, не давить на авторство, а учитывать суть, понимая, что от того, какое решение сейчас будет принято, зависит, куда будет сделан следующий поворот, а значит — направление всей последующей работы. Неверное же направление могло привести к общей неудаче.

Как правило, мы, идя на взаимные уступки, примиряли наши позиции, кроме тех редких случаев, когда недельная наработка одного из нас не оказывалась значительно сильнее наработки другого. Но чаще нам удавалось свести свои позиции в единое целое, взяв что-то самое ценное от каждого.

Сочетая отобранные части друг с другом, мы создавали, как нам казалось, наиболее оптимальный общий путь. Это и было самое сложное — сочленение удачных, но разрозненных кусков во что-то цельное и выработка на его базе общего подхода. Иногда не получалось, и тогда мы переносили обсуждение на следующий день, чтобы лучше все обдумать, что для меня лично означало потерю еще одного учебного дня. Третий этап обсуждения был посвящен если не определению, то наметке направления, по которому предстояло двигаться дальше.

Каждый семинар требовал максимальных усилий, Марк не прощал ни ошибок, ни отговорок, которые легко простил бы прежде, он добросовестно старался общаться со мной как с равной, не только прислушиваясь к моему мнению и к моим аргументам, но часто отдавая им предпочтение. Да и мне самой надоело быть ученицей, я уже не могла себе позволить выглядеть бледно и неуверенно по сравнению с ним и потому готовилась беспощадно, каждый раз как к последнему и решительному. Я давно уже не ограничивалась лишь чтением литературы, но и пыталась из всего, что вычитывала, создавать что-то свое, пусть маленькое, пусть всего ничего, но новое, несуществующее прежде.

Надо отдать Марку должное: к тому, что я делала, он не подходил ни ревниво, ни с предубеждением и, если то, что я предлагала, было действительно дельно, с радостью хватался за него.

Мы оба считали, что сейчас, хотя и важно не ошибиться с выбором направления, некоторый отход в сторону был не так уж принципиально недопустим: мы находились только на подходе, а к одной и той же цели можно подобраться с разных сторон.

Жесткие требования Марка, да и подспудная конкуренция с ним, боязнь пропустить его вперед, заставляли меня не только кропотливо работать, но и держали в постоянном напряжении — ведь каждый раз к жесткому сроку следующего обсуждения я должна была подойти с новой наработкой, по качеству и оригинальности не уступающей его. Так что частенько я сидела в библиотеке, забыв об уроках, рефератах, которые мне надо было сдавать завтра или, чаще, вчера, иногда пропуская лекции и семинары, только чтобы замесить раствор и выпечь свой маленький, но прочный кирпичик. Даже поездки на автобусе в университет и обратно, даже кофе в кафетерии, даже принятие душа, даже походы в туалет — до смешного все сопровождалось бесконечной, неотступной работой мысли или чего там было вместо нее.

Постепенно я стала замечать, что мои губы сами двигаются, когда я иду по коридору университета или стою на автобусной остановке, словно шепчут какое-то магическое заклинание. Сначала я не могла понять, что они там бормочут, но однажды в душе, когда меня за шумом плещущей воды не слышал даже Марк, я заставила губы произнести громко и отчетливо то, что они пытались в шепоте утаить от меня. Я была разочарована: оказывается, я повторяла одну и ту же откуда-то взявшуюся фразу, которая хотя и была как-то связана с моей неутомимой умственной деятельностью, но в целом звучала бессмысленно.

По ночам мне стали сниться волнующие сны, в которых я находила ответы на многие не решенные днем вопросы, и мне казалось, что мои черно-белые решения вполне заслуживают, чтобы я проснулась, встала и записала их. Но какой-то самоуверенный голос доказывал, что такое забыть никак нельзя, и, учитывая, что моя ночь была коротка, короче, чем требовалось для нормального дневного функционирования, я ленилась и не просыпалась. А проснувшись утром и смутно вспоминая сам факт ночного откровения, я, конечно же, не помнила его деталей.

Лишь однажды я все же заставила себя открыть глаза, и встала, и пошла, как в сказке, на огонек, на кухню, где сидел Марк с большой кружкой чая, рядом с которой лежала тоже не маленькая конфета. Он что-то старательно выводил в тетради, иногда отводя от нее взгляд и направляя его в ночное окно, нависшее над столом. Я подошла к нему, и, ощутив трогательную симпатию от бессонной солидарности, поцеловала в немытую голову, и отобрала у него ручку, и на каком-то огрызке бумаги написала инопланетными символами, чтоб покороче, то, что я только что выдумала во сне. Кивнув на листок и сказав Марку угрожающе: «Не трожь», я заковыляла назад в постель.

Утром, потратив немало сил на расшифровку записанного, я приятно удивилась, обнаружив, что действительно нашла решение вопроса, над которым билась два дня, и прониклась уважением к своим мятежным девичьим снам.

От всего этого, да еще от вечного недосыпа, вечных неуспеваний, опаздываний, почти полного отсутствия питания (Марк ходить в магазины, как он это делал когда-то, перестал давно) и прочей нервозности я не просто похудела и осунулась, а вообще выглядела жалко, прежде всего в своих собственных глазах, не говоря уже о тех моих знакомых, кто знал меня раньше и теперь останавливал при встречах и участливо спрашивал, не случилось ли у меня чего со здоровьем или еще с чем.

Я отшучивалась, что готовлюсь к марафону и потому на диете. При этом я, конечно, понимала, что произвожу, мягко говоря, странное впечатление — осунувшаяся, с красными глазами и синяками под ними, с изможденным лицом, вечно суетливо спешащая, с шевелящимися в напряжении губами. «Вы бы на Марка посмотрели», — мстительно шептала я единственный хоть как-то успокаивающий меня аргумент.

Учеба моя, начав хромать сразу с осени, к зиме стала заваливаться на бочок, как, наверное, заваливается подстреленный бизон, еще не совсем убитый, еще по инерции перебирающий ножками и бегущий, но то ли от потери крови, то ли от сбившегося дыхания, то ли от сознания настигшей его неизбежности начинающий прямо на бегу оседать, невольно подгибая ноги. И хотя я понимаю: сравнивать учебу с бизоном неубедительно, но ведь все было неубедительно вокруг меня, да и главное — образ создать, на то и сравнение.

Поначалу меня не трогали, во-первых, возраст уже не детский, да и место не то, чтобы за твоими занятиями и оценками следить. И потом, среди всех здешних студенческих знаменитостей я была самая знаменитая, да еще, благодаря работе у Зильбера, со связями, многие профессора первыми раскланивались со мной, зазывали на ланчи, от которых я неуклюже увертывалась.

Поэтому преподаватели, которым я задолжала, кому отчет, кому научный обзор, кому еще чего, старались на меня не давить, а только мягко напоминали о долге. От кого-то я отделывалась поспешными отписками, и они, удовлетворенные, отставали, но некоторых оставляла вечно неудовлетворенными, прикрываясь ложными обещаниями, и они уставали ходить за мной, и в конце концов их хорошее ко мне отношение сменялось плохим, и они жаловались на меня в деканат, куда меня вызывали все чаще и сначала мягко, а потом строго журили.

К тому же наши с Марком обсуждения пересекались с моими занятиями, и мне, конечно, приходилось жертвовать и лекциями, и семинарами, что было для здешних стен беспрецедентно и что еще более ухудшало и без того гнусную картину. В результате я не только плохо закончила семестр, но к двум экзаменам меня не допустили вообще и, вызвав в стопятидесятитысячный раз в деканат, пригрозили, что, если я срочно не урегулирую все проблемы, мой переход на следующий курс окажется под вопросом.

Беседовал со мной сам декан, которого я неплохо знала по зильберовским временам. Он был ровен и вежлив, но тверд, и я поняла, что это уже не шутки, и испугалась — перспектива потерять год мне не улыбалась. Он сказал, что не понимает, что со мной происходит, что они все удивлены и что если я могу сослаться на какую-то причину — неполадки в семье, проблемы со здоровьем или другие неприятности, — то мне надо только сказать, и мне дадут полгода академического отпуска. Но я стояла, потупив глаза, буравя ими пол, и на уговоры не поддалась, а упрямо бормотала, что нет, все в порядке, мне только надо время, пары недель будет достаточно, и я все исправлю и нагоню. Он согласился, но предупредил, что дает мне последнюю отсрочку и, если я не уложусь, меня не допустят к сдаче экзаменов.

Я покорно кивнула и вышла, после чего позвонила Марку и рассказала о своих неприятностях, но ему было не до меня: он как раз читал самое интересное место в книжке для детей двенадцати-тринадцати лет, и голос его звучал утомленно, хотя у него и хватило сил удивиться, как это я так долго учусь и никак не выучусь.

— Тебе осталось каких-то паршивых четыре-пять месяцев до конца этой вонючей учебы, а ты дотянуть не можешь. Заниматься надо больше. Сядь и сделай!

Голос его звучал не только безразлично, но и зло, я чуть не расплакалась — мне было обидно, хотя бы он мог понять.

— Значит, ты не будешь никому звонить?

— Мне некому звонить.

Судя по голосу, он уже снова углубился в книжку.

— Ну хорошо, тогда нам надо отменить хотя бы два семинара, чтобы я могла разобраться с учебой. Всего два! — почти взмолилась я.

Я прямо через телефонные провода почувствовала, как он вздрогнул, как даже отвел взгляд от вожделенной книжки, как весь сжался, и я уже знала, что он скажет, еще до того, как он сказал.

— Ты можешь отменять, если хочешь, но без меня, я продолжаю.

— Хорошо, — вздохнула я. — Ты можешь мне помочь, можешь потратить три дня, всего три дня, чтобы помочь мне дописать оставшиеся работы.

Он молчал долго, наверное, услышал слезу в моем голосе, потом все же ответил:

— У меня нет трех дней, это слишком много. Привези мне вечером половину того, что ты там задолжала, я закончу к завтрашнему утру.

Даже почти плача, я улыбнулась.

— Там много, — сказала я, предостерегая.

— Здесь тоже немало, — уже по инерции ответил Марк.

И я поняла, что это он о книге и что он уже не здесь, а в ней, моей бумажной сопернице.

— А я тебе рожу новую помогу смастерить, — сказала я, подлизываясь, а сама подумала: кто бы слышал, что я такое несу.

— Ладно-ладно, посмотрим, — пробурчал он голосом несчастного тролля.

Я доверила ему две работы, схитрив, конечно, и оставив для себя только одну. Хотя почему «схитрив»? — ведь три пополам особенно не делится, во всяком случае без остатка. Будучи не злой в душе и желая облегчить его труд, я даже попыталась снабдить его всей необходимой литературой, но он высокомерно отмахнулся, пробормотав что-то вроде «сами начитанные», отчего я даже улыбнулась, хотя мне было совсем не до шуток.

Было часов восемь вечера, он со вздохом отложил книжку, встал с дивана и, сказав, чтобы я ему не мешала, ушел на кухню. Когда около часа я пошла спать, он с кухни так и не выходил, я только слышала иногда пулеметные очереди нажатий на клавиши клавиатуры, означавшие, что Марк сидит за компьютером и чего-то печатает.

Я проснулась, как всегда, в шесть двадцать. Я уже научилась заставлять себя открывать глаза и спускать ноги с кровати, а дальше тело брало ответственность на себя — вставало и брело в душ, даже не требуя для этого вмешательства еще не пробудившегося разума. Только там, в душе, под упругой струей согревающей воды, я приходила в себя и вернувшееся из сна сознание могло действовать в координации с телом.

Так что только в ванной я поняла, что, когда проснулась, Марка в постели не было, и там же в ванной удивилась: а где же он? Еще мокрая после душа, но уже полностью пришедшая в себя, я нашла его на кухне, где, казалось, время застыло со вчерашнего вечера: все так же горела настольная лампа, поставленная на кухонный стол, все так же стояла кружка недопитого не то чая, не то кофе, все так же рядом лежала недогрызанная конфета.

Он посмотрел на меня, и взгляд его быстро вернулся в реальность, как будто за мгновение переместился из какого-то другого, своего времени в текущее, а может быть, и из своего, неведомого мне, пространства в это, мне вполне ведомое. Я подумала, что, может быть, там, в его измерении, время искажено и то, что для меня растягивается в полновесные, неторопливые дни, для него является всего-навсего часами или даже минутами.

Я вспомнила, как однажды, несколько лет назад, когда мы были на природе, Марк, показывая на бабочку-однодневку и качая в недоверчивом изумлении головой, сказал, что вот она, существуя всего ничего, успевает за это время пожить бабочкой-ребенком, вырасти, набраться мудрости, поработать как-то там по-своему, по-бабочкиному, и, может быть, добиться успехов. А еще влюбиться, и заняться любовью, и, наверное, родить, и состариться, и еще многое-многое другое, более мелкое, но что вместе составляет жизнь нормальной бабочки: страдать от головной боли и простуды, сходить на концерт танцующих шоколадниц, и прочее, и прочее — и все это за один день.

— Наверняка, — сказал тогда Марк, — у них совсем другое представление о времени и ощущение его. Наша секунда для них месяц или квартал, и они за эту секунду успевают прожить и прочувствовать то, что мы, возможно, не успеваем и за несколько месяцев.

Марк посмотрел на меня и, как ни странно, узнал.

— А, — сказал он как ни в чем не бывало, как бы приветствуя меня этой буквой, — сейчас, распечатать только осталось. Кстати, сколько времени?

Он давно уже не носил часы. Я знала — это, чтобы жить вне времени.

— Около семи, — заботливо ответила я. — Ты что, обе работы уже написал?

Он не ответил, давая понять, что не отвечает на риторические вопросы, имеющие риторические, если такие бывают, ответы.

— Ну, ты даешь! — искренне сподобострастничала я. — Не понимаю, как ты так?

— Ничего, дети поймут, — невежливо ответил он, подставляя щеку под мой благодарный поцелуй. — Ладно, я спать пошел. Спокойной ночи, — и уже выходя из кухни, сказал сонно, хотя пытался строго: — Малыш, это в последний раз, дальше давай сама управляйся, не маленькая уже.

— Спокойного дня, — поправила его я.

А сама подумала: «Во дура щепетильная, надо было все три работы ему подсунуть. Ему чего, еще бы два часа не поспал, днем отоспится, а мне дня два-три сидеть».

Когда я распечатала текст и, сидя в автобусе, пробежала его глазами, я обомлела и подумала почти удивленно: «А ведь парень действительно, похоже, гений».

Впрочем, я тут же почувствовала досаду, что работы написала не я, хотя теперь обрадованные профессора решат, что сбои мои имели временный характер и все возвращается на круги своя. А на самом деле ничего никуда возвращаться не собиралось. И хотя я, конечно, считала, что сбои действительно временны и что за последний период я, безусловно, взяла еще одну высоту, но тем не менее работы эти о ней не говорили. А говорили они, скорее, о высоте Марка, которая, как я начинала бояться, для меня была недостижимой. Я же осталась с ощущением, что в первый раз словчила, и оно образовывало где-то на дне моей чистюли-совести шершавые, перекатывающиеся и оттого зудящие осадки.

С другой стороны, успокаивала я себя, мы ведь вместе занимаемся одной работой, вкладываем в нее одинаково (или приблизительно одинаково — точно не измерить). А я еще, помимо обычной учебы, пишу за семестр дюжину работ, и, кстати, все достаточно высокого качества, тогда как Марк ни одной, и почему бы ему в таком случае мне немного не помочь и нам хоть немного не сравняться?

ГЛАВА ТРИДЦАТЬ ШЕСТАЯ

Конечно, я выкарабкалась с этой сессией и даже получила поздравления за творческую и глубокую работу от благодарных профессоров, и даже декан, которого я однажды повстречала в коридоре, остановил меня и сказал пару весьма ободряющих слов.

Впереди был последний перед диссертационным периодом семестр, и я с неверием твердила заветное: что через пять месяцев наконец учеба закончится и что наступит для меня неведомая, желанная пора. Ведь в принципе вся моя взрослая и уже не очень короткая жизнь только и проходила в учебе — в разных странах, по разным специальностям, в разных университетах.

Наконец-то я исчерпала возможности западного образования, пройдя все его немыслимые угловатые отрезки и дойдя до вершины. Все, думала я, сколько бы ни хотел того Марк, или я сама, или кто угодно, мне даже теоретически негде дальше учиться, потому что дальше ничего нет, если я только не захочу заново менять профессию. Но такой глупости, я была уверена, я больше совершать не захочу.

Конец сессии не означал передышки, потому что Марк, понимая, по-видимому, что я стала более свободной, взвинтил темп, и вечно красные от бессонницы глаза его, и вечно раздраженный голос, и осунувшееся, потемневшее лицо, выражавшее постоянное недовольство (в лучшем случае равнодушие), не давали расслабиться ни моему загруженному уму, ни растянутым до предела нервам.

К тому же последнее время в Марке появилась еще одна черта, то, чего в нем раньше никогда не было, по крайней мере, я не замечала: какая-то странная неуверенность. Она проявлялась, по сути, во всем — даже в движениях, даже в голосе появились неуверенные нотки. Видимо, думала я посмеиваясь, чтение о подвигах бесчисленных романтических героев, которые в более ранние, чем Марк, годы достигали и славы, и прекрасных дам, на которых я сейчас никоим образом не смахивала, развили в нем комплекс упущенной молодости. Я пыталась было как-то повлиять на него, но, видимо, уже не обладала должным рычагом, а может быть, просто сама не являлась эталоном уверенности.

Единственное, на что ранимость Марка не распространялась и где она не проявлялась никак, — это на наши обсуждения. Наоборот, он стал еще более требовательным, более давящим, как бы генерируя напор и неудовлетворенность, часто переходящую в нескрываемую злобу.

Он нервничал из-за оставшихся пяти месяцев, говорил, что срок ничтожно мал, что нам не хватит времени, если мы будем продвигаться такими темпами, и что мы провалим работу, и его голос, и искривленный рот, и мечущиеся глаза — все это напоминало панику. Мои же пораженческие уговоры, что ничего, мол, страшного не произойдет, если мы захватим лишний месяц, вызвали такой взрыв яростного негодования, что я вскоре предпочла не вмешиваться в его параноические приступы и не пытаться их нейтрализовать.

Я «пахала» все каникулы, не отвлекаемая университетскими делами, как никогда до этого и никогда после не «пахала», и даже когда каникулы закончились, я сделала вид, что этого не заметила, и продолжала игнорировать занятия, не вылезая из библиотеки. При этом я с мстительной радостью понимала, что теперь-то уж мои достопочтенные профессора подумают дважды перед тем, как снова кляузничать на меня в деканат.

Когда, столкнувшись с одним из них, я, начав извиняться за пропущенные лекции, услышала в ответ, что, мол, не волнуйтесь, Марина, я знаю, что вы просиживаете в библиотеке, и вполне вам доверяю, и вообще мне известно, что вы лучше работаете под стрессом, я злорадно подумала: «Так-то вот, хоть под стрессом, хоть под кем. Главное, чтобы все знали».

К середине февраля ход наших с Марком обсуждений стал меняться, исчезла динамика, каждый шаг, который уже был не шагом, а скорее шажком, давался неимоверно трудно, а зачастую не давался вообще. Темы стали повторяться, как и наши разговоры, как и произносимые слова, и казалось, что мы продолжаем затянувшуюся, разрозненную беседу ради самого продолжения, ради привычки ее вести.

Было явное ощущение, что мы топчемся на месте, и что продолжение, если оно вообще существует, затерялось в потемках, и что мы на самом деле уперлись в непонятно откуда взявшуюся толстую, непробиваемую стену.

Как ни странно, я вместе с растерянностью ощутила непонятное облегчение. По-видимому, думала я, все оттого, что эта изнуряющая работа, забирающая и у меня, и у Марка столько сил и нервного напряжения, поломала нас и изменила нашу прежнюю, сейчас казавшуюся нереальной и вообще несуществующей, жизнь. Это оттого, что ей, нашей работе, так долго было все подчинено и абсолютно все принесено в жертву — и мысли, и мечты, и поступки, и действительность, и даже недействительность, даже сны. И может быть, я еще не поняла, но именно сейчас моя любовь тоже приносится в жертву шальной призрачной идее.

И вот сейчас, когда она зашла в тупик, но не из-за моей недобросовестности или недостатка усердия, а сама по себе, без какой-либо моей вины, оставив мне чистую совесть и чувство исполненного долга, может быть, оно и к лучшему, может быть, все теперь потихоньку вернется на свои прежние, такие далекие, но такие желанные места.

Возможно, думала я, мы вообще ни в чем не виноваты, просто у задачи нет решения, так ведь тоже бывает. В любом случае того, что мы наработали за эти более чем восемь месяцев, хватит и на мою диссертацию, и на пару серьезных статей, и на получение места в хорошем университете, и на создание какой-нибудь неплохой методики.

На следующий день после третьего бессмысленного обсуждения я специально не пошла спать, чтобы поговорить с Марком в момент, когда он был наиболее свободен от очередных приключений либо капитана Немо, либо чьих-то там еще. Когда я зашла на кухню, он сидел за столом с привычной чашкой кофе и пристально, даже целеустремленно разглядывал свои пальцы. Я присела на стул рядом.

— Смотри, как выросли, — сказал он, кивая на предмет своего изучения.

Я, конечно, поняла, о чем он, и тяжело, даже обреченно про себя вздохнула, но решила не понимать.

— Что, пальцы растут? — пошутила я, но так устало, что получилось всерьез.

Он посмотрел на меня, как на сумасшедшую: мол, неужели я не знаю, что пальцы вырасти не могут.

— Нет, — видимо, он решил не вступать в конфликт, а просто по-дружески образумить меня, — пальцы давно не растут уже. Ногти.

— Ага, — согласилась я, — растут все-таки.

— Растут, — невозмутимо ответил Марк.

— А чего это они?

Я тоже была невозмутима — несложно ведь, к тому же привыкла.

— Я их отращиваю.

Это становилось любопытно.

— Чего? — переспросила я.

А сама подумала: «Ну неужели он меня еще чем-то может удивить?»

— Я читаю сейчас «Книгу Царей», — пояснил он.

— Так, — отреагировала я, хотя такого скудного объяснения мне, недогадливой, было недостаточно.

Он посмотрел на меня удивленным взглядом: как это я не понимаю? — но все же снизошел и развернул ответ:

— Там, кроме прочего, про Самсона.

— Ну да, и про Далилу, — решила я показать образованность, начиная смутно догадываться, как стыкуются неудачливые любовники и ногти Марка.

— И про Далилу, — согласился Марк, продолжая изучать свои чудесные атавизмы, особенно на указательном пальце. — Там, если ты помнишь, сила Самсона заключалась в его волосах, то есть чем длиннее волосы, тем больше силы.

— Ага, — согласилась я и, склонив голову, неприлично почесала себе затылок. — У меня к тебе единственный вопрос: почему именно ногти ты связываешь с умственной своей недюжинностью?

Оказалось, что Марк к вопросу готов, видимо, он размышлял над ним и вполне обдумал.

— Больше отращивать нечего, — сказал он веско.

Я приняла аргумент, подумав: «А ведь действительно нечего. Хотя и жаль!»

— А что ты на «Книгу Царей» перешел, про Немо уже закончил? — решила я перевести разговор.

— Нет, — ответил Марк, переводя взгляд с ногтей на меня, как бы проверяя, не подросла ли я тоже, — бросил, слишком заумно. Все эти научные объяснения утомляют, да и скучно.

Про «заумно» было даже веселее, чем про Самсона с ногтями, ими же и раздирающего кому-то пасть, и я улыбнулась, но все же решила не продолжать. Вместо этого я набрала побольше воздуха в грудь и решилась.

— Марк, — сказала я, — тебе не кажется, что мы исчерпали нашу задачу. Что либо мы неправильно выбрали направление, либо дошли до предела и продолжения нет. А точка, где мы остановились, и есть, собственно, окончательное решение.

Он молчал, переводя взгляд то на ногти, то на меня, как бы оценивая, что важнее, и я ждала, что он сейчас обрушится на меня с воплями и криком, что его разорвет привычный уже порыв злости, даже ярости, который в последнее время проявлялся от гораздо меньшего раздражителя, чем я. Мне даже показалось, что и паузу он выдерживает, скорее, для того чтобы самому решить — приходить в ярость или остаться спокойным. Но тогда это контролируемая, неискренняя ярость, подумала я.

— Смотри, мы уже четыре недели топчемся на месте, — я решила залить его пылающее возмущение холодными словами и как-то оправдать свое отступничество. — И мы совсем не продвинулись — ни ты, ни я, не нашли абсолютно ничего нового. А ведь все эти четыре недели я работала, — я развела руками, как бы показывая, как много работала, — и так подходила, и этак, с разных сторон... как только ни бралась... и — ничего. Да и у тебя тоже...

Чего я сейчас не хотела, так это начинать еще одно никуда не ведущее, теперь уже ночное, обсуждение. Поэтому я старалась говорить лишь общими фразами, не переходя на конкретику терминов и формулировок. Марк по-прежнему молчал, но теперь смотрел только на меня.

— Значит, ты полагаешь, что мы зашли в тупик?

Видимо, он все-таки решил не возбуждаться.

— Даже не в тупик, — поправила я его.

Слово «тупик» означало нечто временное, так, исправляемая неудача, осечка.

— Скорее, не тупик, а конец дороги. Цель, которую мы ставили, — достигнута, мы просто не заметили этого. Мы просто думали, что цель больше, а она оказалась чуть меньше, что не делает ни ее, ни нас хуже. То есть я думаю, что мы в результате пришли, к чему стремились, — повторила я, не зная, что сказать еще.

— Ну, и что ты предлагаешь? — спросил он угрюмо. И в эту секунду мне показалось, что он согласен со мной, что он сам пришел к тому же мнению, только боялся высказать его первым.

— Ну что, — начала я немного нерешительно, — напишем статью, тут материала даже на две хватит, будем работать над методикой... Что еще в такой ситуации делать?

Марк смотрел на меня не отрываясь, его глаза, которые я уже не помнила голубыми, а только серыми и совсем стальными, вдруг подернулись легкой, едва заметной дымкой далеких небес. Он неожиданно улыбнулся; и глаза, и улыбка на мгновение напомнили мне того Марка, которого я так любила, по которому скучала и которого, я уже боялась, никогда и не существовало.

— Ты ошибаешься, малыш, — сказал он мягко и как бы с сочувствием к моей ошибке. — Ты все перепутала, — и тут же голос добавил металла, и голубая дымка безвозвратно исчезла, растворилась во всепоглощающей, хоть и светлой, но серости. — Все как раз наоборот, мы не уперлись, как тебе показалось, мы только подошли, и подошли вплотную.

Он тоже не хотел углубляться в конкретику и потому перенял мой образный стиль.

— Видишь ли, — продолжил он, — все, что мы сделали на сегодняшний день, это была предварительная, такая своеобразная вспашка, нащупывание, что тоже, ты права, немало, и мы сделали немало, но не в этом дело. Дело в том, что только сейчас мы подошли к самому главному. Если использовать нашу с тобой аналогию, то получается, что раньше мы копали, работая лопатами, самое большее кирками, что тяжело, повторяю, но зависит от физической силы. А теперь мы докопали, до чего могли, и уперлись в стену, и ни лопатой, ни киркой, ни даже бульдозером ее не взять. Нужен взрыв.

Он любит это пороховое сравнение, подумала я.

— А для взрыва не нужна физическая сила, и, может быть, мы не сможем, — он опять неожиданно и оттого особенно светло улыбнулся… — Но скорее всего сможем.

В его голосе даже почувствовались нежность и ласка. «Ласка», вспомнилось забытое слово, я так по ней соскучилась.

— Единственное, что нам требуется сделать, это ощетиниться, усилиться и интенсифицироваться.

Мне понравилась подборка глаголов — где-то в детстве я такое сочетание уже слышала, только «ощетиниться» там, кажется, не было.

— Так что иди спать, малыш. Как ты мне говорила раньше: «И вечный бой, покой нам только снится», так? Я не путаю?

— Не путаешь, — ответила я и про себя обреченно добавила, пропустив то, что забыла: «И мнет ковыль…»

А потом, почувствовав, как всегда бывает от неудачной попытки, жалость к себе, к своим несбывшимся надеждам на освобождение от поработившего труда, я вздохнула:

— Мне покой даже уже и не снится.

— Тоже хорошо, — сказал Марк по инерции, так как снова погрузился в свои ногти.

Я не выдержала обиды от проигранной ногтям конкуренции и вставила язвительно:

— Ногти ты тоже для взрыва отращиваешь? Что-то типа бикфордова шнура?

— Для взрыва все средства хороши, — ответил Марк, не поднимая головы.

И я подумала с яростью, что он — неисчерпаемый источник глубокомысленной мудрости, просто Конфуций какой-то.

ГЛАВА ТРИДЦАТЬ СЕДЬМАЯ

С этого момента ситуация начала резко и постоянно ухудшаться, и хотя в случае ухудшения понятия «резко» и «постоянно» сочетаются редко, но здесь они чудно сочлись, во всяком случае для меня. Еще вчера мне казалось, что куда уж хуже, и надо же, вдруг оказалось, что резерв для ухудшения существует всегда, что, конечно, вызывало мазохистски приятное удивление, даже преклонение перед стойкостью организма. Впрочем, на этом приятное и заканчивалось.

Утром Марк оповестил меня о том, что одного обсуждения в неделю недостаточно, что мы вошли в критическую фазу, повторил крылатые слова насчет интенсификации, и я, флегматично сопротивляясь, согласилась на два мероприятия за семидневку.

Для меня это новшество означало, кроме прочего, отказ от горячей пищи, не говоря уже о далеком, но все еще мерцающем воспоминании, что цивилизация принесла нам проволочную телефонную и беспроволочную радио- и телевизионную связь, чем я, конечно, и так давно не пользовалась, но хотя бы помнила раньше, что они, эти связи, существуют в природе. Про кучу других вещей, например, что зеркала имеют свойство отражать, а одежда — быть глаженой, я позабыла уже давно и старалась не насиловать свою память подобными воспоминаниями. Но что самое страшное, был нанесен удар по моему пятичасовому сну, которого вдруг оказалось на час-полтора меньше. Еще страшнее четырехчасового сна, сорок минут к которому я все же хитро добавляла в автобусе, радуясь своей животной изворотливости, оказалось нагнетание небывалой до этого напряженки дома. Теперь Марк срывался на крик вообще без какого-либо повода, барабаня своими драконьими ногтями по любой твердой поверхности, так что я, в конце концов, приняла эту форму взаимоотношений как естественную и с врожденным талантом возвращала еще более изощренный крик.

Марк настаивал, чтобы я уже наконец сдвинулась с этой убийственной мертвой точки, чтобы уже нашла выход из нее, хотя сам ничего не предлагал. Это было на удивление странно, казалось, он сам полностью потерял возможность созидать, придумывать — хоть самую малость, хоть что-нибудь. Он стал совершенно пассивен, его хватало только на то, чтобы выслушать меня и потом сразу начать критиковать, даже не критиковать, а критиканствовать, делая более чем обидные замечания.

Когда я говорила ему, что он деструктивен и только нагнетает, что он не привносит ничего позитивного, он только отмахивался и лишь однажды раздраженно огрызнулся, что, мол, он был достаточно конструктивен раньше и почему бы мне теперь, в виде исключения, не стать чуточку конструктивней самой. Это было обидно, потому что было неправдой, я раньше тоже немало вкладывала, не меньше его, и я хотела разреветься, но это выглядело бы совсем глупо, и я сдержалась.

— Чего ты на меня кричишь? — сама крикнула я. — Может быть, я не такая способная, как ты.

Интересно, что этот отчаянный в своей беззащитности аргумент вдруг подействовал на Марка. Он разом успокоился, даже сел за стол и, подперев рукой подбородок, посмотрел на меня более чем пристально, как бы оценивая меня заново своим грязно-серым стальным взглядом, в котором явно читалось удивление.

— Ты знаешь, —сказал он, казалось поражаясь собственной мысли, — а ведь это мне никогда не приходило в голову. Может быть, ты действительно неспособная?

Голос его звучал абсолютно серьезно, и оттого мне сделалось не просто обидно — жутко обидно. Я выскочила из квартиры, хлопнув дверью, хотя улица уже давно была покрыта ночью.

Ночь меня, впрочем, не пугала, потому что я, кажется, заразилась от Марка бессонницей, и, оттого что в квартире для моего ночного бодрствования не находилось места, а лежать с открытыми или закрытыми глазами было бессмысленно, так как в голове скакали и прыгали запутавшиеся обрывки мыслей и будоражили и без того возбужденный мозг, я выходила на улицу. Я гуляла в ночи, благо район был безопасный, минут сорок, пока не начинала чувствовать, что нервы мои хоть как-то успокоились, и морозный, бодрящий воздух выветрил из моего болезненного воображения всякую мешанину, и я могу вернуться и, даже не заходя на кухню, все равно зная, что там увижу, только скинув одежду, броситься в постель и попробовать еще раз заснуть.

От бессонницы я стала засыпать не только в транспорте, но и вообще везде, где можно было присесть, вернее, я не засыпала, а проваливалась куда-то, где было темно и сладко, хотя глаза, по-моему, не закрывала, так как, когда я через мгновение возвращалась, я замечала иногда, что со мной разговаривают люди. Библиотека, пожалуй, оставалась единственным местом, где я ухитрялась еще как-то сдерживаться и не засыпать, хотя и непонятно, каким образом мне удавалось поддерживать себя в ненавистном состоянии бодрствования.

Когда я заходила в туалет и подходила к раковине, глаза мои инстинктивно опускались, прячась от наступающего зеркала. И все же предательское любопытство заставляло меня невольно взглянуть на отражение, но только мельком, так как испугавшийся взгляд мгновенно соскальзывал вниз, к безопасным рукам, которые, хоть и с неухоженной, но еще ничего кожей, робко принимали последнюю доступную им ласку — ласку теплой воды.

Единственной положительной стороной бессонницы оказалось то, что она напрочь отбила у меня аппетит. Отказ от еды экономил массу дорогого времени, и я, заставляя себя, лишь проглатывала в день несколько чашек кофе, а, если могла надавить на себя достаточно, то и худосочный зеленый салатик — все же организму нужно чего-нибудь там переваривать, чтобы вконец не атрофироваться.

На явно обеспокоенные вопросы о моем внешнем виде я уже не могла отделываться прежней шуткой о подготовке к марафону и эволюционировала ее, говоря, что только что его пробежала. А потом, когда восторженный собеседник начинал изумленно расспрашивать о подробностях, я добавляла, что даже не один, а два марафона, и подряд, и последний по марокканской пустыне, к сожалению, не помню ее названия.

Что такое университетские занятия, я забыла совсем, я вообще забыла, что еще учусь где-то, и казалось, что и про меня забыли, во всяком случае в феврале и в марте. Но в апреле закопошились и снова стали всюду вызывать, находя меня в моей заветной библиотеке. Я понимала, что необходимо что-то предпринять, потому что опасность не закончить семестр была явной, только понятия не имела, что именно.

Два обсуждения в неделю ничего не принесли. Марк все так же угрюмо и раздраженно требовал результатов — если и не взрыва, то взрывчика, как он говорил. При этом сам он ничего так и не предлагал и даже не пытался, а взамен только нагнетал напряженность, так что не только тело мое, но и нервы превратились в струну, и я порой размышляла над вполне практическим вопросом: что же из них не выдержит первым.

Сам Марк стал напоминать мне плаксивого иждивенца, который только требует и требует, сам не желая и не будучи в состоянии что-либо привнести. Я даже стала подозревать, что его ночные бдения — это полная фикция и что он там на самом деле ничего не делает, а только любуется своими закостеневшими когтями. Слава богу, он не мог там строить рожи — на кухне не было зеркала, — зато мог озвучивать придурковатыми голосами свои фотографии, развешенные на всех стенах.

Пару раз — все равно бессонница — я не выдерживала, и неслышно подкрадывалась, и смотрела в щелку, чем же он там все-таки занимается, и была обидно разочарована: он сидел, как всегда, с тетрадкой перед собой и смотрел задумчиво, почти романтически в окно. Но, думала я, может быть, я просто не могу его подловить в нужный момент, и мои подозрения не рассеивались.

Так прошли февраль и март, и наступил апрель, а мы все стояли на месте, не зная и даже не догадываясь, куда двигаться, полностью вычерпанные неудачами и друг другом.

Однажды, когда я возвращалась из деканата, где меня в очередной раз предупредили о моих несметных задолженностях, я почти наткнулась в коридоре на Зильбера. Он, как всегда, шел размашистой походкой, держа голову высоко и прямо. Он держал ее так высоко и прямо, что, по идее, не должен был никого замечать, но я-то знала, что глаза его делают свое — прыгают в разные стороны и не пропускают ничего.

Я вдруг вспомнила такое далекое и такое забытое время, когда была с ним, в его команде, и когда мы все сидели у него дома — и я, и Далримпл, и, конечно, Джефри, — и наши разговоры, и уют, и тепло, и заботу, и подумала, как же мне было хорошо тогда, как беззаботно, как успешно и как ничто не предвещало перемен, если бы я не послушалась Марка и сама не влезла в эту затягивающую петлю нерешаемой задачи.

А потом я подумала, что и его, ни в чем, в общем-то, неповинного Зильбера, я тоже предала — даже не зашла с ним попрощаться, даже не поблагодарила за помощь. Сейчас он казался таким милым — человеком из моего удачливого и комфортабельного вчера, и мне так нестерпимо захотелось хотя бы прикоснуться к этому нежному своему прошлому, что я вдруг остановилась и побежала назад за подпрыгивающим в высоте затылком.

Зильбер, когда проходил мимо, конечно же, не остановился, а только глаза его сделали какой-то особенный кувырок и вернулись, сжатые, на место, и он слегка, едва заметно, нагнул голову, что, по его мнению, видимо, означало кивок.

Я догнала его и, наверное, запыхавшись, выглядела еще более несчастной, чем обычно.

— Профессор, — сказала я, — простите за беспокойство, я могу поговорить с вами?

Он остановился, казалось совсем не удивленный, даже, казалось, ожидавший увидеть меня перед собой.

— Да, — сказал он, — я вас слушаю, Марина.

То, что он назвал меня Марина, как раньше, вдруг еще больше всколыхнуло во мне воспоминания о том желанном и теперь совсем недосягаемом мире, где мне было так хорошо.

— Профессор, — начала я запинаясь, — я хотела извиниться перед вами и, — я выдохнула воздух, дыхание никак не совпадало с моими словами, — сказать, что я помню о вас, и о том, что вы сделали для меня, и о вечерах, которые мы проводили вместе, и...

Я запнулась, не зная от волнения и от вдруг подступившего отчаяния, как закончить. Слезы подло подступили к горлу, и я, вконец сбитая с дыхания, замолчала.

— Марина, — он опять назвал меня по имени, видимо понимая, что я больше ничего не скажу. Голос его звучал неожиданно тепло, или мне так казалось. — Вы плохо выглядите, — он замолчал, как бы думая, продолжать ли, и продолжил: — Я знаю, что у вас неприятности. Мне очень жалко, вы способная девочка.

Мне было так хорошо от его слов, что я даже не обратила внимания на его «девочка».

— Вы могли бы многого добиться, далеко бы пошли, если бы остались со мной, если бы не связались с этим... — он подыскивал слово.

Я поняла, что он сейчас скажет что-то про Марка, но мне было все равно, сейчас я была готова со всем согласиться.

— С этим дельцом от науки.

Я ожидала всего, но его слова все же обожгли меня, я не поняла, что они значат, и промолчала. Я так и стояла молча, не зная, что сказать и надо ли что-нибудь говорить вообще.

Он, видимо, понял мою растерянность.

— В любом случае, если вам нужна будет помощь или совет, — произнес Зильбер так мягко, что я действительно услышала заботу, — позвоните.

Слезы стояли теперь у меня в глазах, и я не могла ответить ему — любое движение или слово, я знала, разорвало бы мое напряжение месяцами сдерживаемым ревом. Я только кивнула, стараясь опустить глаза как можно ниже, чтобы он не увидел слез, которые он наверняка уже увидел. А потом, не понимая, почему и что делаю, желая только спрятать мой неприкрытый стыд, я повернулась и, не владея своими мышцами, с трудом, но все же выдерживая тяжесть тела, побрела, разбитая, по коридору, спиной впитывая взгляд его скачущих глаз.

Мне было так плохо, что я не могла больше заниматься в этот день, мне надо было отдохнуть — хоть как-то, хоть где-то, и я бы с радостью поехала туда, где не было Марка и где можно было немного поспать, но мне некуда было ехать, и я поехала домой.

Я стояла на порывистом раннем апрельском ветру, продрогшая, промерзшая, — я что-то стала слишком быстро мерзнуть, даже когда не было так уж холодно — и ждала этот чертов автобус, а он все не шел, и я бы заснула стоя, настолько я была обессилена, но было слишком уж холодно, и у меня начала кружиться голова, и автобус все не шел, и я прислонилась к столбу, еще более холодному, чем ветер, но все же спасительно стойкому, и увидела наконец подходящий автобус. Я вскарабкалась в него заледеневшими, почти не ощущаемыми обмякшими ногами и села, съежившись, пытаясь вобрать в себя как можно больше попусту здесь пропадавшего автобусного тепла.

Я закрыла глаза и сразу поплыла в утопившей меня полудреме, сну моему не надо было подготовки, он закрутился сразу, без перехода, видимо, воспаленный мозг разучился отдыхать и отказывался расслабиться. Он даже во сне, как завязший в распутицу автомобиль, все перебирал колесами, впрочем, скорее по инерции, безрезультатно, ничуть не продвигаясь, а теперь, разуверившись в себе, даже бесцельно.

Я видела себя в гостиной Зильбера, было согревающее тепло от камина, и от присутствующих людей, и от крепкого чая, налитого в красивую чашку мейсенского фарфора, я даже разглядела гибкую розочку на блюдце, и было не только тепло, но еще и сладко от клубничного варенья.

Я ловила взгляд Джефри, робко-осторожный, неясный, и мне было не до того, что равномерно говорил Зильбер со своим старомодным европейским акцентом. Мне хотелось встать и подойти к Джефри, и я встала, и подошла, и положила руку на его высокую и сейчас красивую шею, и провела по ней пальцами, едва касаясь, и ощутила трепет кожи, отозвавшейся на мое прикосновение, на эту ласку.

Потом я медленно наклонилась к его лицу и попыталась рассмотреть его глаза близко-близко, почти без обидно отделяющего расстояния, и затем так же медленно дотронулась губами до его губ, лишь едва коснулась, так, чтобы его губы не шевельнулись, чтобы они не ответили мне, а застыли в изумлении, в ожидании и доверились фантазии моих едва чувствительных движений. И, слегка цепляясь влажностью нежной поверхности за его скользящую, почти несуществующую в своей гладкости кожу, не в силах задержаться на ней и проскальзывая, я все же ухитрилась шепнуть в его губы: «Хочу, уже так давно хочу».

Но Зильбер все говорил, я не слышала о чем, до меня долетали только разрозненные обрывки фраз, я даже не видела, с кем именно он говорит, я пыталась вспомнить, кто же сегодня приглашен на семинар, но не смогла. Тогда я захотела разглядеть гостя, но он сидел почему-то спиной ко мне, и я слышала только его голос — странный, злой голос обиженного тролля.

Я вздрогнула от голоса, и попыталась прислушаться, и услышала, как Зильбер что-то возражает, даже начал горячиться, но тролль говорил еще злее, он настаивал, и я наконец услышала какие-то слова, даже не соединенные между собой, и я попыталась их соединить, и у меня не получилось. Я знала, что теперь это единственное, что я хочу, — соединить эти слова, и я мучительно напряглась, даже вены на моих руках вздулись от напряжения, и кровь прилила к голове, и я почувствовала, что покрываюсь тяжелой, сжимающей испариной, отчего всему телу, но и не только телу, сделалось очень больно, и мне показалось, что я сейчас надорвусь от этого унижающего напряжения, потеряю непонятно какое сознание, и я сделала еще одну, последнюю, отчаянную попытку. И в этот момент тролль повернулся ко мне, и я не разглядела его лица, а только загадочную улыбку, преследующе знакомую улыбку, и я вскрикнула громко, потому что он повторил слова, вернее, его улыбка их повторила, и я опять расслышала их, сейчас более отчетливо, и они, словно сквозь вату, прорвались через мое мучительное напряжение. Они пробили его и разом сложились в целое.

Я ловила удивленные взгляды потревоженных пассажиров и робко улыбалась в ответ.

Видимо, я действительно закричала, но к черту все их взгляды, к черту крики. Я судорожно цеплялась за замок портфеля, потом за оплетку тетрадки, безотчетно повторяя только что услышанные, только что сложенные фразы, боясь, что они вдруг исчезнут и растворятся в той пугающей бездне сознания, где растворился сам мой безумный сон, уже, впрочем, забытый в своей взбалмошной никчемности. И только его драгоценное порождение, эти сложившиеся в гармонию фразы имели теперь для меня единственный, всеозначающий смысл. Так, по-прежнему шевеля губами, чтобы не забыть, я закрепила их, пойманные и окольцованные, а вместе с ними — и окольцованную мысль на бумаге, более надежной, чем память, и отбросила разом расслабленное тело на спинку сиденья.

Все изменилось мгновенно и вдруг, я почувствовала себя свежей, и легкой, и веселой и захотела есть. Это уже было достаточной причиной не ехать домой, все равно там ничего не нашлось бы для моего изголодавшегося организма.

Но решающей причиной была острая необходимость именно сейчас оказаться в библиотеке, и только там. Остаться наедине с ее электрическим светом, с шуршащими, почти летучими, чтобы не потревожить, звуками, вобравшими в себя и приглушенные ворсовой толщиной ковра шаги, и заговорщицкий полушепот.

Эти фразы, еще минуту назад недостижимые и высокомерные в своей неисчерпаемой свободе, а сейчас уже покорные и смирившиеся, безропотно скованные вечностью бумаги, были пусть золотым, но всего лишь ключом к шифру, той взрывчаткой, о которой говорил Марк, которую можно было заложить под нависшей надо мной глыбой, так долго и безрадостно мучившей меня.

Я вышла из автобуса на ближайшей остановке, было совсем не холодно, я даже удивилась, ветерок живительно холодил кожу, я перешла на другую сторону, и снова села, но уже в обратный автобус, и приехала назад в университет. Я не спешила, времени было навалом, еще полдня, а если надо — вся ночь, и я сначала с истосковавшимся удовольствием съела горячего бульона и еще что-то мясное и опять удивилась, как вкусно, и странно: почему я пренебрегала в общем-то таким приятным процессом обжорства раньше?

Оставшейся половины дня мне, конечно, не хватило, я просидела часов до двух ночи, позвонив все же Марку и предупредив, что задерживаюсь, и мне с трудом удалось сдержать предательски взволнованный голос, чтобы тот не выдал меня.

Я исписала почти половину тетрадки, все складывалось, как я и предчувствовала, чудесно, руки не поспевали за мыслью, и я сокращала и слова, и предложения, чтобы потом лишь понять, что подразумевалось. Я сама чувствовала, что концептуально нашла яркое, неожиданное продолжение, даже не продолжение, а, скорее, едва связанный с предыдущим поворот, стремительный рывок, за который предыдущее едва успело ухватиться. И хотя я еще полностью не представляла, что там может находиться дальше, но уже поняла — это прорыв.

Библиотека работала круглосуточно, но к двум я устала и решила, что на сегодня хватит и пора домой — не мешало бы еще и поспать. Я вызвала такси — черт с ними с деньгами — и через какие-нибудь двадцать минут подъезжала к дому.

— Ну? — спросил заросший Марк, поднимая глаза от высокой кружки, из которой он отхлебывал что-то жидкое.

Я обвила его за шею руками, и прижалась губами к уже почти не колючей от длинной щетины щеке, и громко, даже пронзительно чмокнула куда-то ближе к шее.

Он удивленно поднял глаза, наморщив при этом лоб, он никак не ожидал такой непривычной демонстрации чувств, и весь его вид выражал непонимание и требовал вразумительного объяснения. Но он его не получил, потому что я тут же повернулась и походкой «бегущей по волнам» покинула кухню, отгораживаясь от его провожающего взгляда нескрипучей дверью.

ГЛАВА ТРИДЦАТЬ ВОСЬМАЯ

Все дни, остававшиеся до ближайшего семинара, я работала почти круглые сутки и не просто отшлифовала и подход, и саму концепцию, но отшлифовала до лоснящегося блеска как внешнюю поверхность, так и все отдельно вытащенные и потом обратно засунутые внутренние части.

Я даже подготовила плакаты — чего уж там мелочиться! К тому же все получилось совсем не просто, теория распадалась на десятки подтеорий, те в свою очередь — на десятки идей, идеи — на нюансы и так далее. Я была уверена в успехе, в том, что Марк не просто одобрит, а будет в восторге, что к нему вернется пусть даже не блеск голубых глаз, но хотя бы улыбка и что он перестанет комплексовать и саботажничать, а подключится теперь в полную свою мощь.

За полчаса до начала семинара я развесила плакаты по стенам, прямо на дурацкие рожи, даже не снимая их, и села за стол улыбающаяся, победно глядя на не совсем понимающего, хотя, видимо, догадывающегося Марка. Я говорила целый час, увлеченно, но основательно, не вдаваясь в мелочи, оставляя их на потом, на вопросы.

Марк слушал внимательно, потирая свою раздраженную от сбритой щетины щеку, но только первые двадцать-тридцать минут. Потом внимание его стало отвлекаться, я видела, взгляд рассеялся, и он в конце концов перебил меня на полуслове:

— Ну хорошо, — сказал он, — понятно, давай...

Но теперь я перебила его.

— Ничего не понятно, — сказала я разочарованно, даже с обидой. — Все самое главное впереди, имей, пожалуйста, терпение дослушать.

Моя настойчивость явно раздражала его, впрочем, он был слишком вялым сегодня, чтобы ругаться, или не хотел все же окончательно портить моего триумфа.

— Я уже все понял, — повторил он лениво. — Но если ты настаиваешь, продолжай.

Я очень даже настаивала, всей душой настаивала. Я не могла позволить ему принизить своим безразличием мой успех, я знала, что сделала блестящую работу, и мне было все равно, как он отнесется к ней.

Поэтому я продолжала еще минут двадцать, и, хотя Марк все это время выглядел безучастным, я видела, что он все же слушает, и закончила на победной ноте.

Марк задал несколько вопросов, но я и здесь рассчитала точно, и он попал именно на те недосказанные мелочи, которые как раз и были оставлены для него. Поэтому ответы мои звучали более чем убедительно, и я чувствовала себя пускай на день, пускай совсем маленького царства, но королевой. Мы еще говорили с полчаса, и потом Марк все так же лениво (спасибо, что не злобно) сказал:

— Ну что же, наконец-то хоть что-то.

— Что ты имеешь в виду под «что-то»?

Я уже заранее почувствовала, что он скажет нечто подобное, но когда он наконец сказал, я была не просто раздосадована, я была возмущена.

— Ты чего, слепой! Не видишь, что перед тобой! Я тут бьюсь перед ним целый час, — я взглянула на часы, — даже больше, и все без толку. Марк, это решение! Окончательное, к которому мы стремились. Открой глаза, я нашла его, Марк.

Мне с трудом удалось сдержать себя, чтобы не закричать.

Марк покачал головой, в глазах его, вместе со сталью, отливалось равнодушие.

— Нет, — сказал он спокойно, — это совсем не то. Лучше, чем ничего, лучше, чем было, конечно, но не то. Совсем не то, — повторил он.

Я молчала, к горлу подкатывала соленая горечь, и я не знала, что это — слезы или ярость. Именно такая ярость — я теперь понимала — задушила там кого-то в «Айвенго».

В голове слегка поплыло от пронзительной мысли, что он специально, что он просто завидует: сам импотент, уже несколько месяцев ничего сделать не может, вообще ничего — ни слова, ни строчки. Вот он и злобствует, и принижает мою работу, чтобы совсем бездарем не показаться. Он, наверное, и из университета ушел, потому что сам почувствовал, что больше ничего не может.

Как его Зильбер назвал? «Делец от науки» — вдруг мелькнуло воспоминание. И тотчас же показалось, что все стало ясно: он специально делает вид, что мое открытие ничего не стоит, потому что хочет использовать его сам, один, без меня.

Что-то подсказывало мне, что это паранойя, но в жизни часто встречаются вещи, до которых параноики и не додумались бы. Почему я не спросила у Зильбера, что он имел в виду? Он ведь специально так сказал, чтобы предостеречь меня, мелькнула испуганная мысль. Ну и что теперь делать, подумала я, я уже все рассказала, что теперь делать?

Я смотрела испуганно на Марка, и он заметил и сказал:

— Это хорошая диссертация, может быть, даже больше, чем диссертация. Но это совсем не то, что нам нужно.

Почему я должна вот так сидеть и молчать, думала я. Мне надо защищаться, я больше никогда в жизни не создам ничего подобного, и по глубине, и по масштабу.

— Марк, — сказала я твердо, — ты так специально говоришь, тебе просто завидно, что я нашла решение одна, что оно чисто мое. Ты уже три месяца ничего сам не делаешь, ничего не предлагаешь, тебе просто завидно, все дело в этом.

Видимо, я еще как-то контролировала себя, и мысль, что он хочет увести у меня мое открытие, все же невысказанная, удержалась на самом кончике языка.

Он сидел не шелохнувшись, лишь поднял брови.

— Это совсем глупо, то, что ты говоришь, — сказал он наконец, и меня словно кипятком окатило.

— Хорошо, пускай глупо, — согласилась я. — Но почему ты не хочешь видеть очевидное: мы сделали большое открытие.

— Да, открытие, — согласился он нехотя, — хотя и не большое. Но как бы там ни было, это не то, что нам нужно. Дело в том, что хотя общее направление удачное и ты здорово его нашла, надо отдать тебе должное, но продолжение выбрано неверно, и вот теперь мы действительно в тупике.

— Не надо отдавать мне должного! И ни в каком мы не в тупике, — уже не выдержав, закричала я. — Я просто достигла цели. Цели, понимаешь, конца, точки!

Горечь, и слезы, и ярость, и что-то еще, что не могло выйти ни через горло, ни через глаза, казалось, сейчас разорвут мне грудную клетку. Мне хотелось бросить все, послать куда подальше, как можно дальше, я ничего больше не хотела, вообще ничего: ни его, ни этой науки, ни побед, ни поражений — вообще ничего.

Единственное, что я хотела, это исчезнуть из этой квартиры, прямо сейчас, сию же минуту, чтобы не видеть ни его раздраженной от редкого бритья кожи, ни закостеневших ногтей, ни металлических глаз. Я хотела прыгнуть за борт, хлопнуть дверью, хотя при чем здесь борт и где там на нем дверь, я и сама не поняла.

— Значит, ты считаешь, что твое открытие и есть прорыв? Ты считаешь, что им мы перевернем науку, как хотели того в самом начале?

Я услышала голос Марка, и он заставил меня замолчать. Я не знала, прорыв или нет, я вообще не знала, что такое этот дебильный прорыв, я вообще ничего больше не знала.

— Ты успокойся, — сказал Марк, голос его, по-прежнему ленивый, отливал металлом, совсем как глаза. — В твоем подходе есть что-то, изюминка, но не там, где ты ее видишь, совсем в другом...

— Сам успокойся, — процедила я и встала, резко отодвинув стул. Он закачался, но все же устоял.

Я подумала, что сейчас могу убить его, ну, если не убить, так ударить, а еще лучше — запулить чем-нибудь тяжелым, чтобы не прикасаться.

— Иди ты, знаешь куда, со своей изюминкой, — сказала я, все же сдерживая голос, не распуская его до крика, и рванула в коридор, сорвала с вешалки куртку и все же хлопнула дверью.

Я провела на улице часа три, сначала просто слоняясь по аллее, потом, окончательно окоченев (все же не лето), отогревалась двумя чашками кофе в маленьком кафе, куда мы раньше, в незапамятные времена, которых, казалось, и не было никогда, часто заходили с Марком. Потом я снова отмеряла в обе стороны ту же самую аллейку и все думала, думала, как же быть дальше, что делать, так ведь не может продолжаться.

Мне хотелось рыдать, именно рыдать, а не плакать, по-настоящему, взахлеб, до изнеможения, но я не могла и знала, что не буду.

Запахи наступающей весны все же потихоньку успокоили мои нервы и, что важнее, уложили в голове мысли, хотя не смогли смирить клокотание ярости, справившись лишь с сопутствующим ей головокружением.

Конечно, думала я, это глупость, что Марк хочет стащить мое открытие, он в любом случае мог бы стать соавтором, я была бы только рада. Зильбер просто злобствовал и не знал, что бы такое придумать. Ну, а я действительно дура, хорошо хотя бы, что удержалась и промолчала.

Может быть, Марк действительно завидует, но стал бы он из-за мелкой зависти губить идею и дело, на которое сам потратил целый год? Вряд ли! Может быть, в результате подумала я, пытаясь быть максимально объективной, может быть, Марк на самом деле видит то, чего не замечаю я?

И хотя я гнала от себя обидную мысль, она возвращалась и нашептывала: не будь такой упрямой, посмотри на вещи с другой стороны. Ну, не упирайся, отойди в сторону и посмотри.

А если отойти и посмотреть, решила я в конце концов, то, что я придумала, — я уже придумала, и это со мной. Моего открытия у меня никто не отберет. В худшем случае останется только оно. Но и Марка, может быть, следует послушать, почему нет, вдруг он прав. В любом случае я ничего не теряю.

Я вернулась домой примиренная, хотя внутри все еще бурлила так и не застывшая злость.

Марк лежал на диване и читал что-то из своего детского набора, подперев голову согнутой в локте рукой. Казалось, он не бы удивлен ни моим уходом, ни возвращением. На стенах так и висели плакаты, на столе лежали оставшиеся от обсуждения листочки и тетрадки, он ничего не убрал. Я присела у него в ногах, но от носков пахло, и я встала, взяла стул и села напротив.

— Марк, — сказала я, — хорошо, я согласна поработать еще. Давай ты мне объяснишь свой подход, и я постараюсь над ним поработать.

Он, не отрывая расплющенной щеки от ладони, посмотрел на меня все с той же стальной, но равнодушной пронзительностью, как будто я несколько часов назад не послала его, хоть и не в произнесенное явно, но понятно ведь, что в вполне конкретное место.

— Отлично, — произнес он медленно, хотя голос его не предвещал ничего отличного. — Хочешь сейчас? — спросил он.

— Зачем откладывать? — я пожала плечами. — Когда скажешь.

— Тогда давай сядем к столу.

И он стремительно поднялся с дивана, проявляя при этом непривычную для своего бессонного тела резвость.

Теперь говорил он, не спеша, периодически заглядывая в мои глаза, как бы проверяя, согласна ли я с ним. Он не критиковал моего открытия вообще, он только остановился на одном его аспекте и обсуждал, вернее, обсасывал его, впрочем никак не продвигая. По его мнению, этот малюсенький кусочек, который для меня не отличался от десятков таких же и на который я не обратила бы никакого внимания, и был самым ценным в моей работе.

Я никак не могла понять: почему именно он, чем он так примечателен? Но я настроила себя на послушание, и моя нестихшая злость теперь была направлена внутрь, а не наружу. А потому я снова и снова уговаривала себя, молила, почти до гипнотической завороженности: ну сделай, как он хочет, как ему нравится, ну что тебе, жалко, что ли?

Мы договорились, что я поработаю отдельно над этим выделенным Марком и вытащенным пинцетиком (так как пальцами не подхватить) маленьким вопросиком, и я начала собирать тетрадки и хотела снять плакаты, но Марк остановил меня.

— Пусть висят, — сказал он, — все лучше, чем мои морды.

И хотя я удивилась, чего это он вдруг по мордам прошелся, но согласилась: пусть висят.

В качестве компенсации за свою гуттаперчевую гибкость, или, лучше скажем, дипломатическую мудрость, я потребовала отмены следующего обсуждение, которое было назначено на этой же неделе. И хотя я не верила в успех своего нахального требования, Марк неожиданно легко отступил.

Я сидела в библиотеке все эти проклятые дни и ковырялась в своих записях, листая учебники и иногда в отчаянии роняя голову на стол, прикрыв рукою лицо и особенно глаза, чтобы избежать утомительного электрического света, казалось проникающего через глазные отверстия в череп, в самый центр мозга, злодействуя там своими искусственными световым разрядами.

Может быть, надеялась я, мой мозг работает именно таким причудливым образом и все озарения случаются со мной в забытье, в полудреме. Я с надеждой ждала, когда в раскаленном, вывернутом воображении снова появится злой тролль с загадочной улыбкой и недовольным голосом опять проговорит что-то заветное. Но ни тролль, ни какой другой урод не появлялись, и я поднимала тяжелую голову, и, подставляя красные глаза под синтетические лучи света, набирала побольше воздуха в грудь, и выдыхала с шумом, как, я видела однажды, делают штангисты перед подходом к весу.

Где-то на четвертый день я вдруг подумала с удивлением, что Марк, похоже, был не так уж не прав, и эта сама по себе мятежная мысль, вошедшая в меня со странным спокойствием, не показалась такой уж мятежной. Что-то вдруг начало вырисовываться, смутное, неясное, но я уже чувствовала, где находится продолжение, и знала, что найду его.

Я действительно нашла его, красивое и выразительно эффектное, и снова начала строчить в тетради и записывать убегающие, растекающиеся мысли, и у меня оставалось еще два дня на то, чтобы все систематизировать, снова сделать выводы и заключения и снова нарисовать плакаты.

Этот новый подход не был таким неожиданным, как тот, предыдущий, потому что был, в отличие от первого, создан не мистическим просветлением, мгновенной вспышкой, озарением, а, скорее, хоть и непредвиденным, но результатом методичной, пусть и не очень равномерной, работы.

Я теперь уже совсем не бывала дома, уходя по привычке рано и возвращаясь почти под утро. Такси начинало проедать в моем бюджете значительную дырку, но я не успевала штопать дыры в самой себе, так что чего там было беспокоиться о бюджете.

С Марком я почти не виделась и совсем не разговаривала, а когда все же приходилось, один вид его поднимал во мне уже знакомую яростную злость, так до конца и не затихшую.

Я, казалось, ненавидела все вокруг, начиная с себя, — и эту квартиру, где мне приходилось ночевать, и библиотеку с ее интеллигентными ненавязчивыми шорохами, и, конечно же, электрический свет, потому что другого не видела, и свою работу в целом, и каждую отдельную часть ее, и свои записи, и свой почерк, и свое неумолимое продвижение.

Ненависть эта, впрочем, почему-то не мешала, а продуктивно сжилась со мной. И каждый раз, когда я совершала очередной шажок, я знала, что теперь уже сама корчу отчаянно зверскую рожу и напрягаю отяжелевшую кисть руки, как будто раздавливая какое-то зловредное насекомое, мстительно и кровожадно думая: еще один.

Эта злость, даже не злость — ярость, желание все истребить вокруг себя, особенно навалилась на меня во время следующего обсуждения, во время которого Марк слушал меня так же лениво и равнодушно, как и в прошлый раз, но хотя бы не перебил на середине хамским: «Ну ладно, хватит, я все понял».

Впрочем, я уже знала, вернее, предчувствовала, что он опять что-нибудь зарубит, чем-нибудь останется недовольным, что он опять все перевернет с ног на голову. А потому я во время своего доклада оставалась сдержанна в словах и эмоциях, оберегая от Марка свои нервы.

Так все и получилось.

Когда я закончила, он опять задал несколько вопросов, и звучали они настолько безразлично, что, казалось, задает он их не потому, что его интересуют ответы, а так, скорее для проформы, просто потому, что они ритуально предполагались. Но я не заводилась, казалось, все мои эмоции и переживания слились с моей злостью, и там, предоставленные самим себе, никем никак не контролируемые, бурлили, и извергались, и боролись, и ненавидели друг друга, как и полагается эмоциям и переживаниям. При этом они не пытались выплеснуться наружу, видимо, злость подавляла их бесполезное кипение, и они, отгороженные от внешнего мира, не мешали мне ни мыслить, ни наблюдать, ни оценивать.

Марк, выслушал меня, затем равнодушно одобрил, сказав, что новый подход лучше, чем предыдущий, но что в результате я опять оказалась на ложном пути, хотя движение вперед ощутимо и вообще неплохо.

Эта вялая похвала вялого человека, только и делающего, что читающего детские книжки, к тому же высказанная в покровительственном тоне, пренебрежительно, свысока, опять взбесила меня. Но бешенство мое сразу ушло внутрь, и растеклось, и распалось в и без того брызжущем фейерверке растворившихся в злости чувств.

Я пожала плечами.

— У тебя есть предложения? — спросила я, зная, что, конечно, предложения есть.

— Может, сделаем перерыв часа на два? — предложил Марк и, не дожидаясь ответа, побрел на диван, где, заложенные на смятой странице, его ждали вожделенные рыцари короля Артура.

Я опять пожала плечами — какая мне разница, два часа так два часа.

— Давай, — хотя бы для порядка согласилась я, в конце концов, вопрос ведь прозвучал. Вот я на него и отвечаю. — Я пойду пока прогуляюсь.

— Ага, — безразлично ответил Марк, и я вышла.

На улице уже была весна, короткая и неопределенная в Бостоне, балующая только несколькими днями, которых так легко не заметить и пропустить.

Мне не хотелось ходить, я села на скамеечку и, раскинув руки, подставила лицо нежнейшему солнцу. Я не могла ни о чем думать, и тем более о работе, и тем более о том, что сейчас делает Марк: я почти наверняка знала — ничего, лежит и читает. Но мозг настолько свыкся с обязанностью постоянно работать, что потерял способность расслабляться, он, подлый, просто разучился отдыхать, и постепенно посторонние мысли заполнили его, захватив сначала сознание, а потом и воображение.

Я почему-то вспомнила о Джефри, милом, скромном мальчике с большими руками, которые были так неловки, почти неуклюжи в моем присутствии, но которые, я видела сама, могли быть изумительно красивы в своих уверенных движениях. Я вдруг призналась себе в том, чего, возможно, не хотела замечать раньше: я часто думаю о нем не только как о части моей прежней безмятежной жизни, но и как об отдельном, почему-то важном для меня явлении.

Может быть, предположила я, это потому, что у нас с Марком проблемы, что в нем проявились новые ужасные черты, о которых я никогда не знала и не ведала. А все чудесное, что было построено, разлетелось за этот последний год и превратилось в труху.

Я уже забыла, когда мы были вместе, да, наверное, тогда, в Италии, после которой прошел почти год, а потом все стало разом стремительно рушиться. И хотя мы пытались несколько раз заниматься любовью, но у нас обоих, я знала — у Марка тоже, было ощущение, что мы делаем это скорее ради самой идеи, как бы по инерции, что оставляло подсознательное чувство, что лучше бы мы и не начинали вообще.

В результате наша любовь выродилась в постоянное отступление, преследующее нас по пятам. И хотя мы еще пытались, но получалось как-то второпях, суетливо, даже неловко и заканчивалось тоже странно: Марк вдруг останавливался, и я чувствовала, что его напряжение во мне ослабевает, спадает, и, посмотрев на него внимательно, я замечала испарину на лбу и жалкую побитость во взгляде. Он все же брал себя в руки, и улыбался, и говорил, что отвлекся, что потерял концентрацию, что что-то отвлекает его изнутри, и, хотя не уточнял, что именно, я, безусловно, знала и отвечала, что все нормально, что и так было достаточно и мне хорошо. От этих слов он как будто успокаивался, со лба уходила влажность, и он разводил руками, и еще раз, теперь в последний, говорил, как бы извиняясь:

— Не могу отделаться, не отпускает.

После нескольких коротких попыток, казалось, Марк не хочет пробовать дальше, да и я совсем не настаивала, скорее наоборот, я была благодарна, что он снял с меня ответственность за заведомо обреченные потуги. Когда же у него наступили все эти шизы с корчением рож, небритием, отращиванием ногтей и прочим, речь о сексе вообще не шла, я даже вздрагивала, когда он прикасался ко мне. Впрочем, прикасался он нечасто и всегда случайно, хотя бы потому, что не спал по ночам, а я не спала днем, и мы, по сути, не были с тех пор вместе в одной постели.

ГЛАВА ТРИДЦАТЬ ДЕВЯТАЯ

Когда мы с Марком перестали спать вместе, да и вообще перестали заниматься любовью, конечно, мне было очень непросто отвыкнуть и забыть. Сначала я мучилась, засыпая одна, мне не хватало привычного тела, привычного тепла рядом, мне нужно было его дыхание — мне тяжело было дышать одной в этой темной комнате, и я ворочалась, и взбивала подушку, и все же в конце концов засыпала, понимая, что он не придет.

Потом мне снились сны, и я не помнила, когда просыпалась, вспотевшая, посреди ночи, конкретных картинок и не помнила их чередующиеся детали. Но в голове хотя смутно, но навязчиво носилось общее ощущение происшедшего, и я иногда с изумлением находила свою руку, зажатую между ногами, и чувствовала преступную слабость, бывшую, однако, лишь жалким подобием слабости непреступной.

Постепенно, однако, я научилась засыпать одна, моего дыхания оказалось вполне достаточно для темноты комнаты, и сны тоже отошли, оттесненные усталостью, и я забыла о них, как и об их тягучем, размазанном по стенкам сознания наследии. Отошли и желания, и скованность, прежде вызываемая их несвершившимися обещаниями, и ничего не мешало мне теперь, не отвлекало и не звало. Тогда я вспомнила давно услышанную фразу: «Не вредно делать и не вредно не делать, вредны переходы» — и согласилась с ней.

Конечно, все эти жуткие месяцы я и думать ни о чем не могла, кроме ломающей, давящей работы, но я знала все же, что где-то на заднем, самом заднем плане я помню и о любви, и о мужчинах, и о сексе.

Именно поэтому я и подумала сейчас о Джефри, о его милой улыбке, о той ночи, когда он вез меня в машине домой, о коротком, страстном стихотворении, которое так чудно вплелось тогда и в ночь, и в дождь, и в отраженные асфальтом огни города, и в то, что я чувствовала.

Но почему именно Джефри, спросила я себя. Мало ли я встречала за эти годы мужчин, и интересных, и умных, и солидных, и каждый из них обладал достоинствами, которые делали его по-своему, или по-моему, примечательным? И я была уверена — я часто читала подтверждение в их глазах, — что со многими я могла начать либо легкие, либо серьезные отношения. Во всяком случае, я могла любого из них сделать предметом своих фантазий — это уже от них вообще никак не зависело. Но ведь не захотела, не сделала ни наяву, ни в фантазиях, а вот сделала Джефри — странного, в чем-то нелепого мальчика, никак не претендующего на роль романтического героя.

Я вернулась домой. Марк, как я и подозревала, лежал на диване все в той же позе, все с той же книжкой, только раскрытой на другой странице. Насколько быстро он изучал научную литературу, выпуская неинтересные куски текста и имея особый нюх на важные для него отрывки, настолько медленно и тягуче он читал литературу художественную. Он утверждал, что ни одна строчка, ни одно слово не должно быть пропущено, а иначе его до самого конца книги будет мучить совесть, что, возможно, самое главное он именно там и упустил. Марк говорил также, что слова имеют для него звучащую ценность и он может купаться в них, как меломан купается в звуках музыки, и поэтому мог перечитывать по несколько раз понравившийся ему абзац или страницу. Впрочем, я не очень вдавалась во все эти рассуждения, мне-то было не до приключенческих книг и не до анализа процесса восприятия слов.

— Ну что, — сказала я холодно, потому что при виде его неизменившейся, ленивой, безучастной позы улегшееся, казалось, раздражение вновь всколыхнулось во мне, — мы продолжаем?

— Да, — ответил он, не отрываясь от книги, — сейчас, секунду, до абзаца дочитаю.

Я села на стул, демонстративно устремив на него взгляд, как бы говоря: ну, хорошо, подожду.

— Ну и взгляд у тебя, — сказал он, потягиваясь и неторопливо приподнимаясь. — Сбивает концентрацию, не могу читать, ты создаешь негативное поле вокруг себя.

Он произнес это не зло, скорее констатируя факт, просто как бы регистрируя мое мешающее его расслабленности поле, и я решила не отвечать, не вдаваться в ненужные дебаты.

Мы сели за стол, и опять, как и в прошлый раз, теперь уже говорил он, а я слушала, хоть и с нарастающей раздраженной неприязнью, но внимательно.

Все опять повторилось — Марк снова выделил отдельный кусок, который мне казался совсем несущественным, одним из многих, но в котором он видел потенцию, продолжение, что опять перечеркнуло большую часть моей работы.

На этот раз я не шумела, не возмущалась, у меня вообще не было никаких чувств, только, возможно, ярость, к которой я, впрочем, уже привыкла, немного поднялась во мне, как поднимается дошедшее дрожжевое тесто.

— Хорошо, — легко согласилась я, когда он закончил и когда я убедилась, что поняла все правильно. — Мне потребуется еще одна неделя.

Он устало кивнул, и мы разошлись. Я посмотрела на часы, они показывали всего шесть вечера, времени оставалось навалом, и находиться дома не было ни желания, ни возможности. Я собрала тетрадки и, сказав только «пока» никак не отреагировавшему Марку, поехала в университет.

Собственно, именно по такой схеме все и продолжалось в дальнейшем: я работала всю неделю, будучи почти уверенной теперь, что очередная наводка Марка не даст сбоя. Видимо, действительно было у него это чутье на открытие, просто он не находил в себе силы пробиться к нему и потому взвалил основную тяжесть на меня.

Не меньше я была уверена и в себе, в своем навыке, в своем умении, а не только в счастливом таланте случайных озарений. Я обладала им, талантом озарений, и не боялась признаться себе в этом, но теперь я знала и силу наработанной техники ежедневного кропотливого поиска, который уже не нуждался в озарениях, хотя и не противился им.

Я действительно была уверена в себе, и была уверена, что обязательно приду к очередному результату, и совсем не удивлялась, когда на третий-четвертый день действительно приходила. Я не ощущала ни радости, ни даже простого подъема, как вначале, я, по сути, вообще ничего не чувствовала, кроме злорадной мысли, что вот он теперь у меня в руках, еще один, и теперь, выковырянный из самой недоступной глубины, не выскользнет, не освободится от моей хватки, не исчезнет, потому что я не ослаблю хватку, а, наоборот, дожму его и раскопаю теперь уже известную мне расселину, где он скрывает свое жирное плотное тельце.

Оставшиеся два-три дня я все так же неистово расширяла вновь найденное решение, наживляла на него мясо, доказывала, формулировала, ссылалась и снова все переписывала заново, чтобы придать понятный, доступный вид, а потом чертила проклятые плакаты.

Проходя каждый раз через одну и ту же рутину, я прекрасно осознавала, что все, что я делаю, по большей, основной своей части, труд бессмысленный. Я понимала, что Марк наверняка его забракует, оставив лишь маленькую, для него лишь заметную часть, и что потом мне все придется делать по-новому.

Я уже даже не знала, с кем борюсь на самом деле — с самой задачей или же с упрямством Марка, с его упорным нежеланием принять, согласиться. И потому его яраму упрямству я противопоставляла свое, его нежеланию — свое нежелание, и так до тех пор, пока он не сдастся, не признает мое первенство. Я знала, что я терпелива и терпение мое будет бесконечно, что так или иначе я перетерплю Марка, что не дам слабины. Наоборот, с каждым разом я чувствовала себя сильнее, и сама задача, все еще оставаясь важной, вдруг отошла на второй план, а на первый — вышла идея противоборства Марку, противоборства моего творческого поиска и упорства с его упорством, ленивым, размазанным и потому особенно разрушительным.

Но если отбросить эмоции и стараться быть объективной, хотя этого делать как раз и не хотелось, то общая схема вырисовывалась приблизительно так: я была в нашей связке элементом творческим, созидательным. Но одной моей созидательности оказалось недостаточно, и потому Марк взял на себя обязанность этакого сортировщика, процеживающего мой труд через крупное свое сито, пропуская и отбрасывая мелкие и средние самородки и направляя постепенно мое движение в сторону, где, по его мнению, находятся самые крупные куски, те, что сито не пропустит.

И хотя я, конечно же, отдавала предпочтение своей ведущей роли и считала, что никто, даже Марк, не смог бы меня в ней подменить, я в то же время уважительно относилась и к его труду: чтобы вот так нащупывать призрачную нитку в поглотившем нас лабиринте, скажем для образности, Минотавра, безусловно, нужно особое чутье. Я даже испытывала к нему за его незавидную роль критикана и деконструктивиста, которую он так успешно выполнял, извращенную благодарность, сочетаемую, впрочем, с отчаянной решимостью это критиканство вскорости растоптать.

Так прошел весь апрель и большая часть мая, и скоро уже должна была начаться последняя преддиссертационная сессия, к которой, у меня не было сомнения, меня не допустят. Деканат, казалось, махнул на меня рукой, им надоело вызывать и журить меня, я же приняла это как приятное послабление — во всяком случае, не надо стоять, и выслушивать, и глупо соглашаться, и обещать, зная, что все равно обманешь.

ГЛАВА СОРОКОВАЯ

В середине мая произошло маленькое чудо: рано утром, чтобы застать меня, позвонила Катька, которую я уже не слышала несколько месяцев и даже не помнила, когда видела в последний раз, наверное, что-то около года назад. Оказывается, она звонила и прежде, но меня не заставала, а Марк о ее звонках мне передавать забывал. Теперь она подозревала его в умышленном саботаже, хотя я-то знала, что если саботаж и присутствовал, то неумышленный, или, лучше сказать, невменяемый.

Мы проболтали полчаса и болтали бы больше, но я опаздывала в библиотеку, и Катька спросила, не выберемся ли мы с Марком как-нибудь к ним, все равно по телефону, как ни болтай, все мало. «Как от телефонного секса», — пошутила она голосом, вполне, я думаю, для телефонного секса подходящим. Я было подумала, что не хватает Марка еще и по гостям таскать, и дома по горло хватает, но потом решила, что он все равно откажется, и согласилась, пообещав, что либо одна, если Марк не захочет, либо мы вместе ненадолго заскочим в ближайшую субботу.

Марк, как ни странно, не отказался, казалось, он даже обрадовался возможности выйти из дому (он, как я подсчитала, не покидал свои апартаменты уже несколько месяцев), и хотя я незаметно пыталась его отговорить, он не поддался. Я не упорствовала, может быть, подумала я, это даже неплохо, пусть развеется, по крайней мере отвлечет Матвея, и я смогу спокойно поболтать с Катькой наедине.

Мы пришли часов в восемь вечера, я заставила Марка побриться перед выходом и сменить хотя бы рубашку. Но все же мы составляли теперь странную, даже подозрительную пару, особенно в глазах людей, которые давно нас не видели, и я внутренне приготовилась к сдержанно-подозрительным вопросам своей обеспокоенной подруги.

Катька с Матвеем встретили нас с радостью, более того с искренней радостью, я заметила лишь, как они переглянулись, завидев нас, — у них, видимо, уже сформировалась незримая связь, которая всегда возникает у людей, живущих долго вместе.

Катька, казалось, покрупнела еще больше и, похоже, не пыталась это скрыть ни одеждой, ни косметикой. Нельзя сказать, что полнота ей шла, но и не так уж чтобы очень портила. Матвей же не изменился вообще — ни лицом, ни фигурой, ни манерами, видимо, он принадлежит к тому виду серых блондинчиков, которые вообще не меняются во времени. Подрасти ему так и не удалось, подумала я весело, но говорить не стала, слишком долго не виделись, и время, как я догадывалась, лишало меня права отпускать подобные шпильки.

Они тоже сдержались и не полезли с расспросами, хотя, понятное дело, хотелось, но тем не менее не полезли, а проявили недюжинный такт. Только когда я пошла с Катькой на кухню, якобы помочь ей, а на самом деле, чтобы улучить минутку и сказать друг другу что-то короткое, но значимое, отчего сразу станет понятно, как каждый из нас прожил это время, только там, на кухне, она посмотрела на меня, как всегда, сверху вниз, даже не посмотрела, а смерила взглядом, впрочем без высокомерия, и спросила:

— Ты нормально?

Я, расслышав в ее голосе давно забытую заботу, развела руками в неопределенном жесте и добавила к нему аналогичное выражение лица, мол, сама видишь. Умнице Катьке больше ничего и не требовалось.

— Он тоже изменился, — она кивнула в сторону комнаты.

— Ему тоже не сахар, — решила я не вдаваться в тонкости и не разглашать секреты нашей с Марком запутанной домашней кухни.

— Да уж какой с тобой сахар, — не преминула воспользоваться Катька, и я разгадала в ее иронии такт, нежелание влезать, куда я ее не приглашаю, и оценила.

— Да и ты не так чтобы окаменела во времени, — переменила я тему.

Теперь была моя очередь показать ей, что я имею в виду, и я обвела ее взглядом с ног до головы, хотя это было непросто — вместить Катьку в один взгляд.

— Еще бы, — ответила она, совершенно не смущаясь, понимая, что царственным особам смущаться не пристало, — второго жду.

— Ну да?

Я искренне удивилась и даже не попыталась скрыть восхищение и, может быть, зависть.

— Ну ты, мать, даешь! Поздравляю.

— Да ладно, — отмахнулась Катька, как от обычного. — Тебе уже тоже пора бы.

Я промолчала, говорить было нечего — ни возражать, ни соглашаться. Я могла только задать вопрос:

— А народившегося ребятеночка куда дели?

— У бабки с дедом, у ихних.

Она снова кивнула в сторону комнаты, и по тому, как она кивнула, я поняла, что и здесь, кажется, не все ладно. А может, это из солидарности со мной, тут же предположила я, мол, чего там, у всех свои проблемы.

Мы расставили Катькины кулинарные изыски на стол, и сели, и разлили, и выпили, и я заметила, что Марк сразу опрокинул в себя, совсем не по-здешнему, даже Матвей лишь отглотнул. Я тут же перехватила, сначала на Марке, потом на себе, настороженный Катькин взгляд.

— Ну, как дела у вас? — жизнерадостно, насколько мог, спросил Марк, и я подумала про себя: ну да, тебя, конечно, только их дела и интересуют.

— Да вот воюем с бабой, — живо и весело откликнулся Матвей, словно война эта для того и служит, чтобы веселить и радовать.

— Ну, тебе так особенно ничего не светит. Щупленький ты какой-то, пропорциями не удался, — не сдержалась я в своей неуклюжей попытке заступиться за Катьку.

— Да ничего, справляемся как-то, — отмахнулся от меня Матвей.

Он, кажется, вообще не придавал значения тому, что я там лопочу, — чего на баб, да еще на посторонних, запал расходовать.

— Ты вот не замечал, Марк, — он нарочито обратился как бы только к Марку, — что женщины со временем, продвигаясь, так сказать, по жизни, становятся более циничными?

Марку начало понравилось, и он откинулся на спинку стула с явным удовольствием и намерением выслушать до конца. Я хотя и встрепенулась, но не возразила, решив пока подождать, а Катька даже бровью не повела, не то привыкла, не то просто ленилась на пустозвонство нервы напрягать.

Я смотрела на нее и думала, почему флегматики, люди, замедленные в словах и движениях, легче в общении, почему с ними проще, почему у них лучше характер и вообще они привлекают к себе каким-то спокойным теплом? Может быть, потому, что им лень реагировать на мелочи и ерунду, они тяжеловесны и инертны, их сложно разозлить, и они не отвлекаются ни на конфликтные ситуации, ни на людей, их провоцирующих.

Вон Катька так ни разу на меня по-настоящему и не обиделась, хотя сколько раз могла бы, и даже я ни разу не обиделась на нее. И не потому, что я такой уж агнец, а потому, что на нее нельзя обижаться — злобы в ней суетливой нет. А вот у быстрых и энергичных людей, я посмотрела на Матвея, энергия клокочет внутри и выплескивается на окружающих, и она, энергия эта, пусть даже искрящаяся, делает человека неровным, нервно реагирующим и потому тяжелым подчас.

Я вспомнила, что вообще всегда боялась в жизни слишком активных людей. Они пугали меня своей энергией, я никогда не задумывалась почему, просто сторонилась их чисто инстинктивно. А сейчас поняла — я подспудно пыталась избегать их мгновенных порывов, которые могут быть положительными и приятными, а могут и не быть.

— Ну ведь правда, — продолжал Матвей, — женишься... — и тут же поняв, что совершил ошибку, он оговорился: — Или не женишься, какая разница, на милой, наивной, какой еще... простодушной, — подобрал он наконец замысловатое слово, — девочке. А не проходит и пары лет, как из нее получается, заметьте — из любой получается, расчетливая, смотрящая на мир не просто практично — хищнически, уродка.

Он даже сам поморщился от жуткости созданного им образа и, видимо почувствовав, что перегнул, добавил:

— Но самое лучшее слово — циничные. По жизни циничные — и в любви, и в работе, и в делах, и вообще в целом, по отношению к жизни.

Я знала, что защищаться не нужно, лучше сразу перейти в контратаку.

— Ну ладно, — подхватила я его тон, — а мужики что, лучше, что ли?

— В том-то все и дело, — обрадовался Матвей, я, видимо, вмастила и нарвалась на заготовочку, — в том-то и дело, я не против практичности, я — за. Я за то, чтобы жизнь учила, но жизнь-то всех по-разному учит. Посмотрите на мужиков, они хоть и бьются, как ломовые, куда им до баб в практичности и расчете, а главное, в цинизме. Возьмите почти любого, он ведь еще что-то хочет, о чем-то мечтает, он еще летает порой, ему еще сны снятся. Но бесполезно все это, баба не дает, к земле тянет и, что же сделаешь, притягивает своим неподъемным балластом.

— Ладно, летун, — сказала Катька, видимо, и ее заело, но сказала миролюбиво, мол, угомонись, еще не то наболтаешь, — о детях, о доме подумать, я понимаю, не твоя забота.

— Во! — опять обрадовался Матвей. — В этом все и дело. Стартуют все вроде как с одной точки, поначалу, может, мы и не менее циничны, чем они, даже более, наверное. Но движение происходит как бы в разных направлениях: мы с возрастом устремляемся к идеализму, а бабы — в обратную сторону. Вот и приходим к разным финишам. И странно это, и непонятно почему.

Он прервался.

— Ну отчего же, все отлично понятно. — Я вздрогнула от неожиданного голоса Марка. — Они более ценный генетический материал, вот жизнь их быстрее и учит. Сам посуди, интуиция и рефлексы у них развиты лучше, приспосабливаются они лучше, стихийные бедствия, голод и болезни переносят лучше, живут дольше, инфарктов у них не бывает. А все почему? А потому, что они нужнее природе, чем мы с тобой. — Он смотрел на Матвея как бы с сочувствием, как бы жалея, что тот не в ладах с природой. — Мы с тобой, Матвей, как мужики саморазрушительны, мы пьем, деремся, воюем, убиваем друг друга, подставляя себя. Потому что не дорожим собой, потому что нас природа не научила, не заложила она в нас выживаемость, не нужны мы ей особенно.

— Почему это мы ей не нужны? — не понял Матвей и даже, похоже, обиделся, за что это его так природа не оценила.

— Да потому, что не нужны, — настаивал Марк. — Причина проста: мужчина, по идее, может зачать любое количество детей, а женщина — только очень ограниченное. Вот и получается, что избыток мужчин природе изначально не требуется, поэтому и обрекла она нас на раннее и быстрое вымирание.

Марк делился своими знаниями тем самым поучительным тоном, который когда-то так раздражал меня, но который сейчас был мне безразличен.

В общем, никто не возражал, все были согласны — действительно, чего их жалеть, мужиков-то.

— Именно потому, — продолжал Марк, обращаясь все так же к Матвею, — женщины приспосабливаются быстрее и набираются, как ты говоришь, цинизма тоже быстрее, чем мужчины, — обыкновенная защитная реакция природы.

392

Все молчали, Матвей, казалось, не знал, что возразить, ведь Марк просто дополнил только что им же, Матвеем, сказанное. Я попыталась было сменить тему, но Марк меня перебил, видимо, многомесячное общение с книжными героями если и не утомило его немного, то, во всяком случае, пробудило в нем многословие.

— Вот, например, еще парадокс. В какой-то статье я читал, впрочем достаточно давно, об одном социологическом опросе, анонимном конечно, среди женатых мужчин и замужних женщин. Так вот, вопрос звучал так: «Если бы у вас был любовник, в скобках любовница, то что бы вы сделали?» Дальше требовалось выбрать один из трех предлагаемых ответов. Первое: «ушли бы от мужа, в скобках жены», второй вариант: «бросили бы любовника, в скобках любовницу», — мне стало интересно, будет ли он до конца упоминать про скобки. — Третье: «сохранили бы статус-кво, то есть постарались бы остаться и с мужем, в скобках женой, и с любовником, в скобках любовницей».

Я улыбнулась, смеяться было бы уж слишком неприлично, все ж таки на людях.

— Результат был ошеломляющий, — Марк выдержал паузу, чтобы после нее, видимо, нас ошеломить. — Выяснилось, что подавляющее большинство женщин либо уходили к любовнику, порывая с мужем, либо оставались с мужем, порывая с любовником. Мужчины же, наоборот, старались изо всех сил сохранить статус-кво, то есть сохранить и жену, и любовницу одновременно. — Он обвел аудиторию победоносным взглядом. — Они, те, кто проводил исследование, интерпретировали результаты опроса тем, что мужчины подсознательно саморазрушительны. Ведь вести двойную жизнь и физически, и эмоционально, и материально крайне обременительно, что в конечном счете сказывается на здоровье, и на качестве жизни в целом. Женщины же, наоборот, делая выбор, ограничивают свои затраты, щадя себя и уменьшая потери.

— Вот она, победа дарвиновского учения, — не выдержала я в конце концов, не в силах больше слушать эту муть, это популистское приложение к вульгарной газетной статейке.

Слава богу, он понял и замолчал, а может, ему просто надоело, просто желание говорить было исчерпано, и именно потому он больше не произнес за весь вечер ни слова.

И хотя Матвей пытался развить тему, наверное, для него она была актуальной, и признался, что полностью подписывается под результатами опроса, ни у кого желания ни спорить, ни обсуждать больше не обнаружилось, и тема заглохла сама по себе.

Мы ушли в одиннадцатом часу, и хотя для меня так рано возвращаться домой было непривычно и я не очень-то туда стремилась, но возвращаться больше было некуда — ехать в университет не имело смысла, и я покорно села в машину.

По дороге мы молчали. Мы так давно не находились вместе, если не считать наши семинары, пропитанные без остатка конкретной тематикой и не выходящие за ее пределы, что я чувствовала себя неуютно, нависшая тишина давила, и я думала, что бы такое сказать нейтральное, чтобы разрядить обстановку, но не могла придумать.

Видимо, Марк тоже ощущал нечто подобное, если он вообще мог что-нибудь ощущать, так как он все же произнес многозначительно:

— Да, жалко.

И замолчал, как бы бросив фразу только для приманки, чтобы я, устремившись за ней, спросила: «Что жалко?» Но я не спешила, мне не хотелось, чтобы его немудреный заход так быстро удался, и молчала. Только когда тишина стала снова невыносимой, я спросила:

— Что жалко?

Он не стал менять навязанных мною правил и откликнулся не сразу, с естественной для него ленцой, к которой, впрочем, сейчас была подмешана ленца напускная.

— Матвея жалко, — сказал он коротко.

Что означало, что я должна была спросить: «почему?», и я спросила:

— Почему?

— Толковый парень был. Мог бы сделать что-нибудь, реализоваться, и вот так все впустую, в песок.

Я чувствовала, что он все же добился своего и я завожусь.

— Как ты можешь судить о человеке только лишь потому, что он не отвечает твоим извращенным критериям успеха. На себя бы посмотрел или на меня, вот я точно отвечаю, хуже не бывает.

Моя внутренняя, странно прижившаяся во мне злость наконец нашла время и, главное, объект для выплеска.

— Ты как раз ничего, — он оторвался от дороги и посмотрел на меня, как бы оценивая, — бывает хуже.

И он еще говорил что-то о женском цинизме, метнулось у меня в голове. И хотя в его голосе слышались шутливые нотки и он вовсе не хотел скандала, наоборот, пытался разрядить нависшее напряжение, меня уже было не удержать.

— Странная у тебя все же манера, — начала я с другого конца, — стричь всех под свою гребенку. Представь себе, Марк, люди разные, у них разные представления, разные цели. Для них твои цели — тьфу, пустое, нестоящее дело, и позволь им, пожалуйста, жить, как они хотят, не навязывай своих догм. И не смей презирать людей или говорить о них снисходительно только лишь потому, что они другие...

— Я не презираю, — сказал Марк, но спорить не стал, или я ему не дала.

— Им, может быть, твои цели безразличны, они их не волнуют, более того — кажутся идиотичными. И мы с тобой тоже кажемся идиотами.

— Я не об этом, — возразил спокойно Марк. — Я только о том, что Матвей производил впечатление способного парня и...

Но я опять не дала ему закончить, зная все слова наперед.

— Странный ты. Говоришь о вещах, которых сам наверняка не понимаешь.

Я не пыталась приглушить ни пренебрежение, ни снисходительность. Так они и прозвучали.

— Например? — удивился он.

— Например, что такое способность, что такое талант.

Я ринулась врукопашную и не боялась.

— Это интересно. Чего же я не понимаю?

В первый раз за долгое время я услышала в его голосе хоть какое-то чувство, пусть лишь любопытство, но все же. Ну и хорошо — пусть полюбопытствует.

Я понимала, что ни Матвей, ни сам спор больше не имеют значения. Главное, я должна была доказать ему, что время прошло, что многое изменилось и я теперь ему ни в чем не уступаю: ни в умении мыслить, ни в умении выразить свою мысль. Более того, я превосхожу и могу доказать свое превосходство прямо сейчас, да и вообще в любой момент. То непрекращающееся соперничество, которое присутствовало в нашей работе, где сама работа была лишь его частью, сейчас овладело мной полностью, найдя для себя новое поле для битвы.

— Дело в том, — начала я, — что ты понимаешь талант слишком однобоко, ты видишь в нем лишь умение и возможность творить. Ты не понимаешь, что творчество более сложный процесс, что оно, в свою очередь, может разбиваться на составляющие.

Марк не перебивал и, казалось, слушал меня внимательно.

— К тому же, — продолжала я, — составляющие эти независимы и не связаны между собой.

— Ну и что это за составляющие? — наконец прервал меня Марк.

— Человек может обладать талантом глубоко и сильно чувствовать, который можно назвать талантом восприятия жизни. Это тот случай, когда человек ощущает скрытые процессы жизни, которые другим людям, не обладающим этим талантом, недоступны. Когда...

— Понятно, понятно, — перебил меня Марк, пытаясь ограничить мою мысль. Но я решила не поддаваться.

— Когда человек понимает жизнь, все ее мельчайшие нюансы, ее повороты и будущие ее ходы. Но есть не связанный с ним другой талант — талант выражения жизни. Когда человек тем или иным способом, используя те или иные инструменты, может выразить именно свое ощущение, свое понимание жизни. Просто инструменты могут быть разные: слово, музыка, поэзия, формула, логика и так далее.

Марк молчал, и я злорадно подумала, что ему, по сути, нечего возразить или добавить.

— Но если даже человек и владеет одним талантом, он не всегда, к сожалению, владеет обоими. В том-то и проблема. Есть люди, которые обладают талантом восприятия, но не обладают талантом выражения, и это часто несчастные люди. Потому что, чувствуя и понимая глубоко, они не могут свое понимание выразить, вынести наружу, освободиться от него. И это мука, это, наверное, действительно больно. А из тех, которые, наоборот, имеют талант выражения, но не владеют талантом чувствовать, из тех получаются талантливые графоманы, научные функционеры и прочие демагоги, которые в общем тоже нужны, так как разнообразят фауну этого мира. Кстати, Матвей, если я правильно его понимаю, — вернулась я к тому, с чего начался разговор, — обладает умением чувствовать, но у него, может быть, не развито умение выражать свои чувства.

Мне тут же стало жалко Матвея, и я решила ему хоть чем-то помочь, хотя бы надеждой:

— Хотя, возможно, он еще не нашел свою среду, через которую смог бы выразить свое понимание, и, возможно, еще найдет.

— А те, кто имеют оба таланта? — спросил Марк. Голос его изменился, стал ровнее, спокойнее и даже как-то ближе. Мы остановились у светофора.

— Те счастливчики с обоими талантами... — я задумалась. Мне показалось, что когда-то это все уже происходило — и разговор, и ровный голос собеседника, и фраза, которую я собиралась произнести. Где? Когда? Я не помнила. «Нас мало избранных...» — вдруг метнулась в голове строчка. Подумать только: все уже было, и ничего нового быть больше не может. — Тех мало, и они... — я опять помолчала. — И они ответственны.

— За кого? — спросил Марк. Но это был простой вопрос.

— И за себя, и за тех, кто рядом. За все, к чему прикасаются.

— Почему? — снова спросил Марк, и это был третий короткий вопрос подряд. Я не спешила, я хотела найти точный ответ.

— Ладно, не отвечай, и так понятно, — остановил меня Марк, и я облегченно вздохнула. Мы молчали почти до дома; у меня было победно на душе от мысли, что этот фронт, хотя бы этот, я все же прорвала. Злость, смягченная сознанием моего преимущества, слегка стихла и вернулась в привычные для нее рубежи.

— Ты все это могла сказать, — наконец проговорил Марк, когда мы подъехали, — не вкладывая столько раздражения и, — видно было, он подыскивает слово, — неприязни.

Я пожала плечами, мне нечего было ему ответить.

ГЛАВА СОРОК ПЕРВАЯ

Вечер, проведенный у Катьки, мгновенно забылся. На него навалились неизменные будни, наслаиваясь друг на друга днями библиотечной отсидки, а потом неизбежными семинарами, где Марк, как всегда, расчленял на куски то, что я наворотила за неделю. И снова все повторялось: слезящиеся, воспаленные глаза в вечно утомленном электрическом свете библиотеки, и опять работа, работа.

Так прошло еще три или четыре недели. Заканчивался май, началась сессия, меня до нее, конечно, не допустили, и вообще мое пребывание в университете стало под вопросом.

Я опять говорила с заведующим кафедрой, мне пришлось признаться, что я работаю над большим проектом, он поинтересовался над каким, но я отделалась общими словами. В результате я вымолила у него еще месяц, чтобы сдать все задолженности, хотя он и засомневался, что за месяц можно справиться с таким объемом.

Конечно, я никакими задолженностями заниматься не стала, у меня через три дня предстояло новое обсуждение с Марком, и я уже подобралась к очередному, новому рывку, я уже определила натренированным чутьем, что он где-то близко, что до него легко дотянуться, лишь знать, куда протянуть руку.

Я просидела в библиотеке до сумерек, потом еще несколько часов, и к середине ночи решила перенести поиск на утро. Я нашла решение назавтра к концу дня, не удивившись нисколько, вернее удивившись, что мне потребовалось больше времени, чем обычно. Оставшиеся дни я, как всегда, потратила на его разработку, на расширение этого маленького, упорно не поддававшегося, но наконец пробитого отверстия, на его углубление, на исследование, какие отростки от него отходят, зная заранее, что именно отростки и привлекут пристрастное внимание Марка. У меня не хватило времени на плакаты, и я подумала, что на этот раз бог с ними, обойдется и без наглядной агитации.

Тем не менее, Марк был разочарован, что плакатов нет, что я чего-то не доделала, и разочарование свое не скрывал, а, наоборот, выпячивал. Казалось, он мстил мне за то, что я опять, в какой-то бесчисленный очередной раз нашла, и опять вернулась с решением, и ничего он не может со мной поделать.

Слушал он меня, как обычно, с ленивым вниманием, как будто выполняя неприятную, но необходимую обязанность, перегнув тело от стула к самому краю стола и поддерживая себя в такой перекошенной позе с помощью руки, локтем упирающейся в стол, а кистью — в щеку. Ладонь его, сильно расплющив щеку, изменила форму лица, и от сдвинутой, натянутой кожи глаз потерял способность моргать, и, возможно, от этого остекленевшего глаза лицо приобрело вид застывшей маски, что усиливало и без того не скрываемое выражение безразличия.

Я не обращала на него внимания, я давно уже привыкла, и ничего не могло меня отвлечь. Я продолжала говорить и показывать его остановившемуся взгляду рисунки в тетрадке, раз плакатов нет, снова поясняя и вдаваясь в одни детали и пропуская другие, и, наконец, закончила и остановилась, ожидая вопросов.

Но вопросов не случилось, Марк снял лицо с ладони, вернул скошенное тело в нормальное положение, но потом опустил кисти рук под стол, сам весь напружинился, как будто готовился к прыжку, и начал медленно, методично раскачивать тело от стола к спинке стула и назад к столу. Так продолжалось долго. Он не проронил ни слова, я тоже молчала, лишь присматривалась к новому шизоидному маятникоподобному телодвижению. Наконец Марк чуть поджал губы и, пристально глядя на меня из-под приподнятых бровей так, что набежали несвойственные для его лба складки, растянуто произнес:

— Все-е-е...

Я смотрела на него с безразличием, мне было все равно, что он скажет, я была готова к любым его словам, но это слово показалось слишком коротким.

— Что «все»? — спросила я, не скрывая в голосе привычную агрессию.

— Все, — повторил Марк, увеличивая амплитуду своих раскачиваний, и я вдруг поняла, что он нервничает, и это как раз удивило меня.

— Все, — опять, уже в третий раз, повторил Марк. Он, казалось, недоумевал, что здесь такого сложного, но, видя, что я по-прежнему не понимаю, добавил:

— Закончили.

Я еще больше удивилась, не ожидая именно такой новой причуды, не понимая, к чему ее отнести, и почему мы должны заканчивать сегодняшнее обсуждение только лишь из-за его, Марка, очередного витка настроения, очередного каприза. Я хотела уже возразить, но вдруг перед мной мелькнуло разом изменившееся лицо Марка, и это было уже не его лицо, а рожица озабоченного тролля, освещенная загадочной улыбкой Моны Лизы, как тогда в моем сонном видении в автобусе, и это совпадение так резануло меня, что у меня даже что-то пронзило в позвоночнике, и я вдруг все поняла, и сердце в своем будничном неверии рванулось, но не смогло пробить сдерживающей оболочки и вернулось назад. Я нервно, даже судорожно, сглотнула и постаралась сдержать рвущееся дыхание, а сердце, не оставив своей мечты, бешено колотилось в пока обреченной попытке, и я набралась силы и спросила:

— Ты хочешь сказать, что это и есть окончательное решение?

Лицо Марка уже снова приняло человеческое выражение, так что я не была уверена, не померещился ли мне опять этот уродливый, но странно счастливый для меня образ. Марк вдруг так же неожиданно, как секунду назад, улыбнулся, теперь обыкновенно, но эта улыбка поразила меня еще больше, так как я забыла уже, что она существует.

— Неужели ты не видишь? — спросил он.

— Ты хочешь сказать, — повторила я, проговаривая по слогам, скорее не для Марка, а для себя самой, каждое короткое слово, — что это и есть... — мой голос попытался сорваться, — что сегодня мы... — паузы лишь выделили слова, — закончили?

Марк кивнул, он все продолжал раскачиваться и улыбаться. Я снова замолчала, я была в шоке, как будто оказалась под камнепадом, как будто действительно что-то летело, падало, метясь в меня, и мне хотелось закрыться руками, но я не могла. Я сидела молча, потому что не могла говорить, но потом шок прошел и сменился недоумением: неужели все закончилось? И почему сегодня, а не прошлый раз или три недели назад? Что произошло со мной, как я могла пропустить, не заметить?

Марк как будто угадал мои мысли и прервал повисшую паузу.

— Ты слишком долго подходила, слишком плавно, и поэтому не заметила, — сказал он, и я бы не расслышала его слов, если бы не голос, мягкий и ровный, он неожиданно проник в меня, вместе с теплом и успокоением.

— Подожди, — сказала я растерянно, — дай собраться.

Но Марк не дал. Он говорил, и говорил долго, и невероятно ровный, с пугающе мягкими интонациями голос его, в результате, завладел моим вниманием. То ли от того, что он говорил, то ли потому, что я наконец смогла охватить не очередной недельный кусок, а всю работу разом — все то, во что вылились эти тягостные месяцы, эта исписанная кипа тетрадей и мое, по отрешенности приближенное к неземному, состояние души и тела, — я только теперь вдруг поняла, что Марк прав.

И вся осевшая во мне тяжесть, вся так до конца и не израсходованная злость вдруг именно в эту секунду поднялись, и какая-то железная рука, державшая меня все эти бесчисленные дни и месяцы в сдержанном напряжении, вдруг ослабла и отпустила. Я сразу растерянно почувствовала подступившие слезы, и, не пытаясь, не желая сдержать их, услышала свой плачущий всхлип, и ощутила, что губы мои набухли и округлились, и меня прорезал ничего сейчас не означающий стыд и вместе с ним освобождение, облегчение.

Я чувствовала, как чья-то спокойная рука гладит меня по голове, и еще утешающий голос, интонации которого я не могла различить, но почему-то поддалась его обволакивающей теплоте.

— Я пойду в душ, — прошептала я, захлебываясь от слез, и только под живительными струями теплой воды успокоилась и вновь нашла себя.

Я не хотела форсировать свою победу над сдавшейся наукой, над ее низверженным величием, я хотела долго и тщательно смаковать свою радость, трогая лишь губами ее волнительную влажность, не осушая, а только пригубливая. Я вышла из душа, завернутая в мягкую махровость халата, нежность которого я, казалось, распознала сейчас в первый раз, и Марк ждал меня в комнате, не лежа, как обычно, на диване, а стоял у непонятно кем и когда распахнутого окна. Я посмотрела за окно и увидела лето.

— Знаешь что, — сказал Марк, — я тоже сейчас приму душ, а потом пойдем отмечать.

Предложение показалось необычным — и про душ, и про отмечать, но я согласно кивнула. Мне было безразлично, просто на душе становилось все лучше и лучше от еще до конца не дошедшей, еще продолжавшей проникать в меня победной мысли, и я со всем готова была согласиться.

Он находился в ванной очень долго, наверное больше часа, и я прилегла на диван, рядом лежала детская книжка Марка, раскрытая на случайной странице. Сначала я смотрела в потолок, потом в окно, потом полистала страницы книги, ища картинки, и, найдя их, с интересом разглядывала, и, опять отры-

403

вая от них взгляд, я смотрела в окно, и в моем сознании не было ни прошлого, ни будущего, не было даже самого сознания, а лишь ощущение накатывающей тишины, спокойствия и умиротворенности.

Казалось, что окаменевшие внутренности мои начинают постепенно оживать и какие-то очищающие соки входят пульсирующей судорогой в их атрофировавшуюся, потерявшую гибкость мякоть, снимая с нее зачерствевшую корку. Я ощутила внутри себя боль, как от сходящего наркоза, и тяжесть, которая давила и которую хотелось вывести из организма, хотя я и не знала как, но это была уже следующая задача.

Я вдруг смертельно захотела есть, и спать, и лежать вот так не двигаясь, с остановившимся, ничего не различающим взглядом, и ничего никогда не делать, вообще ничего и вообще никогда.

Наверно, я задремала, потому что не слышала, как из ванной вышел Марк, не слышала, как он одевался, и только ощутив прикосновение, я открыла глаза и увидела его перед собой — с чуть впалыми щеками, но непривычно свежего и от гладкой выбритости, и от блеска в глазах, и от улыбки.

На секунду мне показалось, что я вернулась в прошлое, что не было этого года, прожитого на одной лишь раздраженности, что вот все опять как раньше, как когда-то, и тот же Марк, и та же я, и то же лето за окном. Но мираж длился лишь секунду, я сразу все вспомнила и опять растворилась в облегченной радости, слегка лишь подпорченной слишком быстрым и потому, мне показалось, искусственным его, Марка, превращением.

«Впрочем, — подумала я миролюбиво, — я не хочу сейчас никого судить; в конце концов, для Марка это тоже событие, тоже счастливое завершение, которого он желал не меньше меня. Откуда мне знать, что именно он сейчас чувствует».

Мы вышли из дома, и пошли пешком, молча, скованные присутствием друг друга, и дошли до незнакомого ресторана. Мне показалось, будто я уже была здесь, но как бы в прошлой жизни, и праздничная, беззаботная суета вокруг не просто пронзила меня новизной, но наложилась на всплывшее едва уловимое воспоминание.

Год! Ведь это много, абсолютно много, но я никогда не представляла, что так много. Если раньше, вспоминая недавнее событие, понимая, что оно произошло год назад, я пугалась от будничного ощущения быстро летящего времени, то сейчас я оценила эти медленные двенадцать месяцев как пропасть, как бесконечность, как пройденную жизнь.

— Ну, что теперь делать, ты сама знаешь, — сказал Марк скорее утвердительно, чем вопросительно, когда мы сели за аккуратный столик у окна.

Я кивнула, скорей по инерции, я почти не слушала его, то есть звуки доносились и слух даже различал их, но я не могла сложить слова в единую смысловую конструкцию.

— Мне надо сказать тебе что-то важное, — продолжил Марк. — Ты сделала очень серьезную работу, ничего серьезнее не было сделано в психологии за, пожалуй, последние два-три десятилетия.

Я опять не сразу расслышала всю фразу, но что-то показалось мне в ней неправильным, и поэтому я вернулась и принялась раскручивать ее, еще не потерянную слухом, начав со странно звучавшего «ты сделала».

— Что ты имеешь в виду под «я сделала»? Мы работали вместе, вдвоем, твое участие было не меньше моего, да и вообще глупо оценивать участие. Просто была общая цель, и мы ее достигли.

Я не кокетничала, я именно так и думала. Марк пристально смотрел на меня, он был очень похож на того Марка, которого я любила когда-то и которого, может быть, я не знала точно, я все еще любила сейчас, — пугающе похож. Я выдержала паузу и повторила твердо:

— Марк, это наш общий успех, и ты от него, пожалуйста, не отстраняйся.

Он продолжал смотреть на меня по-прежнему немного стальным взглядом, так что я даже подумала: «Странно, он не может контролировать цвет своих глаз. Все остальное в себе контролирует, а цвет глаз — не может». Он все смотрел и так, не отрывая взгляда, отрицательно покачал головой.

Что-то было в его движении, да и во взгляде, что-то неуловимое, беспечное, легкомысленное, и я сразу поняла — мне не убедить его.

— Нет, — сказал Марк, — это полностью твоя заслуга, последние месяцы я вообще практически не участвовал. Давай говорить правду, цель действительно была общая, но дошла до нее ты сама, одна, я в основном лишь присутствовал.

Я знала, что это не так, и он знал тоже, и поэтому я возразила:

— Марк, это неправда. Если бы не твои коррекции, я бы не закончила сегодня, я бы вообще, возможно...

И осеклась. Потому что сама только что сказала «я», а не «мы».

Он заметил мою ошибку и лишь слегка улыбнулся.

— Ты не можешь сравнивать: ты строила, я ломал. Такое не сравнивается.

«Интересно, — подумала я, — в точности такие же слова я говорила себе еще только два дня назад. А сейчас я спорю с ним».

— Ну, если ты очень хочешь, можешь включить меня в список благодарностей, хотя и это необязательно, — он вдруг задумался. — Даже более того, совсем ни к чему. — И повторил уже настойчивее. — Нет, совершенно ни к чему.

Все это странно, подумала я, даже очень странно, ведь он не меньше меня стремился к нашей цели. Пусть он, действительно, ничего не создал за последнее время, но желал он, я знала, желал-то он страстно. Возможно, пронеслось у меня в голове, все его странности, как и потеря способности творить, были вызваны стрессом, нервным шоком — именно из-за нагнетающего, безудержного желания. Какое есть подходящее слово? Ну да — перегорел! Впрочем, перебила я себя, какое это имеет значение сейчас, когда все позади.

— Значит, ты не хочешь быть соавтором? — сделала я последнюю попытку, заранее зная ответ. Он не изменил ни взгляда, ни улыбки, лишь опять покачал головой и добавил, подтверждая:

— Нет, не хочу.

В нем столько уверенности, подумала я, как будто он каждый день отказывается от подобных предложений. Мысль эта вдруг насторожила меня, и я попыталась понять почему, и когда поняла, вздрогнула.

Я вспомнила, как Рон сказал, что Марк раздавал свои идеи людям, которые просто оказывались рядом.

«Он привык отказываться. Вот в чем дело, — обожгла меня очевидная мысль. — Но, — возразила я самой себе, — тут другой случай, он ведь отличается единственным и достаточным — тем, что Марку нечего мне дарить. Все идеи были моими, он участвовал, конечно, но все равно основные прорывы совершила я одна. И сейчас, предлагая ему соавторство — это я, в каком-то смысле, дарю ему часть своих идей. А значит, какая разница, что происходило раньше с другими, главное, что сейчас и со мной.

Я успокоилась и, глядя на Марка, вдруг пожалела: мне бы хотелось, чтобы он стал моим соавтором. Все же, если вдуматься, весь путь занял куда как больше, чем год.

— Ты уверен? — спросила я скорее для проформы.

— Абсолютно, — подтвердил Марк и разлил принесенное вино. — Давай выпьем за тебя, за твои успехи, за большую работу, которую ты сделала, — сказал он, как будто тостом хотел закрепить мое единоличное право на владение нашим общим успехом.

ГЛАВА СОРОК ВТОРАЯ

Я ничего не делала дня два, наслаждаясь сном — бессонница сразу, как по мановению волшебной палочки, оставила меня, разной вкусной пищей, чтением красивых журналов с картинками, телевизором и болтовней с Катькой по телефону.

Но это, пожалуй, все, что я могла себе позволить, — два дня: больше у меня не было. Я тут же вспомнила, что я все еще студентка, что сокурсники мои сдают экзамены, к которым меня не допустили, и у меня осталось всего три недели на то, чтобы написать все двенадцать работ, которые полагалось подготовить за семестр.

К тому же двух дней безделья, как ни странно, оказалось достаточно для отдыха, и на третий я почувствовала зудящую неудовлетворенность от своего ничегонеделания. Я поняла, что что-то изменилось во мне, и теперь я стала болезненно зависима от работы, и не только я нужна ей, но и она жизненно необходима мне.

Сначала я набрала книжек, которые мне следовало прочесть, чтобы нагнать пропущенные курсы, но вскоре с удивлением обнаружила, что большинство из них уже читала и вообще знала практически по всем вопросам намного больше, чем то, что было в них изложено.

Я снова засела в библиотеке и с приятным удивлением обнаружила, что продвигаюсь с изумительной легкостью, с изящной, игривой быстротой. Я писала в среднем работу в день, что было совсем не тяжело, а даже приятно — настолько казалось легче по сравнению с тем, что я делала прежде.

К концу второй недели я раздала свои работы по преподавателям, почтительно извинившись при этом за задержку.

Еще через неделю меня вызвали в деканат, и сам декан, выйдя из своего кабинета, сказал, что я допущена до экзаменов, заметив, что мои работы получили блестящие отзывы от профессоров, и заодно поинтересовался, как продвигается моя большая работа, та, о которой я упомянула в прошлом разговоре.

Я опять расплывчато ответила, что все в порядке, и улыбнулась, и поблагодарила его за терпение и помощь, хотя точно не знала, за какую.

Экзамены оказались если не пустой формальностью, то, во всяком случае, легкой прогулкой. Профессора в основном обсуждали со мной те работы, которые я им недавно представила, и выглядели наши беседы скорее как равноправный обмен мнений между коллегами, чем как экзамены.

Я вышла на диссертационный отрезок, здесь тоже все было понятно — я решила использовать часть своей работы, потому что целиком она не влезла бы и в десять диссертаций.

У меня появилось неожиданно много свободного времени, и я поняла, что пора браться за серию статей, где должно было разместиться все, что я наработала, все то, что через несколько месяцев будет опубликовано и «взорвет науку», именно так, как когда-то обещал Марк.

Марк, он тоже изменился за последний месяц, возвратясь к тому своему старому, почти утраченному облику, и казалось, что переход ему дался так же, как и мне мои экзамены, — легко и естественно. Как будто наступил сезон линьки, и пришла пора сменить надоевшую и устаревшую кожу и блеснуть новой, впрочем уже тоже ношенной, но сброшенной до срока.

Он избавился от бессонницы, правда не так быстро, как я, и первый раз за долгое время мы снова спали вместе, что было непривычно, и потому поначалу старались не касаться друг друга, каждый под своим одеялом. Он больше не читал своих дурацких книжек, мы стали часто выходить, и, так как ему особенно было нечем заняться, он записался в какой-то клуб, где полагалось «качаться» и играть в сквош, что он и пытался делать, но, как я понимала, не очень усердно.

Однажды я обратила внимание, что в квартире что-то изменилось, и, еще не поняв, что именно, обвела взглядом стены и мебель, и обнаружила, что со стен исчезли фотографии рожиц Марка, и удивилась, и спросила, зачем он их выбросил.

— Я не выбросил, я их просто снял, надоели. Они — часть прошлого и больше не нужны, — ответил он.

Теперь Марк снова вставал вместе со мной, и мы снова пили кофе по утрам, почти как прежде. Впрочем, это «почти» все же присутствовало и во мне, и, наверное, в нем тоже. Я не могла отделаться от внутреннего сжимающего дискомфорта, от преследующего чувства неловкости то ли перед ним, то ли перед собой, то ли перед нами обоими. Все выглядело как когда-то давно, прежде, внешне уж точно, но все же что-то пропало, ощущение доверенности, взаимосвязи, ощущение единого целого.

Он был милый, и приятный, и нежный, но он стал чужим, он не был больше частью меня. Как бы он ни интересовался снова моими делами, мне была безразлична его забота, как и безразличны были его советы, которые он, впрочем, и не пытался давать. Он и сам все понимал, и я замечала в его глазах то ли растерянность, то ли неуверенность, будто он сомневался, что все можно вернуть.

Я искренне, так же, как и он, пыталась все восстановить, ну если не все, то хотя бы что-нибудь. Все же не чужой — думала я, да и как может быть чужим человек, с которым плохо или хорошо, но прожила больше семи лет и который пусть раньше, но все же так много сделал для меня и так много значил. И я старалась, я шла навстречу, пытаясь встретить его посередине разделяющей нас дороги, и что-то получилось, в чем-то стало лучше, что-то я снова смогла принять.

Но от скованности, так прочно, просто каменно засевшей во мне, я так никогда и не смогла отделаться. Когда Марк оказывался рядом, какой-то мой внутренний дозорный сразу наращивал бдительность, и я ничего не могла поделать, и хотя старалась выглядеть естественной и расслабленной, но не могла.

Я пробовала шутить и смеяться, и шутила и смеялась, но как-то деланно, пропала искренность, свобода выразить себя в смехе. Вместо того чтобы смеяться, потому что смешно, я смеялась, потому что так надо по сценарию, потому что перед тем, как рассмеяться, пусть на мгновение, но я успевала подумать: «Надо рассмеяться». И само наличие такой мысли ломало все удовольствие от смеха и от шутки.

Однажды в библиотеке, оторвавшись от чего-то, что не требовало моего полного внимания, я задумалась, а нужно ли пытаться? Не исчерпали ли себя наши с Марком отношения, не тянут ли они назад, не жалкое ли это повторение того, что не может больше существовать. Может быть, надо закончить сейчас, пока не засосало, не стало хуже, пока еще не растворилась в запрудившей нас обоих вязкой, изнуряющей напряженности хоть какая-то оставшаяся у нас хорошая память?

Но, возразила я, у меня все равно нет никого ближе, и пусть я люблю его не так, как раньше, все равно как-то ведь люблю. Да и нельзя все время любить одинаково, потому что жизнь в динамике, и все изменяется, и чувства — они изменяются тоже, и кто знает, не последует ли когда-нибудь за падением новый подъем?

Может быть, и моя прежняя любовь к Марку вернется, как и вернется его любовь ко мне, ну, а если нет, то, возможно, появится новое по качеству чувство, еще не знакомое мне. В лю-

411

бом случае, думала я, отношения, даже самые трепетные, самые любовные, требуют работы и без нее не в силах продержаться хотя бы какое-то длительное время. Главное, чтобы работа не была слишком уж тяжелой, главное, чтобы от нее не надорваться.

Постепенно мы стали спать ближе друг к другу, и однажды случайно, скорее инстинктивно, я протащила руку под одеяло Марка, и почувствовала прохладность его кожи, и замерла от неожиданности и непривычки.

Он тут же повернулся ко мне, и я в темноте увидела красивый контур его лица.

— Что, милая? — спросил он, и потянулся ко мне, и дотронулся до моего лица, и провел по волосам и по щеке, и я вздрогнула от прикосновения.

— Подожди, не надо. Не надо спешить, дай привыкнуть, — сказала я и постаралась вложить в голос больше просьбы. Он сразу понял и не настаивал, он сам, наверное, чувствовал так же.

Прошло время, к удивлению совсем немного времени, и мы снова привыкли друг к другу, и снова стали заниматься любовью, и мое старое понимание, что секс является дополнением любви, опять оказалось правдой.

Было хорошо, иногда очень, но это «хорошо» не становилось таким умопомрачительным, безрассудным, как раньше, когда, казалось, одного тончайшего движения, да не движения даже, взгляда, голоса достаточно было, чтобы разлить накопившуюся истому и утонуть в ней и сознанием, и телом. А сейчас все происходило правильно, технично, и иногда очень технично, и даже слишком, и, конечно, физиология брала свое, к тому же никто ей и не противился. Но вот прежнего сумасшедшего, бесконтрольного сумасбродства, когда тело отвергало вмешательство сознания, и само знало, что ему делать, и, предоставленное себе, творило то, что никогда не смогло бы под чужим контролем, — этого не было. Теперь сознание контролировало тело, его движения, направляя и поправляя, и оно, испуганное под жестким взглядом, смущалось и ошибалось.

Кроме того, поначалу мне было как-то неудобно физически. Да и психологически тоже. Я вдруг стала стесняться своей обнаженности, и обнаженности Марка, и его поцелуев, и своего возбуждения, и ощущений прикосновения его тела к моему.

Я отвыкла заниматься любовью, мои движения оказались слишком неловки и отрывочны и потеряли плавность, и потеря эта была очевидной, и я не знала, как восполнить ее.

Когда он входил в меня, было так сильно и остро, что даже становилось неприятно, и я пугалась своему неумению воспринимать. Я помнила, что прежде я стремилась, гналась за силой и остротой, и сейчас удивлялась, как могло случиться, что желанное раньше теперь вызывало у меня внутренние спазмы отторжения. Я пыталась затаиться, затормозить движения, свести их на нет и вскоре сама поразилась своей статичности, сравнимой с безразличием.

Раньше мне всегда нравилось двигаться. Я любила находиться наверху и приближать свои глаза к глазам Марка и губы к его губам, и грудью, самыми кончиками, скользить по его груди, как бы отдавая свои и забирая обратно его заряды, которые, проходя сквозь кожу маленькими взрывами, растекались в затылке у истоков немеющей шеи. Потом я выпрямлялась, и меняла положение ног, и, пружиня на них, начинала приподниматься, но только так, чтобы не выпустить, не потерять, а, наоборот, чтобы медленно, тягуче пройтись своей скользящей влажностью по его замирающей глади, и дойти медленно до самого верха, и задержаться там, уменьшив амплитуду до миллиметров, и играться этими едва заметными, но пронзающими смещениями. А потом вновь чуть-чуть уйти вниз, чтобы снова скользнуть вверх, и снова задержаться на самом пределе, и так, дразня и обманывая его ожидание, вдруг в самом верхнем, непредвиденном взлете бросить тело вниз, упасть им, добавив к тяжести свое умышленное ускорение, и вогнать его в себя до самой глубокой глубины. И обжигаясь внезапностью и стремительностью летящего движения, задевая по дороге все пытающиеся соприкоснуться места, ощутить и боль, и резкость, которые не уменьшали, а, наоборот, странно добавляли, и потом, дойдя до самого его корня, казалось использовав всю его мощь и напряжение, не удовлетвориться ими и без остановки, не давая опомниться, не теряя темп, так же стремительно, уже сидя на нем, нажать на мякоть тела и выделить еще немного, пусть совсем чуть-чуть. Но этих миллиметров как раз и не хватало, и, завладев ими и удовлетворившись вполне, я устремлялась нетерпеливым движением, пока оставались силы, вперед и назад по горизонтали, задевая — благодаря еще секунду назад недоступной глубине — что-то новое, не тронутое прежде, и добавляя головокружительную остроту к только что казавшемуся вершиной любви падению.

Так повторялось много раз, я снова медленно поднималась, балансируя на самом кончике, чтобы потом снова в самое непредвиденное мгновение упасть, и услышать сдавленный крик Марка, и ответить ему эхом своего, не менее сдавленного стона.

Иногда Марк угадывал мое падение и ловил его встречным движением, и тогда они сходились удвоенной силой, и мы замирали, не в силах даже испугаться мощности импульса, и я только могла прошептать: «Так не бывает», и Марк неосмысленно мотал головой, и губы его все же раскрывались и повторяли за мной: «Нет, не бывает».

Но так было раньше, и теперь повториться не могло, хотя, казалось, ничего не изменилось ни в моей, ни в его технике, но не получалось, даже приблизиться не могло в сравнении. Да и все другие наши приемы не вполне получались, и я не понимала, в чем дело, в чем проблема, пока Марк не сказал однажды больше удивленно, чем раздраженно:

— Мы конкурируем в движениях.

И по голосу его, по удивленной интонации я поняла, что он тоже искал ответа.

«Он абсолютно прав, — подумала я, — мы именно конкурируем в движениях. Если раньше они, наши движения, являлись одним общим, были соединены невидимой нитью гармонии, то сейчас каждое из них оказалось как бы за себя и подчинялось только своим собственным целям и задачам. Более того, теперь каждое из них пыталось подавить другое, соперничающее, чтобы то не мешало и не встревало своими неуклюжими потугами».

Мое знание психоанализа подсказывало мне, что эта борьба неспроста, что она лишь частное отражение того, что на самом деле происходит со мной и с Марком, что происходит в наших отношениях. Просто неосмысленная, подсознательная борьба за инициативу теперь преследовала нас и в постели.

«Раньше, — думала я, — именно на каком-то неосознанном уровне я не то чтобы подчинялась, нет, но, скорее, отдавала инициативу Марку. Я даже не задавалась вопросом: почему? Мне и так было понятно: он и старше, и опытнее, и знает больше, и сильнее, и дальновиднее».

Сейчас же я чувствовала себя более опытной, более изощренной, чем он, лучше понимающей жизнь, даже, как это ни странно, я не ощущала себя моложе, наоборот, я была старше его — более должной, более ответственной, что и определяет в конечном счете. Я во всем оказалась сильнее и интуитивнее его, и способной на большее.

«Но с другой стороны, — думала я, — я могу и превосходство свое подавить, лишь бы сохранялось желание быть вместе. И вообще, кто изобрел формулу счастья? Ее нет, этой формулы, и, может быть, не прав был Толстой, когда писал, что каждая пара счастлива одинаково. Наоборот, все счастливы по-разному, по-своему, уникально, и дай им всем Бог — лишь бы были счастливы!

Кто же еще выдумывает правила в этой игре, называемой совместной жизнью, как не только те двое ее участников, которым именно и играть, и жить по ним?! А потому пусть и правила у всех будут разные, лишь бы подходили они, и соответствовали, и были приняты обоими».

И гармония в постели, надеялась я, может быть, тоже когда-нибудь вернется. Может быть, другая, измененная, не похожая на прежнюю, но опять же, всем гармониям не обязательно походить друг на друга.

ГЛАВА СОРОК ТРЕТЬЯ

Прошли май и июнь, шел июль, диссертация моя была готова, и статьи тоже были закончены, я собралась на днях послать их в редакцию и ждать, я знала точно, первой разрушающей силовой волны, как от ядерного взрыва. А пока мы с Марком планировали поехать отдохнуть на пару недель, куда-нибудь к морю. Все более-менее вошло в русло, не до конца, конечно, но потихоньку входило, и однажды мне неожиданно позвонил домой Джефри и застал врасплох.

Был уже почти вечер, Марк подошел к телефону и лишь пожал плечами, передавая мне трубку, и я взяла, вслушалась в голос и не различила сразу, а когда узнала, почувствовала сердцебиение и выдержала паузу, чтобы успеть спрятать подступившее волнение.

Оказалось, что звонил Джефри по делу, если это могло называться делом. У Зильбера случился инфаркт, уже несколько дней назад, и сначала было очень плохо, и он, Джефри, не хотел меня беспокоить, но сейчас стало получше, сейчас дед уже может говорить и даже ходить немного, и он сам сказал позвонить мне, и попросил меня приехать.

Я не удивилась просьбе, во мне все сжалось, когда я услышала про инфаркт, и почему-то я даже ощутила нечто похожее на вину, хотя умом понимала, что никакой вины у меня перед ним нет, да и быть не может. Я спросила, когда мне лучше подъехать, что, если я приду завтра с утра и проведу в больнице полдня? На что Джефри ответил: «конечно».

Марк, узнав, что у Зильбера инфаркт, казалось, сам расстроился, что было трогательно, я видела, что последнее время он старается быть отзывчивым и чутким и у него это, надо сказать, очень даже получалось. Он сказал, что, конечно, я должна поехать и пробыть там сколько потребуется и что он завтра с утра сам отвезет меня в больницу.

Когда я вошла в палату, Зильбер спал, и я тихо присела на стул у кровати. Он был весь в каких-то подсоединенных капельницах и прочих кислородных устройствах и уже от этого выглядел постаревшим, вернее просто старым и жалким, в смысле — его хотелось жалеть. Нос его, всегда большой, сейчас заострился на похудевшем лице, и нераспознаваемость глаз, закрытых веками, меняло все лицо и делало его неузнаваемо упрощенным.

Он проснулся через полчаса и, открыв глаза, посмотрел на меня, и глаза его, как два знакомых щенка, тут же попытались сорваться с привязи, и прыгнуть ко мне, и потереться о щеку, но не смогли.

— А, Марина, — сказал Зильбер, и в голосе его не было ни удивления, ни радости, так, констатация, — спасибо, что пришли. Вам Джефри позвонил? — Я кивнула.

— Вы как, профессор? — спросила я.

— Да, кажется, выкарабкиваюсь. Они говорят, — он кивнул в сторону коридора, — что все будет нормально. — Он как-то очень по-стариковски вздохнул. — Что ж, будем надеяться.

Голос его тоже изменился, стал тише, менее выпуклым, с меньшими интонационными модуляциями, хотя акцент заметно усилился, и иногда мне приходилось напрягать слух, чтобы понять его. Казалось, ему было тяжело правильно произносить так и не привившиеся за столько лет звуки, видимо, эта работа стала сейчас слишком утомительной, а может быть, ему было безразлично, какое он производит впечатление. Он почти поймал мои мысли, но только почти.

— Странно вам, Марина, меня видеть таким, — сказал он и, как бы поясняя, каким «таким», с высоты подушки провел взглядом по своему длинному телу, укрытому простыней. — Но ничего, тоже жизнь, каждый человек может оказаться...

Он не договорил, казалось, он уговаривал не меня, а самого себя, и я, не зная, что ответить, накрыла своей ладонью, хотя и частично, его большую, с выступающими жилами руку, подсвеченную синеватыми линиями подкожных вен.

— Все будет хорошо, профессор, — сказала я коротко и повторила, потому что он молчал. — Все будет в порядке.

— Вы знаете, Марина, — произнес Зильбер после паузы, — казалось, он просто думает вслух, — это странно, я вспоминаю сейчас: в молодости любая перемена в организме, любая его дисфункция... даже не дисфункция, а просто возрастное изменение вызывало панику, стресс, шоковое состояние, — он замолчал, обдумывая следующее предложение или просто переводя дух. — А с возрастом свыкаешься. С возрастом перестаешь обращать внимание на изменения, воспринимаешь их как должное, более того, становишься к ним психологически невосприимчивым. А потом то же самое происходит с болезнями: сначала пугаешься, а потом — даже не то что привыкаешь, а принимаешь саму идею естественности болезни. Так, наверное, и со смертью.

Он замолчал. Я приготовилась выслушать все, я за этим сюда и пришла, чтобы слушать, если ему это помогает. Зильбер продолжал молчать, и я заметила улыбку на его неулыбчивых губах, она разрасталась, и он не мог уже сдержать ее.

— Что, профессор? — спросила я, но он только замотал отрицательно головой. И все-таки ему не терпелось что-то мне рассказать, я видела это и стала настаивать.

— Хорошо, — наконец согласился он, — хотя я и не уверен, что эта история подходит для вас, но вы ведь, Марина, уже большая девочка.

«Вот кокет», — подумала я, но вслух согласилась, что да, вполне большая и взрослая, и он мне все может рассказывать.

— Собственно, и рассказывать нечего, я просто вспомнил, что, когда мне было лет двадцать пять, или двадцать шесть, или семь, сейчас уже не помню, но что-то типа того, у меня увеличился регенерационный период между эрекциями. Вы понимаете, о чем я говорю?

— Понимаю, — согласилась я, хотя мне действительно стало почему-то неловко.

Он едва заметно кивнул.

— Я знал, конечно, так как, помимо прочего, тогда изучал медицину, что с возрастом так происходит и что это нормальный и естественный процесс. Но у меня переход произошел внезапно и резко, практически в один день, и промежуток увеличился тоже резко.

Он замолчал, и я видела, что он вспоминает конкретные цифры, и удивилась, неужели они так важны?

— Да, — вернулся его голос, — резко увеличился, что-то с пятнадцати минут до часа.

Я опять почувствовала себя неловко, возможно из-за этих конкретных цифр.

— И знаете, Марина, это явилось для меня шоком, и мне пришлось выходить из почти депрессивного состояния месяца два, а то и больше, сейчас уже не помню. Интересно то, — Зильбер все еще продолжал улыбаться, видимо, волнения пятидесятипятилетней давности действительно забавляли его, — что когда промежуток перешел с одного часа на три, а потом на шесть часов, а потом и на сутки, этих переходов я даже не заметил. А если и заметил, то не придал значения, потому что я уже начал свыкаться с неизбежностью изменений, а потом и свыкся вовсе, — он покачал головой. — Странно, да, как иногда психика заодно с телом, в одном, общем с ним заговоре.

Он замолчал и продолжал молчать, долго, я тоже не знала, что говорить, моя рука так и лежала на его. В какой-то момент мне показалось, что он снова заснул, и я попыталась убрать руку, но только чуть двинулась, он открыл глаза.

— Я не сплю, — сказал он, и я замерла ладонью на прежнем месте. — Знаете, Марина, я вот о чем думаю. — Он повернул голову и посмотрел на меня, я едва, совсем чуть-чуть улыбнулась. — Я думаю о том, почему страшно умирать, — он говорил медленно, как бы пытаясь найти ответ — прежде всего для себя. — Я ведь, знаете, чуть не умер в этот раз. Собственно, Джефри пришел совершенно случайно и вовремя вызвал «скорую», а так бы... — Я хотела возразить, но он чуть двинул рукой, предупреждая мои слова. — Бог с ним, я не к тому, я не про себя, я про то, почему страшно умирать. Это все ерунда, что страшит неизвестность, неизведанность того, что ожидает тебя после жизни. Ну, если неизвестно, то это даже весело, это как приключение, и совсем не страшно.

— А почему? — спросила я, потому что мне пора было что-то сказать, я слишком долго молчала.

— Умирать страшно, Марина, — теперь он как бы отвечал на мой вопрос, — по простой человеческой причине: потому что страшно больше никогда не увидеть любимых людей. Никогда не увидеть любимых людей, — повторил он, делая ударение на каждом слове, чтобы я еще больше проникла в их нехитрый смысл.

«Впрочем, — подумала я, — здесь хитрость не в понимании простой мысли, а в проникновении в нее, в ее внутреннем принятии».

— Знаете, Марина, лежал я там, в своем доме, на полу, я был вполне в сознании, но не мог подняться, даже пошевелиться не мог. Я понимал, что у меня что-то с сердцем, и догадывался, что инфаркт, хотя, конечно, не знал точно. Знаете, я прожил длинную и в общем-то удачную жизнь, по большому счету мне нечего больше желать, и я не боялся умереть. Но потом я подумал, что вот не увижу никогда ни детей, ни Джефри, он ведь мой единственный внук, вы знаете, Марина, ни вас.

Я чуть не привстала от неожиданности: Джефри — внук Зильбера, я этого не знала, Джефри никогда даже не намекал. Вот почему он его зовет дед, потому что он и есть его дед. «Ну и бог с ним, — подумала я, — какое мне дело? Непонятно, почему он и меня в этот список включил».

— Да, Марина, как ни странно, я думал о вас, я даже сам удивился почему. Мы ведь с вами не виделись уже больше года, но как-то вы проникли в меня, в мою душу. Поэтому я попросил Джефри вам позвонить, чтобы вы пришли.

Это было как признание в любви, мне так еще никто не признавался, так бескорыстно что ли, не прося от меня ничего взамен, даже любви обратной. Я почувствовала, как перехватило дыхание и сжало горло, но я выдержала спазм, и слезы отошли, так и не подступив к моим глазам.

— Так вот, — продолжал Зильбер, — я думал о вас, Марина, и обо всех других, кого люблю, и думал, что если вот сейчас умру, то никогда никого из вас больше не увижу, никогда не смогу поговорить, и дотронуться, и посмотреть в глаза, и услышать голос. И знаете, Марина, мне вдруг стало страшно, чертовски страшно, именно из-за этого «никогда». И тогда я понял, что это и есть то, чем она, смерть, берет нас — любовью к любимым.

И дыхание, и комок в горле сделали вторую попытку, но я снова отогнала их, хотя теперь и с большим трудом.

— Именно поэтому я и хотел увидеть вас, чтобы, если что-нибудь все же произойдет, получить последнее удовольствие, просто от того, что вижу вас, от того, что вы рядом. Чтобы не было так страшно потом.

Я покачала головой и закусила губу, я наверняка не хотела слез, но они, сволочи, подкатывали.

— Все будет хорошо, профессор, — повторила я. Слова помогли мне, и я снова сдержалась. — Вы ведь сами сказали, и врачи...

— Да-да, — согласился он. — Знаете что, позовите сестру, я хочу встать, пройтись немного, мне это даже полезно.

Я позвала сестру, она вошла, веселая, профессионально веселая, и так ловко помогла ему встать и подставила под него свое натренированное не по-женски тело, что я сразу поняла: ее профессионализм заключается не только в демонстративно хорошем настроении. Мы втроем вышли из палаты и сделали круг по коридору.

— Можно мы здесь немного посидим? — спросил Зильбер у сестры, указывая на кресла в холле, и она так же радостно согласилась и помогла ему сесть.

— Когда решите вернуться в палату, позовите меня, — сказала сестра, обращаясь ко мне.

Я кивнула, садясь в кресло рядом.

— Как у вас дела, Марина? — спросил Зильбер через минуту, которая ему была, по-видимому, нужна, чтобы привести в порядок дыхание, и, не дождавшись ответа, сказал: — Я слышал — все в порядке.

— Все в порядке, — повторила за ним я.

— Вы все еще с этим человеком?

— Да, — ответила я, предчувствуя нехорошее и не зная, как себя вести сейчас.

— Будьте с ним осторожны, — опять сказал Зильбер, видимо почувствовав мою растерянную незащищенность и пользуясь ею. — Никогда не знаешь, чего от него ждать.

Собственно, эта фраза являлась вступлением к предстоящему рассказу, такой своеобразной проверкой, согласна ли я на его продолжение, и я могла бы возразить, но не возразила. «Пусть расскажет, в конце концов, сколько можно тянуть, — внутренне сжавшись, подумала я. — В любом случае я смогу сделать скидку на его странную предубежденность к Марку».

— Профессор, — сказала я, стараясь как можно мягче, — вы не первый раз намекаете. Но вы ведь ни разу не видели человека, пока я вам его не представила, как вы можете судить, не зная?

Он понял, что я сдалась и готова слушать.

— Мне не надо знать лично, слишком много я о нем слышал. Это была нашумевшая история, единственная в своем роде, уникальная. Когда это было? — он задержался, чтобы вспомнить. — Лет пятнадцать назад, пожалуй, или чуть больше, неважно. Насколько я знаю, ваш теперешний избранник, —это было сказано без скрытой иронии, настолько она была явная, — был подающим надежды молодым математиком, впрочем, он и сейчас не старый. — Зильбер чуть усмехнулся. — Он написал диссертацию, года в двадцать четыре, двадцать пять, очень заметную работу, и ему предложили место в университете, и все ждали от него многого. Не знаю, как все происходило в деталях, но однажды кто-то из его коллег по кафедре дал ему свою работу для предварительной рецензии. Так всегда делается, как вы знаете.

Я кивнула, пока ничего чудовищного я не услышала, хотя и ожидала. Я была готова к самому худшему, что Марк убил кого-то, изнасиловал, обокрал — все, что угодно. «Зильберу нечем меня удивить», — подумала я, хотя все равно боялась, что что-нибудь все же застанет меня врасплох.

— Он, видимо, был действительно хорош, — продолжал Зильбер о Марке. — И, помимо обычных в таком случае замечаний, внес добавление к работе, предложение, что ли. Он так повернул идею, как-то так удачно ее обыграл, что она предстала совершенно по-новому и теперь выглядела не просто лучше — значительно лучше, даже, говорили, стала революционной.

«Все еще ничего плохого, — удивилась я. — Все это либо я знала сама, либо мне рассказывал Рон».

— Но теперь возникал вопрос, кто владелец идеи, — продолжал Зильбер. — Конечно, ваш, Марина, друг, — он упорно не называл Марка по имени, — изменил идею своего коллеги до неузнаваемости. Но все же изначально, пусть и в очень упрощенном варианте, она была собственностью именно этого коллеги, он ведь работал над ней не один год. Понятно, что даже чтобы довести идею до кондиции, в которой ее получил ваш друг, требовалось много и времени, и труда. Логично было оформить соавторство, и все, казалось, шло к этому. Никто бы особенно не интересовался нюансами, в детали этой истории было тогда посвящено совсем немного народу, да и в любом случае соавторство казалось единственно справедливым решением. Но ваш друг ведь непрост, — Зильбер выдержал паузу, и, хотя от меня не требовалось подтверждения, я скорее по инерции кивнула, соглашаясь: что есть, то есть — непрост. Впрочем, кто прост? Хотя бы взять вас, дорогой профессор.

— И тут он выделывает пируэт, — продолжил Зильбер, и я внутренне усмехнулась. От словосочетания «выделывает пируэт» попахивало чем-то не совсем гарвардским, да к тому же я уже знала, что за пируэт это был. — Он отказывается от соавторства, мол, я только рецензировал, подумаешь — идея пришла, не жалко, я вообще над другим вопросом работаю,

424

это, мол, не мое, и я даже влезать туда не хочу. Казалось бы, даже благородно, все, кто знал, а повторяю, в тот момент знали немногие, тоже так оценили. И никто не заметил, что этот непростой мальчик продумал все от начала до конца, очень тонко продумал.

— Я, извините, тоже не заметила, — все же прервала я Зильбера, — в чем его непростота заключается? Отдал свою идею вполне бескорыстно, и видеть в этом злой умысел, коварство — для этого надо уж очень хотеть их увидеть.

Я, безусловно, намекала, впрочем, Зильбер не понял, скорее не захотел понять, лишь слегка усмехнулся. Ему нравилось рассказывать, казалось, что он оживает рассказывая, он даже выглядеть стал лучше, отвлекся и разошелся, даже румянец появился на лице. Я смотрела на него и думала, что, даже если он не скажет ничего нового, я все равно выслушаю его — хотя бы в медицинских целях.

— Безусловно, с поверхности не видно, — как бы согласился со мной Зильбер, впрочем, я знала, что дальше последует опровержение, — но посмотрите, Марина, что получилось. Такое редко происходит в нашем мире, когда кто-то кому-то дарит идею, даже не подчиненный начальнику, даже не учитель ученику, а так просто, приятель приятелю, коллега коллеге, и не просто идею, а идею редкую. Конечно, об этом заговорили как о событии, как об экстраординарном случае, и количество посвященных в эту историю резко возросло. Но хитрость как раз и заключалась в том, что, переходя из разговора в разговор, из рассказа в рассказ, суть истории претерпевала изменения и в результате выглядела так: «А вы слышали, Марк подарил Аллану идею, да вот ту, в его новой работе». Или: «Вы читали новую работу Аллана? Эту грандиозную идею ему дал Марк — да, да, подарил». И видите ли, Марина, все как бы действительно так и произошло, хотя и не совсем так, но в любом случае не подкопаешься.

Он все же назвал Марка по имени, — подумала я. — Все-таки снизошел. А может быть, ему так рассказывать удобнее, трудно ведь все время говорить «ваш друг».

— Так вот, в результате получилось, что благородный Марк пожертвовал гениальной идеей ради товарища. То есть теперь все вокруг считали, что, во-первых, работа, которую сделал Аллан, на самом деле работа Марка, он просто ему ее подарил. А во-вторых, работа гениальная и потому сам Марк гениальный. Иными словами, Марк отобрал у своего коллеги не часть работы, на которую имел право претендовать, а всю работу, во всяком случае в общественном сознании.

Действительно, подумала я, при таком сценарии все, наверное, приблизительно так и должно было выглядеть. Хотя почему надо обвинять Марка в преднамеренности? Он искренне отказался, а что так вышло — не его вина. Но я ничего не сказала и позволила Зильберу продолжить.

— Аллан, правда, получил премию за лучшую работу не то университета за год, не то еще за что-то, и сразу занял место заведующего кафедрой в одном крупном университете на юге, и уехал туда, и сделал с тех пор блестящую карьеру. Но если вы спросите кого-нибудь из тех, кто его знает в нашем мире, то вам все скажут, что своим успехом он обязан Марку.

— А разве не так? — все же не удержалась я.

— Может быть, — неожиданно легко согласился профессор, — но дело не в этом. Дело в том, что за Марком закрепилась слава гения — созидателя, генератора идей.

«Это мне тоже Рон говорил, немного в другой фразировке впрочем», — подумала я.

— Аллан же, когда обнаружил, что карьера его поднялась на неожиданную высоту, тоже, видимо, был искренне благодарен Марку. Когда же он переехал на новое место и получил солидную сумму и от премии, и от новой высокой зарплаты, знаете, что он сделал? — Я подняла брови, сейчас действительно в искреннем удивлении. — Он сделал Марку подарок, но не просто подарок, а очень редкий и дорогой подарок. Что бы вы думали? — спросил Зильбер, и я, видя, как вся история его веселит, пожала в недоумении плечами. — Он подарил ему очень дорогой автомобиль.

— «Порше»? — не смогла удержаться я, слишком быстро Зильбер произнес последнюю фразу. Глаза Зильбера сделали на мне полуоборот, и я пожалела, что не удержалась.

— Какой именно автомобиль, я не знаю, но знаю, что дорогой. Подробности, конечно, не афишировались, но тем не менее все узнали, вам ведь известно, как слухи у нас распространяются.

Я хотела сказать, что, конечно, мне известно, а вот сейчас стало известно еще лучше, как они, подлые, распространяются, но промолчала. Все же он был болен.

— Про друга вашего пошла слава, и дальше произошло нечто, что сначала никто понять не мог, — Зильбер выдержал таинственную паузу, как будто рассказывал детектив. Впрочем, для него это, наверное, и был самый что ни на есть детектив. — Никто ничего и не заметил даже, просто сначала обратили внимание, что друг ваш перестал работать над своей темой, а переключился на какую-то другую. Здесь, знаете, свободы много, но не так уж чтоб совсем бесконтрольно. Потом через какое-то время опять обратили внимание, что он взялся за новую тему, никакого отношения к его собственной не имеющую, вообще из другой тематики, что-то из физики. А вскоре произошли странные совпадения: люди стали печатать статьи именно по тем вопросам, над которыми работал ваш друг, и какие статьи! Прорывные! — Он остановился на секунду. — Есть такое слово «прорывные»? Ну, не важно... Очень, очень сильные статьи. Хотя сами люди не были очень сильными, вполне посредственные личности, которые, понятно, ничего такого большого сами создать не смогли бы. Через какое-то

427

время ситуация повторилась: заметили, что Марк занялся одним, как ни странно, биологическим вопросом. А через несколько месяцев кто-то опубликовал работу по аналогичной теме, опять же чрезвычайно необычную работу. Поползли слухи, нашлись люди, которые внимательно изучили все эти разные труды и нашли в них как бы один почерк. Как, знаете, когда взломщик взламывает квартиры, у него тоже свой собственный почерк, по которому его определяют. — Зильбер усмехнулся, сравнение понравилось ему. — Так и здесь, везде была видна рука вашего друга. Начался шум, поговаривали, будто друг ваш берет за свои услуги деньги. Никто точно не знал, но говорили, то он подписывает контракт с заказчиком, так сказать, идеи, что тот будет платить Марку что-то типа пожизненной ренты, говорили, десять-пятнадцать процентов от своих ежегодных доходов. Справедливости ради еще раз повторю, никто точно не знает, но слухи ходили упорные. Те индивидуумы, которые пользовались идеями Марка, действительно меняли свой статус и взлетали, кто выше, кто ниже, но взлетали. И если это правда насчет десяти-пятнадцати процентов, то суммы становились приличными, с учетом того, что тех, кто пользовался услугами Марка, похоже, становилось все больше и больше.

Я сидела замолкшая, потерявшая возможность возражать. С первого же слова, как только Зильбер упомянул о проценте, о ренте, я поняла то, о чем только подозревали другие: Марк получал деньги, я не знала, как много, от какого количества людей, но знала, что получал.

Я вспомнила тут же, как он уходил от моих давних вопросов о деньгах, откуда они у него, на что он живет, на что мы живем? Иногда, когда я все же донимала его, он отвечал, но как-то расплывчато, неопределенно, что в свое время сделал удачные инвестиции. Теперь я знала: его идеи и были его инвестициями.

Новость поразила меня, я не решила еще, как отнестись к ней, как ее воспринять. А главное, я не могла понять, связана ли она хоть как-то со мной, с моей работой. И хотя я не чувствовала, как именно она может быть связана, но смутная интуитивная догадка требовала от меня дополнительного внимания.

— Собственно, уже скоро конец истории, — сказал Зильбер. Он, видимо, воспринял мой притихший вид как утомленность от рассказа. А может быть, сам устал. — Дело потихоньку приняло нехороший оборот. Создалась комиссия, которая пыталась что-то установить, хотя ничего не установила. Да даже если бы и установила, что с того, никто ничего криминального не совершил, никто ни у кого ничего не воровал, а дарить или даже продавать идеи? — Он пожал плечами. — Все равно не понятно, что делать, прецедента не существовало, случайто уникальный.

Он замолчал, и молчал долго, видимо, все же устал от длинного рассказа, и я дала ему передохнуть, а потом напомнила негромко:

— Ну и что же дальше?

Зильбер не ответил сразу, но все же ответил:

— Да почти ничего. Марку все-таки пришлось уйти из университета, они придрались к тому, что его собственная тема запущена. Да, как говорили, он и не возражал совсем, он сам хотел уйти, для его бизнеса, когда он обрел популярность, университет только мешал, и он ушел.

— Он продолжал продавать идеи и дальше? — осторожно спросила я, что-то подсказывало мне, что это важно.

— Не знаю, но, по логике вещей, вполне вероятно. Уверен, у него не было отбоя от клиентов. Только представьте, если можно, по сути, в мгновение ока стать и известным, и уважаемым, и зарплата увеличивается в три, пять раз, и новая карьера открывается — и всего за десять, пятнадцать процентов? Почему бы и нет! С другой стороны, друг ваш всех их, своих клиентов, все равно обошел: он-то получает теперь не меньше, а куда как больше каждого из них. При этом его заработок как бы пожизненный, независимо от того, работает он за деньги или просто так, в свое удовольствие. К тому же, — Зильбер улыбнулся, и глаза его выпрыгнули, перевернулись и скакнули назад, — к тому же, — повторил он, — наверное, во всем научном мире нет человека более влиятельного, чем ваш Марк. Потому что все те люди, которым он раздал, продал свои идеи, каждый из них занимает важное положение, и обязан им Марку, и не может ему по понятным причинам отказать. Да и людей таких, наверное, совсем не мало, и каждый из них теперь сам со связями. — Зильбер посмотрел мне в глаза. Я сидела не шелохнувшись. — Здорово, да? — сказал он.

— Да, — согласилась я.

Зильбер продолжал смотреть на меня. Я опустила глаза, слишком пристальным стал его взгляд.

— Поэтому, Марина, я и, как бы это сказать, удивился, что ли, когда вы представили его нам. Я сразу понял, кто он, ваш друг, — он снова помолчал, продолжая смотреть на меня. — Я понимаю, что вмешиваюсь в вашу личную жизнь и не должен бы делать этого...

Даже сейчас, даже в полувнятном своем состоянии я удивилась: неужели понимает?

— Но я хотел предостеречь вас, — он стал говорить намного медленнее, выдерживая паузу после каждого предложения, как бы давая мне время его осмыслить. — Я не знаю, конечно, какие у вас отношения, что он от вас хочет, но я знаю точно... — Он слегка улыбнулся. — Я ведь старый человек, много видел, да к тому же это моя профессия — понимать людей. Я знаю, он наверняка что-то хочет от вас, ему что-то нужно. Он либо постарается вас использовать, либо уже использовал.

Он говорил теперь так медленно, что паузы становились томительными и слова стало сложно собирать в предложения.

— Я знаю, такой человек обязательно все рассчитает. У него свой, отличный от нашего подход ко всему, и мы не можем
сразу осознать, понять его расчет...

— Почему не можем? — вставила я в паузу.

— Потому что он неадекватен, его цели неадекватны.
А значит, и расчет неадекватен. Поэтому мы можем и не понять его целей, его желаний. Так как нам подобные желания
обычно несвойственны.

— Почему? — вставила я опять.

— Потому что он не такой, как мы.

Зильбер снова замолчал, а я подумала, что вот и он хоть и
таким странным образом, но тоже признал уникальность
Марка. «Радует ли это меня? — вяло спросила я себя. — Нет,
не радует».

Зильбер продолжал молчать, мне казалось, что он уже ничего больше не скажет, но он сказал:

— И что самое пугающее... потому что не только он сам, но
и оценка жизни, Марина, у него другая, отличающаяся от нашей. И самое пугающее... — повторил Зильбер.

«Ну же, ну же, — закричала я про себя, — скажи уже, что же
самое пугающее!»

— Система морали у него тоже другая, — закончил наконец он и тут же добавил: — И именно поэтому я должен был
вам все рассказать.

— Спасибо, доктор, — сказала я.

«Наверное, он действительно пытался предостеречь меня, а
не просто хотел посплетничать, — подумала я вдруг. — С самого первого раза, когда увидел Марка, он пытался предостеречь меня. И может быть, его предостережение излишне, я пока не знаю, но, без сомнения, искреннее».

Мы сидели долго, молча, я пыталась собраться. То, что Зильбер рассказал, было действительно сложно и требовало времени на осмысление.

— Знаете, Марина, позовите сестру, я хочу лечь, устал, — попросил Зильбер, и по изменившемуся голосу я поняла, что он действительно устал.

Когда пришла сестра и с привычной ловкостью уложила его в кровать, он опять выглядел бледным, и больным, и немного потерянным с закрытыми в полудреме глазами.

Это он для меня, вдруг догадалась я, собрал все силы. Чтобы предупредить. Потому что боится, что другого случая может больше и не представиться.

Неожиданная эта догадка больно кольнула меня, и я наклонилась к Зильберу и прикоснулась губами к его щеке. Он медленно открыл глаза.

— Это очень мило, Марина, — голос его, казалось, потерял силу. — Но знаете что, вы идите, я хочу поспать, спасибо, что пришли.

— Вы уверены? — спросила я.

Он не ответил, лишь едва заметно кивнул.

— Я завтра приду, — пообещала я, и Зильбер опять слабо кивнул, все так же не открывая глаз.

ГЛАВА СОРОК ЧЕТВЕРТАЯ

Я шла по коридору больницы, не зная, что предпринять, я все еще не могла полностью вникнуть в рассказ Зильбера, какое отношение он имеет ко мне, да и имеет ли вообще. И хотя предостережение профессора подействовало, и подействовало сильно, но, убеждала я себя, это все эмоции. Зильбер Марка и не видел-то никогда, знал понаслышке, и хотя он опытный психолог, но это всего лишь его ощущения.

Что же касается фактов, — я пыталась рассуждать логически и все расставить по местам, — то, собственно, ничего нового, кроме того, что Марк брал за свои идеи деньги в виде хитроумного процента, я не узнала. И хотя вопрос денег, конечно, крайне спорный, но, в конечном итоге, Марк определенно повышал и престиж, и материальное положение своих клиентов, и почему ему не получать за это определенное вознаграждение? Когда же он ушел из университета, он вообще мог выступать в качестве научного консультанта и имел полное право выставлять своим клиентам счет. В конце концов, это право каждого человека получать за свой талант деньги именно тем путем, который ему наиболее удобен.

Коридор закончился, я так и не решила, куда мне ехать и что делать, и поэтому, чтобы выиграть время, остановилась у окна. Конечно, с моральной точки зрения ситуация неоднозначна. Во-первых, это деликатный научный мир, а во-вторых, идеи Марка его клиенты выдавали за свои, что по меньшей мере некорректно, опять же с точки зрения деликатного научного мира.

Но в конце концов, нашла я оправдание для Марка, не он же выдавал чужие идеи за свои, а наоборот, и он не ответственен за других. Хотя, с другой стороны, не согласилась я сама с собой, получается, что ответственен, так как являлся решающей и сознательной частью плана.

В общем, я решила пойти на компромисс: ничего такого страшного в этой истории нет, так — тонкие этические вопросы... И в любом случае, при чем здесь я?

При чем здесь я? Это, конечно, был основной вопрос, на который мне хотелось ответить. Ну хорошо, главное предостережение Зильбера заключалось в том, что Марк ничего не делает без корысти, может быть очень специфической корысти, которая для нас, смертных, и корыстью не является. Поэтому нам ее не просто обнаружить, к тому же Марк все очень тонко рассчитывает...

Но какая ему корысть с меня, кроме того, что ему, может быть, со мной хорошо — но это корысть простительная! Работу свою я сделала сама, он помогал мне, конечно, по сути все годы помогал, довел меня до уровня, но ничего мне не продавал и не дарил. Он был скорее тренером, который научил и вывел, но выиграть все же предстояло мне одной — и я выиграла, последний рывок я совершила практически одна, без его помощи, даже иногда вопреки ей. К тому же от своего соавторства в моей работе он наотрез отказался, и значит, никаких дивидендов, если они вдруг появятся, он не получит — какая же здесь корысть?

И все же что-то тревожило меня, и я понимала Зильбера. Ну, а если бы он узнал о деталях нашей с Марком совместной жизни, он наверняка засомневался бы еще сильнее. Конечно, весь последний год был насквозь пронизан странностью, вспомнить хотя бы поведение Марка, его отношение ко мне. Но главное, повторяла я, главное — все выглядит очень уж одинаково: там, где Марк, там новый прорыв, пусть не такой поворотный, как наш, мой, но все же. Впрочем, те, прежние, как я поняла, тоже были не маленькими.

Все эти сомнительные совпадения тревожили и мучили меня, стоящую у окна в больничном коридоре. И хотя на каждый свой подозрительный аргумент я могла найти аргумент оправдательный, все же предположение Зильбера, что я чего-то мельчайшего не понимаю, не схватываю, преследовало меня.

Я подумала, что должна поговорить с Роном еще раз, еще раз выслушать его. В конце концов, он обманул меня, сказав, что Марк просто раздавал свои идеи, и хотя он не сказал, что бесплатно, но это подразумевалось. Я отошла от окна и стала спускаться вниз по лестнице. Да, я должна поговорить с Роном, я не знала даже, что именно хочу от него услышать, но пусть еще раз расскажет, может быть, я смогу уловить что-нибудь недосказанное. Я ехала в автобусе и была уверена, что застану Рона на кафедре, я не думала, как начать разговор, что спрашивать, какой вопрос задать первым. Но почему все обязательно надо планировать заранее? Иногда можно положиться на импровизацию, на интуицию. В любом случае я знала, что на этот раз нить разговора буду держать в руках я.

Рона я действительно нашла на кафедре, и он удивился и, кажется, обрадовался мне.

— Рон, — сказала я озабоченно, — мне надо срочно поговорить с тобой.

— Что-нибудь случилось? — спросил он, и в его голосе я почувствовала растерянность, и это прибавило мне решимости. Только не отпускать его сейчас, не дать опомниться, не дать подготовиться, продумать, позвонить Марку! Я сделала скорбное лицо и слегка кивнула головой, мол, да, случилось.

— Очень важное? — снова спросил Рон. — А то, может, перенесем на часик, у меня важный звонок через двадцать минут.

— Рон, — повторила я, — это срочно и недолго. — По-видимому, в голосе моем было столько напора, что Рон испугался и закивал своей мохнатой головой.

— Ну что, пошли в кафетерий, я заодно там перекушу, — предложил он.

Мы сели за свободный столик, Рон, как всегда, набрал гору бутербродов и, как всегда, предложил мне, и я, как всегда, отказалась.

— Рон, — сказала я серьезно, смотря ему прямо в глаза, хотя бы потому, что в жующий рот смотреть было неохота. — почему ты сказал мне неправду?

Я решила не растягивать, раз времени мало, да и вообще, хорошо вот так сразу, с ходу. Он выпучил на меня глаза, тоже, казалось, жующие бутерброды, а челюсти его замерли, будто онемели, и ничего не смогли произнести.

— Ты мне не сказал, что Марк свои идеи продавал. Ты говорил, что он их раздавал бесплатно.

Казалось, Рон облегченно вздохнул, казалось, он ожидал худшего. К нему тут же, прямо на моих глазах, возвращалась уверенность и невозмутимость: вот рот растянулся в смущенной улыбке, вот к нему вернулся жевательный рефлекс, вот он уже снова заглатывал бутерброд и, заглотив частично, уже приготовился выдать заготовленный ответ... который я, конечно, знаю...

Но тут что-то стремительное мелькнуло у меня в голове, и я, еще не успев понять что именно, а просто поддавшись мгновенному, бьющему импульсу, остановила своего собеседника.

— Рон, — спросила я более сочувственно, чем обличающе, — ты тоже платишь Марку?

Его лицо снова мгновенно переменилось, как будто мы играем в детскую игру, и я выкрикнула: «замри». Он лишь взглянул на меня растерянно, скорее даже растерянно-вопрошающе.

«Бум, — подумала я, — попала».

Он молчал, и я знала, он думает, что ответить, и я видела — он ничего не может придумать.

— Нет, — сказал он, потому что больше молчать было неприлично, — я не плачу.

— Он тебя, что ли, по дружбе освободил? — я не спускала с него взгляда и, хотя он мне в глаза не смотрел, я опять поняла, что попала. — Вы ведь друзья, Рон!

Рон поднял голову и посмотрел в потолок, я поняла, что он в нокауте, в ступоре, и не может сейчас не то что изворачиваться, но и вообще соображать как следует.

— Ладно, — сказала я, — Рон, сколько можно, давай рассказывай. — Я все еще не знала, что именно хочу услышать, но знала теперь наверняка, что ему есть что рассказать.

— Хорошо, — сказал он, опуская голову и держа глаза хоть и на моем уровне, но стараясь не пересекаться со мной взглядами. — Всего я в любом случае не знаю...

Я подбодрила его слабой улыбкой.

— Лет десять назад Марк работал над одним проектом, очень сложная работа была, впрочем, Марк за простые не брался. Знаешь, у него есть привычка чудить, когда очень сложно, и чем сложнее, тем он чудит забавнее. Он считает, что когда он слишком концентрируется на серьезном, надо чем-то другим, несерьезным, отвлекаться, чтобы не шизануться окончательно.

Он усмехнулся, казалось, первый шок прошел, и он потихоньку приходит в себя.

— Знаю, — сказала я и тоже усмехнулась, я действительно знала. Я понятия не имела, что он собирается рассказать, к чему оно, такое начало, но слушала с интересом.

— Видишь ли, — продолжал Рон, — он всегда выбирает что-то легкое, чтобы отвлекало, но не забивало голову, чтобы в любой момент можно было вернуться. — Я опять усмехнулась, вспомнив детские книжки и рожицы. — Каждый раз, насколько я понимаю, он выбирает что-то новое, и в этот раз он выбрал спорт. Он никогда прежде спортом не увлекался, знаешь, одностороннее воспитание, все с детства считали, что он талантливый математик, и, конечно, никакого спорта. В общем, Марк брал разные видеопленки Олимпийских игр, чемпионатов мира и прочее. На самом деле ему даже было все равно, какой именно вид спорта, для него была интересна сама природа соревнования. Он мог, например, часами, когда отдыхал, смотреть соревнования по стрельбе из лука. Я однажды его застал за этим дома, он сидел и смотрел не отрываясь, как из лука стреляли в мишень. Ты видела когда-нибудь соревнования по стрельбе из лука? — спросил он меня неожиданно. Я пожала плечами, впрочем, мое движение ничего не означало в любом случае.

— Жутко нудно, даже невыносимо нудно. Но его интересовали какие-то странные детали, как они руку ведут, как корпус поворачивают и прочее. Его, знаешь, всегда странные детали и интересуют. Но не в этом дело. Дело в том, что ему все это стало страшно интересно и, когда он закончил работать над проектом, он даже сделал полугодовой перерыв и почти серьезно занялся шахматами и настольным теннисом.

— Почему шахматами и настольным теннисом? — спросила я, меня действительно удивил выбор. Пока, кроме ответа на вопрос, почему Марк любил аналогии и примеры из спортивной жизни, мне ничего больше из рассказа Рона не открылось.

— Не знаю, — ответил Рон. — Может быть, потому что наиболее доступные, не знаю. В любом случае, он занимался достаточно долго, и даже играл в каких-то турнирах, и даже чего-то выиграл, кажется. Во всяком случае, он туда влез, в спорт, пусть и любительский, и, наблюдая его и изнутри и снаружи, конечно же, сделал какие-то обобщения, создал очередные свои теории, спорные, как всегда, но ты знаешь — у него манера такая.

— Откуда ты все знаешь так подробно? — спросила я.

— Мы тогда были близки, — ответил Рон, явно удивляясь вопросу, — и Марк мне все тогда рассказывал, ну, я имею в виду, все, что хотел рассказать, — поправился он. — Так вот, однажды, когда, как он говорил, он все про спорт понял, он довольно неожиданно заметил, что нашей жизнью заведуют перворазрядники.

— Это что? — не поняла я.

— Я тоже тогда не понял, но он объяснил. Знаешь фразу, что спорт — упрощенная модель жизни? — Я пожала плечами: может, и знаю, какая разница. — Так вот, Марк утверждал, что практически любого физически и умственно здорового человека можно довести до первого разряда в абсолютно любом виде спорта. Он, конечно, имел в виду условный первый разряд.

Я еще по-прежнему не понимала, о чем речь, но холод вдруг сковал нижнюю часть живота.

— То есть Марк говорил о том, что если мальчика или девочку подхватить вовремя в детстве и правильно развивать и тренировать, то любой, абсолютно любой, независимо от способностей и таланта, легко поднимется до первого разряда. А так как от способностей это не зависит, то и вид спорта не имеет значения. Дальше, говорил он, чтобы вырастить чемпиона, нужно выбрать способного мальчика или способную девочку, или даже талантливую, и тогда есть шанс подняться выше, чем пресловутый, всем доступный первый разряд.

Он мог не продолжать, ледяное поле затянуло весь живот, сковало грудь, подошло к горлу, мне не было холодно, но казалось, что я заморожена. У меня закружилась голова, я захотела проглотить слюну, но ее не было. «Не может быть», — пыталась прошептать я, но голова отказывалась воспринимать даже простейшее.

Единственное, что я смогла сделать, это откинуться на спинку и постараться восстановить почему-то сбитое дыхание. Но Рон не заметил даже этого, он разговорился и, казалось, сам уже получает удовольствие от своего рассказа. Ему вообще, видимо, нравилось рассказывать о Марке, он даже стал по-деловому поглядывать на свои бутерброды.

— Так вот, идея Марка заключалась в том, что аналогично происходит и в жизни. Что любой человек, независимо от его способностей и возможностей, может быть натренирован до уровня интеллектуального перворазрядника. Проблема, говорил Марк, только в хорошем тренере и в правильной методике. Более того, он считал, что все эти люди в университете, в науке и в прочих областях — искусстве, политике, — в подавляющей своей массе хорошо в молодости натренированные перворазрядники. И когда я не понял, он пояснил: гроссмейстеров мало, их единицы и их на все не хватает. К тому же они с талантом и поэтому даже не стремятся руководить, у них свои приоритеты, свои цели. Стремятся, как и везде, как и в любом спорте, как и в жизни, всегда доминирующие перворазрядники.

Я ждала, когда же наконец начнется про меня, да и начнется ли? Может быть, у Рона хватит такта не говорить и так очевидное.

— Так, собственно, и появилась идея, а потом он стал искать.

«Нет, не хватило», — все же смогла подумать я, используя, видимо, самую запасную, самую резервную часть сознания.

— Он искал тебя долго, года два. Даже найдя, он не был сразу уверен, что ты — правильный выбор, лишь потом понял, как ему счастливо повезло. — Последние слова, по-видимому, должны были подбодрить меня, такой вот стимулирующий комплимент. — А дальше, особенно когда ты сделала работу для студенческой конференции, он понял, что ты талантище, и решил вывести тебя в гроссмейстеры.

Мне показалось, что я застонала вслух, мне было так больно, просто физически больно, и боль била в сердце, и в живот, и в голову, но еще и в шею, грудь — везде. В какой-то момент мне показалось, что я теряю сознание, не то от боли, не то от головокружения, но мутность, наехав, все же не покрыла меня полностью и отошла, не рассосавшись, впрочем, совсем. Видимо, я действительно застонала, потому что Рон прервался, и посмотрел на меня, и спросил, все ли в порядке и продолжать ли ему. Я утвердительно кивнула.

— Видишь ли, у него появился своего рода комплекс, он вдруг решил, что все, что он делал раньше, слишком мелко для него. Он как-то сказал, что чувствует в себе силы поднять значительно большее, нечто грандиозное, и нервничает, что за всей этой суетой, — Рон посмотрел на меня многозначительно, мол, теперь я знаю, о какой суете идет речь, — он может упустить шанс. К тому же то, что делал Марк раньше, было только частью работы, пусть основной, но частью, он, видишь ли, создавал прорыв, но всей подготовкой, подходом к точке прорыва занимался не он. И мне казалось, что у него возник своего рода комплекс, что, может быть, он не в состоянии сделать все сам от начала до конца. — Рон улыбнулся и сказал философское: — Знаешь, гении, они смешные, они все себе комплексы ищут. В общем, когда он убедился, что ты сама титан, — даже в моем состоянии это рассмешило меня: титан женского рода, в моем случае скорее вырождался в «Титаник» с его утопленной судьбой, — он понял, что вполне может совместить обе идеи. В смысле, вывести тебя в чемпионы и одновременно полнее реализоваться самому. К тому же Марк страшно не любит писать статьи, по-моему, даже и не умеет как следует.

Я уже почти не слышала его, я наклонилась над столом и, накрыв лоб ладонью, чтобы хоть как-то укротить его горячечность, стала смотреть в близкое окно. Небо за стеклом просвечивало голубизной, что, конечно же, в моем упрощенном сейчас восприятии ассоциировалось с вечностью и красотой жизни, и я думала: ну почему, за что, почему я должна быть во всем этом, почему именно я и почему именно во всем в этом?!

Я еще не могла точно понять, что я услышала, я понимала про предательство, про эксперимент, про изощренный расчет, который уничтожает одну только мысль о любви, о чувстве. Про то, что меня много лет использовали, про гнусность этого мира, про то, что вот именно сейчас я что-то потеряла в жизни, что-то очень ценное, что уже никогда больше не обрету. «Молодость, — вдруг отчетливо резануло во мне, — я потеряла молодость».

Мне стал страшен и этот Рон, который говорит с таким видом, как будто рассказывает забавный случай, и страшен

Марк, который все время был чужим, и холодным, и скользким, и расчетливым. Я передернулась, так мне было противно сейчас и от сидящего передо мной толстого бодрячка, и от мысли о Марке, и от своей собственной парализующей беспомощности.

Но помимо мутящей тоски, охватившей меня, что-то еще скользило за довольными словами Рона, что-то неразборчивое, но настораживающее, пугающее, заставляющее мой мозг очнуться от сковавшего бессилия, выйти из разлагающей комы. Я должна была докопаться до самой сути, какой бы подлой она ни оказалась.

— Ты мне прошлый раз говорил о какой-то идее, о которой тебе рассказывал Марк, — сказала я, пытаясь придать своему голосу хотя бы видимую устойчивость.

— Ну, в этом я ничего не понимаю, — самокритично сознался Рон, — что-то он там вроде бы нашел и пытался мне объяснить. Что-то, похоже, сильное, но я не разбираюсь. — Он пожал плечами, как бы извиняясь. — Да и сам Марк не был тогда уверен. Да не волнуйся, он в любом случае найдет. Что можно найти — он найдет.

Его слова звучали так настойчиво, даже назойливо, что я подумала: каким же надо чувствовать себя зависимым и неуверенным, чтобы вот так верить в другого человека.

— Ты не помнишь, что он тогда тебе говорил? — спросила я. Рон смущенно улыбнулся, я видела, ему неудобно, что он ничего не запомнил.

— Знаешь, я ведь не разбираюсь в этом, да я и не слушал так чтобы очень внимательно. Все равно я не смог бы оценить. Но знаешь, я вспомнил сейчас, — он искренне обрадовался, — что, наверное, полгода назад или больше Марк сказал, что ошибся в тебе, — я уже ни на что не обращала внимания, — он имел в виду, что недооценил тебя, он сказал тогда… сейчас, подожди, я скажу слово в слово…

Теперь Рон был доволен своей памятью. Он, очевидно, считал, что для меня чужое мнение, к тому же мнение Марка, должно иметь большое значение. Могла ли я объяснить ему, как сильно он ошибается?

— Марк сказал, что не встречал такого сильного человека, как ты. Вообще никогда. И с точки зрения дарования, таланта, и с точки зрения характера тоже.

«Пусть так», — устало подумала я.

— Он даже сказал, что немного побаивается тебя. — Рон нахмурил лоб в поисках лучшего объяснения. — Боится, в смысле, такой сильной ты ему кажешься. Он сказал, что ты лучше, чем кто-либо, кого он видел, и он сказал, что ты так далеко...

Мне так захотелось, чтобы он замолчал и вообще исчез, потерялся, прямо сейчас, немедленно, и я перебила его:

— Но свою спортивную теорию он в результате доказал?

— Ну конечно, — охотно согласился Рон. — А кто спорит-то, безусловно, теория верная.

— Это все про Марка? — я больше не могла ни видеть его, ни слышать.

— Да вроде все, — он пожал плечами, пытаясь вспомнить что-нибудь еще.

— Спасибо, Рон, — я дала понять, что хочу, чтобы он ушел, и он понял.

Он встал, и попрощался, и забыл о своих бутербродах, или ему было сейчас неудобно про них вспоминать. Он ушел, а я осталась сидеть, раздавленная, прижатая всей своей тяжестью к стулу, и мне было не оторваться.

Господи, подумала я, мне, наверное, никогда в жизни не было так плохо.

Вся моя жизнь, все эти долгие годы, которые иногда казались счастливыми, иногда удачливыми, вдруг разом стали напрасными, и бессмысленными, и ничего не значащими.

И любовь, и то, что за ней стояло и стоит, и работа, и мой успех, и все, что он обещал принести в будущем, все это разлетелось, оказалось пустотой, выдумкой, фикцией. А кроме любви и работы, в моей жизни за все годы ничего больше и не было, потому что я всем пожертвовала ради них. И сейчас, когда эти два столпа так неожиданно рухнули, рухнула вместе с ними и вся остальная моя никчемная жизнь.

Я мысленно усмехнулась. Такие случаи, когда пациент тяжко горюет о своей рухнувшей жизни, сказала я себе, описаны во всех книгах по клинический психологии, особенно подробно в разделе «Суицидные патологии». Так что ты знаешь, что теперь тебе полагается делать. Но я действительно не знала, что мне делать, и я не знала, что делаю сейчас, но все же оторвалась от стула и ватными ногами дошла до телефона. Хоть бы он был дома! — молила я. И мне повезло.

— Слава богу, ты дома, — сказала я, когда он взял трубку. Он молчал секунду, но потом ответил:

— Да, я дома. Утром я был у деда, он получше сегодня. Он сказал, что...

Я перебила его.

— Джефри, — попросила я, — ты можешь заехать забрать меня?

— Что-нибудь случилось? — Его голос сразу насторожился.

— Нет, ничего. Так ты приедешь?

— Конечно. Ты где?

— Я в университете, в кафетерии, — сказала я и почувствовала, что мне надо бы присесть, отдохнуть хотя бы минуту.

— Я сейчас приеду, — сказал он торопясь, потому что ему надо было успеть приехать как можно раньше, чтобы не опоздать. Я повесила трубку и снова вернулась к столику.

Надо же, дожила, старуха, подумала я про себя, дожила почти до тридцати, чтобы выяснить, что с тобой все это время игрались, что ты была игрушкой. И кто игрался? Человек, которого ты когда-то боготворила, сделала идолом, а он просто использовал тебя в своих шизофренических опытах.

Мне показалось этого мало, и я добавила, чтобы стало еще хуже, еще больнее: ты была под опытом, ты это знаешь? Тебя загипнотизировали, и ты исполняла приказания, а они, те, кто проводили опыты, записывали, как ты себя ведешь, как все исполняешь. А чтобы ты была податливей и послушней, они ввели в тебя лекарство, наркотик, в самый позвоночник, но так, чтобы ты не заметила, да, именно разрушающий наркотик любви. Я даже усмехнулась собственной банальности. И ты любила, но во имя эксперимента. Чего же мне так хреново? Я уже говорила не про себя, а бормотала вслух. Я никогда не чувствовала себя так низко. Бог ты мой, как же мне хреново!

ГЛАВА СОРОК ПЯТАЯ

Я увидела Джефри, вошедшего в кафетерий и близоруко крутящего своей высокой головой на длинной шее. Я встала, и он заметил меня.

— Все в порядке? — спросил он. — Мне показалось, что что-то случилось.

Я кивнула, но, наверное, так отрешенно, что он понял, что ко мне лучше сейчас не приставать, лучше оставить в покое.

Мы вышли и молча сели в машину. Я понимала, что надо сказать, куда ехать, но я не знала куда, я даже не знала, почему позвонила ему. Кажется, он заметил мою растерянность и чуть наклонился вперед, чтоб заглянуть мне в лицо, он был сдержан, и чуток, и естественен.

— Хочешь, поедем ко мне? — спросил он. — Тебе надо прийти в себя немного.

Я кивнула. Мне было все равно, куда ехать, наверное, лучше всего действительно к Джефри.

В дороге он не сказал ни слова, и я была благодарна ему за это. Начинавшийся час пик сбивал потоки машин в пробки, и мы подолгу стояли на каждом светофоре. Впрочем, медленное движение шло мне на пользу, первый шок сходил, заморозка отпускала, и я возвращалась в себя, пробивая только что казавшееся непробиваемым отчаяние.

Первые, еще по-прежнему запуганные мысли неловко, ощупью находили пространство в еще частично запеленатом сознании.

Я думала, что с Марком, конечно, все кончено, я не смогу его простить, во всяком случае сейчас, может быть, никогда, и от мысли, что я должна, вынуждена уйти от него, у меня опять все сжалось внутри и захотелось плакать. Но я все же взяла себя в руки, прошел час после первого потрясения, и я не заплакала и разжала спазм.

Бог с ним, подумала я, пусть он экспериментировал, пусть использовал меня, но бог с ним, я справлюсь, я смогу.

Единственный нерешенный вопрос, на который по-прежнему у меня не было ответа, лишь догадки, множество запутанных догадок, оставался все тем же: нашел ли Марк решение до того, как нашла его я, или нет? Вел ли он меня к уже известному для него результату, или шел вместе со мной, следуя за моим чутьем и интуицией или талантом, не все ли равно, как назвать.

Если верить Рону, то Марк, конечно, знал ответ до меня. Но Рон не понимает, о чем идет речь, — он вообще не разбирается в психологии, и, очевидно, Марк ему ничего не сказал о нашем открытии, иначе бы Рон вел себя со мной по-другому. Впрочем, Марк рассказывал ему о какой-то своей идее. Ну и что? Идеи могут быть разными. А у Марка их пруд пруди. Так что вероятность, что идея, услышанная Роном, совпадает с моим решением, — крайне невелика.

В любом случае бедолага Рон не показатель. К тому же он так убежден в исключительности Марка, что даже не может поставить под сомнение его беспрекословное первенство. Что же делать, у кого узнать? Не у кого, остается только Марк.

Пока я разбиралась со своими мыслями, мы приехали, я даже забыла, куда именно мы едем, но обрадовалась, что в конце концов приехали. Джефри открыл дверь, и мы вошли в двухэтажный деревянный домик.

— Я снимаю первый этаж, — сказал Джефри, — а на втором хозяева живут, — пояснил он мне.

— У тебя очень мило, — сказала я заходя. И действительно, все было просто, почти по-студенчески, но уютно.

— Что тебе налить? — спросил Джефри, и я задумалась, я выпила бы сейчас что-нибудь покрепче.

— Что-нибудь покрепче, — попросила я. — Что у тебя есть?

— Я тебе смешаю по-своему, я знаю одну комбинацию, — сказал он громко из кухни. Я даже не ответила. Он принес стакан с жидкостью розоватого цвета, а сам сел напротив, я отглотнула, было вкусно и крепко.

— Как профессор? — спросила я и тут же вспомнила: — Ты мне никогда не говорил, что он твой настоящий дед.

Джефри улыбнулся.

— Неудобно было, — ответил он. — Я думал, ты и сама знаешь, мы ведь похожи.

«А ведь действительно похожи, — подумала я, — хотя и разные».

— Да, видишь, как все получилось с ним, — сказал Джефри скорее самому себе и замолчал. — Да, — начал он снова, — неудачно. Он ведь еще все может, абсолютно все, а тут так подкосило. — Он покачал головой. — Я должен был уезжать через неделю, да теперь, видно, придется задержаться на месяц, а может быть, и дольше, пока он не оправится.

«Уезжать» — выделил мой слух из общей массы слов.

— Куда ты уезжаешь? — я почему-то почувствовала волнение.

— Я ведь место получил в Чикаго, в университете и в госпитале. Моя интернатура уже три месяца как закончилась, — сказал он, как бы оправдываясь.

— Так ты уезжаешь в Чикаго? — не поверила я и вдруг поняла, что не хочу, чтобы он уезжал. Я почему-то хотела, чтобы он оставался рядом. — И ты согласился, ну, я имею в виду, на эту работу в Чикаго? — Это был глупый вопрос, я знала.

— Да, а что? — Он вскинул на меня глаза.

Я покачала головой. Мы молчали. Пауза была слишком длинной и начинала давить.

— Как твои стихи? — вспомнила я.

— Стихи? — он, казалось, сразу не понял, о чем я. — А, стихи. Пишу стихи. — Он засмеялся. — Все лучше и лучше, хотя еще есть куда улучшаться.

— Почитай.

— Хорошо, — легко согласился Джефри. — Я, кстати, написал стихотворение о тебе, хочешь прочту?

— Да, — ответила я. — Хочу, очень хочу.

Он встал.

— Не могу читать сидя, — сказал он, как бы извиняясь, как бы прося прощения за такую свою причуду. — Я его в Австрии написал, я летом в Вене был месяц. — Он смотрел на меня своими, мне казалось, несфокусированными глазами. И стал читать.

А что слова? Они всего слова,
Трухлявы, и пустынны, и безлики...
И даже самые пронзительные крики
Не выразят так много никогда,
Как тихое движенье рук,
Безмолвье губ,
Но, главное, глаза,
Твои глаза.

Я понял с высоты ушедших дней,
Бессонных и бессмысленных ночей,
Ненужных пробуждений, вялых снов,
Кому-то сказанных зачем-то слов,
Знакомств, рукопожатий и речей...
Я понял с высоты земли ничьей,
Что если что и было у меня,
Так это тихое движенье рук,
Безмолвье губ,
Но, главное, глаза,
Твои глаза.

Когда вдали, внизу блеснет река,
И солнце растворяется в деревьях,
И в три-четыре домика деревня,
Да не деревня даже, ерунда...
И взгляд теряет полотно дороги,
И к тормозу вдруг тянется нога...
И не поймешь, зачем спешишь, куда,
И раствориться хочется в природе
Иль всю ее сполна вобрать в себя.

Так погрузиться хочется в твой взгляд,
Войти в него и стать его частицей,
И если что-нибудь когда-нибудь случится,
Понять, что только сам во всем был виноват,
Что уберечь не смог, не удержал тогда
Я тихое движенье рук,
Безмолвье губ,
Но, главное, глаза,
Твои глаза...

Он читал тихо и очень сосредоточенно, как будто забыв
про меня, как будто не видя, и я воспользовалась этим, и подошла к нему, и подняла голову, чтоб вернуть себе его взгляд,
и когда он закончил, я поднялась на цыпочки и, вся вытянувшись, поцеловала его. Он лишь чуть шевельнул губами, лишь

слегка приоткрыл их, но этого было достаточно, и я проскользнула языком внутрь, и, протянув руку, обняла его за шею, и чуть нажала вниз, чтобы он склонился ко мне — я не могла тянуться так долго и так высоко. Он поддался и пригнулся ко мне, и моя вторая рука пришла на помощь первой, и так они и замкнулись на его шее.

Видимо, он тоже обнял меня и прижал к себе, так как я вдруг почувствовала себя сдавленной его огромными руками, и была не в силах пошевелиться, прижатая к его телу, и не шевелилась. «Я так долго не целовала другого мужчину, что почти забыла, что это каждый раз совершенно по-другому. Так необычно и так хорошо», — пронеслось в затуманенной голове.

Я оставила его губы, задыхаясь, и чуть отстранилась, чтобы он смог воспользоваться тем, что я близко, и взглянула в его глаза призывая. Я сразу поймала его взгляд, в нем была растерянность, он не мог скрыть ее, даже не пытался. И я поняла, что он не решится дотронуться до меня первым, что опять, как тогда в машине, все зависит от меня. Я тоже не была уверена, я не знала: хочу ли, надо ли? — но что-то скользнуло внутри порывисто и требовательно.

«Ты так долго думала о нем, фантазировала, — сказала я сама себе, — представляла его с собой, хотела. Не лицемерь, зачем с собой-то лицемерить».

И я шагнула вперед, и взяла его руку в свою, и поднесла к лицу, и посмотрела на его широкую ладонь и большие, длинные, очень большие и очень длинные и оттого непривычно красивые пальцы. Потом я положила его послушную ладонь на свою щеку, и мое лицо потерялось и пропало в его пальцах, и когда я осознала это, я почувствовала, что щеки мои горят и незаметная мелкая дрожь разбежалась по телу.

«Как хорошо», — снова подумала я. Я медленно отвела его руку, почти вернула ему, но тут же, спохватившись, так же медленно повела назад к себе и, воспользовавшись его незнанием, плавно опустила ее, огромную, себе на грудь. Джефри не шевелился, и именно то, что он, такой большой и сильный, что он может легко раздавить меня, я в этом была уверена, и в то же время такой покорный, и доверчивый, и доверяющий, именно это сочетание как-то особенно взвинтило мои нервы и желание.

Рука его так и лежала на моей груди, и, придавленная ее тяжестью, грудь сама напряглась и отвердела, и даже под майкой, под лифчиком я почувствовала, как почти до боли набух ставший мгновенно упругим сосок. Так продолжалось долго, его рука не двигалась, и мне ее, застывшей на груди, было уже недостаточно, мне нужно было большего, и я положила на нее свою ладонь и прижала, вдавила ее в воспаленную, чувствительную мякоть, которая так жаждала именно такой томящей боли.

Я видела, что Джефри начинает взволнованно дышать, у меня самой мутился рассудок от волнующей странности происходящего, и я, вся подавшись вперед и обхватив второй рукой его запястье, двинула по-прежнему вмявшуюся в меня ладонь, вдоль груди, справа налево, с одного края до другого.

В какой-то момент его ладонь пересекла меня, и обе груди поделили ее, и обе чувствовали ее проникающую теплоту, и обе завидовали той ласкающей нежности, которую получает другая. Я окинула взглядом всю его фигуру и постаралась представить его тело без одежды, каждую его часть, и взгляд мой прошелся от шеи к плечам, к животу, к бедрам и вдруг, пораженный, остановился. «А что, — вдруг судорожно мелькнуло во мне, и я провела потерявшим влажность языком по совсем иссохшим губам, — а что, если он такой же, как и руки?»

Я не могла больше ждать, теряясь в предположении. Мое тело, каждый мой орган требовал подтверждения, мгновенного, незамедлительного, и я не могла, да и не хотела противиться.

Я отпустила его запястье, освободив свою руку, не отрывая, впрочем, другой от его ладони, и протянула ее к его телу, и, как и взгляд, начав с шеи, я опускала ее все ниже и ниже, пока рука не сравнялась со взглядом и не почувствовала невмещающуюся упругость, и я вздрогнула от ее внезапной жесткости и испугалась, но руки не отвела. Джефри потянул свою ладонь к себе, но я ее не отпускала, и она потащила за собой меня и притянула, и я оказалась почти распластанной на его груди.

— Ты уверена? — спросил он тихо, и так как я не поняла вопроса и не отвечала, он добавил: — Я ведь уезжаю скоро.

— Да, — так и не поняв, о чем он, произнесла я, только лишь потому что слово «да» являлось единственным ответом на любой возможный вопрос.

Я пропустила руки под его рубашку и, ощутив непривычные мышечные выпуклости незнакомого тела, начала скорее инстинктивно вытягивать рубашку вверх к его лицу, чтобы, не доверяя умению рук, самой убедиться в правильности своей догадки. Но именно в тот момент, когда его голый торс вырос до уровня моего лица, а мои руки по инерции двигались вверх, пытаясь освободить от рубашки остаток его тела, именно в эту секунду что-то сначала слегка, а потом сильнее, а потом сразу, без перехода, очень сильно кольнуло у меня в спине, и я замерла, не понимая, откуда боль, и потом разом всему телу стало плохо, и мутная волна поднялась внутри, и я отступила назад, потому что почувствовала, что меня может вырвать. Я все же сдержала себя уже на самом подступе, но тошнота не прошла, и тело ломило, и я сразу почувствовала себя больной и ослабевшей.

— Извини, мне что-то не по себе, — сказала я оправдываясь, отходя дальше, на безопасное для нас обоих расстояние.

Джефри стоял в растерянности, видимо не понимая, что происходит, да и как можно было понять такой стремительный и неожиданный переход.

— Мне действительно плохо, Джефри, — сказала я опять, боясь, что он не верит мне. — Я плохо себя чувствую.

И я осела в кресло, и то ли я действительно побледнела, то ли он наконец поверил мне, то ли поверил с самого начала, просто не мог прийти в себя, и только сейчас пришел, сделал несколько шагов ко мне, остановился.

— Да, я понимаю. Ты плохо выглядишь, — произнес он наконец.

— Джефри, — сказала я, — я пойду. Ты извини, я знаю, глупо, но я пойду.

Я чувствовала, что должна уйти прямо сейчас, немедленно, я не могла больше находиться здесь, мне казалось, что моя тошнота выделяется, аккумулируется из воздуха этой комнаты.

— Давай я тебя отвезу, — предложил Джефри, не споря и не уговаривая, но сама мысль о его продолжающемся присутствии была мучительной, казалось, именно она и вызывает тошноту.

— Нет, спасибо, я сама. Мне одной будет лучше, — повторила я, поднимаясь с кресла. — Ты извини, — я хотела подойти поближе к нему, но осеклась, — ты ни при чем, я не знаю сама, что случилось со мной, это просто день такой тяжелый, извини.

Он стоял, не зная, что предпринять, и лишь повторил:

— Ничего, я понимаю. И я вышла на улицу.

Мне сразу стало лучше, то ли от свежего воздуха, то ли от солнца и веселого спокойствия летней погоды, то ли от того, что я осталась одна. Я подошла к автобусной остановке и села на скамейку.

Что же все-таки случилось со мной? — подумала я. Действительно ли во всем виноват этот слишком насыщенный день? Может быть, он просто переполнил меня, ведь сколько всего случилось сегодня — сколько переживаний, эмоций, нервов?

Я уже была готова согласиться, в любом случае, другого объяснения я не могла найти, но в этот момент, хоть и совсем недавнее, совсем свежее, но смутное, едва различимое воспоминание колыхнулось во мне. Как будто ветер поднял и донес до меня частицы воздуха из только что покинутой квартиры, вместе с ее бликами, тенями, но главное, запахами.

Да, подумала я, я не заметила там, рядом с Джефри, так как была слишком возбуждена, слишком увлечена, но все из-за запаха, все дело в запахе. И тут же мое еще не потерявшее память обоняние вернуло на мгновение запах, который был у меня связан теперь с телом Джефри, и опять дурнота, пусть и не так сильно, как недавно, пусть лишь на секунду, подкатила к горлу.

Странно было то, что запах этот был даже приятный, не то хорошей туалетной воды, не то мыла, не то чего-то другого такого же парфюмерного. Он мог бы мне даже нравиться, если бы не был связан с телом, но почему-то, именно исходя от тела, он коробил и угнетал меня. Я спросила себя почему и тут же поняла очень простое: он был чужой, этот запах, совершенно отталкивающе чужой. Поэтому мне и стало плохо, именно из-за противоречия между близким и желаемым телом и запахом, делающим это тело чужим.

Видимо, переход от сильного желания к сильному нежеланию оказался таким резким, что вызвал у меня физическое расстройство — до тошноты, до желания убежать, исчезнуть, лишь бы остаться одной.

Я вспомнила сейчас, что когда-то, когда жизнь еще радовала, мы говорили с Марком смеясь, что именно запах, такой щемящий и возбуждающий, именно естественный запах любимого, родного тела, может быть, он единственный все и определяет и делает это тело и родным, и любимым. Я тогда смеялась, что, завяжи мне глаза и проведи мимо строй мужчин, я именно по запаху все равно различу Марка.

Он тоже смеялся и говорил, что наверняка люди не понимают важности обоняния, что весь животный мир, включая насекомых, держится на нем и существует за счет него, особенно насекомые, настаивал Марк. И только человек узколобо не может различить решающего значения запахов в повседневной своей жизни. И еще я вспомнила сейчас, как Марк однажды пошутил, что следующая его работа будет о влиянии и роли химии вообще и запахов в частности на сексуальные отношения двуногих, и мы оба смеялись, развивая неисчерпаемое богатство темы.

Марк! Мысли вернулись к главному, я ведь чуть не изменила сейчас ему, первый раз за все эти годы чуть не изменила. Эта мысль поразила меня, я не задумывалась над ней ни когда звонила Джефри, ни когда согласилась поехать к нему, ни когда прижималась к его телу.

Но я ведь решила уйти от Марка, в любом случае я решила его оставить, сказала я себе. И тут же возразила: но ведь еще не ушла, и, конечно, если бы что-нибудь случилось там, у Джефри, это была бы измена. Сегодня — еще была бы измена.

Значит, я была готова изменить. Интересно, было бы мне стыдно, мучила бы меня совесть, если бы это произошло, там у Джефри? Я задумалась. Нет, не мучила бы! Странно, почему? — удивилась я собственному признанию. Все же еще один вид предательства.

Подошел автобус, и я поднялась в него, так и не найдя ответа. Я показала водителю проездной и села у окна.

Я знаю почему, вдруг сказала я себе, мой моральный кодекс не запрещает изменять. Более того, — вторая догадка нагнала и подкрепила первую, — в культуре западной цивилизации вообще, и уж во всяком случае в моей русской культуре, нет такого запрета. Система моральных ценностей позволяет совершать измены.

Действительно, в Десяти Заповедях, которые дал Господь Моисею на горе Синай, вместе с заповедями «не убий», «не укради», есть еще заповедь «не прелюбодействуй». И я на самом деле не смогу ни убить, ни украсть, потому что это в крови, в генах, я знаю, что это грех, и не совершу его, во всяком случае при обычных обстоятельствах. Но я могу изменить, потому что измена для меня не грех, потому что в меня тысячелетней западной культурой не заложена мысль об аморальности прелюбодеяния.

Почему же я тогда не изменяла Марку все эти годы? — спросила я себя и тут же нашла самый простейший ответ: да потому что не хотела, потому что любила его! Потому что даже сама мысль о другом, чужом мужчине была для меня нестерпимой, как оказался сейчас нестерпимым этот запах одеколона или чего там вместо него было.

Так значит, вот он ответ: все дело в дискомфорте, именно в физическом и психологическом нежелании изменить любимому человеку, а не в моральных преградах, которые в любом случае отсутствуют. Все дело в любви, как там: «И море, и Гомер — все движется любовью» — кажется, так. А когда любовь исчезает, то и запреты исчезают и ничего больше не сдерживает. Именно так, как едва не произошло сегодня со мной, — добавила я про себя.

ГЛАВА СОРОК ШЕСТАЯ

Я отвлеклась, но, видимо, сознание работало в своем фоновом режиме, видимо, оно умело решать несколько задач одновременно, оставляя меня с самым, в конечном итоге, главным — с результатом. И поэтому, когда я подъехала к дому, я уже знала, что мне делать и, примерно, что и как говорить.

Я не хотела скандала. Первый эмоциональный порыв прошел, и слава богу, я не желала его повторения. Единственное, что я хотела, это чтобы он понял, как больно он мне сделал, как много он зачеркнул. И потом, самое главное, я должна была узнать, не оставляя на потом, узнать наверняка ответ на последний не до конца понятный вопрос: нашел ли он решение до того, как нашла его я?

— Марк, — сказала я сразу, как только вошла. Я не хотела растягивать — зачем? Все понятно, и все решения приняты. — Я все знаю, мне все сегодня рассказали.

Он сразу понял, о чем я говорю, я заметила по его глазам, но все же спросил:

— Что ты знаешь?

— И про то, что ты продавал свои идеи, и про то, почему ты познакомился со мной и затеял все это... — я развела руками, действительно не зная, как назвать — ведь речь шла о моей жизни, о нашей жизни.

Казалось, он не удивился, мне даже показалось, что он был подготовлен. Наверное, Рон успел уже ему позвонить.

— Я думал, что про деньги ты давно знаешь. Странно, что тебе так долго не докладывали.

— Пытались, но я не слушала, а сегодня решилась.

— Зильбер, что ли? — спросил проницательный Марк.

— Какая разница, — ответила я.

— Действительно никакой, — согласился он. — Ну и что ты решила? — спросил он.

Я молчала, вглядываясь в него. Конечно, он понимал, что мне больно. Понимал ли он, что мне противно? Не знаю.

— Во-первых, я хочу тебе сказать, Марк, что это подло, то, что ты сделал.

Он не возражал, он вообще ничего не говорил, только смотрел на меня своими стальными глазами, голубизна так никогда больше и не вернулась к ним.

— Ты сам понимаешь, что это подло!

Я вдруг снова стала заводиться. Одно дело — решить не

нервничать, другое дело — не нервничать. Мне не хотелось, чтобы он вот так отмолчался, больше всего я боялась безразличия. Пусть хотя бы не соглашается, возражает, но не стоит так безучастно, будто ему все равно, будто его ничего не касается.

— Это как посмотреть на дело, — наконец сказал он, но голос его ровным счетом ничего не выражал. — Хотя я понимаю, о чем ты говоришь.

— Марк, — сказала я, чувствуя облегчение от того, что он хоть что-то ответил, — ты использовал меня, чтобы доказать какую-то дурацкую свою теорию. Ведь на самом деле дурацкую, Марк. Ты принес в жертву нашу любовь, — я запнулась, — мою любовь, Марк. И столько лет жизни, и моей, и своей. И наше будущее. Ты сломал наше будущее, Марк.

Я говорила короткими отрывочными фразами — они были весомее и тяжелее — и вставляла его имя почти в каждую из них, и это, мне казалось, еще больше наливало их тяжестью.

— Я не могу поверить, что ради пустого эксперимента ты мог всем пожертвовать. Это ведь глупо. Ты ведь не дурак, Марк. Ты ведь не мог всем пожертвовать ради пустого лабораторного опыта.

Мне становилось все труднее и труднее сдерживать себя, меня душили и злоба, и обида, и страх за будущее без него, и животная боязнь потери его, но главное — мое жалкое бессилие.

— Конечно, нет, — голос звучал глухо, скорее даже угрюмо.

— А зачем же тогда? — почти закричала я.

Он пожал плечами.

— Ну да, я знаю, — мне казалось, мой голос начал срываться, я старалась его удержать, но у меня, видимо, не получалось, — ты хотел сделать что-то большое в науке, чего еще никогда не делал. Но ведь это тоже идиотизм, зачем тебе нужна была я? Я была почти ребенок тогда, ты мог все сделать сам

458

значительно быстрее, за год, два, а не за семь, в любом случае ты не знал тогда, что я смогу тебе помочь! — У меня перестали получаться короткие предложения.

— Ты права, — сказал он, — конечно, я мог сам. — Он мгновенно спохватился: — Хотя не знаю, как далеко бы продвинулся один, без тебя.

— Тогда зачем же, Марк? — я в бессилии опустилась на стул.

— Неужели ты не понимаешь? — казалось, он действительно удивлен.

«Что же еще?» — мелькнуло у меня в голове. Что он еще мог хотеть от меня?

— Я думал, ты поймешь, — сказал он, и мне почти стало стыдно, что я не могу раскусить его еще одну подлую хитрость.

Я усмехнулась.

— Извини, — сказала я, не пряча иронии, — не доросла еще до твоих шуточек. Но потерпи, ты меня еще подучишь немного...

Я слышала, что срываюсь на пошлую ругань, но не могла остановиться.

И вдруг одна стремительная догадка, старое, давно растворившееся воспоминание, древняя, за ненужностью почти разложившаяся мысль мелькнула, и исчезла, и думала, что осталась незамеченной. Но я тут же вцепилась в нее и вернула, и она стала той мгновенной, третьей, самой важной причиной. Я вспомнила, что я когда-то уже подозревала его, впрочем только смутно, еще не понимая в чем, — тогда, много лет назад, когда он сказал, что только родители могут заново вместе с ребенком прожить и детство, и юность, и таким образом как бы омолодиться сами.

— Я знаю, — сказала я, — ты хотел прожить мою жизнь, снова с двадцати лет, лучшие годы, прожить заново еще раз, снова получить то, что недостижимо другим. Поэтому ты и искал меня, поэтому и выбрал. Ты своровал у меня мою молодость, Марк.

На меня опять от обиды и бессилия наплывала дрожащая муть. Я увидела себя тогда, семь лет назад, смотрящей на него и вопросительно, и с обожанием, и с надеждой, а он, я представила, в этот момент думал: подхожу? не подхожу? А ведь правда, он отобрал у меня молодость, а вместе с ней легкость жизни, беззаботность, и присвоил ее себе.

Я посмотрела в его лицо, пытаясь разыскать что-то новое, что раньше, наверное, упускала, и мой долгий, внимательный взгляд подтвердил догадку. Он действительно сейчас легче и беззаботнее, чем был семь лет назад, даже легче и беззаботнее, чем я сейчас. А значит, моложе! «Как это зло и подло», — подумала я, но промолчала. Не было сил заводить все заново, в конечном итоге — не все ли равно.

— А, глупости, — ответил он, и по его изменившемуся тону я поняла, что права. — Ничего я у тебя не своровал, ты чудесно прожила свою молодость, не хуже, чем прожила бы без меня, даже лучше. Да, была у меня такая мысль, или почти такая, ну и что? но что в ней плохого? — так всегда бывает, когда люди живут друг с другом, живут жизнью друг друга, берут друг у друга, отдают...

— Марк, — прервала я его, — к чему демагогия? Ты ведь понимаешь, что для тебя это было умышленной причиной, а для всех остальных неумышленное следствие, а это разница, Марк, большая, принципиальная разница. Умышленность, продуманность все меняет.

Он пожал плечами, ему нечего было возразить.

— К тому же была еще одна причина, — вместо возражения сказал он.

Мне не хотелось снова напрягаться в угадывании.

— Какая же?

— Я любил тебя, — ответил он серьезно. — Я по-прежнему люблю тебя.

— Наверное, — сказала я. У меня защемило сердце, но я выдержала боль. — Тем не менее ты не прекратил эксперимент и довел его до конца.

— Я делал это для тебя. — Он явно пытался оправдаться.

— Это неправда, Марк.

— Хорошо, — легко согласился он. — Не только для тебя, но и для тебя тоже.

Наверное, он так считает, подумала я. И, наверное, так и было, так и есть на самом деле, но разве это меняет дело? Нет, не меняет, лишь усугубляет.

Я чувствовала, что это выяснение пора закончить, оно все равно никуда не вело.

— Если ты все делал для меня, зачем же тебе надо было зимой доводить меня до такого убийственного, невменяемого состояния? — Это был один из двух вопросов, которые мне осталось выяснить.

— Потому что иначе ты вряд ли бы нашла правильный подход.

Я постаралась выразить на лице удивление, если мое лицо еще могло что-либо выражать.

— Видишь ли, — видимо, он решил пояснить, — когда-то очень давно я прочитал книжку о русских иконах и иконописцах, не только о русских, а вообще, но это неважно сейчас. Перед тем как писать божьи лики, они доводили себя голодом, бессонницей и прочими издевательствами до почти полного измождения, культивируя тем самым в себе духовное состояние, которое, как они полагали, поднимает их до Бога.

Он остановился на мгновение, как всегда любил останавливаться, когда рассказывал.

— Я не знаю про Бога, но что так ближе до истины, это точно, — он сощурился. — Даже не просто до истины — до озарения. Я не знаю почему, то ли лишения действительно обостряют чувства, и они — и прежде всего интуиция — становятся более изощренными, то ли еще что-то, но это работает. А тебе именно нужно было озарение. Такие большие вещи без озарения не делаются, — он легко усмехнулся. — Действительно, наверное, только с помощью божественного откровения. Я давно использую такой прием, я именно так и создал свое самое лучшее. Лучшего я хотел и для тебя.

Последняя фраза прозвучала уже слишком театрально.

— Ладно, Марк. Ни к чему это, — я почувствовала себя убийственно усталой, а впереди еще оставался самый важный вопрос. — Скажи, ты нашел решение до меня? — Лицо его опять стало невозмутимо.

— Так и знал, что ты спросишь, — сказал он, но на сей раз не усмехнулся. — Какое это имеет значение? Ты все сделала сама, только ты и никто другой. Это твоя победа, только твоя, я тут ни при чем.

— Ты не ответил на вопрос, Марк. Вопрос был, знал ли ты решение до меня? А имеет ли это значение или нет, об этом позволь судить мне самой.

— Это очень важно для тебя? — спросил он.

— Да, очень, — ответила я и не смогла сдержать издевки. — Мне ведь надо знать, должна ли я платить тебе пожизненный процент.

Он помолчал, его лицо было напряжено, настолько напряжено, что, казалось, выдавало колебания.

— Ты все сделала сама. Я не знал решения, — повторил он, и голос его вдруг тоже зазвучал устало, и эта звуковая усталость, казалось, и была ответом на мой вопрос. Мне показалось, что он сказал неправду.

— Ты пытаешься обмануть меня, — сказала я, надеясь, что он не выдержит моей проницательности.

— Думай как хочешь, — еще более устало произнес Марк. Я поняла, что он больше ничего не скажет.

Я решила не ночевать дома, да я и не чувствовала больше эту квартиру своим домом. Ночью сложно выдержать попытку примирения, ночью и тело, и воля расслаблены, а мне не хотелось мириться. Даже не так, я ведь и не то чтобы ссорилась с ним, просто все вот таким необычным, но, с другой стороны, естественным образом, пришло к своему завершению. Я знала, что теперь не смогу быть с ним вместе, и если бы он даже меня этой ночью и уговорил, я все равно бы потом, рано или поздно, ушла. Так зачем оттягивать? Впрочем, может, он и не стал бы меня уговаривать, но все равно ни к чему.

Я позвонила Катьке и спросила, могу ли я переночевать у нее, и, конечно, она сказала «да». Матвей приехал за мной, я не хотела, чтобы Марк меня отвозил, я собрала самое необходимое, попрощалась с Марком и уехала.

Катька встретила меня без вопросов, да и что тут спрашивать, и так все понятно, но я все равно оценила.

Я жила у Катьки около недели, конечно стесняя их всех, и хотя старалась помогать, как могла, — Катька уже была на каком-то последнем месяце, — особенно ничем помочь, конечно же, не могла. Разве что выгуливала их собаку, большую игривую дворняжку, которую Матвей подобрал где-то месяца четыре назад больным щенком и отпоил специальными собачьими лекарствами. Я никак не ожидала такой трогательной заботы к больным щенкам со стороны Матвея, и это его неожиданно открывшееся качество было мне симпатично.

К концу недели я наконец сняла квартиру, одолжив немного у Катьки, и в воскресенье собиралась переехать и начинать заново обзаводиться хозяйством — все с нуля, все сначала, — но в субботу позвонил Марк. Катька подозвала меня к телефону и, когда передавала трубку, так округлила глаза, что я сразу поняла, и сердце прыгнуло от неожиданности или, наоборот, от ожидания.

— Да, — сказала я, услышав его спокойный, мягкий голос, — привет.

— Привет, — сказал он, — ты как?

— Хорошо, — ответила я осторожно. Я ждала его звонка, я ожидала даже, что он позвонит раньше, и, ожидая, прокручивала разговор в разных направлениях. Но сейчас, когда услышала его голос, ни одна схема не сработала.

— Ты знаешь, — сказал он, — я решил уехать.

Сердце развернулось и стало стучать в обратную сторону.

— Куда? — спросила я.

— В Европу, а может быть, потом еще дальше, по миру. Я, знаешь, никогда по-настоящему не путешествовал, некогда было.

Я почувствовала, как он улыбается.

— Надолго?

Я не могла говорить длинными фразами, я боялась, что он услышит, как у меня дрожит голос.

— Не знаю. На несколько лет. Может быть, года на четыре. Как получится.

— Это долго.

— Как относиться ко времени... Ты через четыре года все равно будешь моложе, чем был я, когда мы познакомились.

Он замолчал, и я подумала, что он закончил, и сказала просто так:

— Да, это странно.

— ...И успешнее, — произнес он, и я не сообразила, что это продолжение предыдущей недоговоренной фразы, и поэтому не поняла.

— Что? — спросила я, заставляя его повторить.

— Через четыре года ты будешь моложе, чем был я, когда мы познакомились, и вдобавок успешнее.

464

Теперь я поняла.

— Ну, это неизвестно.

Я не скромничала, я действительно не знала. К тому же мне было все равно, во всяком случае сейчас.

— Я тебе обещаю, верь мне.

Его голос был и уверенный, и забавно веселый, он понимал, так же, как я, что призыв «верь мне» звучал юмористически.

— Хорошо, верю, — я не хотела спорить.

— Слушай, — сказал Марк, и я поняла, что тема закрыта и теперь мы переходим к главному, — почему бы тебе не жить в нашей квартире.

Я оценила, что он сказал в «нашей», а не в «моей».

— Меня все равно не будет, чего ей простаивать.

— Спасибо, Марк, но я уже сняла. А потом, мне все равно будет неприятно.

— Что? — спросил он, и в его голосе прозвучал испуг.

— Слишком много связано. С тобой, с прошлым. Мне будет тяжело, не хочу.

Он помолчал.

— Тебе деньги нужны?

— Нет, спасибо.

Мне понравилось, что он, во всяком случае, поинтересовался.

— Ладно, — сказал он, и я поняла, что мы прощаемся, — пообещай мне, что мы встретимся, когда я вернусь, независимо ни от чего. Хорошо?

— Хорошо, Марк, обещаю. Независимо ни от чего. Через сколько, года через четыре?

И тут я решила попытаться еще раз.

— Марк, — сказала я, — все же скажи, ты знал решение до меня? Мне это важно, Марк.

— Я ведь уже ответил.

Я ничего не смогла понять по голосу. Это было бесполезно.

— Хорошо, как хочешь. Тогда ты обещай, что мы к этому вопросу вернемся, когда ты приедешь и мы встретимся.

— Хорошо, вернемся, — легко согласился он и усмехнулся, видимо от облегчения, что я отстала, во всяком случае на четыре года.

— Ладно, — я не хотела затягивать, затянувшееся прощание всегда двусмысленно. — Счастливо тебе, постарайся не скучать.

— Не буду, — Марк усмехнулся, — ты же знаешь, я самодостаточный, — он выдержал паузу. — Иногда даже самоизбыточный.

Теперь улыбнулась я, это было смешно сказано и, главное, точно про него.

— Ну, ты пиши, иногда.

Мне не хотелось вешать трубку.

— Не знаю, — ответил он, — может быть. Вообще-то, я не люблю. Да, кстати, — вдруг спохватился он, — тебе тут письмо пришло.

— От кого? — спросила я. Я ни от кого писем не ожидала.

— Не знаю.

— Распечатай, посмотри, — мне не хотелось специально ехать за письмом, еще раз встречаться, и так слишком длинное прощание.

— Доверяешь, значит, — протянул Марк так, что я поняла, что руки его заняты конвертом. — Странно, это стихотворение.

Он помолчал, видимо читая.

— Такое ощущение, что оно посвящено тебе, знаешь что, я не буду читать.

Это было благородно. Я молчала.

— Хочешь, я могу переслать его по почте к Катьке? — спросил Марк.

— Да, — сказала я безразлично, — перешли, почему бы нет? — Мне действительно было безразлично.

— Да, — сказал Марк, — стихи, это ведь здорово, когда тебе пишут стихи.

Я услышала новую озорную интонацию в его голосе и не поняла.

— Все, — сказал он после паузы, — будь молодцом, малыш.

И еще, помолчав, добавил:

— Я буду скучать по тебе.

— Я тоже, — сказала я честно. — Счастливо, пока. — И повесила трубку.

Мне было очень грустно, и печально, и тоскливо, и ныло сердце, и я знала, что именно оно, сердце, вобрало в себя и эту грусть, и печаль, и тоску, и все остальное своеобразие чувств, которое не может быть передано перечислениями слов.

«Вот и все», — подумала я про себя.

ГЛАВА СОРОК СЕДЬМАЯ

Прошло всего несколько месяцев, и Марк, как всегда, оказался прав.

После того как мои статьи были напечатаны, события стали раскручиваться с невероятной и поразительно приятной быстротой, и хоть занудно перечислять свои достижения и успехи, но ради правды жизни придется. Для начала меня вызвали в дирекцию университета, и предложили остаться на кафедре, и, как обычно в таких случаях, выделили место в одной из лучших клиник Бостона, а значит, и Америки, чтобы я могла совмещать научную деятельность с практикой. Формально должность была скромная, но фактически под меня сформировали маленькую группу, и я понимала, что впереди меня снова ждет много работы. Теоретическая часть была сделана, но теперь очередь за практикой, теперь предстояло разработать методику лечения, и то, что сейчас было заключено в сложно читаемых бумажных листах, требовалось перенести на конкретных пациентов, а это было непросто.

Со временем работа моя выдвигалась на различные премии и завоевала многие из них — местные, американские и международные, сначала в психологии, а потом и выйдя за ее пределы. Конечно, каждая премия приносила денежные вознаграждения, отличающиеся по размеру в зависимости от премии, но иногда вполне солидные. Но материальные дивиденды по-настоящему пришли в полном объеме, когда после двух с половиной лет я, наконец, перевела свою теорию в практическую методику.

Университеты и клиники, не говоря уже про всякие большие и маленькие конференции, приглашали меня читать лекции по всему миру. На работе меня сразу сильно повысили, одновременно и на кафедре, и в клинике, и я стала почетным председателем нескольких обществ, на что я соглашалась, лишь бы мне не надо было тратить на мое председательство время.

Вскоре я открыла свою практику, и хотя принимать там могла лишь два дня в неделю, да и то по полдня, у меня сразу набралась очередь на семь-восемь месяцев вперед. При этом вопрос денег практически не стоял: страховые компании предложили оплачивать мои часы по самой высокой ставке.

Одной из первых моих пациенток стала Мэри-Энн, ее болезнь не ушла, а, наоборот, обострилась со временем. Я лечила ее долго и терпеливо, и помогала, и если не вылечила полностью, то, во всяком случае, она смогла через какое-то время жить почти полноценной жизнью.

Еще большей неожиданностью стало то, что я каким-то образом попала в фокус общественности, прессы и телевидения. Все началось, когда я получала одну из своих премий. Молодая — все ведь относительно, — уверенная и полная энергии, да притом ко всему с загадочным акцентом, я действительно выделялась на фоне пожилых, усталых и сухих, по большей части, мужчин. Обо мне сделали телевизионный очерк, я подходила под оба эталона: успешной, как говорится, «сделавшей себя» женщины, для модной идеи феминизма, и под вечно обожаемый образ «американской мечты», в который я с легкостью вписывалась, как и вписывалась во все хрестоматийные описания Золушек. «Девушка-эмигрантка, поначалу даже не владевшая английским, без денег и знакомств, своим упорством, трудом и талантом завоевывает Америку. А с ней деньги, признание, славу!»

За телевизионным очерком хлынули приглашения от журналистов, от телевизионных и радиопередач, и скоро я стала частой собеседницей в самых модных передачах, у самых модных ведущих.

Я, по-видимому, подходила им остатками моей былой живости и еще не полностью утраченной непосредственностью, естественным смехом и способностью легко выйти за регламент — посмеяться и над ведущим, и над аудиторией. Им нравился мой непривычный для них юмор, и они смеялись либо потому, что было смешно, либо потому, что я начинала улыбаться, сигнализируя этим, что я пошутила и что вам, дамы и господа, тоже полагается посмеяться.

Какой-то женский журнал даже напечатал меня на обложке, и это было хотя и пошло, но почетно. К тому же я была не как все остальные на традиционных обложках, в полусуществующем бикини, а в своей врачебной, достаточно закрытой одежде.

Я стала вдруг какой-то интеллектуальной звездой, образцом для подрастающего поколения, олицетворяя своим живым примером нехитросложную и оттого популярную формулу: «Если смогла я, то сможете и вы». И хотя мне очень хотелось при этом показать всем кукиш, но я не могла, хотя бы из приличия. Теперь меня приглашали в университеты и прочие колледжи не только по поводу моей методики, а чтобы поведать юным, как им полагается жить дальше, дабы повторить мой славный подвиг.

Я была модной, и меня звали на все самые престижные сборища — и научного, и прочего интеллектуального мира.

Но все это была суета. Сначала эта разноцветная мишура развлекала меня, но мишура есть мишура, и скоро мне надоело.

Оказалось, что деньги, которых стало наконец-то достаточно, потом много, а потом очень много, — не уменьшили проблем и не прибавили радостей. Я, конечно, поначалу от долгой экономии и нуворишеского жлобства накупила себе всего — и модную машину, и одежду, и аппаратуру, и, конечно, удобную квартиру, но скоро, даже очень скоро, закупочная лихорадка перестала меня увлекать.

Я заперла машину в гараже, предпочитая ездить на трамвайчиках — хоть почитать можно. Одежда меня тоже не слишком волновала, так как я могла по-прежнему не стесняться своей фигуры и, значит, мне не требовалось тратить так уж много, чтобы скрывать свои телесные изъяны, а именно такая одежда стоит денег. Поэтому я без особой радости наблюдала за увеличивающимися цифрами в моих месячных банковских отчетах, так и не зная, как воплотить в жизнь свое вожделенное богатство. Хотя, с другой стороны, думала я, есть — и хорошо, пусть будет, не мешает ведь.

Думая о Марке, а я часто думала о нем, я вспомнила, как он сказал как-то, что сами деньги ничего не стоят, они лишь бумажки, деньги всегда чем-то измеряются. Кто измеряет их в домах, кто в машинах, кто в одежде, кто в драгоценностях, кто в «красивой жизни», и, когда я спросила его, в чем измеряет деньги он сам, Марк, подумав, ответил, что измеряет их «свободой духа». Тогда я усмехнулась — мы тогда уже начинали понемногу ругаться, — но сейчас я вполне поняла, что он имел в виду. Только ведь и свободу духа можно измерять по-разному, впрочем, в любом случае для нее не требуется особенно много наличных средств.

Я скоро устала и от внимания прессы, и от популярных лекций, и от прочей ерунды, и все вернулось в свое русло — в работу, науку, к пациентам, привычкам. Хотя, если честно, шлейф знаменитости все так же продолжает тащиться за мной и я не очень-то борюсь с ним. Он увеличивает мои повседневные возможности, и мне меньше времени приходится тратить на бытовую суету, а значит, больше остается для дела.

Я часто вижусь с Зильбером, вернее, как только он оправился от инфаркта и Джефри уехал, я стала навещать его, и потихоньку мои визиты один-два раза в неделю, по вечерам, стали традицией. Я приношу либо торт, либо варенье, и сладкоежка Зильбер заваривает чай, и мы сидим с ним весь вечер, как в старые добрые времена, и разговариваем о науке, и не только о ней.

Конечно, он сдал за годы, стал как будто ниже и суше, и хотя не потерял своей представительности, но сделался проще и доступнее в общении, и мне с ним теперь совсем легко. Хотя когда он в моем присутствии разговаривает с кем-нибудь по телефону, в его голосе все же проступают старые требовательные нотки. Он не отступил после инфаркта, продолжал ходить на кафедру, читал лекции и делал другую работу. Но было видно, что ему это дается все с большим и большим трудом, и в конце концов он сам сознался себе в этом и сначала перешел на полставки, а потом на половинку от половинки, и так продолжалось, пока я не убедила его, что он может заняться более полезной работой, не приезжая каждый день в университет.

Я уговорила его написать воспоминания о себе и о времени, о людях, которых он знал, о многих, кого несправедливо забыли или кого помнят, но как монумент, а не как живого человека, а Зильбер помнит их именно живыми.

Ему понравилась идея, и все последние годы мы этим и занимаемся. Сначала он продумывает план главы, и мы его обсуждаем, потом наговаривает на диктофон свои мысли, воспоминания. Затем я отдаю пленки одной из своих девочек, она набивает новую главу в компьютер, и, получив напечатанный текст, мы начинаем работать — менять, резать, переставлять, добавлять.

Я делаю это не для забавы, не для развлечения старика, хотя, конечно, работа повышает качество его повседневной жизни. Это будет неспешная и мудрая книга, потому что профессор, потеряв свою высокомерную напыщенность, вдруг приобрел именно мудрость, и такт, и глубину, и думает о том, и замечает то, чего в суете не замечают и о чем не думают другие. Она, эта новая книга Зильбера, которая сейчас уже почти завершена, пропитана доброй и философской мудростью — не формально философской, не по учебнику, а жизненной, человечной и очень конкретной — с высоты долгой и непростой жизни.

Однажды Зильбер мне сказал, что интеллект, или, скажем проще, поправился он, ум человека так же, как и память, не ухудшается с возрастом, как это принято считать, а просто видоизменяется.

— Это как закон сохранения энергии, — сказал он. — Так же и мыслительные способности, они не исчезают вообще, они переходят из одной формы в другую. Действительно, с возрастом что-то начинаешь помнить хуже, на что-то не так быстро реагируешь. Но это лишь означает, что память и ум перешли в какую-то другую часть сознания, и начинаешь вспоминать, что не помнил, забыл раньше, и глубже понимаешь то, к чему раньше относился пренебрежительно и легковесно.

Я спросила про медицину, почему врачи считают, что с возрастом все же мыслительные возможности ухудшаются, на что Зильбер ответил, что официальная медицина на все смотрит с позиции нормы и отклонения от нее. И поэтому — так как, конечно, пожилые люди норме молодых не соответствуют — возрастные изменения и считаются патологией. Но ведь не зря во всех восточных, хотя и не только, культурах, в России, кстати, тоже, добавил он, посмотрев на меня, понятия «мудрец», «мудрость» ассоциируются со старостью. Да и Авраам, и Моисей основные откровения получили от Бога стариками.

Я посмотрела еще раз внимательно на Зильбера и подумала: «А ведь он прав. Во всяком случае, по отношению к нему это совершенно справедливо».

— Наверное, вы правы, профессор, — сказала я.

И так как я соглашалась с ним не так уж часто и вообще не спускала ему даже мельчайших неточностей, я видела: сейчас ему было приятно, что он так легко заполучил мое одобрение.

Зильбер лишь однажды упомянул о Джефри. Он сказал, что жалко, что у нас не получилось, что он бы хотел, чтобы получилось, так как именно нас двоих любит больше всего, каждого по-разному конечно. И так как я промолчала и он не дождался ответа, на который, может быть, и не рассчитывал, он добавил, что он не судья, что, если и не вышло, это для него, в конце концов, ничего не меняет. И больше никогда о Джефри не упоминал.

Иногда по вечерам, когда его очередная глава еще не вбита в компьютер, перед чаем мы ходим гулять по притихшему Бостону, и его свежий океанский ветер, и темные безлюдные улицы с деревянными домиками, и немного усталые фонари на деревянных столбах, какие-то уж очень из детства, бросающие тени от случайного порыва ветра, и этот старый, мудрый, любящий меня, абсолютно бескорыстно любящий, чего почти никогда не бывает, человек, принимающий мои удачи и неудачи как единственно свои, — этот родной мне старик, как и эти ставшие тоже родными мне вечера, как и этот город, делают мою жизнь теплой, и наполненной, и ненапрасной.

Я часто звоню Катьке и иногда, как правило, спонтанно и неожиданно, наезжаю к ней. Она еще больше увеличилась в размере и теперь стала даже не крупной, а большой, что все же странно не портит, а даже подходит и дополняет ее царственную, величавую осанку.

Ее двое мальчишек, такие же рыжие, как и она, не переняли от нее ни спокойствия, ни медлительности, казалось, они родились наперекор своей матери сумасшедшими и неуемными. Они переворачивают дом в постоянных спорах, драках и шумных, с грохотом, с постоянным топаньем убегающих ног и падающих тел, играх.

Матвей совсем не изменился, даже отцовство, кажется, не повлияло на него, он все так же блестит глазами и пытается раскрутить меня на очередной спор, что ему почти никогда не удается.

В доме, помимо собаки, появились кошка, и попугай, и еще большой аквариум с рыбами, и все это, как ни странно, уживается в небольшой квартире, где каждый находит свой уголок, и только иногда оба мальчика, собака и кошка — все сплетаются на полу в перепутанный клубок из смеха, крика, мяуканья и лая.

Из клубка то появляются, то исчезают рыжие детские головки, собачий нос, хвост кошки, а над этой свалкой вдобавок летает возбужденный попугай и орет человеческим голосом даже очень подходящие к случаю забавные слова. И только когда Катька говорит мне «подожди минуту», и идет с кухни, и вырастает над этой перекатывающейся кучей, даже не говоря ни слова, а просто встает над ней, кажется, ее требовательное спокойствие властно передается всем, и попугай смолкает и залетает в открытую всегда клетку, а клубок распадается сам по себе, и все становится на свои места, и на секунду воцаряется тишина. Но только на секунду, а потом дом снова погружается в крики, шум, возню и веселое беспокойство, что и делает дом по-настоящему жилым.

Я сижу на кухне, и смотрю на Катьку, на ее терпеливое счастье, и чувствую, как зависть, но не черная, а белая зависть, заволакивает меня такой же белой, светлой, почти прозрачной грустью. И я думаю, что вот так, наверное, могло бы быть и у меня, но не случилось, а теперь уже наверняка никогда не случится.

Странно, думаю я, по сути я добилась всего, что считается успехом, но что-то все же упустила, потеряла, мимо чего-то прошла, не заметив. И не то что у меня не будет детей, почему нет, еще есть время, наверняка будут, но, боюсь, я уже не смогу дать им вот столько тепла и уюта и незаметной заботы, как делает это Катька. Каждый из нас, видимо, за годы развил свой талант, тот, который считал в себе самым важным, и теперь не имеет ни времени, ни способности развивать другой. И вот, глядя сейчас на Катьку, я не знаю, какой талант важнее и от какого отдача в результате больше, хотя понимаю, что мне просто не хватает честности признаться, что от Катькиного.

Приходит с работы Матвей, и все — и дети, и животные — все забывают и про меня, и даже про Катьку.

— Погляди, — говорит она мне, не стесняясь его присутствия, — его целый день нет дома, он приходит, на детей даже не смотрит, на этих, — она кивает на прочую живность, — вообще не обращает внимания, а они погляди, как к нему льнут. И хотя мне и странно, но в ее голосе нет ни зависти, ни обиды, а только удивление.

И действительно, дети смолкают, и садятся рядом с папкой, и смотрят на него открытыми, светлыми, как у него, глазами.

— Ага, — соглашается Матвей, — вот хотя бы собака. Она, — теперь он кивает на Катьку, — с ней занимается, кормит, гуляет, а смотри!

Действительно, собака вроде бы и занята чем-то своим собачьим, но в то же время взгляд ее безотрывно устремлен на Матвея. Отовсюду: из другой комнаты, из-под стола, из коридора, лежа, стоя — только ему в глаза. Он не говорит собаке слов, он только указывает взглядом, и она, угадывая только ей понятные приказания, счастливая, что ее преданное внимание вознаграждено и она замечена, бежит исполнять — приносит тапочки или газеты или просто подходит, если хозяин хочет ее погладить.

— Я ее не учил ничему. Не знаю, откуда набралась, — говорит Матвей, и в его голосе искренне звучит удивленное равнодушие.

Маленький волнистый попугай уже давно забрался к нему на плечо и что-то влюбленное нашептывает на ухо. Матвей поворачивает голову и, глядя в близкие попугаичьи глаза, серьезно ему отвечает, на что попугай реагирует по-своему и либо смеется, либо вдруг беспокойно задумывается или опять начинает что-то интимно нашептывать.

— У нас абсолютно гениальный попугай, — говорит Матвей. — Я даже не знал, что птица может быть такой умной, как человек, правда. Он как член семьи у нас. Смотри, — говорит он мне и поворачивается к попугаю, — Кеша, поцелуй меня. — И я чуть не падаю со стула, потому что попугай со звонким звуком поцелуя дотрагивается своим гнутым клювом до щеки Матвея и открывает клюв, чмокая его.

— Хорошо, — говорю я, — звук поцелуя я еще понимаю, но откуда он знает, что надо до щеки клювом дотрагиваться. Это ты его научил!

Но Матвей качает головой:

— Честное слово, не учил, понятия не имею. Я же говорю, гениальная птица.

— Ты бы посмотрела, как даже безмозглые рыбы на него реагируют, — говорит Катька с гордостью.

— Да, — подтверждает Матвей, — это совсем непонятно. Ты, Марин, подойди к аквариуму.

Я подхожу, и рыбки все до одной прячутся в негустых водорослях, зарывая носы в песок.

— А теперь смотри, — говорит, приближаясь, Матвей. — Только отойди на шаг.

Я делаю шаг назад, но недалеко, чтобы увидеть, как рыбы, словно по команде, выстраиваются вдоль стенки, и глазеют на Матвея, и тычутся в стекло раскрывающимися ртами, как будто пытаются что-то ему сказать.

— Ну, это просто, — говорю я, — ты их кормишь.

— Нет, — отвечает Матвей, — я их вообще не кормлю, она их кормит.

Он снова указывает на Катьку, и та подтверждает:

— Да, это я их кормлю, но от меня они тоже прячутся.

Я смотрю на него, на всех на них, его домочадцев, людей и животных, замерших от его присутствия, и понимаю то, что не могла так долго понять.

Есть в нем, в Матвее, что-то даже не физическое, а какая-то внутренняя прочность, не обременяющая, не занудливая, а легкая и легко принимаемая надежность, что-то почти нефиксируемое, что приковывает к нему, и располагает, и делает самым важным для всех домашних. Может быть, я и запутанно говорю, может быть, это нечто другое, что я не могу правильно объяснить, но понятно мне, что вот именно таким причудливым образом нашел выражение его, казалось, невыраженный талант.

Я еще раз смотрю на них на всех, и мне снова и спокойно, и радостно за их счастье, и опять немного завидно. Так как не вобрать мне его в себя про запас — чужое это счастье.

ГЛАВА СОРОК ВОСЬМАЯ

О Марке за эти четыре года я ничего не слышала. Он не приезжал, не звонил и не писал ни разу.

Года полтора назад Зильбер, который по-прежнему по молодой привычке, а скорее, по все еще оставшемуся пижонству выписывает европейскую периодику, дал мне какую-то воскресную британскую газету и ничего не сказал, только посоветовал просмотреть.

Я забыла про нее, но, разбирая дома портфель, наткнулась на ее воскресную толщину, и, скорее из любопытства, что там пишут в иностранной прессе, ее пролистала, и обмерла, когда в разделе «Искусство» мой рассеянный взгляд наткнулся на большую фотографию Марка. Рядом находилась статья на полстраницы под заголовком: «Известный американский ученый становится одним из самых популярных поэтов Старого Света».

Название было еще более неожиданным, чем фотография, но я заставила себя оторваться от мелькающих слов статьи, я не хотела проглатывать ее разом, я хотела смаковать ее букву за буквой, слово за словом, прожить с ней весь этот вдруг ставший таким уютным вечер и потому, стараясь сдерживать свое нетерпение, начала с фотографии. Она, к сожалению, была черно-белой, и на плохой газетной бумаге трудно было разобрать подробные черточки лица. Я подумала, что там, где на бумаге гладко, на самом деле могли быть морщинки, тогда как проступающие на снимке шероховатости могли оказаться просто дефектами печати. Самое печальное ограничение наложила черно-белость, я не могла различить цвет глаз, но по всему выражению лица я заподозрила возможное присутствие голубизны.

В целом казалось, что Марк все тот же, не постарел и не изменился особенно, хотя что можно сказать по газетной фотографии?

Я изучала ее с полчаса, а потом с обидой, что все кончается, перешла к статье. Она была разбита как бы на две части: в первой рассказывалось о Марке, а во второй было напечатано интервью с ним.

Оказывается, Марк выпустил сборник стихов, написанных им за последние два года, и сборник этот, говорилось в статье, стал событием в жизни английской интеллигенции и пользуется заметным успехом. Я удивилась и термину «английская интеллигенция», и тому, что стихи где-то все еще могут пользоваться успехом. Там было много других хвалебных — витиеватых и выпендрежных — слов, которые всегда используют журналисты от искусства, считая, видимо, что об искусстве надо писать замысловато, что простые слова лишены красоты и потому, дескать, искусство упрощают.

Из всего навороченного я поняла, что сборник скоро выйдет в Америке и что стихи отличаются новизной и нестандартностью стихосложения и глубиной ассоциативной мысли. Я пропустила прочие не имеющие смысла рассуждения автора, которые я все равно не могла понять. Не из-за сложного языка, слова-то я понимала, но вот сложить их в смысловую конструкцию, называемую предложением, мне не удавалось. Может быть, я отвыкла от вычурно-претенциозного слога, а может быть, во мне именно так, подсознательно, проявилась предвзятость к автору статьи, особенно когда я убедилась, прочитав имя, в его феминной принадлежности. Или я просто не могла сконцентрироваться, потому что меня тянуло, безудержно тянуло к интервью, где, пусть искаженное редакторской правкой, но все же было напечатано слово Марка. И я перестала себя сдерживать.

Вопросы мне тоже показались дурацкими, но два из них задержали мое внимание.

В первом журналистка, ссылаясь на критиков, утверждала, что Марк во многих своих стихах создал новый, необычный, но чарующий стиль. А затем, не зная видимо, как из собственного утверждения составить вопрос, спросила, как Марк может такое мнение прокомментировать.

Марк скромно признался, что это не его задача — судить о новизне подхода, но сказал, что придумал технику создания стихов, когда они как бы вытачиваются из прозы. Он сравнил свой подход с созданием мраморной скульптуры, когда скульптор очень внимательно и кропотливо подбирает кусок мрамора, ища в нем заложенную форму и нужную структуру, вплоть до мельчайших прожилок, и лишь потом начинает вытесывать, выстукивать и вытачивать его в соответствии со своей идеей, придавая камню нужные линии, сгибы и округления.

«Так же и стихи, — сказал Марк. — Если что-то, какая-то тема волнует меня долго и настойчиво, она начинает выражаться глыбой мрамора, которую, впрочем, тоже сложно найти и вырубить. Я выписываю ее скорее как прозу, не стесняясь отсутствия стихотворной формы и рифмы, мне требуется нечто другое, скорее прожилки; видение будущей структуры для меня на данном этапе важнее, чем ее словесное выражение.

А когда глыба вырублена, я начинаю работать над самой скульптурой, то есть над стихотворной формой, — кропотливо и настойчиво. Но теперь, когда суть заложена и я не боюсь ее потерять, форма зависит от моего неторопливого решения, насколько закруглять линии и выделять сгибы или оставлять частично красоту природного камня. Каждый раз я чувствую по-разному и каждый раз рождается свой непохожий конгломерат».

Я читала и думала: нет, он точно не изменился, конечно, он всегда останется собой. Но глаза мои тем не менее опережали мысли, и спешили, и метались, и снова возвращались, начиная заново, боясь упустить самое важное для меня.

Журналистка попросила Марка объяснить, как это он, известный и многообещающий, как она выяснила, ученый, оставил науку и занялся поэзией. Я читала ответ Марка и улыбалась.

«Знаете, — сказал он, — у меня есть близкий друг и в прошлом коллега, — мне понравилось, что он употребил «есть» к «другу», а «в прошлом» применил только к «коллеге», — и вообще важный в моей жизни человек, у которого я много перенял: и легкость, и простоту, и многомерное, очень другое, особое отношение к жизни».

Не может быть, чтобы он про меня, подумала я, и глаза мои моргнули от подлой сентиментальной влажности.

«Так вот, — я еще могла читать, хотя все немного расплывалось, — она сказала однажды, что творчество состоит из двух талантов: таланта восприятия жизни и таланта выражения этого восприятия».

Надо же, запомнил, подумала я, и мне пришлось провести рукой по глазам. Это даже не были слезы, просто набухшие глаза.

«Очень точное замечание, — читала я дальше слова Марка. — Знаете, можно родиться с талантом атлета, или певца, или математика, или каким угодно другим талантом, но можно родиться с талантом творчества вообще. Это такой же, как и все остальные, талант, ничем не хуже, разница только в том, что он не ориентирован ни на что конкретное. А если он содержит в себе в равной мере и талант восприятия жизни, и талант выражения, то он может быть приложен к любой человеческой сфере, а потом, со временем, переориентирован, а потом опять, при желании, перенесен в другую область, и так далее. Все зависит от склонностей человека, от того, что его привлекает. И если присутствует стремление и, наоборот, отсутствует страх рискнуть, то почему бы себя не попробовать в разном. И хотя вероятность успеха невелика, но она ведь тем не менее существует. Да и потом, в чем он — успех? Может быть, сам факт попытки уже достаточное основание для успеха».

Марк, думала я, как это на него похоже! Вот он и здесь придумал что-то свое.

На следующий день я полетела в книжный магазин, но сборника не нашла. Его названия даже не было в компьютере, видимо, он еще не вышел в Штатах, и мне пришлось заказывать его, а потом я ждала недели три, пока он не прилетел из самой что ни на есть Британии.

Я читала стихи Марка и странно узнавала наши ранние и поздние разговоры и споры, даже ссоры, я узнавала себя и, как ребенок, не знала, чего мне хочется больше—плакать или смеяться. И я плакала и смеялась, иногда одновременно.

Действительно, думала я, он сказал правду в этом интервью: не только он изменил мою жизнь, но, может быть, и я тоже хоть в какой-то малюсенькой мере повлияла на его жизнь. И почему-то от этой по-своему корыстной мысли мне становилось немного сладковато внутри, и улыбка одолевала слезы.

Несколько стихотворений были настолько про нас, про наши впечатления, мысли, которыми мы тогда делились друг с другом, что я переписала их и решила сделать частью этих записок.

Стихи ведь, в отличие от прозы, сродни музыке, их трудно читать в первый раз, они требуют большего напряжения, большей умственной и душевной работы, иногда нелегкой. Но потом, когда вникнешь, они, опять же как музыка, не могут приесться, надоесть, наоборот — чем их больше сначала читаешь, а потом бормочешь про себя по памяти, тем большим смыслом обрастает каждое слово, тем больше родится, становится ближе тебе, сначала, может быть, скрытая ритмика стихотворения.

И вот, в который раз склонившись поздним вечером над книжечкой Марка, я снова читаю ее, но уже могу не всматриваться в строчки. Я поднимаю глаза, и устремляю их в зовущее пламя камина, и думаю, вернее выхватываю своим чувством, что он, Марк, собственно, стал самым большим в моей жизни поражением. Но, с другой стороны, понимаю я, нельзя же быть все время победителем.

Что может понимать и чувствовать победитель, кроме звона фанфар? Что эти фанфары могут открыть нового в его жизни? Ничего.

Только проигрыш заставляет тебя остановиться, и задуматься, и вглядеться, только проигрыш оттачивает чувственность, и углубляет видение, и делает более обостренной интуицию.

Что может хотеть победитель, когда захватывает город, кроме разрушения, кроме чужого добра и женщин?

А вот побежденный, который отступил и оставил в городе жену, детей и дом, он начинает страдать, желать и надеяться, и ему открывается про этот мир что-то новое, о чем он раньше не догадывался, когда сам входил в чужие города.

И это странно, но поражения, если все же от них удается оправиться, в результате поднимают выше, чем победы, и только через поражение можно, как ни парадоксально, прийти к по-настоящему большой победе и оценить ее вкус.

Марк — мое поражение, через него я познала мир, и жизнь, и себя, и это поражение со временем и с пониманием стало дороже всех моих побед, и я берегу его — чувство его, память о нем, как не берегу память ни о чем другом.

* * *

Мне позвонил Рон, он часто звонит мне на правах старого приятеля. Как ни странно, это его смешная теория тогда, давно, подтолкнула меня к моему выбору. Впрочем, может быть, теория была и не его, может, ему ее подсказал Марк, не знаю, никогда не спрашивала, а теперь уж точно не имеет никакого значения.

В любом случае, он сообщил, что разговаривал с Марком по телефону, и тот сказал, что планирует приехать через пару месяцев, и попросил передать мне привет, что он, Рон, этим звонком и делает. Я вспомнила, как Зильбер мне однажды сказал, что жизнь почти всегда дает второй шанс.

Другой вопрос, захочешь ли ты воспользоваться им, подумала я.

ИЗ СТИХОВ МАРКА

* * *

Америка притягивает тех,
кто больше ни к чему притянут быть не может.

Да, как-то так случилось, что я тоже
давно уж не читаю нараспев
ни одного раскатистого гимна.
Когда так долго странствуешь — не видно
ни флагов, ни регалий, ни орлов
с потрепанными временем главами,
когда так долго странствуешь — годами,
все как-то сглаживается...
В списке городов
с их конными чугунными божками
ты помнишь лишь себя,
бредущего дворами
одним путем своим,
которым и идешь.

Вдвоем

Мы сидим вдвоем — ты да я —
в тихой, заснувшей кухне,
вечер рассыпается свежестью еще не опавшего дня,
чайник на газовом огне пухнет
и исходит топленым жаром
подмоченного кипятка.
Что до меня,
то я вижу, как будущее вместе с беззвучным паром
выскальзывает в застывшую прореху окна.

Я легко могу дотянуться до твоего плеча,
вязкого, как задутая недавно свеча,
но боюсь обжечься.
От прикосновения становится горяча
не только рука, но и взгляд,
оттого он скользит наугад
по другим, менее опасным предметам:
капля на кране набухает и как капля дождя
на лету рассыпается светом.
Так же и с прошлым — его нету.
Прошлое есть нелепое порождение вчерашнего сна.

Окно скрипит лишь слегка,
напрягая выпуклый ветер,
пальцы твои, переплетаясь,
напоминают сети,
в которые я заплыл из несуществующего теперь далека.

Время — это мгновение, упирающееся в твои глаза.
Время — это плавность груди
под легким шелком халата.
Это, возможно, хрупкий привкус граната,
так его рисовал на своих картинах Дали.

Время только в настоящем обретает реальность.
Как эта кухня,
как, прости за банальность,
твое дыхание во время любви.

Думая о тебе, я вспоминаю антилопу,
которую видел однажды в горах, в лесу,
с пятнистой тяжелой попой,
живущей отдельно от ее напряженного тела,
как бы независимо, на весу.

Сколько бы ты ни говорила «я люблю»,
либо крича, либо шепча мне в ухо,
мне мало,
потому что познание через органы слуха
имеет свои пределы,
но когда я закрываю глаза,
я почти что чувствую прикосновение твоего тела,
как чувствует зрачок на ветру проступившая слеза.

Дело в том, что признание создает ощущение интима,
как запах пожухлых листьев,
как чуть уловимый привкус далекого дыма,
говорящий о где-то существующем тепле,
впрочем, недоступном ни тем, кто рядом с тобой,
ни самому тебе.
Так и твое признание,
будучи нематериальным, оно ускользает,
и очень скоро сознание
требует нового словесного подтверждения
твоих чувств,
и, хотя я не являюсь магистром искусств,
я все же могу оценить их дрожащее натяжение.

Иногда я думаю о тебе как о запахе с тонкой кожей
и тогда, извиваясь на бесчувственной простыне,
я не могу разобраться, что же
тебя останавливает на рубеже
реальности и памяти, потерявшейся во сне.

И лишь позже,
беспокойно забывшись сном,
я вижу себя своим дедом
или, скорее, его отцом,
влюбленным в твою прабабку,
и я понимаю тогда,
что наша судьба имеет генетическую разгадку.

Эти строки написаны не в лирическом стиле,
я пишу их как прозу,
так как не хочу, чтобы твои слезы
к моменту нашей встречи остыли.
Я хочу тронуть губами теплые слезы, без пыли
заросшего одиночества,
я хочу узнать в них пророчество
пьяной бабки
из нашего детства
и ее непонятно откуда взявшейся догадки,
что нам друг от друга никуда в результате не деться,
как никуда не деться лицу от набегающей складки.

Я просыпаюсь ночью. В темноте
сознанье опознать себя не может,
не ведая, кому принадлежит,
какому телу, имени, стране,
как Вечный Жид,
оно неловко мечется. Но все же
ему в укор в конце концов замрет,
как бабочка на коже
                        руки.
Своим прикосновением оно
ее доводит зябкостью до дрожи,
и даже свет, проникнувший в окно,
                        ее не успокоит.

Параноик,
сознание боится потеряться
в причудах сна,
который может свести с ума
своей реальностью.

Мне снова снилась мама.
Она рассказывала что-то и была
своим рассказом слишком беззаботно
увлечена,
и это было странно.

Странно было то, что я не спал,
хотя, должно быть, только что проснулся.
я это понял по дрожанью пульса.
— Ты так во сне стонал, —
она сказала.
— Мне снился страшный сон, —
я вдруг запнулся, —
что ты, ты умерла.
И этот сон едва не свел с ума

меня своей реальностью.
И мне так было больно,
как будто тебя больше никогда...
— Сейчас прошло? — она меня легонько
к себе прижала, как бы обняла.
И боль прошла, мне стало вдруг легко,
казалось, первый раз за много лет,
как будто кровь разбавил свежий снег,
и даже свет, проникнувший в окно,
меня узнать не смог,
хоть он был яркий свет.
Я повторил: — Так ты не умерла?
— Какой ты глупый, ну конечно, нет.
— Но я же видел...
— Просто я спала.
И этот очевиднейший ответ
настолько был естественным, что я
открыл глаза
и ощутил побег
из тела моего живого сна,
сводящего с ума
своей реальностью.

Сознанье вздрогнуло, не в силах разобраться,
куда ему нырнуть,
что есть кратчайший путь
в действительность.
Догнать ушедший сон,
казавшийся реальностью?
или остаться в реальности текущей,
которая еще мгновение назад
с такой
живущей
силой
сама являлась сном?
И только лишь луна своим пустым лучом
его освободила,
и оно

вошло в меня и стало разбираться
в структуре мозга.
Видно, слишком поздно
я посмотрел на лунное пятно,
на этот умерщвленный свет,
мгновение назад проникнувший в окно
еще живым. И тусклый его след,
раздавленный по пустоте стены,
опять, в который раз,
не снял с меня вины.

Когда б мы были счастливы,
и я, проснувшись ночью, ощутил на шее
твое дыханье,
и моя рука, скользнув под бесконечность простыни,
впитавшей с покорностью черты
твоего тела,
его влажный запах,
проникнув в мои поры, растворился
по паутине вен,
заставших в ожидании, не зная,
что дать взамен
за эту ласку.
И коснувшись глади прохладной кожи,
я распознал бы по ее чуткой дрожи,
что мы,
мы счастливы.

Но мы,
мы не счастливы,
мы вновь разделены пространством, временем
и языками стран, которых мы не знаем,
и к тому же
нам знать не хочется.
Наш мир — разлука.
Закон его движенья —
разводить нас дальше,
и подчас, мне кажется,
в природе существует
одно лишь направленье —
друг от друга.
Бессонница, ближайшая подруга
моей фантазии, лишь нас соединяет.
Как слух соединяет голоса,

как связывает мозг со словом «будет»
свои надежды,
только лишь тогда
понятно мне, что страны, города,
как и вплетенье в наши жизни судеб
случайных нам людей,
нам не помеха.
Только лишь года
все расставляют на свои места,
выветривая эхо
из слова обнаженного «судьба».

Дом

Полузасохший дом, морщинами изрытый,
Окошки впалые, припавшие к земле,
И вата между рам причудливо застыла
Сугробами в стекле.

Дверь чахлую, в щелях, тихонько приоткрою,
И мрак сырых сеней вдруг поглотит меня,
Ведро в углу, колоночную воду
Я кружкой зачерпну, с кусками льда.

Шагну вперед, в забытый запах кухни,
И зарево огня в пробеленной печи,
И керосинки свет скользнет по груде угля
Усталым фонарем в ночи.

Я в комнату пройду, под красным абажуром
Стол скатертью накрыт, а слева у окна
Сплетенных нитей цвет на деревянном чуде
Вязального станка.

Большой старик в побитой телогрейке
Тяжелым лбом склонился над столом,
Непознанная мысль, дрожа, замрет навеки
Под медленным пером.

Седая женщина, с морщинистым лицом,
Высокая, с веселыми глазами,
К двум мальчикам приникла и на что-то
Указывает за окном.

А за окном черемуха лишает
Возможности дышать, цветов стена
Надежно укрывает палисадник
От сутолоки дня.

Подъехала машина, из нее
Красивый офицер, смеясь, выходит.
Он беззаботен, весел и находит,
Что жить ему забавно и легко.

С ним женщина, они заходят в дом,
и все в нем вдруг мгновенно изменилось,
шум, беготня, посуды легкий звон
смягчает детский смех,
и женский разговор,
стремительно меняя темы,
раскрашивает мерный баритон
мужского спора,
с жаждой перемены
застыли шахматы,
и, будто бы с трудом,
с акцентом новости читает радиола.

Я пристально смотрю и все хочу понять,
Но голова моя мутится от бессилья,
Я знаю все про них, я знаю, что случится
Через пятнадцать лет и через двадцать пять.

Но в знании моем ни жизни нет, ни силы,
В нем лишь одна печаль и лишь одна тоска,
Загадки Бытия мне не понять причины,
Как и никто ее не понял до меня.

Я отступил к стене, где теплые обои
Меня принять хотят и растворить в себе,
Но нету в том нужды, их кружево простое
По памяти я повторю во сне.

Полузасохший дом, морщинами изрытый,
Окошки впалые, приникшие к земле...
Я вновь вернусь сюда, и вновь все повторится
В моей судьбе.

Вчера я встретил девушку,
у которой волосы были как у тебя.
Я подошел к ней и спросил: «Как дела?»
Она посмотрела на меня в ответ
и сказала: «Да пошел ты, нахал»,
что, очевидно, означало «нет»,
хотя я ей ничего еще не предлагал.
Впрочем, я не расстроился — не в первый же раз.
К тому же, как застоявшейся лавине требуется обвал,
мне порой требуется заведомый отказ.
Он забирает энергию,
которой у меня такой навал,
что я не успеваю спускать ее в унитаз.

Видимо, поэтому ты приснилась мне ночью.
Дело даже не в том «кончу — не кончу»,
для поллюции уже возраст не тот.
Просто сначала стало щекотно щеке, потом висок.
Я провел рукой, чтобы смахнуть, как казалось, твой волос,
а потом сразу голос.
Он был тих, одинок,
как будто просил прийти.
«Заезжай, — говорила ты, — тебе ведь почти по пути.
Подумаешь, какой-то час или два...»
Я открыл глаза.
В воздухе было темно. Лишь едва-едва
белела плывущая на ветру занавеска.
«Как невеста», —
зачем-то подумал я.
Потом промелькнуло нечто подобное тени,
вроде как грудь, плечи, контур шеи,
особенно понравился переход от талии
к ширине отточенного бедра.

496

Как будто это не линия, а чья-то от лени
не вполне законченная игра.
А потом я снова заснул,
и утром проснулся хмур,
разбит и разлит,
как будто прямо сейчас опять
пора нагружать кровать
еще одним сном.
Я глядел в потолок и думал,
что сегодня, но позже, потом,
где-нибудь после обеда,
надо снова встретить ту девушку
с волосами, похожими на твои.
Так она все утро и маячила впереди,
как обещанная тобою ночью победа.
Ведь вряд ли она меня два раза пошлет,
в конце концов, я забавен,
и женщины ценят то,
что я, в отличие от многих других,
не вполне законченный идиот.

Разлука

Как удержать,
когда расстояние, врезаясь в пространство,
раскалывает его на куски,
невзирая на то, что оба они сродни
и в обыденной размеренной жизни
даже создают ощущение постоянства?
Это напоминает ледоход,
когда уже оторвавшиеся льды
перемалывают еще не тронутые,
хотя и те и другие имеют одинаковую ледяную природу,
это приводит к мысли,
что тела, опущенные либо в воду,
либо в другую субстанцию и находящиеся в движении,
ориентированы на акцию разрушения.

Так и я сам, так и расстояние между нами
имеет сходство с отпущенным на волю цунами,
обрушенным на неподвижный остров
с одиноко брошенным там маяком,
в результате оставляя его не только разрушенным,
но и вообще как бы ни при чем
ни к проходящим кораблям, ни к мигающему свету...
А потом,
как бы празднуя свою удавшуюся победу,
устремляется дальше,
даже не пытаясь скрыть своего простого коварства...
Так и я сам,
так и расстояние между нами разрушает пространство.

Как удержать, когда,
если протянешь руку,
то упираешься в воздух?
И рука, почувствовав бессилие и скуку
бесформенной пустоты,

которая давно перешла с тобой на фамильярное «ты»
и пытается стать еще ближе,
не хочет менять на нее уходящую чуткость пальцев.
Чуткость, существующую теперь
только для примитивного дела.
Чуткость, давно разучившуюся трогать
нежность твоего тела.
И в этом предчувствуя схожесть своей судьбы
с судьбой давно вымерших неандертальцев.

Как удержать, когда взгляд выхватывает
только конкретные очертания конкретных предметов
и не может растечься по твоему
тоже плывущему взгляду,
выделяя только слова:
«нет, нет, так очень сильно, пожалуйста, не надо».
И отсутствие реальных границ
позволяло ему вобрать в себя фантастическое
смешение тел
и никогда не виданных лиц,
и еще приоткрытый в удивленной страстности рот…
Но сейчас, когда все стало наоборот,
и взгляд различает только переднюю ножку стола
или плохо окрашенный подоконник,
он чувствует себя,
как чувствует покойник,
вернее, как чувствует его чуть приподнявшаяся
кверху душа,
что больше, к сожалению, ей никогда
не придется войти в это тело…
Так и я, так и мой взгляд, пусть и несмело
Уже не может соединить тебя со словом «судьба».

Можно ли удержать,
когда бесконечность разлук
не рождает больше ночного желания.

И любой смешавшийся с ночью звук
легко выводит сознание
из ненужности снов.
Когда слово «вновь»
наслаивается на еще одно «вновь»,
и так без конца,
и губы забывают черты твоего лица,
и боятся уже никогда не вспомнить. Когда
одиночество настолько становится частью тебя,
что даже окутывает уютом и паутиной тепла…

Только тогда память пытается воскресить и вернуть
неизбежность не только разлук, но и встреч,
и мозг снова начинает нашептывать
сначала слово «путь», а потом «сберечь».

* * *

Когда-нибудь я тоже обветшаю,
когда-нибудь потом…
Я аккуратным буду старичком
ходить в квартире в байковой пижаме
и завтракать домашним творогом,
и, поднимаясь выше этажом,
я буду говорить, что иду к даме,
идя к соседке с кислым молоком.

Я буду просыпаться под лучом
уже давно привычного рассвета,
его чуть-чуть рассеянного света
достаточно мне будет. Кто о чем,
а я все о газетах.
В их приметах
и в новостях родившегося дня
январь я отличу от января.

А позже, выходя со своего двора,
в костюме, чудной бабочке и с тростью,
как будто бы я собираюсь в гости,
как будто у меня есть в этот день дела,
Я сяду в незаполненный трамвай,
открою непрочитанную книгу,
нелепо обижаться, но обиду
нелепо сдерживать.
И как бы невзначай
я взгляд перевожу на тротуар,
где жизнь себя торопит суетливо,
и в этой суете есть счастье мига,
который я с годами растерял…

А может, был и прав Хемингуэй,
решив вопрос со старостью своей.

* * *

Руки, когда-то трогавшие твою грудь,
проникли и впитались в каждую клетку твоего тела,
и хотя ты была уверена, что их забыла,
и не хотела
их вспоминать,
они неожиданно то и дело
всплывали клеточной выжимкой в сознании
и отправляли разум воспоминаниями,
и ты закрывала глаза, путаясь в прошлом,
в его безвременном расстоянии.

Там же, растворенные клеточной плазмой,
оказались и губы,
когда-то ласкавшие кожу на твоей шее,
так, что дергалась жилка и замирала, немея,
не то от щекотки, не то от страха,
а скорее,
от предчувствия обреченного краха
всего замеревшего тела,
раздавленного и втертого в эти паутинные жилки.
И частично рассыпавшиеся его опилки
смешались с липким запахом вспотевшей груди
и с непонятно чьим,
не то его, не то твоим,
голосом, шепчущим: «Подожди, подожди».

Но время
постепенно лишило память движения,
превращая фильмы воспоминаний в тусклые фотографии
двух или трех случайно оставшихся сцен,
и в какой-то момент ты решила,
что это прошло совсем,
что тебя отпустило

и ты можешь заняться чередой накопившихся дел.
Например, накормить ребенка,
родившегося, ты так и не поняла,
как и когда,
и успевшего вырасти лет до восьми,
и сказавшего тебе: «Отпусти
мою руку, мне больно».
И ты разжала затекшие пальцы
и, пробуя шевельнуть ими, подумала,
что, наверное, не хватает кальция.
И, посмотрев на своего случайного мужа,
представив, что с ним, как всегда,
придется сегодня спать,
решила, что надо будет сказать,
что ты устала и немного простужена,
если не повезет и не удастся сразу заснуть,
нагружая кровать
тяжелым сном,
и, почувствовав его желание к тебе прикоснуться,
пробормотать: «Завтра, потом» —
и отвернуться.

А утром проснуться разбитой
с одним лишь желанием быстрее попасть на работу,
и остаться забытой.
И молить Бога,
чтобы память твоя,
разоренная и опустевшая от разлуки,
подменилась памятью клеток, и та,
выдавленная из груди, шеи, бедра
и даже мизинца,
вновь воскресила руки,
которые только и могут тебя коснуться,
чтобы потом присниться.

* * *

Смотри-ка, за окошком сыплет снег,
а в комнате тепло, цветет герань,
и телек примостился в уголке,
и туфли в упаковке.
И если б не вставать в такую рань,
то можно б приложиться к поллитровке
набухшего от яркости вина,
отправив его с легкостью туда,
куда уже пролились четверть литра...
Поверь мне, милая, в том не моя вина,
что, как бы образно сказать, сошла палитра
с прошедшей, скажем, жизни.
Тут дело не в расплывчатой отчизне,
скорее, в расплывчатой реальности.
Хотя с какой такой уж радости
сдалось нам это прошлое?
Особенно когда
скользит по вороту расслабленно рука,
и взгляд плывет по взгляду,
и губы, приоткрытые слегка,
вымаливают влажностью награду,
и скоро, глядишь, вымолят...

Гляди, раскачивает сумерки луна,
и лампа вторит ей притихшим светом,
и ты пока что не спеши с ответом,
пока мы лишь с тобой в начале сна,
который, как и губы, пахнет летом.

504

Проживши столько лет в пустой квартире,
стирая в тазике,
мечтая о кефире
тяжелым, низким утром…
Я порой хочу уехать,
бросить все к собачьим,
обзавестись хозяйством и женой,
спать с ней обнявшись,
ужинать горячим:
мясным, куриным, жареным, телячьим,
менять белье раз в сутки,
а потом…

родить ребенка, мальчика, назначить
ему смешное имя Элиот и плачем
его смешать день с ночью,
так же, как дождем
окно мешает тишину квартиры.
Я б просыпался рано, на настиле
забот и спешных дел,
и мы вдвоем с наследником
их дружно выполняли, готовя молоко,
а ветер бы бросал в окно
обрывки тьмы.
Мы б пристально глядели,
как сумерки домов на улице серели
и покрывались светом.
Элиот, прижавшись к папе,
жевал бы молоко,
его глаза синели,
переходя в мои.
Да и его лицо,
да и мои черты…

Как будто сон,
подумал я невольно,
уже не разобрать, где я, где он,
как будто время сбросило кольцо,
и снова я стою у изголовья.

* * *

Сейчас, где я,
давно устала ночь тушить рассвет.
Соленый ветер пробует окно
на крепость рамы
и обжигает вздувшиеся нервы,
которые болезненно давно,
отравленные скверной
ночного воздуха,
как въевшиеся раны,
с бессонницей сегодня заодно.
Ты далеко,
и я тебе письмо сейчас пишу,
когда прочтешь, подумаешь — стихами,
а я пишу потерями,
где слово — есть мера времени.
С годами
мы все, конечно, что-то потеряли
в своем одностороннем продвиженьи.
Я ж, к сожаленью,
теряю лишь тебя,
как тело, обреченное одеждой
на ссылку, где лишается надежды
опухшего от влажности дождя.

507

* * *

Я долго жил,
годами,
дольше всех
в твоем воображеньи,
все же умер!
Я не печалюсь,
было бы мне грех
печаль плодить.
Как многосотный улей,
печаль гудит и требует сырца...
Взамен я благодарен.
Как ночами,
бродя по улицам с пустыми фонарями,
которым человек — пустяк, игра,
лишь повод перекинуться тенями...
Я представлял, что где-то за морями,
за днями, тучами, закатами, ветрами,
ты спишь сейчас, конечно не одна,
и сон, забившись между простынями,
рождал в твоем воображении — меня.
Что, в общем, было мне достаточно.
Ведь с нами
живут рожденные ночными снами,
как призрак неслучившегося дня.

* * *

Смывая пыль аэродромов,
пыль перевальных городов,
пыль телефонных разговоров,
от них бегущих проводов.
Смывая пыль переживаний,
когда уже невмоготу,
пыль неслучившихся желаний,
и ожиданий...
И в поту
разбавленную пыль попытки
из ночи в день, из ночи в день,
и пыль раздробленной улыбки,
и пыль потерянных потерь...

Смывая пыль, стою я в ванне,
жую поток живой воды,
я как индус в своей нирване,
я с пенисом своим на ты!

Я так отчаянно лучист,
когда я чист!

По вопросу оптовой закупки книг издательства «Элиот» обращаться по адресу: г. Москва, Ленинградский проспект, д. 78. Тел.: (095) 502-49-34.

Анатолий ТОСС

АМЕРИКАНСКАЯ ИСТОРИЯ

Технический редактор: О. Шумакова
Верстка и дизайн: А. Старищев
Корректор: В. Абрамцева

Формат: 60x84 $^1/_{16}$. Подписано в печать 14.09.2005 г.
Бумага офсетная. Печать офсетная.
Усл. печ. л. 32. Тираж 10 000 экз. Заказ 54341

Издательство: ООО «Элиот»,
129075, Москва, ул. Аргуновская, д. 3, стр. 1.

Отпечатано с готовых диапозитивов
в типографии ОАО «Молодая гвардия»
127994, Москва, ул. Сущевская, 21.

**Стихи из романа «Американская история»
Анатолия Тосса
читает автор**

Спрашивайте в магазинах

Анатолий Тосс

«Лучший роман года!»
Независимая газета

Фантазии
женщины
средних лет

12,95